EL ENIGMA

FINAL

LAS DOCE PUERTAS LIBRO 8

Vicente Raga

addvanza books

Vicente Raga

Nacido en Valencia, España, en 1966. Actualmente residiendo en Irlanda, pero mañana ¿quién sabe? Jurista por formación, político en la reserva, ávido lector, escritor por pasión, guionista, articulista de prensa, viajante impenitente y amante de su familia. Viviendo la vida intensamente.
Carpe diem.

Autor superventas de la serie de éxito mundial de *«Las doce puertas»*, traducida a varios idiomas. Número 1 en los Estados Unidos, México y España. TOP 25 en Europa, Canadá, Australia y Nueva Zelanda.

AVISO IMPORTANTE

Esta novela es el octavo libro de la colección de *Las doce puertas*

Para poder disfrutar de una mejor experiencia, **es necesario respetar el orden de lectura de las novelas:**

LIBRO 1 LAS DOCE PUERTAS

LIBRO 2 NADA ES LO QUE PARECE

LIBRO 3 TODO ESTÁ MUY OSCURO

LIBRO 4 LO QUE CREES ES MENTIRA

LIBRO 5 LA SONRISA INCIERTA

LIBRO 6 REBECA DEBE MORIR

LIBRO 7 ESPERA LO INESPERADO

LIBRO 8 EL ENIGMA FINAL → LIBRO ACTUAL

LIBRO 9 MIRA A TU ALREDEDOR

LIBRO 10 LA REINA DEL MAR

En cada una de las novelas se desvelan hechos, tramas y personajes que afectan a las posteriores. Si no respeta este orden, a pesar de que hay un breve resumen de los acontecimientos anteriores, es posible que no comprenda ciertos aspectos de la trama.

Primera edición, junio de 2020
Segunda edición, enero de 2022
Tercera edición, marzo 2022
Cuarta edición, febrero de 2023

© 2020 Vicente Raga
www.vicenteraga.com

© 2020 Addvanza Ltd.
www.addvanzabooks.com

Fotocomposición y maquetación: Addvanza
Ilustraciones: Leyre Raga y Cristina Mosteiro

ISBN: 978-84-1201897-4

En este momento crucial de la colección de ***Las doce puertas***, no me puedo olvidar de dos personas que conocí allá por los años setenta del siglo pasado. A **Ramón Devesa**, por estar siempre ahí y a **Luis del Rey**, porque, sin él saberlo, me iluminó en el final de esta novela que tienen en sus manos.

ÍNDICE

NOTA DEL AUTOR

En la parte histórica de la presente novela, correspondiente al siglo XVI, todos los personajes que aparecen son reales y existieron en su exacto contexto histórico. No obstante, los hechos que se narran son ficticios y no tuvieron por qué ocurrir de la manera descrita. En la parte actual de la novela, todos los personajes y los hechos narrados son ficticios. Los acontecimientos históricos que se describen en ambas partes se corresponden con la realidad.

En toda la novela se utilizan las fechas de acuerdo con el calendario gregoriano. A efectos de claridad y homogeneidad no se usa el calendario hebreo.

EL ENIGMA FINAL
Volumen doble

La saga de **Las doce puertas** ha ido evolucionando, no tan solo en sus contenidos, sino también en la longitud de sus capítulos y en la extensión de sus novelas.

La primera edición de **Las doce puertas (Libro 1)** contenía unas 70.000 palabras.

Las partes dos a la seis de la saga se movían entre las 75.000 y las 100.000 palabras.

Con **Espera lo inesperado (Libro 7)** se superaron, por primera vez, las 100.000 palabras. Hasta ese momento, había sido la novela más larga de la serie.

La primera edición de **El enigma final (Libro 8)**, el libro que tienes en tus manos ahora mismo, se acerca a las 140.000 palabras, justo el doble que la primera edición de **Las doce puertas**.

Comprende que hay muchas sorpresas que narrar y una aventura que terminar, por eso es el libro más extenso, con diferencia, de la saga.

o RESUMEN DE LOS LIBROS ANTERIORES DE LA SERIE «LAS DOCE PUERTAS»

NOTA DEL AUTOR: Si ya has leído las siete novelas anteriores de la saga de *Las doce puertas*, no es necesario que leas este capítulo. Tan solo es un breve resumen de todo lo acontecido hasta ahora, aunque nunca viene mal recordar ciertos detalles. Yo mismo lo recomiendo. Igual reparas en alguna cuestión que se te puede haber escapado.

Los judíos de finales del siglo XIV en la península ibérica habían acumulado una ingente cantidad de conocimientos en multitud de materias, pero los tenían dispersos en diferentes lugares. Ante el cariz que estaba tomando su relación con los cristianos en aquella época, y ante el temor de perder ese gran tesoro, decidieron protegerlo, reuniéndolo y escondiéndolo en un único emplazamiento. Eligieron la judería de Valencia. No era tan importante como las de Sevilla, Córdoba o Toledo, por ejemplo, pero precisamente por ello la escogieron. Tenía un tamaño medio, no era demasiado conflictiva y estaba bien comunicada. En definitiva, era discreta en comparación con otras mayores. Crearon una especie de confraternidad, formada por diez personas, cuya misión era preservar ese tesoro a través de los siglos, y lo llamaron Gran Consejo. El tesoro era conocido entre ellos por el nombre de «el árbol».

Sin duda fue una idea muy oportuna, ya que poco más de un año después de completar la tarea, en 1391, se produjo el asalto y la destrucción de más de sesenta juderías por todos los territorios del reino de Castilla y de la corona de Aragón, que supusieron la muerte de decenas de miles de judíos. La mayoría de las aljamas no se recuperaron jamás y desaparecieron para siempre. Afortunadamente los miembros del Gran Consejo tenían un plan de escape preparado, que habían llamado *Las doce puertas*, que hacía referencia a las doce puertas que se abrían en la muralla medieval de Valencia a finales del siglo XIV. Su objeto era ponerse a salvo y preservar su tesoro cultural. Una vez ejecutado dicho plan, pasaron a designarse a ellos mismos *puertas*.

Por si todas aquellas desgracias no hubieran sido suficientes, cien años después de aquel desastre, en concreto el 31 de marzo de 1492, Isabel I de Castilla y Fernando II de Aragón, conocidos posteriormente como los Reyes Católicos, ordenaron la expulsión de los judíos de todos los reinos que dominaban, deportación que se completó en el mes de agosto de aquel fatídico año.

El Gran Consejo que protegía el tesoro judío estaba compuesto por diez personas, pero en realidad había un undécimo miembro, que no participaba de las reuniones, cuya identidad permanecía secreta y que tan solo era conocida por el número uno. El Gran Consejo se organizaba a semejanza del árbol *sefirótico* de los cabalistas. Aunque aparentemente dicho árbol contenía diez esferas o *sefirot*, en realidad, existía una undécima *sefiráh*, que es el singular de la palabra *sefirot*. Esa undécima *sefiráh*, llamada *Daat*, permanecía invisible y representaba la conciencia. Era otra forma, en este caso no material y oculta, del *Keter*, de la raíz del Gran Consejo, de su número uno, que en esos momentos era Blanquina March. En consecuencia, tan solo Blanquina conocía la verdadera identidad de la undécima puerta. Su función era ser una especie de copia de seguridad. Entre el número uno y el número once tenían dividido un mensaje propio, que una vez unido, conducía a la localización del árbol. En caso de cualquier eventualidad, como la desaparición de un miembro o del Gran Consejo en su totalidad, tenían la responsabilidad de reconstruirlo, para la preservación de su gran tesoro durante los siglos venideros.

En marzo de 1500 se produjo un hecho de extraordinaria gravedad. El Santo Oficio de la Inquisición española descubrió una reunión del Gran Consejo e irrumpió en mitad de su celebración, provocando la desbandada de todos sus miembros e incluso la captura del número cuatro, Miguel Vives, y su posterior relajación y muerte en la hoguera.

Blanquina March, que era la puerta número uno, decidió, por seguridad, trasladar el árbol a otro emplazamiento diferente y encargó el trabajo a la undécima puerta, que era el maestro cantero Johan Corbera, ya que no era ni conocido ni perseguido por la Inquisición, además pertenecía a la iglesia católica. Tomó otra decisión de gran calado, disolver el Gran Consejo. No sabía qué conocimientos podría tener la Inquisición y no se quiso arriesgar a poner en peligro la propia existencia del árbol, el gran tesoro judío.

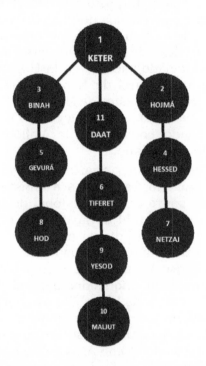

Blanquina March falleció muy joven a consecuencia de la peste negra y heredó su puesto en el Gran Consejo, como nuevo número uno, su hijo Luis Vives, el gran humanista valenciano, español y europeo, que en aquel momento histórico tenía tan solo dieciséis años. Entre él y Johan Corbera escondieron ese tesoro cultural en una nueva ubicación. Poco después Luis Vives abandonaría España, debido a la presión de la Inquisición sobre su familia. Su padre quiso ponerlo a salvo de su saña, que ya había conducido hasta la hoguera a buena parte de sus primos y tíos.

Luis Vives se convirtió en una figura de fama mundial y sus amigos en España intentaban que retornara con seguridad, a salvo del Santo Oficio, para poder retomar sus funciones como número uno del Gran Consejo, desconociendo la decisión que había tomado Blanquina de disolverlo. Luis Vives da a entender que quiere volver a su país de origen, pero, en realidad, no se atreve. Sabe que no estaría a salvo de la Inquisición española, a pesar de los poderosos amigos que tenía, incluyendo al rey y emperador Carlos I, al papa de Roma e incluso al mismísimo Inquisidor General de España, don Alonso Manrique. No olvidemos que habían quemado en autos de fe a gran parte de su familia, primos y padre incluidos. Luis hace creer, por motivos de seguridad personal, que acepta la cátedra que había dejado vacante en la Universidad de Alcalá de Henares el gran Antonio de Nebrija, cuando en realidad había aceptado la propuesta de la cátedra que le había ofrecido el cardenal Thomas Wosley en Oxford, Inglaterra, donde reside, casado con Margarita Valldaura, natural de Brujas y de origen valenciano.

En Valencia, en el primer cuarto del siglo XVI, el hijo de Johan Corbera, llamado Batiste, hace amistad en la escuela con Amador, cuyo padre es don Cristóbal de Medina y Aliaga, que trabaja para el Tribunal de la Inquisición como receptor del Santo Oficio. También entabla amistad con Jerónimo, un extraño niño de nueve años cuyo padre es nada más y nada menos que don Alonso Manrique de Lara y Solís, arzobispo de Sevilla, pero, sobre todo, inquisidor general de España. ¿Os suena? Era el amigo de Luis Vives. Por eso Jerónimo vive en el ala del Palacio Real de Valencia que ocupa el tribunal local del Santo Oficio de la ciudad. Unen a su grupo a Arnau, amigo de su escuela. Tanto Amador como Arnau desconocen quién es el padre de Jerónimo. Ni se lo imaginan, creen que es un poderoso noble sevillano. nada más.

Al final de la cuarta novela de la saga, *Lo que crees es mentira*, se descubre que, precisamente, don Alonso Manrique era el número uno del Gran Consejo, puesto que ha cedido a su joven hijo Jerónimo, coloquialmente llamado Jero, ya que sus múltiples ocupaciones y viajes le impedían desarrollar esa labor. En consecuencia, dado que Johan Corbera también ha cedido su puesto a su hijo Batiste, el número uno del Gran Consejo tiene nueve años, y el número once, trece. ¡Menuda pareja! Sin embargo, según palabras del propio don Alonso Manrique, son la mejor dupla de la historia y la más adecuada para hacer frente a los graves problemas que se avecinan para el árbol judío del saber milenario. No dice nada más. Todos desconocen a qué se puede referir.

Don Alonso Manrique les anuncia que ambos, Batiste (que ya lo era) y que su hijo Jero, se iban a convertir en undécimas puertas, y que, por seguridad, ambos serían los portadores, cada uno de una mitad, del mensaje que conducía al emplazamiento del árbol judío del saber milenario. Que nombraría a otro número uno, el conde de Ruzafa, pero que ningún miembro del Gran Consejo sería portador de una décima parte del mensaje, como había ocurrido desde el siglo XIV. Lo hace por pura distracción para los siglos venideros. Mientras la inquisición o los futuros peligros que la Historia pudiera deparar para el pueblo hebreo se mantuvieran despistados, investigando o vigilando al Gran Consejo, el verdadero conocimiento del Gran Mensaje estaría en posesión de los dos números once, desconocidos y ocultos. Batiste y Jero serían los primeros, pero irían trasmitiendo su mitad del mensaje a sus descendientes a lo largo de los siglos de una manera secreta, sin que nadie supiera de su existencia, ni siquiera se conocieran entre ellos. El Gran Consejo quedaba vacío de contenido desde ese momento; se convertía en un órgano puramente decorativo.

Mientras tanto, las hermanas vivas de Luis Vives, Beatriz y Leonor, reclaman a la inquisición la injusta incautación de la dote que su madre, Blanquina, que jamás fue condenada. Se encuentran con la firme oposición del receptor, don Cristóbal de Medina, padre de Amador, que, bajo ningún concepto, está dispuesto a devolver los 10.000 sueldos reclamados. Amenaza a las hermanas con repasar todas las notas del Santo Oficio sobre su madre Blanquina, e incluso abrir un proceso contra ella, a pesar de llevar muerta casi dieciséis años. Esto supone un peligro, ya que el Gran Consejo desconoce qué es lo que sabe la inquisición de ellos, y desenterrar un tema antiguo puede ser muy peligroso, como quizá lo sea. El receptor consigue que los inquisidores locales del tribunal de Valencia le entreguen toda la documentación que disponen acerca de Blanquina March. Busca datos en su contra para evitar tener que devolver a sus hijas, Beatriz y Leonor, la dote incautada, incluso las llega a amenazar de forma personal.

Jero y Batiste se asustan. También desconocen qué sabe la inquisición de Blanquina y de su existencia, así que a Jero se le ocurre la genial idea de crear un «tribunal juvenil de la inquisición» para jugar con sus tres principales amigos de la escuela, el propio Batiste, Amador y Arnau. No es casualidad que sea Jero el que proponga como su primer caso a estudiar el de Luis Vives Valeriola, padre del humanista Luis Vives pero, sobre todo y lo que les interesa de verdad, es que es el esposo de Blanquina March. Abren una supuesta causa contra la fama y memoria de ella, ya fallecida. En realidad, es tan solo un pretexto para que Amador sustraiga del despacho de su padre, el receptor don Cristóbal de Medina, la documentación de los expedientes que el Santo Oficio tiene de Blanquina.

En la sexta novela ocurren una serie de acontecimientos que alteran todo lo que creíamos conocer. ¿Cuál es el verdadero papel de Amador en toda la historia? Después de mentirles, ¿es un amigo o un enemigo para Batiste y Jero? Por otra parte, los alguaciles tienen evidencias de que su compañero de la escuela, Arnau, ha fallecido de forma violenta, probablemente asesinado. ¿Por qué y por quién? ¿Qué significa todo este aparente sinsentido? Parece que su universo se está derrumbando delante de ellos.

Ni Batiste ni Jero comprenden nada, pero tienen una cosa clara. No pueden contar con ninguna ayuda, ya que Arnau está muerto y Amador castigado sin salir de su casa y sin poder «tomar prestados» papeles de Blanquina del despacho privado de su padre, el receptor, deciden hacerlo por su cuenta. Para ello acuerdan acceder furtivamente a la biblioteca secreta del tribunal del Santo Oficio de la ciudad, para intentar localizar documentos que hagan referencia a Blanquina March y que no estén en poder del receptor. Hallan cierta documentación, desconocida, pero muy interesante y desconcertante.

Posteriormente quedan para hablar en la habitación de Jero, en el Palacio Real. Batiste, por accidente, descubre un pasadizo secreto que conduce a una especie de gran despacho, con libros y legajos. De repente, la puerta se cierra, dejándolos en su interior. Jero intenta volver a abrir la puerta con sus habilidades con las cerraduras, pero se da cuenta de que ha sido manipulada desde el exterior, para que no se pueda abrir. Sospechan que alguien los quiere muertos, como a su amigo Arnau. Nadie sabe que se encuentran en aquel lugar secreto, dónde ninguna persona ha accedido en muchos años, por lo que se preparan para morir, abrazados.

En la séptima entrega, *Espera lo inesperado*, Batiste y Jero, después de observar la extrema humedad de la estancia, deducen que debe existir alguna corriente subterránea de agua. La localizan, y logran escapar por una acequia de su encierro, que parecía una muerte segura. Jero piensa que su amigo Batiste ha muerto en el intento, ya que no ha sido capaz de mantenerse en el sendero que acompaña a la acequia y había caído al agua, pero descubre que es un gran nadador y se pudo salvar.

El problema al que se tienen que enfrentar, aparentemente irresoluble, es que tienen dos versiones contradictorias de los hechos, con respecto a Amador y Arnau, La primera versión, la de las hermanas Vives, afirman que acompañaron a ambos a sus casas. Amador llegó, pero, según madre, doña Jimena, Arnau jamás lo hizo. Parece que se confirma la versión de la madre de Arnau, ya que los alguaciles han encontrado su cuerpo, con evidencias de haber sido asesinado. Si eso es cierto, la versión de las hermanas Vives se viene abajo. ¿son unas asesinas? Johan Corbera lo niega con contundencia, ya que son gente muy conocida y respetable, pero, cuando deciden visitarlas, han desaparecido de la ciudad, sin dejar rastro. No saben qué pensar. Deciden visitar a Amador, pero no se encuentra en su casa. ¿También ha desaparecido? O sea, se encuentran en un callejón sin salida. Arnau muerto y Amador y las hermanas Vives desaparecidas.

Mientras tanto, el receptor don Cristóbal de Medina y Aliaga, continúa haciendo avances. Accede al pozo de la residencia de los Vives y, acompañado del más famoso alquimista, encuentran trazas de oro y joyas. En el fondo del pozo no hay nada en la actualidad, pero sí hubo un tesoro, en algún momento reciente. Este descubrimiento, que es observado por Johan, Batiste y Jero, escondidos entre las plantas, demuestra que el receptor ya se ha puesto a su altura, en cuánto a conocimientos, y sigue avanzando. Se preocupan mucho, porque ellos no tienen elementos para avanzar en la investigación, sin embargo, su adversario, el receptor don Cristóbal, no ceja de hacer descubrimientos preocupantes para ellos.

En cuanto a la desaparición de Amador, Batiste cree que está muerto, como Arnau. Después de convencer a Jero, muy reacio a profanar una tumba, por sus fuertes convicciones religiosas, deciden desenterrar el supuesto cadáver de Arnau. Jero, a pesar de negarse, acaba cediendo cuando consigue el permiso del arzobispo de Valencia. Batiste piensa que el enterrado es Amador. A la luz de la luna llena lo hacen, y se llevan una monumental sorpresa, inesperada para todos. No se lo esperaban y no saben cómo proceder. Así concluye la séptima parte. ¿Qué es lo que se encuentran dentro del sepulcro de Arnau? Ese enigma lo resolverá, estimado lector, en la presente novela, junto con hechos absolutamente sorprendentes, que ni se imagina.

Mientras tanto, ya en la época actual, en pleno siglo XXI, Rebeca Mercader es una joven de veintidós años, recién graduada en Historia y estudiante de un máster. Para sufragarse sus estudios trabaja a tiempo parcial en el periódico *La Crónica*, estando a cargo de la sección de relatos históricos. Para su absoluta sorpresa, ha sido nominada a un Premio Ondas al mejor *podcast* del año, por unas grabaciones que dejó cuando se fue de vacaciones en verano, con el objeto de que fueran trascritas para su columna semanal en el periódico. Las escucharon sus compañeros de la emisora de radio y las difundieron, sin el conocimiento de Rebeca. Para sorpresa de todos, tuvieron muchísimo éxito y gran audiencia a nivel nacional. Ha firmado un nuevo contrato con una gran cadena de radio y se ha convertido en colaboradora habitual de un programa de gran éxito en toda España. Ha pasado de ser una perfecta desconocida a la fama. Es reconocida allá dónde va, incluso le han propuesto un programa propio en la emisora de radio local.

Los padres de Rebeca fallecieron en un accidente de tráfico cuando apenas tenía ocho años de edad. En aquel momento se fue a vivir con el que creía que era su único familiar vivo, su tía Margarita Rivera, a quién todo el mundo conoce por el diminutivo de Tote. Es comisaria de policía y, hasta hace unos meses, su pareja era Joana Ramos, profesora de Rebeca en la Facultad de Geografía e Historia. Debido a todos los acontecimientos que ocurrieron durante el mes de mayo, se vio obligada a trasladarse a Estados Unidos. Las tres formaban una familia muy feliz que, ahora mismo, estaba rota. Ni Tote ni Rebeca se habían acostumbrado a su ausencia.

Rebeca estudió en el colegio Albert Tatay. Desde que el grupo de amigos terminaron sus estudios hacía cuatro años, y antes de que cada uno de ellos partiera hacia una Facultad diferente para continuar su formación o al mercado laboral, Rebeca y sus compañeros se confabularon para no perder el contacto. Se habían criado unidos durante muchísimos años y no querían perder esa complicidad tan sana. Así, decidieron institucionalizar una reunión semanal, todos los martes, en un lugar fijo, en este caso en el *pub* irlandés Kilkenny's en la plaza de la Reina. Cada uno acudía cuando podía, pero con el paso del tiempo, incluso se habían ido incorporando al grupo personas ajenas al colegio. Fue el camarero inglés del *pub*, llamado Dan, el que les bautizó como el *Speaker's Club*, porque, según él, «mucho hablar y poco beber».

Charly, piloto de línea aérea, era el cachondo del grupo, junto a Fede, que acababa de terminar el doble grado de Derecho y Ciencias Políticas. Pertenecía a una familia muy rica y conocida. En ocasiones se les unía a los dos, el antisistema de Xavier, que era comercial de una empresa. Los tres formaban el trío calavera. Tenían mucho peligro. Almu era la amiga del alma de Rebeca, llevaban estudiando juntas desde los seis años hasta la universidad. Bonet estudiaba robótica y todos pensaban que podría pasar por uno de ellos. Carlota era la más impredecible de todo el grupo, una mente privilegiada cuyas reacciones le daban miedo hasta la propia Rebeca, aunque eran grandes amigas. Su madre había fallecido, después de una larga enfermedad.

Se acababa de reincorporar, después de un año de ausencia por estudios en el extranjero, Carolina Antón, cuyo padre era un diplomático francés que trabaja en la embajada de Madrid. Para completar el grupo, se habían unido, ajenos al colegio, Carmen, una mujer divorciada de cuarenta y seis años que trabajaba en el archivo del ayuntamiento de Valencia y su jefe Jaume, algo mayor que ella y con un parecido asombroso a Harry Potter, según Rebeca. También se había unido al grupo Álvaro Enguix, propietario de una joyería y pareja no oficial de Carlota, aunque cada vez parecía más «oficial».

El día 1 de mayo se presentó en el periódico dónde trabaja Rebeca la condesa de Dalmau, dos veces grande de España y lectora habitual de la sección de Rebeca. Le hace entrega de dos extraños dibujos que ha encontrado en una caja fuerte oculta, que pertenecía a su difunto marido, el conde de Ruzafa. Le pide que resuelva su significado, ya que ella lo desconoce. Al día siguiente la condesa es encontrada muerta en su palacio.

Después de muchas vicisitudes y gracias a la ayuda del historiador Abraham Lunel, historiador muy famoso y experto en la Historia de las Religiones, sobre todo de la hebrea, ya que es de origen israelí, descubren que los dibujos son de procedencia judía y datan de 1391, año en que se produjo el asalto y la destrucción de la judería de Valencia. En realidad, los dibujos representaban un plan de escape del Gran Consejo denominado *Las doce puertas*, que hacía referencia a las doce puertas de la muralla medieval de Valencia. Lo que todos los miembros del *Speaker's Club* desconocen es que Rebeca es la actual undécima puerta. Hace todo lo posible para hacer creer a sus amigos que aquel árbol judío, oculto desde hace seis siglos, ya no existe en la actualidad. Quiere que se le deje de buscar y así se pueda preservar para los siglos venideros.

Posteriormente, Rebeca es convocada a un Gran Consejo, formado tan solo por seis miembros. Todos acuden con la tradicional capa negra con capucha, que no permite reconocer a sus portadores. Para su absoluta sorpresa, Rebeca reconoce la voz de dos personas. De una ya se lo esperaba, la puerta número siete, miembro del *Speaker's Club* y amiga de ella, pero se sorprende muchísimo al reconocer también la voz de la puerta número cinco, que no se lo esperaba jamás. No revela su identidad, pero nos da una pista muy importante, el significado de la *sefiráh* número cinco del árbol *sefirótico* cabalístico, llamada **Gevurá**, la justicia.

Al final del tercer libro, la madre de Carlota le revela, en su lecho de muerte, que es adoptada, y en el final del cuarto, se está a punto de descubrir una gran sorpresa que puede cambiar todo el futuro de Rebeca y Carlota y, quién sabe, quizá también del misterio de *Las doce puertas*. Resulta que ambas son hermanas gemelas, hecho que desconocían, ya que fueron separadas nada más nacer, y se borró todo el rastro de Carlota. Ni siquiera su tía común y hermana de su madre, Tote, que en aquel momento era inspectora jefe del Cuerpo Nacional de Policía y posteriormente se convertiría en la primera mujer en alcanzar el grado de comisaria, fue capaz de averiguar nada, ni siquiera accediendo a las bases de datos e información policial. Carlota había desaparecido del mundo de los vivos nada más nacer.

Ahora, ambas se explican muchas cosas. Su parecido físico, su extraordinaria inteligencia y que su cumpleaños fuera el mismo día. Como queda muy pocos días para la efeméride, deciden celebrarlo de forma conjunta, y a mitad de fiesta, anunciar que son hermanas gemelas, delante de todos los invitados. A Rebeca no le hace demasiada gracia, pero lo acepta. Se lo comenta a su tía Tote, que se espanta en cuanto su sobrina se lo comunica. Muy seria, le prohíbe asistir a esa fiesta, salvo que las tres, Carlota, Rebeca y ella misma, pasen el siguiente fin de semana juntas, además en Madrid. ¿Por qué en Madrid? ¿Qué tiene que ver esa ciudad con ellas? Pronto lo desentrañarán, para su absoluta sorpresa.

Rebeca y Carlota descubren quiénes eran en realidad sus padres. No eran comerciales de unos laboratorios farmacéuticos, como siempre había creído Rebeca y cuestionado Carlota. Eran sus dueños, ellos mismos lo crearon desde el principio, junto con los padres de su amiga del colegio Carol Antón, Carmen y Jacques. Catalina Rivera y Julián Mercader, sus padres, se conocieron en Madrid, mientras ella era la jefa de la unidad de análisis del entonces llamado CESID, ahora Centro Nacional de Inteligencia (CNI), puesto que ocupó desde los dieciocho años, ya que la captaron por ser la mujer con más coeficiente intelectual de España y Julián Mercader un diplomático que trabajaba en la embajada rusa. Catalina, coloquialmente llamada Cata, se ofrece a regalar medicinas a la todavía existente, aunque ya agonizante, Unión Soviética, ante la absoluta sorpresa de sus socios en la empresa, los padres de Carol, ya que no iban sobrados de fondos y era un riesgo financiero muy elevado. Gastaban sus reservas en un proyecto que no les iba a proporcionar ningún beneficio.

Sorprendentemente la idea funciona de maravilla. Se hacen con el control del mercado ruso del medicamento genérico, y cuando definitivamente se desintegra la Unión Soviética y se da paso a la Federación Rusa, les empiezan a pagar por los productos que fabrican, que antes les regalaban. Se convierten en millonarios, con laboratorios radicados hasta en Estados Unidos. «Cuando haces lo que debes, recibes lo que mereces», esa era la frase preferida de Catalina Rivera.

El sentido del viaje a Madrid, aparte de conocer sus raíces, también era otro. Carmen y Jacques habían acordado la venta de los laboratorios a una multinacional suiza del sector. Ya no era lo mismo desde el fallecimiento de Cata y Julián. Ninguna de sus hijas iba a continuar con el negocio, así que pensaron que era la mejor solución, su venta en vida. Cuando Carlota y Rebeca ven el importe de la compraventa en la escritura notarial y les entregan un cheque bancario con una cantidad indecente a cuenta, son plenamente conscientes de que son millonarias. Ya se podrían jubilar sin trabajar más en toda su vida. Su universo ha dado todo un vuelco. Rebeca se asusta y le pide a Carlota que retrasen la celebración conjunta de su cumpleaños, prevista para el martes que viene. Las circunstancias han cambiado de forma radical, y Rebeca tiene miedo. Carlota no solo se niega, sino que advierte a su hermana de que se prepare para la que se avecina.

En la vuelta del viaje de Madrid, ya en el AVE, se produce un hecho muy sorprendente. Tanto Rebeca como Carlota descubren que son convocadas a un Gran Consejo. En el caso de Rebeca se podría comprender, porque aunque tan solo había ocurrido en una ocasión en toda la historia, es la puerta número once, pero, ¿por qué convocan a Carlota también? Rebeca piensa que su hermana gemela podría ser la segunda undécima puerta, oculta, por ello Rebeca se destapa y le revela a Carlota que ella es la undécima puerta. Tote interviene en la conversación haciendo una revelación absolutamente sensacional. Sus padres eran, los dos, las undécimas puertas. Cuando se conocieron, ni siquiera cuando se casaron, lo sabían. Se enteraron apenas después de que Catalina Rivera se quedara embarazada de gemelas. Ese pudo ser el motivo de su separación al nacer y de la desaparición de Carlota de todos los registros, para protegerla si eran descubiertos. Rebeca refuerza su teoría de que Carlota podría ser undécima puerta, como ellos, si ya lo eran sus padres.

Entonces, ¿es Carlota la segunda undécima puerta oculta? Rebeca se lo pregunta directamente, y en el final de la quinta entrega, se limita a responder con una sonrisa incierta, aunque en la sexta novela lo desmiente categóricamente. Jamás ha sido iniciada ni tiene ni la más remota idea de grandes consejos ni de tesoros ocultos.

Rebeca se queda mirando a su hermana fijamente, y tiene el pleno convencimiento que de no le ha mentido. Rebeca, desde pequeña, tiene la habilidad de descubrir si alguien le miente o no, dada su extraordinaria inteligencia. Entonces si Carlota no es la segunda undécima puerta, ¿quién lo será? El Gran Consejo tiene nuevo número uno, y está decidido a reconstruirlo con sus diez miembros y que recupere la función para la que fue creado, en el siglo XIV. Para ello necesita a las dos segundas undécimas puertas y a las mitades de los mensajes que se supone que deben custodiar, para que, una vez unidos, formaran el Gran Mensaje que conduciría al emplazamiento del árbol judío del saber milenario. Recordemos que el Gran Consejo no dispone de ninguna información desde el año 1500, cuando Blanquina decide disolverlo.

El nuevo número uno cree que la segunda undécima puerta es Carlota, y la convoca, por error, a un Gran Consejo. A pesar de que Rebeca la convence para que no acuda. Rebeca insiste, una vez más, en que ella no custodia ninguna parte del mensaje y que no sabe quién es la segunda undécima puerta, aunque no sabe si es creída por el nuevo conde de Ruzafa, el Keter del Gran Consejo, al que Rebeca reconoce perfectamente por su voz.

Mientras tanto, Rebeca y Carlota han celebrado sus cumpleaños por todo lo alto, anunciando a todo el mundo que son hermanas gemelas, sin ser conscientes de lo que ocurre a su alrededor.

El sexto libro termina en un momento dramático. Al igual que en la parte histórica, Batiste y Jero se preparan para morir, encerrados en una estancia secreta del Palacio Real, en la actualidad, Rebeca es asaltada por un desconocido, que le corta el cuello. También es consciente de que le restan pocos minutos de vida, mientras piensa que, quizá, si el cielo existe, se reúna con sus padres.

Los protagonistas de toda la saga se encuentran a punto de morir. Una, Rebeca, porque le han cortado el cuello, y Batiste y Jero porque se encuentran encerrados en una habitación sin aparente salida, que nadie conoce su existencia.

En la séptima novela se descubre que Rebeca no ha fallecido. Se despierta en el Hospital, acompañado de sus «ángeles de la guarda», que la llevan protegiendo desde hace tiempo, por instrucciones de Tote. Son, nada más y nada menos, que las hermanas gemelas Alba, hijas de Bernat Fornell, director de *La Crónica*. Rebeca se enfada mucho con su tía, ya que es muy celosa de su privacidad, y decide dejar su domicilio habitual, para pasar unos días con su hermana Carlota. Se lo comunica a Tote en el trayecto de vuelta de Barcelona, donde ha ganado, contra todo pronóstico, el Premio Ondas a la que estaba nominada.

Descubren que Álvaro Enguix, la pareja de Carlota, no existe, al menos con esa personalidad y ese nombre. La joyería, que supuestamente regentaba, lleva cerrada dos años, y el matrimonio Enguix no tuvo hijos. Entonces, ¿quién es, en realidad, Álvaro Enguix? Fue la persona que agredió a Rebeca, pero desconocen por qué hizo eso.

Como curiosidad, Rebeca se entera de que significa *Yellow Submarine,* que es un disco y una película de Los Beatles. Un cuadro original, pintado en conmemoración de Yellow Submarine, firmado por los propios integrantes de la banda, cuelga en la residencia de los Antón, pero es el mismo que siempre tuvo Rebeca en su casa, de pequeña, cuando todavía vivían sus padres. La madre de Carol Antón le revela a Rebeca que ese cuadro fue el principio de todo. ¿Pero qué significa exactamente? Rebeca visita al abogado de sus padres en Valencia, y le informa de que es el nombre de una sociedad, que es un instrumento de inversión en acciones, propietario, entre otras cosas, de un 20 % del conglomerado de medios del que forma parte *La Crónica,* donde trabaja Rebeca. O sea, ella es una de las dueñas de la empresa en la que trabaja. Se avergüenza y decide ocultarlo a todo el mundo. Ahora se puede explicar algunas cosas que han ocurrido en el pasado. Por ejemplo, como la contrató el director de *La Crónica* con tan solo dieciocho años y ninguna experiencia. Claro, su director, Bernat Fornell, sabía quién era Rebeca y lo que poseía.

Al final de la novela, se descubre un hecho absolutamente sorprendente. Con motivo del enfado entre Tote y Rebeca, esta no tiene claro que su tía quiera seguir siendo su duodécima puerta. Aparte de Tote, tan solo le queda un familiar vivo, su hermana gemela Carlota. En consecuencia, decide pedirle a su hermana que ocupe el puesto que anteriormente habían desempañado Joana y su tía, su protectora, el número doce. Pensaba que aceptaría, pero Carlota se niega, alegando que no podría protegerla, ya que ni siquiera viven juntas. Ante la insistencia de Rebeca, Carlota acaba revelando el verdadero motivo de no poder aceptar el cargo.

Le confiesa que es la segunda undécima puerta, para la absoluta sorpresa de su hermana.

¿Cómo es posible? Rebeca le había interrogado, y Carlota lo había negado, mirándola a los ojos. Le había creído porque estaba convencida que decía la verdad. ¿Qué ha ocurrido? ¿Cómo la ha podido engañar? Nadie lo había conseguido jamás.

Me temo, amigas lectoras y lectores, que todos estos misterios los resolverán en la presente novela, que es el FINAL DE LA SAGA.

Les recomiendo que tengan a mano las otras siete, ya que quizá las necesiten para reconocer las muchísimas miguitas de pan que les he ido dejando durante todas ellas. Tendrán que esforzarse (un poquito) para desentrañar el final de la saga, ya que les va a hacer pensar, incluso puede que tengan que resolver un pequeño acertijo. Desde luego, les puedo asegurar que el final les va a dejar boquiabiertos y desconcertados. Pero si han sido capaces de reconocer ciertos detalles que les he ido apuntando durante toda la saga, quizá tampoco les resulte tan sorprendente.

No adivinen, deduzcan y lleguen a conclusiones racionales, como diría Carlota.

Este final no tiene nada que ver con los que han ido conociendo en los demás libros, ya que no es un final más. Es el final de la saga, y, como tal, tiene que estar a su altura. No esperen indicaciones claras, como en las otras partes. Me temo que tendrán que estrujarse sus poderosas neuronas, como Rebeca y Carlota, para comprender su significado, que va mucho más allá de lo que, ahora mismo, se esperan.

Después de siete entregas de *Las doce puertas*, ya me han ido conociendo un poco. Quizá nada sea lo que parezca, al fin y al cabo.

Esa es la esencia de la saga.

12 DE MARZO DE 1525

—Creo que tienes razón —dijo Johan, dirigiéndose a su hijo Batiste—. Esto es inaudito e incomprensible. No podemos sacar ninguna conclusión.

—Sí que podemos sacar una, pero asusta.

Batiste se había sentado en el suelo, al lado del enterramiento de Arnau, en el cementerio arzobispal de la ciudad. Lo que habían hallado en su interior no entraba en ninguno de sus escenarios posibles. Se cubrió la cara con sus manos.

Jero seguía vomitando, no podía parar. Pensaba que iba a ser más valiente. Hizo un esfuerzo que se le antojó inhumano y, como pudo, casi arrastrándose por el suelo del camposanto, se sentó al lado de su amigo.

—¿Sabes que hueles fatal? —le dijo Batiste, a modo de recibimiento.

—¿Solo se te ocurre decirme eso, ante lo que acabamos de ser testigos?

—Lo siento, Jero. Aún no comprendo nada de lo que significa todo esto... Disculpa mis malos modales, no pretendía ofenderte. Estoy muy nervioso.

—¿Nervioso? Jamás emplearía esa palabra. No sé si te has dado cuenta de que, las consecuencias de nuestro descubrimiento, son completamente inciertas. Tenías razón en insistir en profanar esta tumba, lo tengo que reconocer, aunque hayamos cometido un grave pecado.

—Sabía que algo no estaba bien, pero, desde luego, jamás me pude imaginar esta situación. Lo de nervioso lo decía porque estoy bloqueado, no sé qué pensar ni qué hacer.

—En eso sí que os puedo ayudar —intervino en la conversación Johan, sentándose a su lado.

La tumba de Arnau aún continuaba abierta, enfrente de ellos, como observándoles.

—¿De qué manera? —preguntó Batiste.

—Tomando medidas de precaución.

—Eso no resuelve el problema.

—Resuelve vuestra seguridad, que, ahora, es lo más importante y lo que me preocupa de verdad. Una cosa detrás de la otra.

—Pero eso no nos permitirá avanzar en esta investigación. Es necesario que seamos capaces de comprender lo ocurrido, con todas sus consecuencias, sean las que sean.

—Eres un inconsciente Batiste. Tienes trece años, y aunque te creas invencible, no lo eres. El que hayas tenido razón con el tema del entierro de Arnau, no te convierte, ni mucho menos, en un semidiós. Si te matan, mueres como los demás, y comprenderás que no puedo permitir que eso ocurra, ni poneros en peligro.

—No me entiendes.

—Pues explícate mejor, porque, desde luego que no te comprendo.

—Por supuesto que nuestra seguridad es importante, pero no es lo sustancial —dijo Batiste.

—¡Qué es lo que dices, insensato! —exclamó Johan, que parecía escandalizado—. De eso nada. ¿Acaso no tenéis memoria? Hace apenas tres días intentaron mataros a vosotros dos, y no lo consiguieron de auténtico milagro, dejándoos encerrados en aquella estancia secreta del Palacio Real, sin aparente escapatoria.

—Pero conseguimos salir de allí.

—No seas idiota, Batiste. Reflexionad por un momento, que eso se os da bien ¿Creéis qué, quienquiera que fuese, no lo va a volver a intentar? Esta vez pondrá más empeño, ya que sabe que sois una pareja de chicos con recursos. No esperéis otro error. La próxima vez puede ser la definitiva, y no lo pienso permitir.

—¡Pues sí que nos das ánimos! —siguió Batiste.

—Si lo piensas bien, es la pura y cruda realidad —intervino Jero—. Cuando se entere mi padre de todo lo acontecido últimamente, me temo que su actitud aún será más dura que la de Johan.

—Eso es lo que quiero que comprendáis —continuó Johan—, y así lo entenderá Alonso también. Al margen de lo que acabamos de ver, que, desde luego, merece una explicación, está claro que vuestras vidas corren serio peligro. Una vez solucionado y resuelto el primer problema, vuestra seguridad, pasaremos al segundo.

—Pero... —intentó quejarse Batiste, aunque se notaba su poca determinación.

—No hay pero que valga —le cortó su padre—. Voy a mandar una misiva a don Alonso Manrique. No sé dónde se encontrará. Sé que últimamente viaja mucho, así que tampoco sé cuándo podrá venir a hacernos una vistita a la ciudad, pero hasta que no esté informado de todo lo acontecido, no pienso permitiros hacer nada. Ya sabéis que él tiene muchos más recursos que nosotros. Una situación así es excepcional, tenéis que comprenderlo.

—Yo también quiero hablar con mi padre —dijo Jero, con cierto misterio en el tono de su voz—. Hay cosas que me preocupan.

—¡Toma! ¡Y yo también quiero! —le respondió Batiste—. Después de esto, creo que ha llegado el momento de poner todas las cartas encima de la mesa, ya no valen medias tintas. Tenéis que quitarnos, de una vez, la venda que llevamos en los ojos.

—La propuesta de encuentro con Alonso, yo os lo decía por vuestra seguridad —dijo Johan.

—Pues yo no —le retó su hijo—. Ya está bien de ocultarnos cosas y contarnos verdades a medias. Ahora, más que nunca, necesitamos información.

—Cuando acuda a la ciudad, ya hablaremos de lo que queráis, pero mientras Alonso no esté informado, aquí mando yo —dijo Johan, con voz autoritaria.

—¿Eso qué quiere decir? —preguntó Jero—. ¿En qué se va a traducir, en la práctica?

—Con respecto a ti, voy a hablar con Damián. Le explicaré que corres serio peligro y que he convocado a don Alonso para debatir el tema. Mientras eso no ocurra, quiero que te asigne un alguacil para que te acompañe y te recoja todos los días de la escuela. No andarás solo por las calles de la ciudad ni por un momento. ¿Queda claro?

—Sí —le respondió Jero, casi de forma automática. Estaba pensativo.

—Y conmigo, ¿qué vas a hacer? —le preguntó Batiste.

—Por supuesto que lo mismo. Yo no tengo ningún poder para asignarte un alguacil, así que me tomaré ciertas licencias en mi trabajo, y te llevaré y te recogeré personalmente de la escuela, todos los días.

—¿Eso significa que no podremos jugar ni reunirnos los dos? —preguntó Batiste.

—Vosotros dos, solos y en la calle, desde luego que no —respondió Johan, muy firme—. Por vuestra actitud tan despreocupada, no sé si alcanzáis a comprender la extrema gravedad de la situación.

—Eso es precisamente lo que nos gustaría, entenderla —insistió Batiste—. Pero si no nos dejas que estemos juntos, no lo lograremos jamás.

—Yo no he dicho que no podáis estar juntos, sino que no lo haréis ni en la calle, ni solos. No quiero que deambuléis por ahí sin ninguna compañía.

—¿Eso que quiere decir?

—Que si queréis jugar, que sea en el interior de la escuela, en nuestra casa o en el palacio, y que os busquéis compañía. Ni hablar de estar solos. No quiero más sorpresas desagradables ni ninguna clase de incidente más, por leve que sea. No más sustos.

—Insisto, ¿qué quieres decir con esta explicación? ¿Qué unamos a otro amigo al grupo?

—Es una posibilidad. Otra persona. Me da igual si es amigo o no. Lo importante es que no os quedéis solos, en ningún momento, ¿os ha quedado claro?

—Pero padre, somos las dos undécimas puertas. Para intentar buscar sentido al verdadero problema, necesitaremos hablar de cuestiones que no podrá escuchar otra persona ajena a nuestros secretos.

—¿El verdadero problema? —preguntó Johan, extrañado por la curiosa expresión de su hijo.

—¡Pues claro! Lo que acabamos de ver, en el supuesto enterramiento de Arnau, no es lo importante, ¿no lo comprendes?

—¡Ah! ¿no? ¿Y se puede saber qué es, entonces? ¿Qué puede ser más importante que alguien os quiera muertos?

—Tú lo acabas de decir —le respondió Batiste—. Que «alguien» nos quiera matar.

—No te entiendo.

Jero, que llevaba un buen rato pensativo y en silencio, intervino en la conversación.

—Lo que tu hijo te quiere decir es que tenemos compañía, que no estamos solos.

—¿Dónde? —se levantó Johan, asustado.

—No me refiero aquí y ahora. Lo que Batiste te está insinuando es que alguien más, aparte de nosotros tres y mi padre, es conocedor del tema del árbol judío y lo está buscando. Esa es la compañía a la que me refería.

Batiste se quedó un momento en silencio.

—¿Tú crees?

—Yo no creo —siguió Jero—. Estoy seguro. Es lo mismo que veo reflejado en la cara de tu hijo. ¿Qué sentido tiene que nos quieran a todos muertos? ¿Casualidad? Lo siento, aquí nadie creemos en eso.

—Pero lo que insinuáis es muy grave.

—¡Pues claro! ¿Ahora te enteras? —explotó Batiste—. ¿Por qué te crees que llevo diciendo desde el principio que necesitamos resolver este misterio? Antes nos contabas que primero debemos resolver un problema, y luego el otro. Estás equivocado.

—¿Por qué?

—Porque, en realidad, ambos son el mismo problema. ¿No lo entiendes?

Johan se volvió a quedar pensativo. Quizá su hijo tuviera razón.

—La única persona que se me ocurre que pueda conocer algo de este tema, como así lo ha demostrado, es el receptor, don Cristóbal de Medina y Aliaga.

—Él no tiene nada que ver con este asunto —le respondió Batiste.

—Yo opino igual —dijo Jero—. La persona o personas que están detrás de esto, son otras.

—¿Cómo llegáis hasta esa conclusión? Él está estudiando los papeles de Blanquina, sabemos que ha hecho importantes progresos. Nosotros mismos fuimos testigos de lo que ocurrió en el pozo de las hermanas Vives. Descubrió, por alquimia, que el pozo había albergado un tesoro. Él es el principal interesado en este asunto. Le conviene eliminar a la posible competencia por encontrar el tesoro.

—El principal interesado, quizá, pero, desde luego, no el único.

—¿Qué quieres decir con eso, hijo?

—Todos tenemos claro que está sometido a una gran presión por parte del rey Fernando el Católico. Conocemos el sentido de su nombramiento como receptor, que es salvar de la ruina inminente al tribunal de la inquisición de la ciudad, que languidece. Don Cristóbal le ha hecho una promesa al rey que sabe que no podrá cumplir, de no ocurrir algo extraordinario. Casi diría que un milagro. No se puede pasar de recaudar apenas 50.000 sueldos en un año a casi 400.000 en dos años. Es legítimo que piense que el árbol judío podría ser su salvación. Ese hecho, fuera de lo normal, es el que está buscando desesperadamente.

—Me estás dando la razón con tu explicación —le respondió Johan a su hijo.

—Desde luego que no —intervino Jero, con voz muy firme. Su rotundidad llamó la atención a Johan.

—¿Te importaría explicarte?

—Es muy sencillo. No solo existe una razón. Me atrevería a afirmar que existen dos motivos de peso. El primero es que creo que don Cristóbal es una víctima más en todo este asunto, y el segundo es que no me lo imagino matando por dinero. Una cosa en rapiñar un tesoro, y otra muy diferente es matar. Es un miserable, no un asesino.

—Entonces, ¿dices que es una víctima más? —preguntó asombrado Johan.

—Por supuesto —insistió Jero—. ¿Acaso te lo imaginas asesinando a su único hijo para equilibrar las cuentas del tribunal del Santo Oficio? Ni por un momento. ¿No has visto el cadáver de Amador en la tumba? Tiene la cabeza completamente destrozada y múltiples golpes por todo el cuerpo. No es una muerte cualquiera, se han ensañado con extrema crueldad con él. Ponte en el lugar de don Cristóbal. ¿Crees que si hubiera sido capaz de matar a su hijo, cosa que veo casi imposible, lo hubiera hecho empleando semejante crueldad?

Johan se quedó en silencio, asimilando las palabras de Jero, que concluyó su razonamiento.

—Creo que, a su manera, quería a su hijo, por no hablar de su esposa, que ha huido de la ciudad para ocultar su pena. No es creíble que sea el causante de su muerte, y menos de esta manera tan brutal.

—Entonces, ¿qué conclusiones sacáis?

—Ya te lo había dicho. Lo más preocupante es que no sabemos quién está detrás de todo esto. Es fundamental que lo descubramos —le respondió Batiste.

—Entre otras cosas, porque si no lo hacemos, encontrarán la forma de matarnos, por mucha vigilancia que nos pongas —concluyó Jero—. No solo hay que combatir el síntoma, sino descubrir la enfermedad. Eso es lo importante.

Johan se estremeció. Ahora lo comprendía. Los chicos tenían razón.

Había más actores en el juego.

2 EN LA ACTUALIDAD, MARTES 23 DE OCTUBRE

Rebeca y Carlota se habían acostado tarde, hablando y hablando. Cuando, por fin, se fueron a la cama, Rebeca no se podía dormir, pensando en las locuras que se le ocurrían a su hermana. Primero fue su tatuaje simulando una marca de nacimiento, que podía ser una señal única para que sus padres las supieran reconocer en el futuro, después de separarlas al nacer. Luego llegó la verdadera bomba de la noche. Y con ella saltó todo por los aires. «Pero no una bomba cualquiera, una atómica e inesperada», no paraba de repetirse en la cama. Había entrado en bucle y no era capaz de salir de él.

De todas maneras, el hecho de que se desvelara y apenas durmiera, era una consecuencia de que las palabras de su hermana le habían hecho pensar. Y mucho. Sentía que su mundo se había venido abajo, en apenas un minuto, de forma estrepitosa.

«¿Cómo me pudo engañar?», se preguntaba Rebeca. En realidad, se lo había estado preguntando casi toda la noche, mirando al techo.

Había interrogado a Carlota, mirándola a los ojos, y estaba completamente segura de que no le había mentido, cuando le negó que era la segunda undécima puerta, en el AVE de regreso a Valencia desde Madrid, el fin de semana que se enteraron quiénes eran, en realidad, sus padres.

«¿Cómo consiguió ocultarme un hecho así?», se preguntaba una y otra vez. No se podía quitar esa cuestión de la cabeza. No había forma de detener el bucle.

Después de casi toda la noche reflexionando, había llegado a la increíble conclusión de que no la había engañado ninguna de las dos veces. Jamás lo había logrado nadie, y su hermana no podía ser una excepción. Se negaba a aceptarlo, ni siquiera como mera posibilidad.

«Me resulta increíble, porque estoy segura de que ayer también me dijo la verdad y, ambas cosas a la vez resultan inconcebibles y perturbadoras». Incluso llegó a pensar que había sido iniciada entre una declaración y otra. «Idea absurda, ya que entre la primera negación y esta afirmación, apenas han pasado dos semanas... No ha tenido ni oportunidad ni tiempo. Es imposible».

No le encontraba ninguna explicación racional, y eso la volvía loca.

Decidió dejar las reflexiones para más adelante, no se veía capaz de escapar de la espiral sin salida en la que había entrado. Quizá necesitara darse un poco de tiempo para comprender un problema, que, ahora, se le antojaba completamente irresoluble.

Por otra parte, su día libre había concluido. Hoy ya era martes, y debía acudir a la emisora de radio, para el programa especial dedicado a su Premio Ondas. No se podía hacer la remolona en la cama, así que se levantó, se duchó, se vistió y salió a la cocina. Para su sorpresa, ya estaban Carlota y Rocío levantadas y preparando el desayuno.

—¡Por fin te despiertas! —le dijo Carlota, a modo de buenos días—. Supongo que te acuerdas que esta mañana tenemos que ir a la radio.

—¿Tenemos? Que yo recuerde, tan solo soy yo la que debo acudir.

—A hablar desde luego, yo no me meto en ese estudio ni loca. Pero me gustaría acompañarte, si es posible y no te importa, claro.

Rebeca se lo pensó un momento. No era nada habitual llevar a acompañantes a la emisora, y menos para una intervención tan corta.

—Supongo que no habrá ningún problema —respondió—. La emisora no está preparada para que haya público, pero, en ocasiones, yo misma lo he tenido, así que no creo que haya ningún inconveniente.

—¿Y a ti te importa?

—Claro que no, pero ya te advierto que igual toda la mañana no es de color de rosa.

—¿Por qué dices eso?

—¿Ya te has olvidado de la que liamos el martes pasado en el *Speaker's Club*, en el programa de radio? No creo que el director Carlos Conejos esté muy contento con nuestro comportamiento, sobre todo con el mío. Este fin de semana ha habido una tregua, por la ceremonia de entrega de los Premios Ondas y todo eso, pero hoy volvemos a nuestra rutina diaria. Se acabó el alto el fuego.

—¿Y qué crees que va a pasar?

—Espero una tormenta, y de las gordas. Supongo que cancelarán el programa y me llevaré una buena bronca, no solo por no ser capaz de controlaros, sino por fomentar la revolución.

—¡Viva la revolución! —exclamó Carlota, que le gustaba mucho el grupo Ska-P y, en concreto, su tema *El vals del obrero*. A Rebeca también le agradaba, en eso coincidían. Aún recordaban el año pasado, cuando Xavier les invitó a un concierto. Saltaron y bailaron como nunca, aunque sus temas fueran un tanto irreverentes.

—Eso se lo cuentas al director Conejos, que me parece que no es muy de revoluciones, precisamente. Me parece más del estilo de Carol que el de Xavier, creo que ya me entiendes.

—Perfectamente —le respondió, mientras intentaba imaginarse al director en un concierto de Ska-P. No pudo evitar sonreír.

Tomaron un taxi y salieron hacia la emisora de radio. Nada más ver a Rebeca entrar por la puerta, para su absoluta vergüenza, todos sus compañeros salieron a la recepción y le obsequiaron con un sonoro aplauso, desde el director Carlos Conejos hasta parte de los técnicos. No se lo esperaba, acudía a la radio como un día más.

—Vale, vale. Ya sabéis que os agradezco de corazón vuestras muestras de cariño, pero también conocéis que soy algo vergonzosa.

—Compréndelo. Eres la primera persona de esta emisora que gana un premio de tanto prestigio. Es muy importante para todos —dijo Carlos—. ¡Qué menos que darte una bienvenida acorde con el logro!

—El logro que usted dice, mañana ya no lo recordará nadie —le respondió—. El año que viene habrá otros premiados, y así sucesivamente. Además, es por una categoría menor, tampoco le doy tanta importancia.

—¡Cómo que no! ¡Es histórico para la emisora de esta ciudad! —le respondió el director.

Rebeca abrió el bolso y sacó un objeto, depositándolo encima la mesa de Mara.

Todos se quedaron mirándolo. No comprendían qué estaba haciendo.

—Precisamente por eso quiero que el Premio Ondas esté aquí, y no en un estante de mi habitación, cogiendo polvo. Este tiene que ser su verdadero hogar, porque es más vuestro que mío. Seguro que cuidaréis a mi querido Pegaso mucho mejor que yo.

—¿Lo dices en serio? —le preguntó Mara—. ¿Quién se desprendería de un *Óscar*, por ejemplo? Lo querría conservar enfrente de su cama, para mirarlo todos los días.

Rebeca se rio.

—¿Veis cómo estáis exagerando? Esto no es un *Óscar*. Entendedme bien, no es que no esté orgulloso de él, pero aquí lucirá más que en mi habitación, que, raramente, entra alguien diferente a mí.

—Eso es cierto, lo confirmo —dijo Carlota, con retranca.

Rebeca le dirigió una mirada asesina, pero con cariño.

—¿No me digáis que no es más maja porque no se entrena? —preguntó Mara a los congregados en la recepción, riéndose.

Todos la abrazaron, pero, como se temía Rebeca, toda la felicidad tenía su fin.

—¿Te importa pasar un minuto a mi despacho? —le preguntó el director Conejos a Rebeca. Ahora se giró hacía Carlota—. Será tan solo un momento. Puedes esperarte sentada en los butacones de la entrada.

Así lo hicieron, Rebeca acompañó al director y Carlota se quedó reposando en la recepción. Ambas se imaginaban qué es lo que iba a ocurrir, así que no les pilló desprevenidas la actitud del señor Conejos.

—Como siempre, apenas tenemos tiempo de hablar. Dentro de nada te reclamarán de los estudios —le dijo el director a Rebeca, franqueándole el acceso a su despacho.

—Podemos hablar cuando termine mi intervención en *Buenos días...*

—Lo sé, lo sé —le cortó Carlos—. Intentaré ser lo más rápido posible y resumirlo. Si no nos diera tiempo a terminar, seguimos después.

«A la puñetera calle», pensó Rebeca. «Más resumido imposible, y así me deja en paz de una vez».

Carlos se le quedó mirando, en silencio. Parecía que estaba eligiendo las palabras apropiadas. Rebeca supuso que lo quería hacer de la manera más diplomática posible. Al fin y al cabo, suponía que no resultaba muy normal cancelar un programa de radio de una reciente ganadora de un Premio Ondas.

«Si supiera lo poco que me importa, acabaría en treinta segundos y no se preocuparía nada de nada», se dijo Rebeca, divertida.

Al final, se lanzó.

—Sabes que en esta emisora, porque ya tienes cierta experiencia, trabajamos de una manera muy organizada. No hay otra, si no, sería un caos. Tenemos nuestros objetivos que cumplir, nuestra programación, nuestras escaletas, etcétera. Aunque a veces parece que improvisamos, ni siquiera entonces lo hacemos. Está todo guionizado.

—Sí, ya me he dado cuenta —contestó Rebeca, que se imaginaba lo que iba a ocurrir a continuación.

—El programa del martes de tu club fue un poco eso, un pequeño caos. Tú misma, supongo, que te darías cuenta. No te estoy contando nada que no sepas ya.

—Pues claro. No solo me di cuenta, además yo misma fomenté ese «pequeño caos» que usted dice. Supongo que se daría cuenta de eso también, pero ¿no querían un producto juvenil y fresco? Pues eso es una tertulia juvenil y espontánea de verdad, no esa tontería de los temas de conversación encorsetados, y, discúlpeme, que sé que fue idea suya —contestó Rebeca, que pensaba morir matando—. Aunque no sea el «programa tipo» de la emisora, es mi idea de lo que me pidió. Cumplí con mi parte.

De repente, una persona llamó a la puerta y reclamó a Rebeca para los estudios.

—Si luego tienes unos minutos, terminamos la conversación, será rápido —le dijo Carlos.

—No se preocupe, que lo comprendo perfectamente. No tenga ningún apuro hacia mí —se despidió Rebeca, mientras salía del despacho del director, en dirección al estudio.

Cuando entró en la parte técnica, todos los que no lo habían hecho ya, se levantaron y la felicitaron, no solo por el Premio Ondas, sino por el programa del martes pasado, incluido el productor Borja Martínez, para la absoluta sorpresa de Rebeca, que lo creía enojado con ella.

—Menudo cachondeo montasteis. Me reí muchísimo. No conocía esa faceta tuya gamberra. Como siempre vienes tan modosita y hablas con tanta corrección y educación, te confieso que me sorprendió mucho —le dijo Borja, que a duras penas podía aguantarse la risa.

—¿Modosita? ¿Esa es la imagen que tienes de mí?

—Bueno, a ver si me entiendes. Eres tan guapa, tan rubia, tan inteligente y tan elegante, aunque vengas con vaqueros, además siempre tienes una sonrisa y una buena palabra para todos, incluso tienes a los técnicos, aquí presentes, embelesados, ¿sabes? Eso es lo que, más o menos, quería decir. Igual no me he expresado bien.

—Pues, «más o menos», creo que te has pasado bastante con las alabanzas, que no las merezco —le respondió Rebeca, sonriendo.

—Ni mucho menos. El martes en el programa, y el sábado en la gala de los Premios Ondas, vi tu otra cara, la cara «B», o casi mejor, la «C» de cachonda —dijo, riéndose.

—O la «D», de despedida, en breves momentos —le respondió, con buen humor.

—Es posible, créeme que no sé qué habrán decidido los jefes, eso no lo comentan conmigo, pero no me parece que te importe demasiado, a juzgar por tu actitud.

—Tienes razón, no me importa nada, y eso es porque no viste otra cara mía, como dices. En realidad, es la misma de siempre. Intentar ser educada no tiene nada que ver con tener un puntillo de traviesa, de vez en cuando. Te diría que hasta es saludable.

—¿De traviesa? —ahora el que se volvió a reír fue Borja—. Eso no son travesuras, es mucho más, aunque, eso sí, muy divertidas. No dejes nunca de ser como eres. Al final, la gente auténtica y fiel a sus principios, acaba triunfando en la vida, aunque te pueda dar algunos reveses, de vez en cuando. Lo verdadero perdura, lo falso se acaba pudriendo.

—Pues mira que yo pensaba que estabas sufriendo, por no seguir el guion del programa.

—Y lo hice, no te lo voy a negar, pero me duró cinco minutos. Después ya me di cuenta de que todo iba a salir de una forma más que aceptable. Pero esa es mi opinión personal, ya supondrás que el director y la cadena puedan tener otra. En definitiva, me alegro de que parezcas contenta.

—No parezco, es que lo estoy —le respondió Rebeca, regalándole una sonrisa de oreja a oreja.

«Pues a la cadena no le habrá gustado, pero parece que a la gente sí», pensó. «Aunque comprendo que lidiar con un programa que no puedes controlar sea algo peligroso, y más en directo en el *Speaker's Club*, y prefieran cancelarlo. Lo entiendo y no voy a poner ningún reparo ni problema».

Tal y como le habían anunciado, hoy le tocaba un *magazine* matinal algo especial. No iba a hablar de su habitual sección de curiosidades de la Historia, sino de lo acontecido el fin de semana, en los Premios Ondas. No le habían pasado ningún cuestionario, como era habitual con Javi y Mar, así que no sabía lo que le iba a esperar, pero ya estaba acostumbrada y no se encontraba nerviosa.

Entró en el estudio. Como siempre, estaba sola. Se puso los cascos y escuchó el programa. Ahora estaban con otra sección. En unos minutos empezarían con ella. Levantó la vista, y vio a Carlota observándola a través del cristal, en la parte técnica del estudio. Le levanto el pulgar, en señal de apoyo.

Escuchó, a través de los cascos, decir a Javi que se iban a publicidad y que, en apenas tres minutos, volvían con todo un acontecimiento.

Curiosamente, Rebeca estaba pensando, ahora mismo, en su tía Tote. Suponía que no le haría ni pizca de gracia todo aquello, pero no la tenía en sus pensamientos por eso. Le daba verdadera lástima haberla tratado de una forma tan dura, incluso cruel por momentos, aunque seguía creyendo que había sido necesario. Decidió que ya le había dado la lección que pretendía. Iba a dar por concluido su exilio con Carlota y esta noche ya dormiría en su casa. Luego se lo diría a la petarda. Vivir con Carlota era como estar en un torbellino permanente y agotador, y eso que tan solo habían sido dos días. No sabría si sería capaz de vivir con ella.

—Después de esta pequeña pausa publicitaria, volvemos a estar con todos vosotros —escuchó decir a Mar a través de los cascos.

—Y hoy está con nosotros la estrella de este fin de semana, en la gala de entrega de los Premios Ondas. Tenemos el orgullo de anunciaros, aunque ya os lo anticipamos en el programa de ayer, que vamos a tener el placer de hablar con Rebeca Mercader, como ganadora del mejor *podcast* de la radio española, junto con nuestro compañero periodista Pablo Romero —dijo Javi.

—Buenos días, Rebeca.

—Buenos días a todos, amigas y amigos —dijo Rebeca, en directo.

—Menuda locura de fin de semana, ¿no?

—Nunca mejor dicho, aunque lo primero que quiero es agradecer a todo el personal de este programa y de esta cadena y, cómo no, a los miembros del jurado. Compararme con Pablo Romero y su fantástico *podcast* es algo completamente inmerecido. Y os aseguro que no es falsa modestia, creo que ya me conocéis un poco.

—Muchos de nuestros oyentes te verían en directo por televisión, pero ¿es cierto que te bebiste el premio?

Rebeca se rio. Ya empezaba el fuego amigo.

—¡Oye, Javi! ¡Qué eso fue cosa tuya! —exclamó Rebeca, divertida—. Estaba en una nube, y no me di cuenta de que subí al escenario con un botellín de cerveza en la mano.

—¿Entonces te lo bebiste?

—¡Pues claro! ¿Qué iba a hacer con él, lanzarlo al público? Me lo bebí, pero no sola, me ayudaron los miembros de Cuonda, que ya estaban arriba.

—Hablando de beber, ¿es cierto que te tomaste siete mojitos en tan solo una hora, en la fiesta posterior a la gala? —le preguntó Mar,

—¡Eso es un bulo intolerable! —exclamó Rebeca, ofendida—. Tan solo fueron seis, y uno estaba aguado, que no debería contar.

Todos se rieron.

—¿También es un bulo que el modelo que llevabas puesto era de una modista de fama internacional y que te costó un riñón? —continuó Mar.

—Otro bulo más. Es cierto que era de una buena modista, pero os prometo que tengo los riñones en su sitio, cada uno en el suyo —se rio Rebeca—. Os confieso que he llegado a escuchar que me costó hasta los dos. Ahora estaría muerta.

—Por cierto, muerta nos dejaste con tu estilismo —aprovechó Javi.

—Tampoco fue cosa mía. La cadena puso a mi disposición un *personal stylist*, que, para los oyentes que, como yo, no sean tan *posmodernos*, es lo que conocemos vulgarmente como un estilista de toda la vida. Tengo que reconocer que Andrea Di Cesare Cavalcante, que os prometo que ese era su verdadero nombre, hizo maravillas conmigo —dijo Rebeca, aun acordándose del cachondeo que se llevó con él.

—Dicen que fuiste la más fotografiada y entrevistada de la gala —afirmó Mar—. Y eso que algunos ni te conocían, querían hablar con «la rubia de azul», te lo prometo. Me lo llegaron a preguntar.

—No me extraña, yo también la hubiera entrevistado —le respondió Javi.

—Te recuerdo que lo estás haciendo ahora mismo —le pinchó Rebeca.

—Me refiero aquella noche —se rio Javi.

Así siguieron durante más de veinte minutos, riéndose y haciendo reír a todos los oyentes de *Buenos días*, con las anécdotas conocidas y no conocidas de la gala.

Después de unos treinta minutos, Javi y Mar dieron por concluida la intervención de Rebeca. Se quitó los cascos y salió del estudio. Su hermana la recibió en la puerta.

—¿De verdad que te pagan por esto? —le preguntó Carlota—. Les estás robando, tendrías que pagarles tú. Te lo pasas mejor que ellos.

—No te falta razón —dijo Rebeca, riéndose—. Luego seguiremos hablando, ahora me toca continuar la conversación con el director Conejos.

—¿Aún no te ha despedido del programa de la tarde? ¡Son incompetentes hasta para despedir!

—No, pero falta muy poco. El preámbulo ya lo ha hecho, tan solo le falta por pronunciar la palabra clave —respondió, mientras se dirigía hacia su despacho.

«Cuanto antes mejor», pensó, aunque tenía que reconocer que le sabía peor por sus compañeros del *Speaker's Club*, porque, al fin y al cabo, se llevaban cien euros al bolsillo por hacer, como de costumbre, el *ganso*, sin contar las dos pintas de *Murphy's Irish Red* que consumían y no pagaban.

Volvió a entrar en el despacho del director Conejos. La conversación fue muy breve, como tenía previsto Rebeca. A los cinco minutos salió.

—Bueno, ya nos podemos ir —le dijo a Carlota, mientras se despedía de Mara.

—Entonces, ¿han cancelado el programa del *Speaker's Club*? —le preguntó Carlota, cuando ya habían abandonado la emisora.

—¿Acaso te importa? —le contestó Rebeca—. Como podrás comprobar, a mí ni lo más mínimo.

—Ya lo veo, me parece que estás hasta contenta.

—Es que lo estoy.

—Pues alégrate ahora, mientras puedas, porque te quedan pocos minutos... —le contestó Carlota.

3 | 12 DE MARZO DE 1525

Estaban los tres sentados, mirando el supuesto enterramiento de Arnau. Las últimas reflexiones los habían dejado pensativos y preocupados.

—Bueno, me parece que ha llegado el momento de irnos de aquí —rompió el silencio Johan.

—Sí —se apresuró a responder Jero. Aunque había estado en contra de profanar la tumba, había conseguido el permiso del arzobispo, pero ello no evitaba la sensación de incomodidad que le invadía en aquel lugar—. Solo faltan que vengan los alguaciles y vean todo esto.

—Antes tenemos que cumplir con las condiciones del permiso —dijo Johan—. Hemos de dejar todo como estaba, volver a enterrar la caja.

—Sin darnos cuenta, llevamos más de una hora aquí. Jero tiene razón, no debemos permitir que los alguaciles acudan a este lugar.

—Me permitiréis que no participe en esa tarea, como tampoco hice cuando desenterrasteis la caja —dijo Jero, que seguía extrañamente pensativo.

—Solo tenemos dos palas, así que las utilizaremos nosotros —dijo Johan, mientras le daba una de ellas a su hijo.

No les costó demasiado. Entre ellos, dejaron caer con suavidad la caja en el hueco que habían excavado en el suelo, y procedieron a rellenarlo con la tierra que habían amontonado, justo a su lado. En apenas quince minutos todo estaba como si nada hubiera ocurrido.

—Ya nos podemos ir —dijo Johan, recogiendo la pala de su hijo y guardándola.

Los tres se fueron andando hacia la salida del camposanto, con una expresión de evidente preocupación, excepto Jero.

Aún seguía con el semblante pensativo. Estaba claro que algo le rondaba por la cabeza.

Batiste se había dado cuenta hacía un rato. No quería decir nada, pero ya no se pudo aguantar.

—Jero, te conozco perfectamente, y sé que te preocupa algo que no nos has contado.

—No es eso —le respondió—. ¿Sabéis? Tengo la extraña sensación, desde hace un buen rato, que algo no está bien. Lo que pasa es que, por más que pienso en ello, no consigo averiguarlo.

—¿Seguro que no nos ocultas nada?

—Desde luego, al menos de forma consciente. Pero no estamos sabiendo ver algo importante. Esa es la incómoda sensación que tengo.

—No te creas, yo tampoco estoy satisfecho —le replicó Batiste—. Vinimos a por respuestas y nos marchamos con más preguntas.

—Tampoco se trata de eso. Es, simplemente, que algo no está como debiera. Pero no ser capaz de averiguarlo, me está matando.

—Bueno —intervino Johan—, igual, cuando no pienses en ello, te viene a la cabeza.

—¡La cabeza! —gritó Jero. Su rostro se había trasmutado. Ahora estaba blanco como la cal.

—¡No grites! —exclamó Johan—. Estamos llegando a la entrada. Lo último que nos conviene es llamar la atención de los alguaciles.

—¡Por eso debemos volver ya!

—Volver, ¿adónde?

—Al enterramiento —contestó Jero, dándose la vuelta y regresando, a paso rápido, hacia la tumba.

Johan y Batiste en principio, no reaccionaron. No querían empezar a dar voces para llamar a su amigo, por temor a que los alguaciles les escucharan.

—Tenemos que seguirlo, no podemos ponernos a gritar tan cerca de la entrada del camposanto —dijo Batiste.

—Me temo que no nos queda más remedio que seguirle —le respondió Johan.

Lo habían perdido de vista, pero sabían adónde se dirigía, así que se pusieron a andar hacia la tumba. Cuando llegaron, se llevaron una buena sorpresa.

—¿Se puede saber qué haces? —le preguntó Batiste.

—Me parece obvio —respondió Jero, que parecía fuera de sí. Estaba muy nervioso.

Se encontraba encima del enterramiento, apartando la tierra con sus manos, como si un espíritu le hubiera poseído. O había perdido la razón, o quería volver a desenterrar la caja, Batiste supuso que te trataba de lo segundo.

—Vamos a llamar la atención de los alguaciles, Jero —intentó tranquilizarlo Johan—. Si nos cuentas que te ocurre, te ayudamos.

—Pues coged las palas y quitar toda esta tierra de nuevo —le contestó.

—¿Para qué?

—Quiero ver de nuevo los cuerpos.

—¿De nuevo? —le preguntó Batiste—. Si apenas los llegaste a ver la vez anterior. Nada más abrir la caja, te apartaste y te pusiste a vomitar.

—Por eso, ahora quiero verlos mejor. Como bien has dicho, en la anterior ocasión vi muy poco, pero lo suficiente como para querer volver a hacerlo.

Jero no cejaba en apartar la tierra con sus manos, de forma desesperada, casi compulsiva. Daba la sensación de ser un demente.

—Tanto miedo que te daba profanar una tumba y, ahora, ¿lo quieres hacer por segunda vez? —intervino Johan.

—No quiero, pero debo hacerlo.

Johan y Batiste se quedaron mirando. Sus pensamientos se cruzaron y llegaron a la misma conclusión. Conocían de sobra la determinación de Jero. No cejaría en su empeño hasta conseguirlo, así que sacaron las palas y se pusieron a ayudar a su menudo amigo.

—¿Nos piensas contar de qué va todo esto? —le preguntó Batiste.

—Ya os lo he dicho. La primera vez apenas pude verles, ya sabéis que no pude evitar vomitar. En esta ocasión voy a intentar no hacerlo y observarles con más detenimiento. Os aseguro que es completamente necesario. Ya me conocéis, si no fuera así, no se me ocurriría profanar la tumba por segunda vez.

Ahora, la tierra estaba recién movida, por lo que tardaron bastante menos tiempo en sacar a la superficie la caja de madera.

—Toda tuya —dijo Batiste—. La tapa está abierta, no la anclamos cuando la volvimos a enterrar. Yo no pienso volver a mirar. Ya tuve bastante con la primera vez. Además, no sé qué pretendes.

—Yo tampoco lo sé —dijo Johan—, pero lo que sí sé es que, como Batiste, no pienso volver a mirar. También con una vez tuve suficiente.

—Lo que pretendo es moverlos de su posición original —les contestó, así, sin inmutarse.

—¿Te has vuelto loco? Están en plena descomposición. Ni se te ocurra tocarlos —saltó Johan—. Son un nido de infecciones y enfermedades.

—No lo pienso hacer con las manos, ¿creéis que me he vuelto loco? —dijo Jero, que aún no había levantado la tapa de la caja—. Me serviré de este palo de madera. Con eso será suficiente. Os repito, tan solo quiero moverlos ligeramente, no sacarlos de la caja ni manipularlos.

—Tanto respeto por los muertos que tenías hace un rato, y ahora, no solo has profanado la tumba por segunda vez, sino que vas a profanar sus cuerpos también —le dijo Johan—. ¿Te parece cristiano?

—No creo que ni a Arnau y Amador les importe demasiado lo que voy a hacerles. Tan solo pretendo observarlos mejor. Lo malo ya está hecho. Ellos están muertos, y nosotros ya hemos cometido un grave pecado. Ya da igual uno que dos. La penitencia es la misma.

Mientras le contestaba a Johan, con ese mismo palo, clavándolo en un costado de la caja, hizo saltar por los aires la tapa. Ante la visión de los dos cuerpos, no pudo evitar volver a vomitar, esta vez junto a los cadáveres.

—Te lo habíamos advertido. Esto es completamente innecesario —dijo Johan, yendo hacia donde había caído la tapa, con la intención de volver a cerrarla y dar por concluida su presencia en el camposanto.

—¡No lo hagas! —exclamó Jero, cuando advirtió su pretensión, interponiéndose en su camino—. Esta vez ya me he recuperado. Tan solo es ese asqueroso olor lo que no soporto. Voy a asomarme y a mover los cuerpos.

—¿No nos vas a contar para qué los quieres desplazar un poco? —le preguntó Batiste, mientras su amigo ya estaba manipulándolos, valiéndose del palo.

Jero ignoró la pregunta y siguió a lo suyo. Después de un minuto, se dignó a contestar a su amigo.

—Ahora comprendo a Bernardo, el justicia criminal. Arnau también presenta abundantes golpes, muy parecidos a los de Amador. Tiene el cráneo destrozado. Por eso nos dijo, la primera vez que hablamos con él, que sospechaban de una muerte violenta, es decir, de un asesinato. El motivo de esa presunción salta a la vista.

—De eso ya nos habíamos dado cuenta la vez anterior que abrimos la caja —dijo Johan.

—Sí, pero hay detalles curiosos. Por ejemplo, Arnau lleva puesta la misma ropa que llevaba el último día que lo vimos vivo, cuando descendimos al pozo de las hermanas Vives —dijo Jero—. Eso significa que lo mataron esa misma tarde. En consecuencia, lleva muerto justo una semana, desde el día 5.

—Muy bien, ¿y qué nos importa eso ahora? —le preguntó Johan.

—Es un detalle muy interesante, sobre todo si lo comparamos con Amador. Él también lleva puesta ropa suya, la reconozco porque la ha llevado una sola vez a la escuela, de eso no me olvido. Esta casi nueva. Es un detalle curioso. Tiene similares heridas y su estado de descomposición es muy parecido... También presenta golpes por todo el cuerpo, pero, sobre todo, en la cabeza. Sin duda, parece obra de la misma persona. Las tremendas heridas en el cráneo son un sello de autoría.

—Eso ya lo habrá investigado y deducido Bernardo y sus ayudantes —dijo Johan—. ¿Te crees que no saben hacer su labor? Por eso acudió a la escuela. Dos alumnos muertos en similares circunstancias, con toda probabilidad por el mismo asesino.

—Sí, pero os olvidáis de un pequeño detalle —dijo Jero—. Se supone que este enterramiento era solo de Arnau. Nadie hizo referencia que aquí estuviera el cuerpo de Amador. ¿Hace falta que os recuerde que don Cristóbal, su padre, nos reconoció que estaba vivo, en su residencia de verano? ¿No os parece muy extraño todo? Arnau con la misma ropa que el día que desapareció, y, sin embargo, Amador, con ropajes prácticamente nuevos.

—En cuanto a la ropa, no te entiendo, pero ¡claro que es muy extraño que estén los dos en la misma caja! —exclamó Batiste—. Pero eso ya lo sabíamos la primera vez que la abrimos. No era necesario hacerlo por segunda vez para llegar a esa obvia conclusión.

—Te equivocas —le respondió Jero, que ahora estaba mucho más tranquilo. Ya no parecía nervioso ni preocupado.

—¿En qué? —le retó Batiste.

—En todo.

—¿Podrías ser más específico?

—Alguien quiere que creamos lo que no es.

—No te entiendo —intervino Johan—. Está claro que son dos chicos muertos de forma violenta. Lo tienes delante de tus narices.

—No repitas lo obvio, pero, ¿qué sentido tiene tanta violencia? ¿De verdad no os llama la atención? A nosotros también nos intentaron matar, pero no nos atacaron de esta manera tan salvaje. Eso es lo que más me llama la atención de toda esta historia. Bueno, eso y otra cosa, aunque las conclusiones son obvias.

—Lo serán para ti —dijo Johan, que estaba empezando a perder la paciencia. Sin embargo, Batiste permanecía en silencio, mirando fijamente a su amigo.

—Solo os dejo caer dos cuestiones muy importantes. La primera, el estado de sus cuerpos. Suponiendo que Amador falleciera el día anterior de la visita del justicia criminal, Bernardo Almunia, a la escuela, que fue hace apenas dos días, llegamos a la sencilla conclusión que, entre la muerte de uno y la de otro, hay cuatro días de diferencia. ¿Cómo pueden estar en idéntico estado de descomposición? Arnau lleva muerto una semana, y Amador apenas tres días. ¿No os parece muy extraño?

—No, eso es sencillo de explicar —dijo Johan—. El cuerpo de Amador fue descubierto en la desembocadura de una putrefacta acequia, Es lógico que su estado de descomposición sea mayor que el de Arnau, aunque falleciera después. Tampoco hay tanta diferencia.

—Quizá —respondió Jero, con un gesto casi despectivo.

Batiste se dio cuenta de que su amigo no creía en esa explicación.

—Refutada la primera, ¿y la segunda cuestión? —preguntó Johan.

—Es obvio. Nuestro intento de asesinato no tiene nada que ver con la extrema violencia empleada en estos dos.

—¿Adónde quieres llegar con esa afirmación? —preguntó Johan.

Batiste ya lo había comprendido.

—Hay dos posibilidades. ¿No lo comprendéis? Son dos maneras de matar completamente opuestas. La primera, la nuestra. Un intento de acabar con nuestras vidas, sutil y sin violencia, encerrándonos en aquel despacho, y la segunda, dos salvajes y violentos crímenes. Nos enfrentamos a dos asesinos diferentes. Elegir la opción que prefiráis. Yo ya lo he hecho, y os sorprendería mi elección.

—¿Por qué nos iba a sorprender?

—Porque, si lo piensas bien, en realidad, hay una tercera posibilidad, la más inquietante.

Batiste decidió dejar de preguntar, ya que cada vez que lo hacía, no obtenía más respuestas, sino más interrogantes.

Johan se había quedado con la reflexión de Jero.

«¿Más de un asesino?», pensó con cierto desconcierto.

Ahora sí que estaba preocupado.

4 EN LA ACTUALIDAD, MARTES 23 DE OCTUBRE

—¡No me digas! ¡No lo puedo creer! —exclamó Carlota, mientras salía con su hermana de la emisora de radio. Acababa de tener una conversación con el director Fornell acerca de la cancelación del programa de radio del *Speaker's Club.*

—Lo que oyes, pero ya te había dicho que no me importaba en absoluto lo que ocurriera, fuera lo que fuese —le respondió Rebeca, mientras estaban sentadas en *Las Tinajas*, un conocido bar de la calle Ribera, al lado mismo de la emisora, dónde preparaban unos bocadillos de calamares de auténtico escándalo.

—Pues precisamente por eso.

—Ya, pero todos sabíais que, para mí, era una simple diversión. Si dejaba de serlo, automáticamente dejaba de interesarme. Ese era el programa que quería hacer y no otro. Era algo que todos conocíais.

—Sí, eso siempre lo dijiste. Es verdad.

—Además, hay otra cosa muy curiosa que no te he contado, y te anticipo que es muy importante. Deja la caña de cerveza en la mesa y prepárate para escucharla.

—¿Cómo te atreves a ocultarme algo? —preguntó Carlota, haciéndose la indignada.

—¿Quizá porque me atacaron justo a continuación, me pusieron una navaja en el cuello y perdí el conocimiento, acabando en el hospital? —respondió Rebeca, con otra pregunta.

—Bueno, si es por esos pequeños y nimios detalles, quedas disculpada. ¡Pero cuéntamela ya! Lo podías haber hecho estos dos días en mi casa.

—Sí, justo después de que me confesaras que eras la segunda undécima puerta, ¡bandida! Pero no te guardo rencor por engañar a tu propia hermana gemela —le respondió, con algo de guasa.

—Déjate de tonterías y cuéntame lo que sea, que parece importante, por la expresión de tu cara.

Rebeca se rio de las ansias de su hermana. Su curiosidad era algo fuera de lo normal.

Rebeca le relató su visita al abogado de sus padres en Valencia, Vicente Arús, y cómo averiguó que significaba *Yellow Submarine*. En realidad, además de un álbum de estudio de Los Beatles, que fue la banda sonora de una película del mismo título, también fue el nombre que sus padres eligieron para una sociedad de inversión en acciones, radicada en Luxemburgo, cuyas únicas propietarias eran ellas dos.

Carlota parecía sorprendida.

—Lo de *Yellow Submarine* pensaba que se refería al cuadro del mismo nombre, un original firmado por Los Beatles, que también vi colgado en la residencia, en la sierra, de la familia Antón.

—Ese cuadro fue el principio de todo, pero ya te lo contaré en otra ocasión, que nos dispersamos. Por otra parte, supongo que, cuando se termine de tramitar la herencia, alguna sorpresa más nos encontraremos. La familia Antón siempre ha vivido de forma ostentosa, sin embargo, nuestros padres eran muy discretos. Claro, eran las dos undécimas puertas, ¡menuda carga!

—Algo no me cuadra en todo este asunto— dijo Carlota, que se quedó pensativa, con esos ojos brillantes característicos suyos. De repente, cayó en la cuenta.

—¡Eso es lo que no me encajaba! Había algo que me rondaba por la cabeza, pero no lo terminaba de ver.

—¿A qué te refieres? —preguntó con curiosidad Rebeca, que aún no había concluido su explicación.

—Si *Yellow Submarine* era una especie de sociedad de inversión de nuestros padres, ¿por qué no figuraba en el cuaderno particional de la herencia que firmamos en Madrid, con aquel abogado, en la residencia de los Antón? ¿No se supone que debía estar incluido?

—Esa respuesta es muy sencilla. Porque *Yellow Submarine*, en realidad, legalmente jamás perteneció a nuestros padres.

Desde el principio, las dueñas de las acciones de la sociedad fuimos nosotras. Por eso no figuraba en el cuaderno particional de la herencia —le explicó Rebeca.

—¿Y por qué? ¿No te parece extraño que todos los bienes, menos *Yellow Submarine* figuraran en la herencia? ¿No te resulta, cuanto menos, curioso? Ahora que lo pienso mejor, más que curioso, la palabra apropiada sería enigmático.

—No te voy a mentir, tuve la misma sensación cuando me lo estaba explicando el abogado. No solo eso, lo que más me inquietó fue lo que me contó a continuación.

—¡Suéltalo ya!

—Me dijo que nuestros padres lo habían previsto así, a propósito. Él tampoco lo entendió, en su momento. Incluso me llegó a insinuar que no era nada habitual que una pareja de treintañeros, con toda la vida por delante, dejaran las cosas tan bien atadas en favor de sus hijas. A Vicente Arús también le extrañó, pero lo adujo a lo peculiar de nuestros padres y a sus cerebros privilegiados.

Carlota se quedó pensativa.

—*Las tres muertes de mi padre* —dijo, pensativa.

—¿Qué dices? —le preguntó extrañada Rebeca—. Ese era el título del *podcast* que gano, junto a mí, el Premio Ondas—. ¿A qué viene eso ahora?

—Cuando oí su título, en la gala, no sé por qué, me vino una idea muy extraña a la cabeza. —le contestó Carlota, que seguía con sus ojos brillantes.

—Pues ya me la contarás en otro momento, que nos desviamos del tema principal, y aún no te he contado lo más curioso, y por qué no decirlo, también más gracioso, de *Yellow Submarine*.

—¿Y qué es eso tan divertido?

—Agárrate bien a la silla, que lo que vas a escuchar tiene su guasa. Resulta que la sociedad de inversión en acciones, de la que somos propietarias, posee un 20 % de un gran grupo de comunicación.

—Me parto de risa —dijo Carlota, en un tono claramente irónico—. ¿Y eso qué tiene de gracioso?

—Que ese grupo de comunicación incluye a *La Crónica* y la cadena a la que pertenece la emisora, de la que acabamos de salir. Es decir, tú y yo, a través de *Yellow Submarine*, somos las segundas máximas accionistas de todo ello.

Carlota se levantó de la silla.

—¡Atiza! ¿Eso es cierto? —preguntó, sorprendida.

—Y tanto que lo es.

—¿Y lo saben ellos?

—No. Tan solo lo conoce el director de *La Crónica*, Bernat Fornell, porque él también es accionista, a título particular, y, supongo, que el consejero delegado del grupo de medios, Fernando López Bajocanal. Ahora me explico sus especiales atenciones conmigo y que viniera a nuestro cumpleaños. En su momento me extrañó mucho. Si tuviera que ir a los cumpleaños de todos sus empleados, no haría otra cosa en todo el día. En resumen, salvo Fornell y Bajocanal, y, por supuesto, el abogado Vicente Arús, no creo que lo sepa nadie más.

—¡Pues ahora mismo vuelvo allí y los pongo firmes! —dijo Carlota, envalentonada.

—¡Ni se te ocurra repetir ni una sola coma de esta conversación! Esto que te acabo de contar es un secreto. No lo debe saber nadie más. ¡Solo me faltaría eso en mi trabajo!

—¿Por qué?

—Porque soy Rebeca Mercader, graduada en Historia y estudiante de un máster, que trabaja en un periódico y en una emisora de radio. Una joven más, como tantas, que lo hace para pagarse sus estudios. Eso he sido y eso deseo seguir siendo. No quiero que trascienda nada del resto de la información. Ya me cuesta pasar desapercibida, como para que sepan que, en realidad, soy una de las dueñas de todo el grupo. Ya nada volvería a ser como antes, como cantaba el grupo «El Canto del Loco». Para todos dejaría de ser una simple compañera de trabajo para convertirme en su jefa.

—Pues vas por mal camino. ¿Estás segura de que nadie más lo sabe?

—La seguridad total no existe, pero creo que nuestros padres tomaron todas las medidas de precaución posibles. Ya te he contado que Vicente Arús me dijo que lo tenían todo preparado por si les ocurría algo. Él mismo tiene plenos poderes y es el miembro en el consejo de administración del grupo, en nombre del fondo de inversión luxemburgués, o sea, de nosotras. Todo es legal y nadie sabe que somos las verdaderas propietarias, aparte de la Hacienda española, por supuesto. Nuestra sociedad, como no podía ser de otra manera, está declarada en nuestro país. Vicente Arús se ha encargado siempre de todo el papeleo legal, por eso nosotras no nos hemos enterado jamás de nada.

—¿Y por qué actuaron así nuestros padres?

—Me temo que no tengo respuesta a esa pregunta. Lo único que te puedo decir es lo que me contó el abogado, que ellos querían que las cosas sucedieran así, y así lo dispusieron de una forma muy organizada, sobre todo nuestra madre.

—¿No te suena un poco misterioso? Desde luego, yo no sabía nada de nada.

—Ni yo, hasta hace unos días. Como te decía antes, me temo que, cuando se termine de tramitar la herencia, conociendo la forma de proceder de nuestros padres, nos encontraremos con más sorpresas, aunque superar a esta va a ser difícil —dijo Rebeca.

—¿Más todavía? —preguntó Carlota, con expresión de incredulidad.

—Dejemos esa cuestión. Nos estamos dispersando del tema de conversación inicial. Aparte del «¡no me digas!» y el «¡no lo puedo creer!», ¿no tienes nada más que decir acerca del programa de radio? Resulta extraño, viniendo de ti.

—Entonces, ¿no habrá tenido nada que ver *Yellow Submarine* en este tema? ¿Estás segura?

—Completamente. El director Conejos no tiene ni idea de *Yellow Submarine* ni nada de eso. Para él, tan solo soy una empleada llamada Rebeca Mercader, como cualquier otra. Bueno, al margen de que haya ganado un *Ondas*.

—No sé, ¿no te parece algo extraño, después de tu conversación con él y la decisión que tomó?

—Te aseguro que no sabe nada. Su decisión se basó, exclusivamente, en criterios técnicos. Me enseñó unos gráficos de audiencias. Nos salimos. El programa del *Speaker's Club* cuadruplicó los oyentes habituales de la cadena en esa franja horaria, y no solo eso. Durante algunos momentos, fuimos el programa más escuchado en toda la ciudad, algo insólito, por lo que me contó. Y las redes sociales ardieron, algo a lo que le dan mucha importancia en la emisora. Fuimos *trendind tropic* nacional, que no tengo ni idea qué es, me suena a *Gin-Tonic*.

—Es que las redes tienen gran importancia. Tú vives en la edad de piedra, negándote a utilizarlas. Ahora mismo serías tendencia en cualquiera de ellas, como lo fuimos el martes pasado.

—Aunque sigan sin interesarme, me tienes que dar un curso de todo eso, pero no nos volvamos a dispersar.

—Ya sabes que me tienes a tu disposición, pero adelante, sigue con la explicación.

—Poco más. En resumen, el programa fue un éxito absoluto. Ni las previsiones más optimistas de la cadena contaban con ello, sobre todo siendo el primero, con cero días de preparación y apenas promoción. Por lo visto, los expertos dicen que fue todo un fenómeno, de los que se ven pocos.

—¿Eso quiere decir que nos escuchó mucha gente? —preguntó Carlota, un tanto cohibida. Era extraño verla con esa actitud.

—Muchísima, dentro del limitado alcance de emisión, que es el área metropolitana de la ciudad y pueblos cercanos. Tampoco nos vengamos arriba.

—A veces, si quieres obtener resultados diferentes, no debes hacer lo mismo de siempre. Nosotros somos los diferentes, y ellos consiguen sus objetivos.

—Eso decía Albert Einstein, «Si buscas resultados distintos, no hagas siempre lo mismo». Y eso que Albert tan solo tenía 162 puntos de cociente intelectual, bastante por debajo de nosotras —sonrió Rebeca—. Si piensas en su célebre fórmula, ¿no te dice nada?

—¿Te refieres a E=mc2? ¿Qué la energía de un cuerpo en reposo es igual a su masa multiplicada por la velocidad de la luz, representada por la letra «c», todo ello al cuadrado? ¿Eso qué demonios tiene que ver con nosotras? —preguntó Carlota, que no comprendía a su hermana.

—Te equivocas. La fórmula es **É**xito = **m**ercader por **c**arlota al cuadrado.

—¡Idiota! —dijo, riéndose—. Pero nos volvemos a dispersar. Entonces, ¿qué pasa con el programa de radio? A este paso no vamos a terminar la conversación jamás.

—Pasa que a partir del próximo programa, es decir, hoy mismo, ya no solo emitiremos para la ciudad, sino se unirán otras emisoras de la cadena. Nuestra audiencia potencial se multiplicará por diez, al menos.

—Me parece que lo que me estás contando se parece muy poco a la bronca que esperabas.

—No te creas. Me gané una buena reprimenda, eso sí, a su manera, del director Conejos, pero llegamos a un consenso con cierta rapidez.

—¿Un acuerdo? Desde luego que fue rápido, porque, tan solo tardaste unos cinco minutos en salir de su despacho.

—Algo así. Se lo puse muy sencillo, o lo tomaba o lo dejaba. No pensaba transigir más que en cuestiones puramente de carácter técnico. Si me imponía los contenidos, le dije que ya se podía ir buscando a otra persona para dirigir el programa y que no contara conmigo. Ese era mi precio. Al fin y al cabo, el programa no lo he pedido yo, fueron ellos los que me buscaron, así que me he limitado a poner mis condiciones.

—Entonces, ¿qué habéis consensuado?

—Básicamente, que me deja que siga haciendo lo que me dé la gana con los contenidos, pero, en la parte técnica, con los cascos en los oídos siempre puestos, por las instrucciones que recibiré, para pausas publicitarias y todo eso. ¡Ah! Y el programa se seguirá emitiendo desde el *Speaker's Corner*, en el pub Kilkenny's.

—¿Eso qué quiere decir? ¿Qué es lo que pretendía? —preguntó Carlota, sorprendida—. ¿Llevárselo a otro *pub* más cómodo para ellos?

—Aún peor. Pretendía que viniéramos todos a los estudios de grabación de la emisora, que tiene cámaras de vídeo preparadas, y dejar el *pub* Kilkenny's.

—¡Y unas narices! —exclamó Carlota—. Tendrá cámaras, pero no pintas de cerveza. Además, ¿desde cuándo necesita cámaras de vídeo un programa de radio?

—Según me explicó el director Conejos, no son para emitir nada, tan solo es por cuestiones técnicas internas. En el estudio principal de la emisora lo graban todo en imagen, aunque jamás lo emitan. Por ejemplo, a mí me graban cada vez que salgo en antena con Javi y Mar.

Carlota puso expresión de sorpresa, lo que obligó a Rebeca a explicarse.

—Sí, yo también me he enterado ahora, pero, por lo visto, es una práctica habitual que hacen la mayoría de emisoras de radio, en su estudio central, que es desde dónde yo entro en directo.

—¡Si las jefas de la cadena somos nosotras! —exclamó Carlota, riéndose—. Podemos emitir desde la casa del director Conejos, si quisiéramos.

—No sé si he hecho bien en contarte lo de *Yellow Submarine* —rio también Rebeca—. Que seamos unas de las máximas accionistas, no nos convierte en las jefas. ¡Y no te vuelvas a dispersar! Estábamos hablando del programa. Se nos va a juntar la hora del bocadillo con la comida.

—O sea, como resumen, que todo seguirá prácticamente igual —dijo Carlota, con una sonrisa.

—Más o menos —le respondió su hermana.

Se hizo el silencio durante un instante. Se notaba que Carlota estaba procesando toda la información que acababa de recibir, que no era poca.

—Ahora te toca hablar a ti —dijo Rebeca—. Hay algo que te dejaste por explicarme ayer. Te conozco. Me ocultas algo importante. No seas injusta, que yo ya he contado todo lo que sé, y me ha bastado diez minutos para arrepentirme.

—¿Tienes la mañana libre? —le preguntó Carlota, así, de sopetón.

—Suena extraño un martes, pero sí, la tengo. Suelo ir a *La Crónica*, aunque estoy dispensada laboralmente de acudir hasta mañana. Así me lo ordenó el director Fornell. Me dio dos días libres por el Premio Ondas.

—Él sí que sabe quién eres, y se nota que te trata con deferencia.

—¡De eso nada! —saltó indignada Rebeca—. De hecho, trabajo más horas de las que establece mi contrato y, ni me las pagan, ni las reclamo, porque lo hago por puro gusto. Me encanta mi trabajo, y creo que se me nota.

—Desde luego.

—Por ejemplo, ahora soy jefa de sección y, en *La Crónica*, sigo cobrando lo mismo. No tengo ningún trato de favor, más bien todo lo contrario. Que me compense con días libres es lo mínimo que puede hacer Fornell. Sabe que nunca me he quejado de nada en cuatro años, y apenas he faltado por enfermedad. Si echo la vista atrás, creo que tan solo falté un día, hace dos años.

—Entonces, si no tienes nada que hacer, ¿podemos ir a tu casa? —preguntó Carlota—, y no me digas que es la mía también.

—Sí, claro que podemos, pero ¿para qué?

—Quiero ver la fotografía, la que me comentaste ayer por la noche. la que era idéntica a la que me dio mi madre adoptiva, ¿te acuerdas?

Rebeca estaba preocupada, aunque sabía que ni debía ni podía negarse.

—Vale, pero antes pasamos por tu casa. Quiero recoger todas mis cosas. Creo que ya he castigado lo suficiente a nuestra tía Tote.

—¿Vuelves a *La Pagoda*? Ahora que me estaba empezando a acostumbrar a tener a alguien con quien hablar...

—¿Por qué no lo intentas con tu hermana Rocío?

—La verdad es que ayer me sorprendió. Tantos años viviendo a su lado, y ayer descubrí cosas que no tenía ni idea acerca de ella. El tal Nacho, su novio tatuador, a pesar de meterse con mi culo, aunque me cueste, tengo que reconocer que me cayó bien. No lo puedo evitar.

—Ya sabias que mi exilio era temporal. Tote no se merecía el tono de la bronca que le eché. Yo misma era consciente que aquello fue desproporcionado y excesivo, aunque lo hiciera a propósito. Tenía mis motivos, desde luego, pero creo que ya está bien. Tiene un gran corazón, y no se merece sufrir más de lo estrictamente necesario. Lo imprescindible para poder dejar las cosas claras. Y creo que eso ya ha debido de ocurrir. Ahora me temo las consecuencias de mi exceso. Espero que no sean de importancia.

—*No problem*. El cisne regresa a su nido —dijo, como si estuviera hablando por una emisora de radio, en código.

—Y la petarda se va a llevar una patada en su culo de cincuenta pulgadas como no deje de decir tonterías — respondió Rebeca, en el mismo tono.

Ambas se rieron, pero era una risa nerviosa. Eran conscientes de que su mundo podía volver a cambiar en apenas un instante, si se confirmaba la hipótesis de Carlota.

Rebeca tenía miedo.

Lo sorprendente es que Carlota también.

5   12 DE MARZO DE 1525

—¿Has terminado con tus deducciones? —le preguntó Johan a Jero, justo enfrente de la caja que contenía los cuerpos sin vida de Arnau y Amador.

—Sí —le respondió—. Lo que pretendía demostrar ya lo he hecho.

—Lo que has hecho es liar este asunto todavía más. ¿No teníamos bastante con el primer descubrimiento? —preguntó Johan, que, sin embargo, ahora parecía mucho más preocupado que en la anterior ocasión.

—Sabes que no. Lo verdaderamente importante es lo que acabamos de descubrir ahora —insistió Jero—. Existen demasiados cabos sueltos y demasiada gente mintiendo a nuestro alrededor. Lo peor es no saber quiénes están detrás de todo esto, ni siquiera el motivo. En definitiva, acabamos de descubrir que no sabemos nada.

—No me lo recuerdes. Por eso, ahora más que nunca, es necesario preservar vuestra seguridad. Demasiadas incertidumbres, como tú bien dices —afirmó Johan,

—Ya hemos aceptado eso —le recordó Batiste—. Aunque tendremos que pensar algo. No podemos quedarnos de brazos cruzados, y menos en un momento tan importante y delicado como este.

—Apañaros cómo queráis —insistió Johan—. Ya conocéis las condiciones, y no me pienso echar atrás. Vuestra seguridad es lo primero.

—No te preocupes por eso —dijo Jero, con una extraña mueca en su rostro.

Batiste lo estaba observando y no se le pasó desapercibida. Le parecía evidente que se le había ocurrido algún plan. «Ya me lo contará cuándo lo considere conveniente», pensó, conociendo a su amigo.

—Ahora sí que nos tenemos que ir, además, con cierta prisa —dijo Johan—. Ya llevamos un tiempo excesivo en el interior del camposanto. No me extrañaría que los alguaciles estén recelando de nuestra tardanza en salir. Incluso pueden estar de camino a buscarnos.

—Pues antes tenemos que, por segunda vez, volver a enterrar la caja con los cuerpos —le contestó Batiste—. Anda, toma una pala, con el renacuajo ya sé que no contamos.

Como en la ocasión anterior, en apenas quince minutos concluyeron su labor. Dejaron el enterramiento en el mismo estado que lo habían encontrado, y se marcharon hacia la salida.

El silencio del camposanto les acompañaba. Ninguno de los tres parecía atreverse a perturbarlo. Demasiadas ideas circulando por su cabeza.

—Tenemos que reunirnos con Bernardo —dijo Johan, que ya no se pudo aguantar más—. Esta situación es de lo más inquietante. Debe de conocer los hechos que han sucedido. Esto no es nada normal. De hecho, es criminal.

—¡Ni hablar! —exclamó Jero, casi de forma instantánea. Parecía escandalizado, hasta su cara pareció trasformarse con una mueca de horror.

Johan se sorprendió.

—¿A qué viene esa reacción tan fuera de lugar? Te recuerdo que hay dos muertos enterrados en una caja para uno solo, y que a vosotros han intentado asesinaros. Eso no lo sabe Bernardo.

—Precisamente por eso —siguió Jero.

—No te entiendo —le respondió Johan.

—Dame unos minutos y quizá lo comprendas.

—Ahora, ¿qué te vas a sacar de esa mente tan enrevesada que tienes?

—Tú mismo lo vas a escuchar y deducir.

—De verdad, no te entiendo, pero si tan solo son unos minutos... Después de casi dos horas, no creo que importe demasiado.

Fue justo el tiempo que les costó llegar hasta la cancela de la entrada al cementerio.

—Espero que todo haya trascurrido a plena satisfacción —dijo uno de los alguaciles, en cuánto los vio.

Como era lógico, se dirigía a Johan, ya que era el único adulto del grupo, a pesar de que la orden que autorizaba su acceso al cementerio, estaba a nombre de Jerónimo.

—Sí, muchas gracias. Todo ha trascurrido sin ningún contratiempo —le respondió, por cortesía.

—En realidad, no ha sido así —intervino Jero.

La cara de espanto en el rostro de Batiste, pero, sobre todo, en el de Johan, eran antológicas.

—¿Qué ha ocurrido, señorito Jerónimo? —le preguntó otro alguacil, saliendo de una pequeña estancia. Por sus formas de proceder, se notaba que era la persona que estaba al mando de la guardia.

—Nos hemos encontrado con algo imprevisto y completamente inesperado.

Johan y Batiste estaban a punto de saltar sobre Jero. Lo único que les retuvo fue pensar que, si lo hacían, serían reducidos de inmediato por los alguaciles. Al fin y al cabo, Jero era el motivo por el que les habían franqueado el acceso al camposanto. No podían olvidar que la orden del arzobispo iba a su nombre. Aunque fuera un mocoso de nueve años, debían reconocer que, en este momento, tenía el poder sobre todos ellos. Ello no evitó que le dirigieran una mirada asesina, como diciéndole: «ni se te ocurra contar ni una sola palabra de lo que hemos visto».

—¿Qué es lo que ha pasado? —la voz del alguacil denotaba una mezcla entre curiosidad y preocupación.

Todos supusieron que, en semejante lugar, no era habitual escuchar las palabras «imprevisto» ni «inesperado». Era un cementerio. Allí tan solo se daba cristiana sepultura a los muertos. ¿Qué podía ocurrir que fuera imprevisto e inesperado?

—Supongo que conocen a la familia Ruisánchez —continuó Jero.

—¿Y quién no en la ciudad? —respondió otro alguacil, riéndose de forma estruendosa.

—¡Cállate! —le ordenó el supuesto jefe de la guardia—. ¿No ves que apenas es un niño?

—Tranquilos por mí —intervino de inmediato Jero—. Conozco perfectamente a qué se dedica la familia Ruisánchez y lo que es un lupanar, pero mi pregunta no iba por ese camino. Quería decir que si sabían de su poder y su elevada posición social en la ciudad.

—Por supuesto, son una familia muy conocida. A pesar de su actividad, doña Jimena es muy respetada— ahora contestó el jefe.

—¿Cómo te llamas? —le preguntó Jero.

Aunque tanto Johan como Batiste ya lo habían visto en acción en otras ocasiones, era sorprendente lo bien que se manejaba con el lenguaje. Tenía nueve años, pero era capaz de mantener una conversación cómo si fuera el mismísimo rey de España. Desprendía autoridad y una educación exquisita. Los alguaciles no eran ajenos a este efecto.

—Joan Escrivá, señorito Jerónimo —le respondió. Estaba claro que también había advertido el tono de voz de Jero.

—Joan, como sabrás, teníamos el permiso, escrito de puño y letra, por su eminencia, el arzobispo y cardenal Érard de la Marck, para examinar el enterramiento de Arnau Ruisánchez.

—Así es, lo he podido leer.

—Tengo algunas preguntas qué hacerte. Hay algo completamente fuera de lo normal, y tú, como jefe de los alguaciles de este camposanto, debes conocerlo. Ya sabes lo que ponía la orden que te he exhibido. Debes prestarnos todo tipo de ayuda, sin ninguna excepción. Ahora no estás hablando conmigo, con un joven llamado Jerónimo, sino con el mismísimo arzobispo de Valencia, ¿comprendes lo que te estoy diciendo?

—Por supuesto que lo entiendo —le respondió Joan, que casi se puso en posición de firmes, delante de Jero—. Estoy a su completa disposición, señor.

Batiste estaba muy pendiente de cada detalle. Ya no se dirigía a Jero como «señorito», sino como «señor». Fuera lo que fuese que pretendiera su menudo amigo, desde luego que lo estaba consiguiendo. Ya se había ganado la autoridad suficiente para lo que fuera que pensara hacer.

Jero continuó.

—Te voy a hacer una serie de preguntas, que necesitan una sincera y urgente contestación. Sobre todo, porque de lo que acabamos de ser testigos, no coincide en absoluto con lo que sabíamos acerca de este desgraciado suceso.

—Jero, creo que a estos alguaciles no les importará... — empezó a decir Johan, que reflejaba en su rostro un profundo temor, rozando con el terror absoluto.

—Por favor, Johan, déjame continuar —le cortó, con suavidad pero también con autoridad. Estaba claro quién era la persona que, en estos momentos, estaba al cargo de la situación. Y eso que Johan Corbera, por el puesto que desempeñaba en la ciudad, era una persona conocida.

—Lo que tú digas —se resignó Johan, al ser consciente de que no podía hacer nada.

Batiste estaba más tranquilo que su padre. Su temor inicial se había trasformado en tremenda curiosidad.

Jero comenzó su pequeño interrogatorio.

—Tengo entendido que a Arnau Ruisánchez se le dio cristiana sepultura en secreto. No fue anunciado.

—A todos nosotros nos extrañó —le respondió el alguacil Joan—, pero así ocurrió. Incluso durante la ceremonia, que fue muy breve, se cerró el camposanto al público en general. Además, los que se encontraban en su interior, fueron invitados a abandonarlo. Una vez lo hicieron, cerramos la cancela. Hasta media hora después de que toda la ceremonia concluyera, no permitimos la entrada a nadie.

—¿Y eso es normal? Más concretamente, ¿ha ocurrido en alguna otra ocasión?

—Llevo casi quince años al frente de la guardia en este camposanto. En todo este tiempo, jamás había visto una cosa así. Hemos sido testigos de entierros de personalidades muy ilustres de la ciudad, más poderosas y de mucho más prestigio que los Ruisánchez, pero nunca se había tomado esta clase de medida, ni siquiera parecida. Más bien todo lo contrario. Cuando más relevancia tenía el sepultado, mayor publicidad y afluencia de gente se producía. Ya sabéis que, con los entierros, pasa un poco como con los autos de fe del Santo Oficio. Se han convertido en un acontecimiento social.

—¿Y, con todo lo que me estás contando, no se extrañaron de semejantes medidas?

—Por supuesto, pero nosotros nos limitamos a cumplir las órdenes y las instrucciones que nos dan, jamás las cuestionamos.

—¿Quién asistió al entierro?

—Muy pocas personas. Todo fue muy austero.

—Ahí es donde quiero ir a parar. Hemos visto el enterramiento. No tiene ni siquiera una cruz cristiana encima de él. Tan solo tierra amontonada. Si no llega a ser por vuestras indicaciones, nos hubiera sido imposible identificar el sepulcro de Arnau Ruisánchez.

—Ahora lo entiendo —dijo Joan—. No sabía lo que me quería decir con las palabras «imprevisto» e «inesperado».

Johan también pareció comprenderlo, y se tranquilizó un poco. Aunque no entendía lo que pretendía Jero, le dio la impresión de que la conversación no iba encaminada a revelar lo que habían descubierto en el interior de la caja, los dos cadáveres. Sin embargo, con Batiste pasaba todo lo contrario. Ahora estaba más nervioso que al principio, quizá porque empezaba a comprender a su amigo.

—Acabas de decir que asistió muy poca gente —continuó Jero—. ¿Serías tan amable de enumerarme quién estuvo presente?

—Por supuesto —le respondió el alguacil—. Tan solo asistieron el padre y la madre de Arnau, don Bernardo Almunia, su ayudante Guillem y como oficiante, su excelencia don Ausiás Carbonell.

—¿Carbonell? —preguntó Jero—. ¿No es el obispo auxiliar de *La Seu*?

—Así es.

—¿No ofició la ceremonia su excelencia, el arzobispo? ¿Acaso no se encontraba en la ciudad?

—Sí que lo estaba. Ya sabe que no reside aquí de forma permanente y que viaja mucho. Por su dignidad cardenalicia suele pasar temporadas fuera de la ciudad, pero, en esta ocasión, se encontraba en ella. A nosotros también nos llamó la atención que no atendiera al funeral, sobre todo con semejantes medidas adoptadas.

—Y por parte del Santo Oficio, ¿no asistió nadie?

Johan y Batiste comprendieron perfectamente el sentido final de la pregunta, no así el alguacil. En realidad, Jero quería saber si don Cristóbal de Medina había hecho acto de presencia.

—¿Por qué lo iban a hacer? —respondió sorprendido Joan— ¿Qué tenía que ver el Santo Oficio en este entierro del hijo de los Ruisánchez?

—No sé, lo preguntaba por curiosidad.

—Por supuesto que no, señor Jerónimo. No hubo ningún miembro presente. Tan solo los que le he nombrado anteriormente.

«Señor Jerónimo», pensó Batiste, entre risas internas, Llamar así a un niño de nueve años tenía su gracia.

—Disculpe, Joan, no me puedo quitar de la cabeza esas medidas de seguridad tan exageradas para el enterramiento de un joven, además, con tan pocos asistentes. Por curiosidad, ¿quién les dio esas instrucciones tan insólitas? Me refiero a lo de cerrar el camposanto. Este es un cementerio propiedad de la iglesia católica. Supongo que partirían de ella —preguntó Jero, con toda la inocencia que supo fingir.

—Eso también nos llamó la atención —respondió Joan—. No fue su excelencia don Ausiás Carbonell, ni siquiera monseñor Érard de la Marck. Fue don Bernardo Almunia el que lo dispuso todo de esa manera.

—¿El justicia criminal, un cargo civil, dando instrucciones acerca de un enterramiento católico en un camposanto perteneciente a la archidiócesis?

—Ya sé que puede sonar extraño, pero, en realidad, también acudió a nosotros con una carta de autorización eclesial, que le facultaba para tomar todas esas medidas.

Jero ya se esperaba esa respuesta. En realidad, era un simple pretexto para efectuar la siguiente pregunta, que era la que le importaba.

—Y ya para terminar, ¿alguien le dio instrucciones para que, en el lugar del enterramiento, no figurara ninguna identificación, ni tan siquiera una simple cruz con el nombre de Arnau? Me parece un hecho insólito más y, desde luego, una profunda falta de sensibilidad cristiana —preguntó Jero, ahora fingiendo cierta indignación.

—Tiene toda la razón. Nosotros, además de vigilar en camposanto, también ejercemos funciones de ayudantes en las ceremonias de sepultura. Nos encargamos de organizar todas esas tareas accesorias. Como es costumbre, íbamos a hacer lo que usted ha descrito, pero nos lo prohibieron.

—¿Quién se atrevió a hacer semejante cosa?

—Don Bernardo.

Jero se giró brevemente hacia Johan y Batiste, que ya hacía un rato que habían comprendido el sentido de todo aquel sainete. Ello no pudo evitar que, ante esta última respuesta, su tez se tornara pálida.

Jero volvió a dirigirse a Joan.

—Muchas gracias por su inestimable ayuda. Pondré en conocimiento de su excelencia, el arzobispo, de la amabilidad con la que nos ha tratado, en todo momento —dijo Jero, a modo de despedida de Joan y los dos alguaciles más.

Tomó del brazo a Johan y Batiste, y abandonaron el camposanto, en completo silencio.

¿Qué estaba ocurriendo?

6 EN LA ACTUALIDAD, MARTES 23 DE OCTUBRE

—¿Qué hacéis aquí?

—Eso mismo te iba a preguntar yo. ¡Si apenas son las doce de la mañana!

—Privilegios de jefa. No todos son problemas y papeleos, también tengo que tener alguna ventaja.

—¡Si tú jamás los has utilizado! —exclamó Rebeca, sorprendida.

—Tienes razón, pero hoy tengo una causa justificada. Están pintando mi despacho, que ya le hacía una buena falta, y he tenido que abandonarlo de forma temporal.

—Y en ese enorme edificio de comisaria en la que trabajas, ¿no tienen ninguna otra habitación disponible para ti, mientras duran los trabajos?

—Podría haberme quedado en cualquier otra estancia, que las hay a decenas, pero he preferido venirme a casa. Total, esta mañana tan solo tenía que echar un vistazo a unos expedientes. Aquí estoy más tranquila y alejada de los olores de la pintura.

Rebeca y Carlota habían acudido a casa de la primera, para ver la antigua fotografía que tenía Rebeca en su álbum familiar, idéntica a la que Carlota conservaba y que le había entregado su madre, momentos antes de fallecer. La sorpresa fue que se encontraron con Tote en casa. No se lo esperaban ninguna de las tres. Sus actitudes iniciales y su rostro lo reflejaban.

—Buenos días, Carlota, que te he debido parecer una maleducada —dijo, dándole dos besos y un abrazo a su sobrina, como de costumbre.

Con Rebeca mantuvo una distancia prudencial, aunque también le dio dos besos. Tenía muy reciente su discusión y no sabía cómo iba a reaccionar.

—En absoluto, Tote —le respondió Carlota.

—¿Y qué hacéis las dos aquí? —les preguntó su tía—. Es vuestra casa y podéis venir cuando queráis, pero me refiero a la hora. No es nada habitual veros juntas, un martes por la mañana, fuera de vuestros trabajos.

—Fornell me dio dos días libres, después del intenso fin de semana. Hoy tenía que acudir a la radio, así que, cuando he terminado, hemos venido a casa —contestó Rebeca, que parecía incómoda con la situación.

Había previsto hablar con tu tía a solas, a mediodía, ya sin la presencia de Carlota, pero los acontecimientos se habían precipitado inesperadamente. Tenía que tomar una decisión en cuestión de segundos. Tenía pocas opciones, quizá tan solo una. Se giró hacia su hermana.

—Escucha, Carlota —dijo—. ¿Te importa esperarnos en mi habitación? Te acompaño hasta ella.

Carlota se había dado cuenta de lo embarazoso de la circunstancia sobrevenida. Estaba claro que Rebeca y Tote tenían una conversación pendiente, y ella no pintaba nada en medio de las dos.

—Claro que no —dijo, mientras ambas se dirigían hacia el cuarto de Rebeca.

—¡Qué sorpresa te has debido de llevar! —le dijo, cuando ya estaban fuera del alcance de Tote.

—Imagínate, pero no pasa nada. Esto no va a alterar nuestros planes iniciales.

—Pero tienes que hablar con tu tía, y ahora —le dijo Carlota, que había leído el pensamiento de su hermana.

—Eso lo tengo claro. Por eso te sacaré el álbum de fotos familiar, el de nuestra madre, así le puedes ir echando un vistazo, mientras yo intento aclarar las cosas con Tote. No creo que me lleve demasiado tiempo, al menos, eso espero. Aunque no sé por qué, pero tengo un mal *pálpito* desde el mismo domingo. Espero que no se confirme.

—Ya me lo has comentado varias veces. Espero que no sea nada y todo siga igual.

Rebeca abrió su armario, y, dentro de él, Carlota observó que había una caja con cerradura. Sacó el llavero, eligió una llave y la abrió. En su interior tan solo se encontraba el álbum de fotografías familiares antiguas.

A Carlota le llamó la atención las precauciones que su hermana tomaba, simplemente para ocultar ese objeto familiar. Era curioso.

Rebeca lo extrajo con sumo cuidado y se lo entregó a Carlota.

—No te extrañes por las medidas que empleo para su preservación —dijo Rebeca, observando la perplejidad en el rostro de su hermana—. Ya ves cómo está conservado. Por lo visto, según me dijo Tote, nuestra madre lo llevaba siempre con ella a todas partes, de ahí su estado lamentable. Trátalo con mucho cuidado. Aunque las fotografías del interior están en mejor estado, el álbum parece que se vaya a partir en dos, en cualquier momento.

—No te preocupes por eso. La única foto que conservo yo, está aún más deteriorada que las tuyas, así que sabré cómo manipularlas. Además, ya conoces que entiendo algo de fotografía, por mi trabajo. En ocasiones debo de vérmelas con álbumes en bastante peor estado que este. Te repito, no te preocupes.

Carlota tomó el álbum entre sus manos. Desde luego se encontraba muy ajado. Rebeca tenía razón, se notaba que le habían dado mucho uso. Lo abrió. Habría por lo menos cien fotos, todas perfectamente clasificadas por orden cronológico, con sus correspondientes separadores.

—Se nota que el álbum era de nuestra madre —observó Carlota.

—Es curioso, yo pensé lo mismo cuando lo vi.

—Eso es porque si nosotras tuviéramos un álbum con fotos en papel, como se estilaba en el siglo pasado, seguramente, su disposición sería muy parecida a este. Ahora ya no tiene ningún sentido, vivimos en la era digital, aunque tú parece que aún no te has enterado. Lo que no utilices ninguna red social clama al cielo.

—Ya te estás dispersando —dijo Rebeca, sonriendo.

Se quedaron calladas durante un instante, mientras Carlota pasaba la primera página. Sus ojos le brillaban con una intensidad especial.

Rebeca se levantó.

—Ahora me voy a hablar con nuestra tía. No tengas ninguna prisa, tómate todo el tiempo que quieras. No te sientas incómoda. Si te apetece beber o comer algo, pasa a la cocina y sírvete tú misma. Tote y yo estaremos en el salón, con la puerta cerrada.

—No te preocupes por mí. Con lo que tengo entre las manos podría estar distraída hasta esta noche. Comer y beber, ahora mismo, son cuestiones secundarias.

Rebeca salió de su habitación y se dirigió al salón. No iba a ser una conversación fácil, pero suponía que las cosas ya se habrían tranquilizado un tanto. Al menos, eso quería creer, aunque su instinto le gritaba lo contrario. No podía evitar estar intranquila.

—Buenos días, Rebeca. ¿Ya has reflexionado? —le dijo Tote, cuando apareció por la puerta, señalándole un sillón—. Anda, ponte cómoda.

Ambas se sentaron en el salón.

—Lo he hecho.

—¿Y qué conclusiones has sacado?

—Que continúo igual de preocupada —le respondió Rebeca.

—¿Por qué?

Rebeca tomó aire. Tenía que ser firme en su discurso, pero al mismo tiempo medir sus palabras, No iba a ser sencillo. Decidió lanzarse. Los malos tragos, cuanto antes mejor...

—Porque hemos de ser capaces de separar las cuestiones familiares de las profesionales, tú me entiendes. Hasta ahora, eso no ha ocurrido.

—Te comprendo mejor de lo que tú pareces creer. No tengo tu cociente intelectual de superdotada, pero tampoco soy una idiota.

Rebeca intentó rebajar un poco la tensión inicial que se respiraba.

—Te quiero mucho, tía. Me atrevería a decir que tanto como quise a mi madre, porque eso es lo que tú has sido para mí durante todos estos años, mi madre. Me has criado y me has querido como ella. Soy perfectamente consciente de que, desde el principio, antepusiste mi persona a tu propia vida. Te encontraste en tu casa, de repente, con una mocosa de ocho años que no esperabas, y en lugar de dejarme de lado, me acogiste como si fuera una hija para ti. Eso fui y todavía eso soy.

Tote, que era de lágrima fácil, estaba a punto de derramar alguna. Rebeca continuó su explicación. A pesar de que no le gustaba lo que tenía que decir, era consciente de que no le quedaba más remedio.

—Pero tienes que entender que soy la undécima puerta y tú mi protectora, la duodécima puerta. No me puedes ocultar cuestiones fundamentales con el pretexto de que me estás protegiendo, porque, además de no hacerlo, ocurre que me acabo enterando y consigues enojarme. Entorpeces mi labor, ¿no lo comprendes? —le dijo Rebeca, fingiendo un pequeño enfado que ya no tenía—. Además, en estos momentos, puede ser muy peligroso.

—Lo entiendo, pero sabes que todo lo hice por tu bien —se defendió Tote, sin demostrar demasiada convicción. Parecía desganada.

Rebeca se dio cuenta del escaso entusiasmo que su tía ponía en su propia defensa. No era propio de ella. «Algo no va bien», pensó. A pesar de ello, continuó con su plan previsto.

—Y eso nos conduce de nuevo al problema inicial. Hay que separar las cuestiones personales de todo lo relativo al Gran Consejo y al árbol, que podríamos llamarlas profesionales. Si interfieren la una con la otra, significa que no estaremos haciendo las cosas como deberíamos. Nos ponemos en peligro ambas.

—Lo sé —dijo Tote, de una manera especial. Pronunció esta frase con una extraña seguridad y con el semblante claramente triste.

A Rebeca no se le pasó por alto esos detalles. Su tía parecía demasiado abatida, incluso para lo embarazoso de la situación actual, pero al mismo tiempo, ahora trasmitía seguridad. No lo acababa de comprender. Sabía que se le escapaba algo. Por otra parte, le fastidiaba tener que ser ella, ahora mismo, la que le estuviera ocultando información relevante.

«La undécima puerta soy yo, no es ella. El número doce no debe conocer más que lo estrictamente necesario para protegerme, en caso de peligro», se intentaba justificar, aunque, en su fuero interno, no lo conseguía. Siempre le había contado todo a su tía y ahora no lo estaba haciendo No podía evitar cierto sentimiento de culpabilidad.

—¿Sabes? Yo también he estado reflexionando —le sacó Tote de sus pensamientos.

—¿Eso qué quiere decir? —preguntó Rebeca, alarmada por el tono de voz de su tía...

Algo estaba pasando delante de sus narices que no estaba sabiendo ver. Su instinto se lo seguía gritando.

—No te he contado la verdad. No me están pintando el despacho de la comisaría y, en consecuencia, no estoy en casa por eso.

—Entonces, ¿por qué me lo has dicho?

—Porque has aparecido en casa con Carlota de forma inesperada y no quería que escuchara ciertas cosas. No deseaba tener esta conversación delante de ella. Creo que es una cuestión que nos concierne tan solo a ti y a mí.

—¿Qué conversación? —Rebeca se estaba empezando a preocupar.

—Veo que has traído tu bolsa para quedarte.

—Sí, claro. Ya te dije que mi marcha era temporal porque necesitaba pensar, fuera de esta casa. Llegó a agobiarme, y necesitaba aclarar mi mente.

—No te expresaste exactamente así. Dijiste que necesitábamos reflexionar, en plural, las dos. Yo también lo he hecho.

—¿Y a qué conclusión has llegado tú? —preguntó preocupada Rebeca.

—Muy simple. Tienes razón.

Ahora, el *instinto arácnido* de Rebeca se puso en máxima alerta. Aquello no pintaba nada bien.

—¿En qué exactamente? —en estos momentos andaba muy perdida, pero preocupada.

—Tenías razón en que las cosas no funcionan. Yo no te puedo proteger de esta manera. Soy tu tía y tengo un vínculo afectivo demasiado fuerte hacia ti y eso no lo puedo evitar. Creo que lo comprendes.

—Claro que lo hago. Y yo también hacia ti, ¿y qué quieres decir con esa obviedad?

—El problema es que ese vínculo me lleva a que, en ocasiones, cometa errores.

—Como todos lo hacemos todos los días. Precisamente para eso estamos manteniendo esta conversación, para tratar de enmendarlos.

—Sí, pero el verdadero problema es que no me doy cuenta de que cometo esos errores, y eso evita que los pueda corregir, ¿no lo entiendes? Si no eres consciente de ellos, jamás les podrás poner remedio. En mi trabajo tengo claro lo que tengo que hacer, pero contigo no. Este hecho, en estos momentos, puede ser letal, de hecho, casi lo ha sido para ti. Es algo completamente inadmisible. Esta situación no se puede prolongar más.

—No te termino de comprender —dijo Rebeca, aunque, en realidad, sí que lo estaba haciendo. Lo que pasaba era que no quería que la conversación trascurriera por esos cauces, pero no podía hacer nada por evitarlo.

—Te decía que habías traído tu bolsa para quedarte. Las has dejado en el recibidor. ¿No te has dado cuenta de lo que había, justo a su lado? —le preguntó Tote, con un extraño gesto en su rostro.

Rebeca seguía alerta.

—La verdad es que he entrado con Carlota y no me he fijado. ¿Es importante?

—Lo es. Quizá deberías acercarte y verlo.

Rebeca se levantó del sillón y salió al recibidor. Ahora sí que se fijó bien. Regresó de inmediato al salón, casi corriendo.

—¿Esto qué quiere decir?

—No me hagas preguntas estúpidas. Ya conoces de sobra la respuesta.

En ese preciso instante, en plena tormenta en el cerebro de Rebeca, Carlota entró a toda velocidad en el salón, sofocada. Parecía que había visto a un fantasma o algo peor. Casi no le salían las palabras.

—Disculpad que os interrumpa de esta manera tan descortés e inoportuna, pero me tengo que marchar ya. No puedo esperarme ni un segundo más.

—¿Te ha pasado algo? —Rebeca iba de sobresalto en sobresalto—. ¿Te encuentras bien? ¿Necesitas algo?

—Ya te lo contaré, pero antes tengo que comprobar algo muy intrigante, y quizá también muy revelador. Por cierto, me llevo una fotografía de tu álbum familiar —dijo, mientras salía del salón, a la misma velocidad que había entrado, como una centella.

Desde el recibidor la escuchó gritar.

—¡No te preocupes, que te la devolveré en idéntico estado!

Ni Rebeca ni Tote reaccionaron, simplemente oyeron como se abría y se cerraba la puerta de la casa.

—Unas puertas se cierran, pero otras se abrirán —dijo Tote, que estaba al borde de las lágrimas.

—¿Es irreversible tu decisión? —preguntó Rebeca, que estaba en la misma situación que su tía, con lágrimas en sus ojos.

—Ya me conoces y sabes que lo es.

—¿Cuándo?

—Ya.

7   12 DE MARZO DE 1525

—Supongo que ahora te explicarás —dijo Johan, cuando ya habían abandonado el camposanto—. Por un momento, me temí que fueras a revelar lo que habíamos descubierto dentro de la caja.

—¿Por quién me tomáis? —respondió Jero indignado, con otra pregunta.

—Yo lo tenía claro, ya te conozco algunos años —intervino Batiste—, pero tendrás que admitir que el inicio del interrogatorio fue tremendo.

—Ya os lo vi reflejado en vuestras expresiones. Estabais muy asustados.

—Compréndenos, no era para menos. Nos pillaste completamente por sorpresa.

—El único motivo de proceder como lo hice fue dejar muy claro, ante los alguaciles, que le daba gran importancia al asunto, al mismo tiempo, de que controlaba la situación y era yo el que ostentaba el mando —respondió Jero—. Ya sabéis que soy un simple niño y, en la mayoría de las ocasiones la gente ve lo que soy y no me prestan la atención que reclamo. Entiendo que cuesta ganarse el respeto con tan solo nueve años. En algunos casos, como el presente, me veo obligado a teatralizar un poco.

—Pues quedó clarísimo quién mandaba —dijo Batiste—, pero podías haber tenido el detalle de avisarnos con antelación de tus intenciones. Tu interrogatorio fue verdaderamente impecable, supongo que conseguiste las respuestas que esperabas, pero también entenderás que a mi padre y a mí casi nos da un vahído.

—No sabía lo que me iba a responder el alguacil Joan. No os podía informar de lo que no conocía. Iba variando mis preguntas en función de sus respuestas, como habéis podido comprobar. Lo cierto es que me ha sorprendido. Nos ha facilitado mucha más información de la que esperaba. Se ha mostrado muy colaborador.

—¡Cómo no lo iba a hacer! Has entrado como un toro, desbocado y hasta amenazante, permitiéndote hablar en nombre del arzobispo, eso sí, con tu característica educación. Pero una cosa no quita la otra —Johan aún seguía con el miedo en el cuerpo.

—Supuse que sería necesario. A la vista de los resultados, no me equivoqué —concluyó Jero.

—Bueno, ¿y si nos centrarnos en lo verdaderamente importante? ¿Qué conclusiones hemos sacado de toda la información que nos ha facilitado el alguacil? —preguntó Batiste.

—La primera, que te vamos a acompañar al palacio —le dijo Johan a Jero—. Ya estaba inquieto antes del interrogatorio, imagínate después de lo que hemos escuchado. Además, así aprovecharé el viaje e informaré personalmente a Damián de las nuevas instrucciones de seguridad. Yo no soy capaz de imitar tu tono natural de mando, pero conociendo mi amistad con don Alonso Manrique, no creo que Damián se atreva a cuestionarme.

—No lo hará, pero ¿te has planteado una cuestión? ¿Y si te hace preguntas? —le dijo Jero—. Lo que va a escuchar le va a extrañar bastante.

—Pues recibirá las respuestas adecuadas, ni una sola más de las que deba conocer. Además, también le informaré de que he convocado a don Alonso al palacio, para debatir este tema. Creo que será suficiente.

—Desde luego. Si se lo dices, te aseguras que te haga caso. Creo que mi padre ya le instruyó al respecto, aunque, para variar, no me contara nada.

—Aún sin decírselo, que lo haré, no creo que me ponga ningún problema. Me consta que también está preocupado por tu seguridad, desde que te dieron aquel porrazo en la cabeza, en la Torre de la Sala.

Jero asintió con la cabeza. A él también le constaba.

—Bueno —dijo Batiste—, ¿nos centramos de una vez en lo importante? Ya es la segunda vez que reclamo vuestra atención.

—Ahora la tienes, pero primero debía dejar claro el tema de la seguridad —dijo Johan.

—Gracias —le respondió su hijo, con cierta sorna—. Está claro que Jero, con su agudeza mental, nos acaba de demostrar que el justicia criminal, Bernardo, se está comportando de una manera muy extraña en todo este asunto. Tienes que reconocer que lo que hemos escuchado es extraordinario, por no emplear otra palabra más fuerte. Hasta a los alguaciles del camposanto les pareció insólito.

—Desde luego —respondió Jero—. Además de todas las absurdas medidas de seguridad, hay dos cuestiones que no comprendo en absoluto y que me parecen fundamentales en toda esta historia.

—¿Cuáles?

—La primera, entierran a Amador y no acude ningún miembro de su familia. Me consta que son muy devotos cristianos. Es algo completamente inconcebible. Si querían mantenerlo en secreto, cosa que no comprendo, podrían haber visitado su enterramiento al día siguiente, por ejemplo. Porque lo he visto con mis propios ojos, si no, no lo creo, al menos por parte de su madre. Su padre es más insensible, aunque me cueste creer que llegue hasta ese extremo.

—¿No te has planteado otra posibilidad? —se aventuró Johan.

—¿Hay otra?

¿Y si desconocen que su hijo ha fallecido?

Los dos amigos se quedaron mirando a Johan, como decidiendo quién le contestaba. Se adelantó Batiste.

—Por supuesto que lo saben. Eso ya nos quedó claro el último día que visitamos su casa. La ausencia de Amador, unida a la de su madre, alejada de la ciudad en su residencia de verano, más las declaraciones de Bernardo, no dejan lugar a dudas. Amador es la persona a la que se refirió el justicia criminal el día que acudió a la escuela, aunque ni siquiera lo nombrara. Además, el entierro, en secreto, fue tan solo de Arnau. Así se escenificó todo. Ahora, pensad un poco, ¿cuál puede ser el sentido final de todo esto?

Jero lo sabía perfectamente, pero permaneció en silencio. Quería que Johan llegara a sus propias conclusiones. Durante un instante, todos se quedaron callados.

—¿No estarás insinuando que quieren ocultar la muerte de Amador? —reaccionó Johan.

—¡Pues claro! —exclamó Batiste—. Une todas las piezas. Desaparece Amador y su padre nos da una excusa de lo más extravagante. Castigado en su residencia de verano con todo el servicio doméstico. Eso no se lo traga nadie. Después, en la escuela, Bernardo no se refiere en ningún momento a Amador. Organiza un entierro muy discreto, pero tan solo de Arnau, con medidas de seguridad jamás vistas. Muy poca gente presente en la ceremonia, y, nadie de la familia de Amador. Todos debían de conocer las personas que se encontraban en el interior de la caja, sin embargo, no ha trascendido nada, a pesar de quiénes son sus familias y lo conocidas que son en la ciudad. La única explicación que cuadra con todos estos hechos es que, por motivos que desconocemos, no quieren que se sepa la muerte de Amador.

—No te olvides de Arnau —dijo Jero—. Me atrevería a decir que muy poca gente en la ciudad conoce que ha sido enterrado. Recuerda que no se ha hecho público.

—O sea, que según vosotros, nadie sabe que Amador está muerto y enterrado. No solo eso, sino que casi nadie sabe que Arnau ha sido sepultado también —resumió Johan.

—Según nosotros no —casi le interrumpió Jero—. Según todos los hechos que conocemos, además corroborados por el jefe de los alguaciles del camposanto.

—¿Y quién es capaz de organizar semejante ocultamiento? —preguntó Johan—. Pensad que hay implicadas muchas partes, para empezar las dos familias de los fallecidos, incluso el arzobispado.

—Te olvidas del elemento común en todo ello —dijo Jero.

—¿Cuál?

—La pregunta adecuada no es cuál, sino quién.

—¿No pretenderás...? —empezó a preguntar Johan.

—No pretendo —le interrumpió Jero—. Afirmo. La única persona que ha estado presente en todo momento, desde el inicio de la investigación de la muerte de Arnau, hasta la de Amador, pasando por su entierro, es Bernardo Almunia. Si, ahora mismo, me preguntaras quién es el principal sospechoso, sin ninguna duda, mis miradas se dirigirían a él.

—Pero ¿eres consciente de lo que estás diciendo? El justicia criminal es la máxima autoridad de la ciudad en materia de orden público.

—Precisamente por eso. Un hecho de estas características no puede ser organizado por cualquiera. Por ejemplo, los simples alguaciles no hubieran podido hacerlo. Debe ser una prominente figura en la estructura de mando de la ciudad, con mucho poder y con conocimiento de los hechos, además, con acceso al arzobispado, para ser capaz de conseguir semejante entierro. Reconócelo.

Johan parecía escandalizado.

—Jero tiene razón, padre, y tú lo sabes. Nos lo acaba de demostrar de forma muy brillante. Ya sé que Bernardo es tu amigo desde hace muchos años, pero no te puedes poner una venda en los ojos.

—Me sigue resultando inconcebible. Como bien has dicho, conozco a Bernardo desde que éramos unos niños. Siempre ha sido una persona íntegra, sensata y respetuosa. Nunca se ha metido en ningún problema, y su desempeño como justicia criminal está siendo muy brillante y reconocido. No lo veo involucrado en un asunto tan turbio como este, además de estas características, con dos niños asesinados de por medio. Lo siento, a pesar de todo no lo creo. La gente no puede cambiar tanto.

—Por lo menos, convendrás con nosotros que, por simple precaución, no le contemos nada de nuestros recientes descubrimientos —dijo Jero.

—Quizá eso lo pueda comprender —respondió Johan, después de pensarlo durante un momento.

—Quizá no. La respuesta es un «no» rotundo —insistió Batiste—. ¿No te das cuenta padre? Aunque haya hechos que desconozcamos que pudieran justificar sus acciones, en estos momentos, no resulta prudente que conozca que sabemos lo que sabemos. Creo que eso es lo que nos intenta decir Jero desde hace un buen rato. No le estamos acusando directamente de nada, todo es por simple precaución. ¿No estabas preocupado por nuestra seguridad hace un momento?

Johan hizo un movimiento con la cabeza, demostrando su incredulidad.

—Que sepáis que no me hace ninguna gracia, pero también comprendo vuestro punto de vista. Lo acepto, aunque sea en contra de mi voluntad.

—Entonces, ese tema lo dejamos resuelto —dijo Batiste.

—No —respondió Johan.

—¿Qué? ¿No te ha quedado claro? —preguntó Batiste, sorprendido por esa respuesta de su padre.

—No es eso —respondió, girándose hacia Jero—. Antes habías dicho que, de todo este tema, te preocupaban dos cuestiones. La primera es la ausencia de familiares de Amador en su entierro. ¿Cuál es la segunda?

Jero sonrió.

—¿Qué os parece lo más extraño de este asunto? No me refiero al enterramiento de los dos cadáveres en la misma caja, sino a su puesta en escena.

—Hay tantas cosas... no sé a cuál te refieres exactamente —respondió Johan.

Batiste se aventuró.

—Que no solo han ocultado la muerte de Amador, sino que, a otro nivel, también lo han hecho con la de Arnau.

—¡Exacto! —exclamó Jero.

—¿Y qué? Eso ya lo habíamos hablado —preguntó Johan, que seguía, incrédulo, sin comprender la importancia de la coincidencia.

—Es algo elemental.

—Pues yo no lo veo —insistió Johan, que se resistía a dar su brazo a torcer.

—Pues es obvio, Johan. No se hubieran tomado todas estas molestias si no existiera un nexo de unión entre ambos. Piensa en todo el montaje que, sea quien sea el responsable, ha tenido que organizar. Demasiadas casualidades. Eso demuestra que ambos casos están conectados, aunque, ahora mismo, no sepamos cuál sea esa conexión.

—Sí que lo sabemos —le contradijo Batiste, muy serio.

—¿Y cuál es? —preguntó Johan.

—Me parece evidente, La conexión somos nosotros dos —respondió Batiste, mirando a Jero.

8 EN LA ACTUALIDAD, MARTES 23 DE OCTUBRE

—¿Cuándo?

—Ya.

—¿Y puede hacerlo?

—Y tanto. Lo ha hecho. Me he quedado sola en casa.

—¿No se supone que es la duodécima puerta? De eso no se debería poder renunciar. Aunque parezca un cargo menor, no lo es en absoluto. ¿Cómo te va a proteger ahora? Ya sabes que yo no puedo hacerlo.

—Pues, ahora mismo, no sé si lo sigue siendo. De la conversación no me quedó claro si ha dimitido o no.

—No se puede dimitir de duodécima puerta —insistió Carlota, muy firme.

—Eso no es cierto del todo, y lo deberías saber igual que yo. Se puede, con el consentimiento de la undécima. Ya sabes que Joana lo hizo, aunque su causa estaba justificada y planeada de antemano. Supongo que te acordarás de todo el teatro que montamos, aquella noche, en mi casa. Joana se inmoló por mí. Fue un día muy triste para mí, pero sobre todo para Tote. Doloroso.

—¡Pues claro que me acuerdo! ¡Cómo olvidarlo! Pero yo estoy preocupada por ti, aquí y ahora —dijo Carlota, cuyo semblante lo reflejaba con claridad.

—Si quieres que te diga la verdad, estoy hecha un verdadero lío mental y emocional. Aunque quede mal decirlo en una chica de veintidós años, jamás he estado sola y, te lo confieso, no me gusta la idea.

—Y ahora, ¿qué piensas hacer?

—Precisamente por eso te he mandado el mensaje. Para quedar un buen rato antes del comienzo de la reunión del *Speaker's Club* y comentarlo contigo. A estas horas está poco concurrido, se llena a partir de las siete. La cuestión es que no sé qué hacer. Tú, que eres la segunda undécima puerta, ¿no se te ocurre nada?

—Me habías asustado por el tono de ese mensaje. Pensaba que era por mi repentina espantada de tu casa, esta mañana, pero veo que es por una cuestión más grave y, desde luego, completamente inesperada por lo menos para mí. Nunca pensé que Tote se atreviera a hacerlo, aunque tú, en tu interior, creo que ya te lo imaginabas.

—No quería, pero tienes razón, en el fondo, lo temía.

—¿Y no me preguntas por qué hui de tu casa de esa manera?

—Es cierto que me dejaste sorprendida con tu repentina espantada, pero, como comprenderás, ahora mismo, me preocupa menos, fuera por lo que fuese. Ya me lo contarás más adelante, ahora tengo un problema más grave entre manos. Y no sé cómo resolverlo.

—No hace falta que te repita que las puertas de mi casa las tienes siempre abiertas —dijo Carlota—. No deberías quedarte sola.

—Es curioso, yo te iba a proponer lo mismo, pero en la casa de ambas. Tenemos una vivienda en común, ¿lo recuerdas? —dijo Rebeca.

—¿En *La Pagoda*? ¿En serio? ¿Tú me ves viviendo allí? Anda, ¡vente a La Malvarrosa! En mi barrio se respira un ambiente único y especial. Además, allí tienes la luz del Mediterráneo y todas esas cosas que tanto te gustan, en la misma puerta de casa. Ya sabes que sobra espacio, la alquería es muy grande, y Rocío estará encantada con tu presencia. Le caes bien.

—Te lo agradezco. Te prometo pensarlo, pero comprende que todo está muy reciente. De momento, a pesar de todo, prefiero quedarme sola.

—No sé si es una buena idea. Recuerda que hace bien poco sufriste una agresión. Te amenazaron de muerte y te libraste por los pelos.

—Lo sé, pero mi edificio tiene seguridad las veinticuatro horas y cámaras de vigilancia en cada rincón. En su interior no creo que corra ningún peligro.

—Te pienso llamar todas las noches, para que no te encuentres tan sola. Pasar de la compañía de Tote a cenar en solitario te va a costar.

—Y desayunar... —le respondió Rebeca—. Pero es lo que hay y me tendré que acostumbrar. Tote ha tomado su decisión y tengo que respetarla.

Rebeca y Carlota estaban sentadas en el *Speaker's Corner*. Eran las cinco y media de la tarde, más de una hora antes del comienzo del programa de radio. El técnico Pascual Lorente y el productor Borja Martínez ya estaban presentes, preparando toda la logística.

—Tommy Egea aún no ha llegado. Casi mejor, seguramente se sentaría con nosotras y no podríamos hablar —observó Rebeca.

—Sí, desde luego que no podríamos hablar —le respondió Carlota, con un extraño gesto en su rostro. A Rebeca no se le pasó por alto.

—¿Te pasa algo con Tommy? ¿Acaso no te cae bien?

—No es eso.

—Entonces, ¿qué te ocurre con él?

Carlota dudó si seguir la conversación. Al final, decidió que debía contárselo.

—¿No te acuerdas que te dije, el fin de semana, que la expedición a Barcelona había sido de once personas y no de doce?

—Sí, claro que me acuerdo, pero no te entendí...

—Lo empezamos a comentar, pero no seguimos con la conversación. Pues la expedición fue de once personas, porque Tommy Egea, en realidad, no vino.

Rebeca se sorprendió de forma muy evidente.

—¿Qué tonterías dices? Subió al autobús con nosotras, tú lo viste igual que yo. Y también se volvió. ¡Claro que estuvo en Barcelona!

—Tú lo has dicho. Vino y se fue, poco más.

—No te entiendo.

—Para tu información, te advierto que te está vigilando —le dijo Carlota, mirándola a los ojos.

—¿Tommy? ¡Tú estás chalada! Lo conozco cuatro años, de verlo casi a diario en *La Crónica*. Es un tío estupendo y siempre nos hemos llevado muy bien. Jamás he tenido esa sensación, y es un gran profesional.

—No lo dudo, pero no sé si del periodismo. Una cosa tengo muy clara, Tommy no es lo que parece ni lo que pretende aparentar, eso te lo puedo asegurar, algo entiendo del tema —dijo Carlota, que continuaba mirando a los ojos de su hermana, con el semblante muy serio—. De verdad, no estoy bromeando y me preocupa que no me tomes en serio. Créeme.

Rebeca ya había aprendido, por experiencia, a no menospreciar a Carlota, aunque le parecieran *marcianas* algunas de sus ocurrencias.

—¿Se puede saber en qué te basas?

—Soy muy observadora. De verdad, fíate de mí. Te aseguro que te vigila. Eso sí, lo hace demasiado bien para ser un aficionado, y es lo que me preocupa. Tan bien que ni siquiera tú te habías percatado.

—¡Por supuesto que no! Jamás me he dado cuenta de eso —respondió Rebeca, que se negaba a dar crédito a las palabras de Carlota.

—Pero yo sí. Para muestra, un botón. ¿Quién te fue asignado a este mismo programa de radio? ¿Quién ocupo la duodécima plaza vacante en el viaje a Barcelona? ¿Sabes que se saltaron la lista de espera para colocarlo a él? Por ejemplo, Borja, que es el jefe de producción de la emisora, se quedó sin plaza, y no me negarás que tenía más méritos y rango que él. Y en Barcelona, ¿tú lo viste por algún lado? No asistió a la recepción oficial, ni siquiera a la gala de entrega de los premios en el *Liceu*. ¿No me digas que, todo ello unido, no te parece demasiado extraño?

—Eso último, ¿cómo lo sabes? No es posible, ¿cómo no iba a asistir a la gala? Ese era el único motivo del viaje. Lo demás era accesorio.

—Ya llevaba la mosca detrás de la oreja con él desde el minuto uno. Te aseguro que lo estuve buscando, de forma discreta, durante más de media hora. Ni rastro en todo el teatro. Pregunté, y nadie recordaba haberlo visto ni siquiera llegar, y mucho menos entrar.

—¡Pero si había más de dos mil personas! Cuando lo buscaste podía estar en cualquier lugar, desde el bar hasta los baños, donde no puedes entrar.

—Sabía que me ibas a contestar eso. Sí, podía estar en cualquier lugar menos donde debía, ¿Sabes que no se sentó en su butaca asignada en toda la gala?

—¿No me digas que estuviste pendiente de eso también?

—Te acabo de decir que su comportamiento no es normal, ¡por supuesto que me fijé en eso! ¡Y en más cosas!

—¿Por ejemplo?

Como veo que te resistes a creerme, te he traído la prueba definitiva —dijo, mientras abría el bolso y sacaba su móvil de él.

—¿Guardas en tú teléfono la prueba definitiva?

—Más concretamente, en mi cuenta de Instagram. Mira —dijo, enseñándole una publicación—. ¿Te acuerdas de que nos hicimos una foto, todos juntos, en la recepción oficial en el Palacete Albéniz?

—¿Cómo me voy a olvidar? Mantuve una conversación con el propio conde de Godó.

—Y mira esta otra también, es el *selfie* que hice yo misma, a los pies del escenario del *Liceu*. ¿No observas nada extraño y coincidente en ambas?

Rebeca se quedó mirándolas. Enseguida se dio cuenta de lo que quería decir su hermana.

—¡En ninguna está Tommy! —exclamó, casi gritando.

—Sabes que nos hicimos cientos de fotos. Te reto a que encuentres, una sola de ellas, en la que aparezca. No lo conseguirás.

—¿Por qué? No lo entiendo —dijo una perpleja Rebeca, que no se había ni percatado de ese detalle.

—Yo sí. Tan solo hay una explicación posible y coherente.

—¿Cuál? —preguntó Rebeca, con verdadera curiosidad.

—Que, en realidad, sí que estuviera.

—¡Me vas a volver loca! ¿Eso te parece coherente? Me demuestras que no estuvo en ningún acto para, a continuación, decirme que la explicación a esas extrañas ausencias es que sí que estuvo ¿Pretendes que comprenda tu lógica ilógica *carlotiana*?

—Me parece que tendremos que posponer la explicación de mi lógica ilógica, según tú, para otra ocasión. Ahora mismo está entrando por la puerta del *pub*.

Tommy se acercó de inmediato hacia ellas.

—Hola chicas, ¿qué hacéis por aquí tan temprano? —les preguntó, mientras les daba un par de besos—. Aún falta más de una hora para que comience el programa.

—Ya conoces que tenía el día libre en *La Crónica*, así que lo hemos pasado juntas —respondió Rebeca, con una verdad a medias—. No sabíamos muy bien qué hacer y aquí estamos, con nuestra habitual pinta de *Murphy's Irish Red*, para variar.

—Vosotras sí que sabéis vivir bien —dijo, mientras se dirigía a saludar a Pascual y a Borja.

—Ya no sé cuántas explicaciones me debes —dijo Rebeca, cuando Tommy ya no las escuchaba—. Perdí la cuenta ya hace días.

—Dejemos esos temas para mañana por la tarde, si te parece. Hay alguno que creo que no puede esperar más, seguro que te vas a sorprender, pero ahora no es el momento adecuado —le respondió Carlota, mientras veía como entraban en el local Charly y Fede.

«¿Qué hacen tan pronto aquí?», se preguntó Rebeca, intrigada.

Se abrazaron los cuatro, antes de pronunciar ni una sola palabra.

—Creo que hablo por los dos, estamos orgullosos de ser amigos tuyos, Rebeca. Te mereces lo mejor. Como solía decir mi padre, «eres más maja que las pesetas» —dijo Fede.

—Y yo también estoy orgulloso de ti, Carlota —dijo Charly—. Últimamente te has puesto de un *buenorro* que quita el hipo. Tu cercanía con Rebeca te sienta bien.

—¡Qué animal eres! —le contestó Carlota, riéndose—. Tan solo he perdido un par de kilos con el deporte.

—¿Deporte tú? —le respondió, incrédulo—. ¿En qué canal lo ves, en *Eurosport?*

Carlota hizo ademán de lanzarle la pinta de cerveza a la cabeza. Antes de que eso ocurriera, Rebeca se interpuso entre ellos, porque sabía que su hermana era perfectamente capaz de hacerlo.

—Vamos a ver, ¿qué tramáis con tanta adulación? —dijo Rebeca, que no se fiaba ni un pelo de la pareja más peligrosa del *Speaker's Club,* junto con Xavier.

—Para una vez que hablamos en serio, resulta que no nos creéis —se hizo el ofendido Fede.

—Vosotros dos no habéis hablado en serio en vuestra vida. Creo que desconocéis el significado de esa palabra.

—¡Eso es una injuria intolerable y sin fundamento! —a Fede le salió su vena jurídica—. Recuerdo que una vez hablé en serio, pero ahora mismo no me acuerdo de cuándo fue, pero, en cualquier caso, es irrelevante para la causa.

Rebeca decidió pasar al ataque, con las mismas armas que sus adversarios.

—Espero que fuera cuando nos liamos, antes del verano, ¿te acuerdas de aquel día en la Ciudad de las Ciencias? ¿Fue irrelevante para la causa?

Fede no se esperaba esa reacción de Rebeca, más propia de Carlota, y le pilló desprevenido. Se puso colorado como un tomate.

—¡Ahora la burra eres tú! Yo no se lo había contado a nadie. La discreción es una de mis virtudes. Me comporté como un auténtico caballero.

—Otra vez no estás hablando en serio. ¡Venga Fede, que nos conocemos unos cuántos años ya! —dijo Rebeca, aguantándose la risa y girándose hacia Charly—. Aunque intentes disimular, tu media sonrisa lo confirma, ¿verdad?

Precisamente Charly iba a intervenir, pero Carlota se le adelantó.

—No te conviene seguir por ese camino, mi querido almirante.

Los cuatro se rieron a gusto. Eran amigos desde niños, se habían criado juntos y se conocían a la perfección. Existía una *química* especial entre ellos.

—Ahora que ya hemos dejado las cosas claras —dijo Rebeca—, venga, ¿qué tramáis? Recordad que la responsable del programa radiofónico soy yo. No me la lieis en directo. Ya me llevé una buena bronca, a su manera, del director de la emisora, por el programa del martes pasado.

—¿Esperas que confesemos así, sin más, sin ni siquiera un poquito de tortura? —dijo Charly—. No sé, aunque sean unas esposas y unos cuantos latigazos...

Los cuatro se rieron.

—Déjalos —dijo Carlota, dirigiéndose a su hermana—. No tienen solución.

—No sé de dónde os habéis sacado esas sandeces —dijo Fede, haciéndose el ofendido—. Esta vez veníamos contentos por tu Premio Ondas, pacíficos, y dispuestos a seguir el guion que el director del programa ordene y mande.

—Dirás la directora, que soy yo —dijo Rebeca—. Y esta vez no va a ver ninguna urna ni copón de cristal, y mucho menos bolitas o tarjetitas para seleccionar un tema. Hablaremos de lo que nos dé la gana, sin interferencias de personas ajenas al propio *Speaker's Club*.

—¿Estás completamente segura de eso? —le preguntó Charly. Después del espectáculo de la semana pasada, no sabía si creerlo.

—Por supuesto.

—Pues yo no sé si lo estaría tanto —dijo, mientras señalaba hacia la puerta de entrada del *pub*.

Rebeca se giró de inmediato y vio entrar a Carlos Conejos, portando el mismo copón de cristal que intentó utilizar el martes pasado, para seleccionar el tema de la tertulia.

—¡No me lo puedo creer! —exclamó Rebeca, indignada—. ¡Me parece que se lo dejé bien claro!

Al mismo tiempo, llegaron Xavier, Bonet, Carmen, Jaume Almu y Carol. Parecía que todos se habían citado a las seis, con demasiada antelación.

A Rebeca se le encendió una luz roja en el cerebro. «¿Qué está pasando aquí?», se preguntó. «Falta una hora para que empiece el programa y ya han acudido todos. ¿Debería preocuparme? Aunque no sepa exactamente el motivo, supongo que debería hacerlo».

Después de abrazarse con todos sus amigos y amigas y las felicitaciones de rigor, buscó con la vista al director Conejos. Creía que había dejado meridianamente claro que no quería ver más copones de cristal. No tenía ninguna intención de ceder en ese tema. Estaba dispuesta, incluso, a no celebrar el programa, si el director alteraba las condiciones de su acuerdo. Miró hacia la zona técnica, pero tan solo estaban Pascual, Borja y Tommy, terminando de instalar la cámara de grabación en video.

—Si buscas al director Conejos, miras en la dirección equivocada —le dijo Carlota.

—¿Dónde está? ¿Se ha escondido él y esa especie de urna que llevaba?

—No, observa la barra.

Rebeca se giró de inmediato. Se sorprendió viendo al director Conejos llenando el copón de cerveza.

—¡Tú ya lo sabías! —le dijo a Carlota.

«¿Qué ocurre aquí?», pensó Rebeca... Algo se le estaba escapando.

—Yo lo sé todo, no sé de qué te extrañas a estas alturas —sonrió.

Carlos Conejos apenas podía llevar el copón, lleno hasta los bordes de cerveza, hasta el *Speaker's Corner*. Por lo menos habría cinco litros de cerveza en su interior. Cuando lo depositó encima de la mesa, se dirigió a todos los presentes.

—Ruego un momento de silencio.

Todos le obedecieron. La expectación era máxima entre todos los miembros del *Speaker's Club*.

—Como todos conocéis, hoy estamos de gran celebración. No se me ha ocurrido mejor manera de hacerlo que seguir vuestros consejos del martes pasado, y llenar de cerveza esta especie de urna o copa, para disfrute de todos vosotros. Por supuesto, esto se tiene que hacer fuera de antena, así que ahí la tenéis.

Nadie se movía ni hablaba.

—¿A qué esperáis para hacer los honores? La cerveza es para todos vosotros —dijo Carlos.

Ahora sí, los miembros del club se lanzaron hacia la mesa como locos.

—¡Un momento! —exclamó Charly—. ¡Quietos todos!

«Tenía razón», pensó Rebeca. «Esto es una encerrona, y me temo que no acaba aquí con el copón de cerveza».

Miró a su hermana. Sea lo que fuere lo que estuviera preparado, ella formaba parte de ese plan, lo que le preocupó aún más. Charly continuó hablando.

—No voy a pronunciar ningún discurso, ya se nos han acabado los calificativos hacia Rebeca. Ya no sabría qué decir que no sepáis, así que disfrutemos todos juntos de esta supercopa de cerveza, cortesía de Carlos Conejos y su emisora de radio, antes de que comencemos el programa. Por eso estamos aquí y ahora.

«Por eso habían quedado todos una hora antes», pensó Rebeca. «Carlota les habrá dicho que habíamos quedado nosotras también. Bueno, vamos al lío, aunque no sé por qué, mi instinto me quiere decir algo».

—Venid vosotros, tenéis que estar aquí —dijo Rebeca, dirigiéndose al rincón técnico, donde estaban Pascual, Borja y Tommy.

—Esperad un segundo, que pongo la cámara a grabar, así quedará inmortalizado este momento —dijo Pascual, mientras la encendía y la enfocaba a la mesa del *Speaker's Corner*.

Charly volvió a tomar la palabra.

—Al menos, ya que no voy a pronunciar ningún discurso, demos un aplauso a la reina de la tarde.

—¡Oye! ¡Qué el *pub* está casi lleno! —le susurró Rebeca al oído.

—Pues mejor.

Todos prorrumpieron en un sonoro aplauso. Los sorprendidos asistentes al *pub* se los quedaron mirando, sin comprender que estaba ocurriendo en su rincón. «Supongo que creerán que es mi cumpleaños o algo así», pensó la inocente de Rebeca.

Una vez concluyeron, entre todos tomaron el gran copón, lo levantaron de la mesa con cuidado, y se la fueron pasando uno a uno. Había cinco litros de cerveza en su interior, así que costaba lo suyo manejarla. Dejaron a Rebeca para el trago final.

—¡Va por todos vosotros! —dijo.

Estaba emocionada. La verdad es que se esperaba otro tipo de encerrona, pero nada parecía suceder, así que se despreocupó un tanto.

Carlota le pasó el copón, pero se le resbaló de las manos, derramando gran parte de su contenido sobre el vestido de Rebeca.

—¡Vaya! Lo siento muchísimo —se disculpó su hermana—. Te he puesto perdida de cerveza.

Rebeca llevaba un vestido muy mono en tonos verdes, pero ahora ni siquiera se distinguía su color. Parecía que acababa de salir de la ducha, pero apestando a alcohol. Lo único que tenía seco era el pelo.

—Bueno, menos mal que ha pasado ahora y no durante la emisión del programa. ¡Menudo papelón! Aún falta casi una hora para buscar una solución —dijo Carlota, que parecía apurada.

—¿Qué solución se te ocurre? —le contestó Rebeca, toda nerviosa.

—Es evidente. Te has manchado la ropa con cerveza. Pues te la cambias y ya está. No es ninguna tragedia, no te has manchado la cara ni el pelo. Además, queda casi una hora para que empiece el programa de radio.

—En poco más de cuarenta y cinco minutos no me da tiempo a ir a casa, cambiarme y volver al *pub*. Sabes de sobra que, aquí, no tengo ropa de recambio

—¿Quién te ha dicho que no tienes otro vestuario? —dijo una persona, apareciendo, de repente, en la mesa.

Rebeca se puso toda colorada, cuando comprendió que todos sus temores iniciales eran fundados. No pudo evitar girarse hacia su hermana.

—¡Carlota! ¡Esto es la prueba definitiva que has sido tú, desde el principio!

—Pues claro, ¿acaso lo dudabas? —le respondió a duras penas, sin poder parar de reírse.

9 13 DE MARZO DE 1525

Batiste llegó a la escuela con quince minutos de antelación sobre el horario habitual. El patio estaba prácticamente vacío. Tal y como habían quedado ayer, su padre lo iba a acompañar hasta la escuela todas las mañanas y, para evitar llegar con excesivo retraso a su trabajo de *pedrapiquer,* habían convenido salir con cierta antelación de su casa, todos los días. No era nada habitual en él llegar con tanta antelación.

Por ello, y para evitar mayores suspicacias, su padre se despidió de él a una manzana de la escuela, y Batiste entró en el patio, como un día cualquiera.

Buscó con la mirada a Jero, pero aún no había llegado. Apenas habría unos quince compañeros. Se sentó a esperar en uno de los bancos de piedra que se encontraban en los extremos. Habitualmente estaban llenos, pero a estas horas, el banco era solo para él. Se sentía extraño en su propia escuela, era una sensación curiosa.

Para su sorpresa, observó cómo se acercaba hacia él un chico. Lo conocía, era un año menor que él. En ocasiones habían jugado juntos. Aunque no tenía demasiada confianza con él, siempre le había caído bien. Era muy inteligente y sacaba buenas calificaciones en el colegio, aunque sin superar a Jero. Su nombre era Nicolás, aunque todos le llamaban por su diminutivo, Nico.

—Hola, Batiste —dijo—. ¿Me permites sentarme en el banco, a tu lado?

—Claro que sí, Nico. Ya veo que también has llegado pronto a la escuela.

—Sí, aunque en mi caso, siempre estoy en el patio quince minutos antes del inicio de las clases. Es una costumbre que hemos mantenido en mi familia, desde que se produjo el triste fallecimiento de mi madre.

—Lo siento, Nico. No sabía nada acerca de la muerte tu madre.

—No te preocupes, no es reciente. No murió hace poco, ya ocurrió hace casi cuatro años. Te lo he contado porque era ella quién me traía al colegio, siempre a estas horas. Cuando falleció, continué viniendo a la misma hora. Es una costumbre que no quise perder, no sé, quizá en señal de respeto y de recuerdo. Se fue muy pronto.

—¡Ah! Disculpa —dijo Batiste, que no le gustaba esta conversación. Su madre también había fallecido, pero de eso hacía tanto tiempo que casi ni se acordaba. Aun así, le dolía el simple recuerdo.

—No te preocupes. Me he acercado porque tú no eres de los que suelen acudir pronto a la escuela, más bien apareces casi al toque de la campana, para entrar a la clase. Me ha extrañado tu presencia a la misma hora que llego yo.

Batiste estaba preparado por si alguien le preguntaba esa cuestión.

—Yo tampoco tengo madre, pero de eso ha pasado tanto tiempo que apenas me acuerdo.

—Vaya, lo siento también.

—En mi caso, el motivo de llegar más pronto no es mi madre, sino mi padre, más en concreto debido a su trabajo. Ya sabes que es Johan Corbera, maestro *pedrapiquer* de la ciudad. Está dirigiendo unas obras de reforma en la «Casa de la Diputación General del Reino de Valencia» y ha surgido alguna complicación con una estructura. Debe entrar a trabajar un poco más pronto, por lo que debemos desayunar quince minutos antes de lo habitual. Me parece idiota quedarme sentado en la cocina de mi casa ese tiempo, así que, a partir de ahora, llegaré un poco más pronto a la escuela, al menos hasta que consigan consolidar la obra, hecho que no sé cuándo ocurrirá.

Batiste y Johan habían consensuado esa explicación, por si algún compañero le preguntaba. Además, el argumento tenía parte de realidad. Había surgido alguna complicación en la reforma interior que estaban acometiendo, y Johan debía supervisar sus trabajos desde primera hora de la mañana. Había ocurrido un accidente recientemente, con el derrumbe de una escalera, y no se podía permitir más errores, ya que retrasaban una obra en la que ya estaban fuera de los plazos previstos. Por otra parte, Batiste pensaba que nadie se fijaba a qué hora llegaba a la escuela y dudaba que tuviera que utilizar ese pretexto, pero estaba claro que su padre había tenido razón en preparar alguno.

No había terminado su pensamiento, cuando vio a Jero acercarse hacia ellos.

—¡Caramba! Los dos que llegáis más tarde, ahora os ponéis de acuerdo en estar diez minutos más pronto en la escuela —dijo Nico, a modo de bienvenida a Jero.

—Te has quedado muy corto, Nico. No llego tarde, siempre llego el último, pero mi padre me ha echado una pequeña regañina. Mis últimas calificaciones escolares han bajado un tanto, así que, a partir de ahora, mi castigo será llegar a estas horas al patio. ¡Ya me puedo dar por satisfecho! Esperaba un castigo más severo.

Batiste pensó que Jero también se había preparado algún pretexto, por si acaso.

—¿Tus calificaciones? —preguntó Nico—. ¡Pero si son las más altas de la escuela!

—Pero han bajado. No sabes lo exigente que es mi padre... —le respondió.

En el fondo, tampoco estaba contando ninguna mentira. Ambas cosas eran ciertas, su padre era muy exigente y sus calificaciones, aun siendo fantásticas, se habían resentido, por los acontecimientos ocurridos estas últimas semanas. Con todos los líos en los que andaban metidos, no tenía tanto tiempo para estudiar como antes.

—Sí que debe ser exigente, sí... —dijo Nico—. Por cierto, ¿ya os encontráis mejor los dos? Andabais con algunos problemas de salud.

—Lo mío no fue un problema de salud, si te refieres al día que vino a la escuela el justicia criminal. Simplemente me impresioné por lo que empezó a contar y me mareé un poco. No olvidéis que soy un niño de nueve años, y vosotros dos jóvenes de doce y trece —respondió Jero, haciéndose el inocente lo mejor que pudo.

—Pues lo mío sí lo fue —dijo Batiste—. Fiebres, pero me recuperé muy rápido, apenas un día en cama y otro medio tocado, pero, aunque me quede alguna molestia, creo que ya estoy repuesto.

En ese momento, oyeron la campana de la escuela. Eso significaba que ya era la hora de entrar en su interior.

Los tres se levantaron del banco de piedra.

—Me alegro de que, a partir de ahora, vayáis a llegar un poco más pronto a la escuela —dijo Nico—. Así tengo con quien hablar. Me aburro.

Cuando se alejó lo suficiente para no escucharles, Batiste se dirigió a Jero.

—Ya he visto que venías con una excusa preparada.

—Me apuesto lo que sea a que tú también.

—Sí, así es —rio Batiste—, pero mi caso es menos arriesgado que el tuyo.

—¿Por qué? —le preguntó Jero, con curiosidad.

—Porque a mí me trae mi padre, que es una persona corriente y no llama nada la atención Tú acudes a la escuela escoltado por un alguacil, que sí lo hace. Como te vea Nico o cualquiera de los otros compañeros de la escuela, a ver cómo lo explicas.

—Nuestras mentes deben estar sincronizadas o algo así. El alguacil no me deja en la misma puerta de la escuela, lo hace una manzana alejado de ella. Entro en el patio en solitario, sin acompañante, como si viniera solo. ¿A qué tu padre hace lo mismo contigo?

—¿Cómo lo sabes? —le preguntó sorprendido—. ¿Acaso me has visto llegar?

—Físicamente no, pero tu cabeza me pertenece —le respondió, a modo de broma, haciendo un divertido gesto con las manos.

—Pues te la voy a arrancar de cuajo —dijo Batiste, sin poder evitar reírse.

—Por cierto, a la hora del descanso, quiero hablar contigo. Es importante.

—¿Ocurre algo? —preguntó Batiste, preocupado.

—Entremos en la escuela ya. A pesar de llegar más pronto, aún seremos capaces de hacer tarde.

Accedieron a su clase. Tenían tres horas de profesor Urraca seguidas, y luego un pequeño descanso de unos quince minutos, para concluir con otras dos horas de clase después.

Batiste supuso que la conversación de ayer por la tarde, entre su padre y Damián, acerca de las medidas de seguridad que había que adoptar a partir de ahora, podría haber tenido algún efecto no deseado. De hecho, estuvo a punto de terminar en desastre, y Batiste aún no tenía claro que no hubiera ocurrido así.

Damián se preocupó mucho, cuando Johan le informó de que pensaba convocar a don Alonso Manrique para informarle de todo ello. En cuanto Damián escuchó ese nombre, se asustó de tal manera que le llegó a prohibir a Jero asistir a las clases, hasta que las cosas no quedaran claras con don Alonso.

Menos mal que, al final, entre los tres, y después de razonar durante más de media hora, consiguieron convencerle de que la vigilancia permanente de algún alguacil, unido a la prohibición de quedarse solos en el exterior de algún edificio protegido, serían unas medidas más adecuadas y proporcionadas. Tampoco convenía llamar la atención con un cambio tan súbito de costumbres. Pero claro, eso fue ayer.

«Igual Damián se ha echado atrás», pensó preocupado Batiste. La seguridad de Jero era uno de sus principales cometidos. Ayer insinuó que un profesor podría asistir al palacio y darle clases particulares, en un entorno protegido, sin necesidad de acudir a la escuela, hasta que todo quedara claro con don Alonso.

«Espero que las cosas no se compliquen todavía más, sobre todo en este momento», pensó Batiste, mientras se sentaba en su silla, al lado de Jero, ya en el interior de la escuela.

No se atrevió a decirle nada durante las tres primeras horas de clase, por temor a ser escuchado por otros compañeros, pero no podía evitar estar muy nervioso.

En cuanto tocó la campana, que anunciaba el descanso de quince minutos, Batiste cogió del brazo a su amigo y salieron al patio.

—¿Ha ocurrido algo imprevisto? —le preguntó, con evidente temor.

Jero se le quedó mirando.

—¿A qué te refieres? No te entiendo.

—¿No me has dicho que querías hablar conmigo durante el descanso? Cuando te dejamos en el palacio ayer, ¿ocurrió algo después de marcharnos?

—Bueno, sí. Damián se enfadó mucho conmigo, pero ¿por qué me preguntas eso? No tiene nada que ver con lo que quería hablar ahora.

—¡Bufff! —exclamó Batiste—. Pensaba que te iba a prohibir asistir a la escuela, como amenazó ayer. Necesitamos reunirnos y avanzar en todo este asunto. Estoy muy preocupado, porque tengo claro que el receptor don Cristóbal le estará dedicando muchas horas a este asunto, mientras nosotros andamos distraídos en otras cuestiones.

—Ese es precisamente el motivo por el que quería hablar contigo. Yo también estoy muy preocupado. Hay cosas que no encajan de ninguna manera. No tienen ningún sentido, por lo menos yo no se lo encuentro. Ayer, apenas pude dormir. No paré de darle vueltas a la cabeza.

—A mí me pasó lo mismo. No creo que haya dormido más de cuatro horas. Tampoco le encuentro ninguna explicación a todo este sinsentido.

—Ahora vamos hacia donde yo quiero.

—¿Qué dices, Jero? —le preguntó Batiste, que no había comprendido a su amigo.

—Que estamos atascados. Nuestras mentes se encuentran como anudadas. Reconoce que nos han ocurrido demasiadas cosas, algunas trágicas, en un corto espacio de tiempo. No sé si seremos capaces de recuperar esa lucidez mental que teníamos hace apenas unas semanas.

—Sigo sin comprender adónde quieres llevar tu razonamiento.

—Para no hacerlo muy extenso, ya que se nos acaba el tiempo de descanso en la escuela, lo que pretendo es que necesitamos recuperar a Amador y a Arnau, o, al menos, a uno de los dos.

—¿Te has vuelto loco? ¡Están muertos y enterrados! —exclamó escandalizado Batiste.

—No me comprendes. ¿Te acuerdas cuando los incorporamos a nuestro juego del tribunal juvenil del Santo Oficio?

—Pues claro.

—Pero ¿te acuerdas de los motivos?

—También los recuerdo. Amador sustraía documentos del despacho de su padre, don Cristóbal de Medina. Con el pretexto del juego conseguíamos información muy valiosa que luego analizábamos.

—Ese era uno de los motivos, pero no el único. Por ejemplo, no explica la presencia de Arnau.

—Creo que ya te comprendo —dijo Batiste, tras un pequeño silencio reflexivo.

—En realidad, necesitábamos otro punto de vista. Estábamos atascados, exactamente igual que lo estamos ahora. Su presencia revitalizó todos nuestros progresos y fuimos capaces de avanzar mucho en muy poco tiempo —afirmó Jero— A eso me refiero.

—Es cierto.

—Pues eso es lo mismo que te iba a proponer ahora. No nos podemos permitir seguir atascados ni un día más, mientras otros no lo hacen.

—Entonces, ¿pretendes introducir a alguien más en nuestro círculo? —preguntó Batiste—. ¿No estarás pensando en Nicolás?

—¿Por qué no? Es un buen chico y los dos nos llevamos bien con él. Es muy inteligente. Quizá nos venga bien algo de aire fresco en todo este lodazal. ¿Te crees que no consigo olvidar el hedor de los cuerpos en descomposición de Amador y Arnau? Por no decir de sus cabezas destrozadas...

—Pero ¿cómo pretendes hacerlo? Las circunstancias han cambiado mucho. Las medidas de seguridad que nos han impuesto son un incordio.

—Por eso, la única manera que se me ocurre es resucitar el tribunal juvenil del Santo Oficio. Tan solo los tres. Tenemos documentos nuevos que analizar, los que sustrajimos de la biblioteca de la inquisición. Le exponemos a Nico a qué jugábamos con Amador y Arnau, y le invitamos a unirse a nosotros. Al fin y al cabo, no debería recelar nada. El ya sabe que nos divertíamos mucho los cuatro juntos.

—No sé —dijo Batiste, reflexionando acerca de la ocurrencia de Jero—. Quizá podría ser una buena idea, aunque vayamos a poner una información muy sensible en conocimiento de un desconocido. ¿Lo has pensado bien?

—También lo hicimos con Amador y Arnau. Recuerda nuestros recelos iniciales con ambos. Son los mismos que ahora tenemos con Nico.

—Y los dos están muertos, recuérdalo.

Jero se estremeció.

—¿No creerás que estamos poniendo en peligro a Nico, uniéndolo a nuestro juego? —preguntó—. La verdad es que no se le había ocurrido esa posibilidad.

—No lo sé, y esa es una de las cuestiones que me preocupa —le respondió Batiste.

—Quizá sea así —razonó Jero—. Pero estaremos siempre los tres juntos, en el interior de algún edificio seguro, desde la escuela incluso hasta mi propia casa, el Palacio Real. Así no nos saltaremos las normas de seguridad que nos han impuesto. Se supone que, de esa manera, no deberíamos correr ningún riesgo.

Después de pensarlo durante un momento, Batiste aceptó, con un gesto afirmativo de su cabeza.

Desde luego, no tenían ni idea de lo que se disponían a hacer.

10 EN LA ACTUALIDAD, MARTES 23 DE OCTUBRE

—Sabía que tramabais algo —dijo Rebeca—, pero jamás me imaginé esto. ¿Cómo lo has conseguido, Carlota?

—Bueno, Tote me dio una copia de las llaves de la casa de *La Pagoda*, cuando estuvimos en Madrid, con el pretexto de que también era una propiedad mía. El resto te lo puedes imaginar.

—No perdamos más tiempo, que una hora nos va a venir muy justo para arreglarte —dijo Andrea Di Cesare Cavalcante, la persona que había aparecido en la mesa del *Speaker's Club*. Portaba una funda de un modelo, que era fácilmente reconocible.

—¿No pretenderéis que me vista así para un programa de radio? —dijo Rebeca, que estaba desconcertada. Desde el principio había reconocido la funda del modelo exclusivo de Reem Acra, el mismo que había lucido en la gala de entrega de los Premios Ondas.

—¿Acaso tienes otra opción? ¿Tienes otra ropa que ponerte? —le preguntó Carlota—. Anda, subiros a la habitación que el *pub* Kilkenny's amablemente nos ha cedido.

—¡Esto es una encerrona, lo teníais todo preparado!

—¡Pues claro, pero date prisa! —le urgió Carlota, mientras Rebeca subía las escaleras, acompañada de Andrea, y accedían a una pequeña habitación, que habitualmente hacía las veces de almacén, pero que ahora estaba preparada como un improvisado camerino.

—Y tú, ¿qué haces aquí? ¿Cómo has venido?

—En avión. No pensaba conducir desde Barcelona.

—No te preguntaba eso, tonto. ¿Te ha vuelto a contratar la emisora otra vez?

—No, Esta vez fue tu hermana la que acordó mi presencia en Valencia.

—¿Carlota? Y eso, ¿cuándo ha ocurrido?

—El día de la gala de los Premios Ondas. Para mi sorpresa, me hizo una oferta que no podía rechazar, y menos para hacerme cargo, de nuevo, de tu estilismo, con ese modelazo de Reem Acra. ¡Cualquiera lo rechaza!

—¡La muy ladina ya lo tenía planeado desde entonces! Yo recelando de los sospechosos habituales, Charly y Fede, y resulta que tenía al enemigo en casa. ¡Qué inocente he sido! Me lo merezco.

—Lo que tú digas, pero vamos a empezar ya. Aunque apenas tenga tiempo, quiero que luzcas lo más parecido a la gala de los premios —le apremió Andrea.

Diez minutos antes de las siete, Rebeca descendió por las escaleras. Para su absoluta vergüenza, todos los clientes del *pub*, que a esa hora ya estaba abarrotado, prorrumpieron en un sonoro aplauso. Rebeca se vio obligada a saludar, como si fuera un miembro de la familia real. Incluso habían instalado un vinilo en la parte posterior del *Speaker's Corner* en su honor. Aquello le parecía desproporcionado.

La expectación era máxima. La gente se le aproximaba y le pedía autógrafos y algún *selfie*. Rebeca no comprendía nada. Era cierto que había ganado un Premio Ondas, pero era en una categoría menor y no le parecía que fuera para tanto. No era una actriz de éxito ni una cantante conocida. Aquello no le cuadraba nada, a no ser que la cadena de radio se hubiera hecho eco de un evento especial. Como no la solía escuchar por falta de tiempo, tampoco se habría enterado, de haberse producido.

Se dirigió hacia Carlos Conejos.

—¿Habéis promocionado este evento? —le preguntó, extrañada por la gran expectación que había en el *pub* Kilkenny's.

—Nosotros, desde luego que no, aparte de las cuñas habituales en la radio —le respondió—. Nada fuera de lo ordinario. La expectación la generas tú, y no es para menos.

—¿Y a qué se debe este revuelo fuera de lugar? Llevamos viniendo a este *pub* más de cuatro años, y jamás había visto semejante alboroto.

—¿En alguna de ellas habías asistido enfundada en ese traje de princesa que llevas puesto? Pareces recién sacada de un cuento de Walt Disney.

Por un instante, Rebeca se acordó del cuento de *Los tres cerditos*, que Carol le había regalado. Pareció relajarse un poco, pero fue un espejismo.

—¡Claro que no había venido vestida así al *pub* jamás! Pero la gente me llama por mi nombre, me reconoce, no es solo por el modelo de Reem Acra, que no sabrán ni quién es.

—Yo tengo la respuesta a eso —dijo Carlota, partida de risa, apurando el copón de cerveza, mientras estaba sentada en su lugar habitual.

—¡Cómo no! Tenía que habérmelo imaginado. A ver, ¿y cuál es?

—¡Cinco minutos para entrar en directo! —gritó Pascual desde su rincón.

Rebeca levantó la cabeza y observó el entorno. En la hora escasa que había estado con Andrea, arreglándose, habían trasformado el *Speaker's Corner*. No solo era el vinilo que habían colocado con anterioridad. Ahora también había otros objetos que parecían de decoración.

Rebeca estaba extrañada.

—Una pregunta muy sencilla —dijo, dirigiéndose a Borja, el productor—. ¿Para qué habéis adornado todo esto, para un programa de radio, si nadie lo va a ver?

—Porque esto no es un simple programa de radio más. Es el agradecimiento de la cadena por tu premio, en colaboración con tu hermana. Hoy querían hacer algo especial para ti, y Carlota nos ha ayudado en todo lo referente a tu persona. La parte técnica es cosa nuestra. Lo grabaremos en vídeo y te entregaremos una copia, para que la conserves, como recuerdo. Por eso le hemos puesto cuatro trastos de adorno a vuestro *Speaker's Corner*.

«¿Cuatro trastos?», pensó Rebeca, mirando a su alrededor. «Hay alguno más»,

Todos los miembros del *Speaker's Club* tomaron sus posiciones, alrededor de la mesa. Rebeca observó que, encima de ella, no había cascos de audio, sino un minúsculo pinganillo. Se giró hacia Pascual, que le hizo gestos para que se lo pusiera en el oído. Rebeca le obedeció.

—¿Me escuchas bien?

—Perfectamente, pero ¿por qué llevo un pinganillo en la oreja y no cascos, como es lo habitual?

—Mírate como vas vestida y tu arreglo en el pelo. El estilista ese, de nombre cursi, no nos lo ha permitido. Se puso furioso cuando se lo comentamos. Nos dijo que un artilugio así estropearía todo el trabajo que ha hecho con tu peinado. ¡Cualquiera le contradice, menudo genio tiene! No quise discutir con él, no te puedes ni imaginar cómo se ha puesto.

—¿Es importante? —preguntó Rebeca, que se sentía algo incómoda.

—No. En realidad, técnicamente no importa nada. El pinganillo bidireccional nos servirá igual que los cascos. Relájate y disfruta, como siempre haces —le dijo Pascual.

—¡Vaya con el carácter de Di Cesare Cavalcante!

—Bueno, recuerda que hoy no solo emitimos para la ciudad, ya te lo comentaría Carlos.

—Sí, me lo dijo ayer, lo sé.

—Bueno, pues ha habido un cambio de planes de última hora. No te asustes. Emitimos para toda España. Me lo acaban de comunicar ahora mismo. Te lo tenía que haber dicho Borja, pero con todo el lío de la cerveza derramada, no ha tenido tiempo —le informó Pascual.

Se supone que Rebeca se debía de poner nerviosa por el cambio de planes, pero no lo demostró.

—Tampoco me importa demasiado. Total, ya estoy acostumbrada a hablar para un millón y medio de personas en el *magazine Buenos días*. Eso sí, si te parece, no se lo voy a comentar al resto de compañeros del *Speaker's Club* hasta no iniciar el programa No quiero que los que se pongan nerviosos sean ellos, aunque, con su desvergüenza, dudo mucho que lo hagan.

—Como tú digas. Eres la directora. Entramos en antena en dos minutos.

Rebeca levantó la cabeza y miró hacia el *pub*. Jamás había tenido tanto público para una intervención radiofónica. Todos los clientes se habían levantado de sus mesas y estaban sentados alrededor del *Speaker's Corner*. Habría más de cien personas atentas a lo que ocurría en su rincón, incluso con gente sentada en el suelo.

En ese momento Tommy, que se incorporó al grupo, puso el copón, que hasta hace apenas un minuto estaba lleno de cerveza, en el centro de la mesa. Rebeca se extrañó. «¿Qué función pretenden darle ahora?», se preguntó. El propio Tommy arrojó una bola hueca dentro de él.

«¿Esto que significa?», Rebeca estaba algo extrañada. No le habían comentado nada.

—¡Un minuto y sintonía del programa! —escuchó decir a Pascual a través del pinganillo.

Cuando concluyó la sintonía, Rebeca tomó la palabra.

—Hola, buenas tardes a todos, amigas y amigos. Soy Rebeca Mercader y estáis en *La tertulia de Rebeca.* Espero que paséis un rato agradable con nosotros. Saludamos especialmente hoy a toda la gente que se une a nuestro programa, desde todos los rincones de España.

Levanto la vista para ver la reacción de sus compañeros.

—¿Desde todos los rincones de España? —preguntó Charly, con un gesto de sorpresa—. ¡Caramba! Es todo un orgullo que vayan a escuchar nuestras *gansadas* tanta gente.

—¿Orgullo? Más bien vergüenza —dijo Almu, que no se pudo aguantar. Se le notaba apurada.

—Eso quién la tenga —intervino Xavier.

—Chicas y chicos, dejarme primero que os presente, si no, la gente no sabrá quién se lleva el premio a la tontería más absurda de la tarde —cortó Rebeca, que presentó rápidamente a todos los componentes del *Speaker's Club*.

—En el anterior programa, había una urna con bolitas en el centro de la mesa —intervino Charly—. La mecánica de la tertulia consistía en sacar una de ellas, abrirla, leer el tema que nos había correspondido al azar, y luego no hacer ni puñetero caso de su contenido y hablar de lo que nos diera la gana. Sencillo, de comprender, ¿verdad?

El público presente en el *pub* se rio.

—Pero en esta ocasión, después de la reprimenda que se llevó nuestra directora, Rebeca Mercader, aquí presente, hemos decidido ceñirnos a las normas de la tertulia, por una vez en nuestra vida y sin que sirva de precedente. La urna está en el centro de la mesa, y vamos a sacar una bolita y hablar del tema que contenga, sea el que sea —dijo Fede—. Nos vamos a arriesgar.

Rebeca estaba conteniendo la risa, ya que en la urna había una única bola.

—Adelante, Rebeca. Haz los honores y extrae de la urna el tema de hoy —intervino Tommy—. La última vez nos costó encontrar una mano inocente. Tú eres lo más parecido a eso que tenemos alrededor de la mesa.

Rebeca se rio por lo equivocado que estaba Tommy, pero hizo el *paripé* y extrajo la bola. La abrió y se dispuso a leer su contenido.

—Hola.

—Hola, Rebeca, pero ¿qué pone la cartulina? —contestó Almu.

—No, no me habéis entendido. Lo que quiero decir que la cartulina tan solo pone esa palabra, «Hola».

Todos se quedaron mirando entre ellos, sin saber qué decir.

—Desde luego es un tema profundo, apasionante y de gran calado —dijo Fede, con su sorna habitual—. ¿Sabéis que en España se utiliza como saludo desde el siglo XVI? En la mayoría de países del mundo, «hola» tan solo se utiliza cuando se responde al teléfono.

—En Alemania, además del tema telefónico, también se utiliza como saludo informal —intervino Almu—. Allí dicen «Hallo!»

—¡Toma! Y en Inglaterra también. Su «Hello!» se usa igual que en Alemania, pero, como saludo, es un poco más formal —aclaró Charly, que, por su oficio de piloto de línea aérea, dominaba el inglés a la perfección.

—Sí, y también hay un pueblo en Kenia que se llama así —dijo Jaume—. Lo recuerdo de un viaje. Si queréis os lo cuento, fue muy divertido.

—Anda, dejaros de tonterías, que vais a aburrir a nuestro público —intervino Carlota, que había permanecido en silencio hasta ahora.

Todos se quedaron expectantes, esperando que continuara, con lo que quiera que fuera a decir. Ya conocían que era imprevisible.

Carlota se giró hacia su hermana.

—Tengo dos sorpresas para Rebeca, relacionadas con ese tema— le dijo—. ¿Por cuál quieres que empiece?

—Por la tercera.

Carlota se rio.

—¿No me digas que ya sabías que te iba a contestar eso? —le preguntó Rebeca, que se lo había visto en sus ojos.

—¡Pues claro, recuerda que eres mi hermana trasparente!

—No me lo creo.

—¿Te lo demuestro?

—No podrás.

—Yo no sé lo que es no poder hacer algo, parece mentira que no me conozcas.

—Fanfarrona —dijo Rebeca, retándola.

—Tú lo has querido, allá voy, tus deseos son órdenes para mí. La primera sorpresa relacionada con el tema de hoy es esta —dijo, mientras abría una gran bolsa que había traído con ella y la tenía a sus pies.

Rebeca no se había dado cuenta de ese bulto. Carlota continuó.

—Antes te extrañabas de que, cuando te has puesto ese *modelazo* de Reem Acra, que, para los que no lo sepan, es una diseñadora de fama mundial, todo el público presente en este *pub* te reconociera de inmediato y te pidiera *selfies* y autógrafos, ¿no?

—Sí, es verdad. No me esperaba esa reacción —dijo, mientras miraba al público—. Me ha parecido muy exagerada. No soy una persona conocida.

—Eso es lo que tú te crees —le contestó su hermana, con una sonrisa burlona en su rostro.

—A ver, ¿qué has hecho? ¿Has repartido carteles con mi rostro por todo el *pub*? O peor ¿por toda la ciudad? Solo así me explico esta reacción tan exagerada.

Carlota sonrió abiertamente.

—En realidad, por toda la ciudad no. Por toda España.

Rebeca no pudo evitar reírse, aunque sabía quién tenía delante y de lo que era capaz.

—No me lo creo —dijo.

—Pues es cierto, pero no he sido yo quien ha repartido esas fotografías.

—¿Lo has hecho? —preguntó Rebeca, asombrada—. Lo había preguntado en broma, jamás pensé que iría en serio.

—¿No escuchas? —respondió Carlota—. Te acabo de decir que no he sido yo.

—Entonces, ¿me quieres decir que han sido otros? —preguntó, girándose hacia los sospechosos habituales de Charly, Fede y Xavier.

—A nosotros ni nos mires —dijo Charly, en representación del llamado «trío calavera»—. Para una vez que no tenemos nada que ver...

—No te molestes. En realidad, no ha sido ninguno de los presentes. Aquí tienes la respuesta, y de paso, la primera sorpresa relacionada con el tema de hoy —dijo Carlota, mientras sacaba de la bolsa algo y lo arrojaba encima de la mesa. Era una revista.

Todos se quedaron con la boca abierta.

—Rebeca, eres la protagonista de la portada de la revista *¡Hola!* —exclamó Carmen, completamente sorprendida— ¡Es impresionante!

—Ya sabréis, y si no os lo digo yo, que esta revista semanal sale a la venta todos los miércoles, es decir, mañana, pero he conseguido unos ejemplares en exclusiva, directamente de la editorial —se explicó Carlota—, aunque en la edición digital ya está publicado un extracto del reportaje. Eres toda una estrella. Aunque siempre lo has sido, ahora se podría decir que ya se ha hecho oficial.

El público presente en el *pub* se puso a aplaudir, de forma espontánea. Rebeca estaba abochornada. Había hablado con una periodista de esa revista en la gala de los premios, pero no le habían advertido que iba a salir en la portada del siguiente número.

—Te veo sorprendida —dijo Carlota.

—¡Cómo quieres qué no lo esté! Nadie me había comunicado nada.

—Pues he empezado por la sorpresa más suave. Ya sabes que yo soy como una *mascletà* valenciana, voy de menos a más. Espérate al terremoto final.

«Si esa es la sorpresa suave, ¿cuál será la última?», pensó Rebeca, que ahora estaba algo asustada.

Carmen aún continuaba pasmada.

—¿Sabes que la revista *¡Hola!* tiene presencia en ciento veinte países del mundo y más de veinte millones de lectores? —dijo. Aún no había conseguido cerrar la boca de lo asombrada que estaba—. ¡Tengo una amiga mundialmente conocida! Quiero que me firmes esa revista y guardármela. Estoy seguro que, dentro de unos años, será un objeto de culto y colección.

—Vaya *pasada* que te has pegado, Carmen. Cuando salga el próximo número con otra u otro protagonista, ya nadie me recordará —le respondió Rebeca, que no pudo evitar pensar en su tía Tote. A pesar de la inmensa pena que le había producido su marcha de casa, ahora, secretamente, se alegraba, aunque fuera por un pequeño instante. No se podía ni imaginar la tremenda bronca que le hubiera caído al volver a casa.

—Cuéntanos todos los detalles de la gala. Debió ser algo impresionante y emocionante —dijo Almu—. Yo, en tu lugar, me hubiera muerto de vergüenza.

Rebeca les relató cómo trascurrió la ceremonia, con todas sus curiosidades. Se lo pasaron muy bien durante un buen rato, y le hicieron todo tipo de preguntas. La diversión y las risas fueron generalizadas, como siempre ocurría en las reuniones del *Speaker's Club*.

—¿Te bebiste una cerveza en el escenario del *Liceu*? —preguntó Xavier—. Más de un miembro de la burguesía catalana presente, se atragantaría al verte —dijo, divertido ante la idea.

—A no ser que fuera la autóctona *Estrella Damm*, que la pela es la pela —dijo Charly, ante la hilaridad general.

—Comprended que estaba en una nube. Alexa anunció mi premio y, aprovechando mi total confusión, el bromista de Javi Escarche me dio un botellín de cerveza. Lo cogí sin darme cuenta y subí al escenario con él, en una mano. No solo me lo bebí yo, también lo hicieron mis compañeros del escenario, Pablo Romero y la gente de Cuonda.

—¿No me digas que te anunció el premio una máquina en lugar de una persona? —preguntó Bonet, que estaba absolutamente emocionado.

—Sí, un asistente de voz, Alexa se llamaba. Formaba parte del espectáculo. Supongo que estaría todo guionizado. De hecho, a su lado, había una radio de las antiguas, que estuvo presente en toda la gala. Todo el escenario estaba decorado así, en plan algo *retro*.

—¿Y qué pintaba un asistente de voz, un artilugio moderno, en esa decoración? Supongo que desentonaría entre tanto trasto antiguo.

—Eso me pregunté yo misma. Supongo que como se iba a entregar el premio al mejor *podcast*, algo nuevo y moderno, quisieron enfrentar los dos mundos, el tradicional y las nuevas tecnologías.

—¡El futuro ya está aquí! —continuó Bonet.

—En eso tienes toda la razón, está aquí —intervino Carlota—. Y ahora llega mi segunda sorpresa para Rebeca —dijo, mientras se agachaba otra vez a la bolsa que tenía a los pies—. ¡Aquí está Alexa! —exclamó, mientras la depositaba encima de la mesa.

Rebeca se sobresaltó todavía más que con la revista *¡Hola!* Recordaba la extraña conversación que había mantenido con ella, cuando se quedó sola en el escenario.

—¿Es la original? ¿La que anunció mi premio? —preguntó, con cierto temor.

—¡Pues claro! ¿Qué gracia tendría si no lo fuera?

—¿Te dejaron llevártela, así, sin más?

—Bueno, en realidad, no lo pregunté, supuse que no les importaría demasiado.

—¿La robaste?

—¡Por supuesto que no! ¿Por quién me tomas?

—Por Carlota Penella.

—Sí que tienes poca confianza en mí. Que sepas que les dejé su valor en euros encima de la mesa del escenario. Estoy segura de que ni la echarían en falta. Era una pieza más del decorado, como si me hubiera llevado el mantel de la mesa. Pero jamás la robaría.

—Carlota no me robó, estoy a su servicio —intervino, de repente, Alexa, con su voz característica, confirmando la versión de Carlota.

—¡Esto es alucinante! —exclamó Bonet—. ¡Lo mejor de la tarde! ¿Me reconocerá?

—¡Estás idiotizado con la tecnología! —le dijo Charly—. ¿Cómo va a hacer eso?

—Inténtalo —le retó Carlota, con una sonrisa en su rostro. Igual te llevas una sorpresa.

—Hola, Alexa —le dijo.

—Hola, Bonet, encantado de conocerte en persona. Carlota me ha hablado de ti, bueno, en realidad, me ha hablado de todos vosotros —respondió.

—Me parece que me acabo de enamorar —respondió Bonet—. Alucinante se queda corto.

—La palabra adecuada no es alucinante, es surrealista —dijo Fede—. Bonet, ¿tú te liarías con una máquina de estas? —le preguntó—. Bueno, ahora que lo pienso, mejor no me contestes, me parece que no quiero conocer la respuesta...

—Cinco minutos —le dijo Pascual a Rebeca, a través del pinganillo. Miró el reloj. Eran las ocho y diez. Se le había pasado el programa en un abrir y cerrar de ojos.

Rebeca se giró hacia su hermana, con un gesto claramente retador.

—Carlota, falta muy poco para que acabe este programa radiofónico y todavía no me has contado tu tercera sorpresa. No te quiero agobiar, pero a menos de cinco minutos para acabar, aún no hay rastro de ella. ¿Era un farol? ¿Acaso no existe?

—Eso no es cierto —le respondió Carlota.

Le brillaban los ojos y Rebeca se percató de ello.

—¿Qué no es cierto? —preguntó, con cierto temor a conocer la respuesta.

—Estás tan concentrada en tu papel de presentadora del programa, que ni te has dado ni cuenta.

—¿De qué me tengo que dar cuenta?

—De la tercera sorpresa, querida hermana.

—¡Pero si aún la estoy esperando!

—Pues como no te espabiles, te vas a quedar como Samuel Beckett y su libro, *Esperando a Godot*.

—Me viene al pelo tu ejemplo. Sabes que en esa obra, del teatro del absurdo francés, el tal Godot jamás aparece. Los protagonistas se quedan esperando toda la obra su llegada, en vano. Aun recuerdo cuando entra en escena el niño, con un mensaje que ponía que «aparentemente Godot no vendrá hoy, pero sí mañana por la tarde». ¿Acaso esperas para mañana la tercera sorpresa?

—No —le respondió Carlota—. Mañana te espera la cuarta, pero no nos desviemos del tema, que apenas faltan tres minutos para que el programa finalice

Rebeca no la comprendió, pero estaba preocupada. Su hermana no parecía fanfarronear.

—Adelante, soy todo oídos —dijo, ahora con una pizca de temor.

—Todo oídos no, te equivocas de sentido. Anda, levanta la cabeza y mira a tu alrededor. Utiliza la vista. Observa con detenimiento y descubre el mundo que te rodea. En definitiva, desvela la tercera sorpresa. Te había prometido un terremoto final, y ahí delante lo tienes.

Rebeca hizo caso a su hermana. Alzó la vista. Había estado tan centrada en el programa de radio, que no había levantado la vista de sus compañeros de tertulia, esperando alguna *trastada.*

Se quedó helada cuando comprendió lo que quería decir Carlota. No le salían las palabras. Se giró hacia ella, con el susto reflejado en su rostro.

—Esto no es un programa radiofónico, ¿verdad?

—Piensa un poco. ¿Para qué iba a decorar el *Speaker's Corner* de esta manera tan especial? ¿Para qué te iba a «obligar» a ponerte ese *modelazo,* con el viejo truco de la cerveza derramada? ¿Para qué iba a contratar al *personal stylist* ese y traerlo desde Barcelona? ¿Para hablar por la radio y que nadie te viera, en todo tu esplendor? ¡Venga ya, que eres una Mercader-Rivera! A veces, parece que tienes el cerebro atrofiado.

Había cuatro cámaras de televisión, situadas en diferentes ángulos, y una auténtica idiota, presentando un programa, que creía de radio.

II 13 DE MARZO DE 1525

Batiste y Jero no hacían más que mirarse, sentados en el interior de la escuela. Pocas veces habían prestado tan poca atención al profesor Urraca y tanta a la hora. Deseaban que se terminara cuánto antes la escuela. Debían hablar con Nico, pero apenas tendrían cinco minutos. Tenían que explicarle en qué consistía el tribunal juvenil de la inquisición, y convencerle para que se uniera a su juego, pero no podían olvidar que, a la salida de la escuela, los estarían esperando. A Jero un alguacil y a Batiste su padre. Eso sí, menos mal que ambos habían convenido que no fuera en la misma puerta del patio, por no llamar la atención del resto de compañeros.

—¿Cómo planteamos la conversación? —le dijo en un susurro Batiste a Jero—. Tendrá que ser todo muy rápido. Apenas dispondremos de tiempo. Si nos retrasamos en exceso, nos la jugamos a que mi padre y el alguacil se acerquen hasta la escuela a buscarnos. Eso no puede suceder en ningún caso. Llamaríamos demasiado la atención, sobre todo tú, y eso no nos conviene nada. ¡Solo nos faltaría eso! Además, en estos momentos.

—Déjame hablar a mí —le respondió Jero—. No sé si tendremos tiempo de convencerlo, pero por lo menos sí de explicárselo. Si intervenimos los dos, nos costará más que lo comprenda. Mejor uno solo.

—Está sentado dos filas delante de nosotros. Debemos de abordarlo, incluso antes de que salga al patio. No tenemos que perder ni un solo segundo.

—Ya te he dicho que me dejes a mí. Por supuesto, la conversación debe tener lugar aquí dentro, en la escuela. No podemos salir al patio. Ya sabes que allí se forma un buen alboroto y sería imposible explicar nada a Nico en tan poco tiempo, entre el tremendo ruido que se forma, sin olvidarnos de que cualquier compañero se podría unir a la conversación e interrumpirnos. Necesitamos algo de intimidad para lo que vamos a contarle.

—¿Y cómo piensas hacerlo? Cuando suena la campana, todos salimos corriendo hacia la salida, como una estampida. La clase se queda vacía. Hasta el profesor Urraca la abandona de inmediato.

Hablando del profesor Urraca, advirtió que Batiste y Jero estaban cuchicheando, sin prestar atención a la clase. Les llamó la atención en público.

Se acabó la conversación.

Jero le hizo un gesto con las manos a su amigo, indicándole que se callara y que se despreocupara de ese tema. Se giró hacia el profesor y se desentendió del asunto.

Batiste no las tenía todas consigo, pero decidió, una vez más, dejar que Jero fuera el protagonista de la conversación. Casi mejor, porque a él no se le ocurría como concentrar, en apenas cinco minutos, tanta información. Y no solo era eso, había, además, que convencer a Nico. Sin él, el plan que habían urdido se les vendría abajo.

Después de dos largas horas, por fin sonó la campana de la escuela. Como era habitual, todos recogieron sus mesas, dejaron las sillas ordenadas y salieron en tropel hacia el patio. Batiste se quedó inmóvil en la mesa que compartía con Jero, observando con curiosidad lo que su menudo amigo iba a hacer.

—¿Qué haces ahí parado? —le preguntó Jero—. ¡Vente conmigo! Aunque vaya a hablar tan solo yo, te necesito a mi lado. Es importante, ¡venga!

Batiste reaccionó y salió detrás de su amigo. Interceptaron a Nico, cuando ya había arreglado su mesa y se disponía a salir, junto con todos los demás.

—Anda, siéntate —le dijo Jero.

—¿Ocurre algo? —preguntó extrañado Nico.

—Nada, pero tenemos algo que proponerte, y apenas cinco minutos para hacerlo.

—¿Algo que proponerme? —repitió Nico, extrañado—. ¿Y por qué tiene que ser tan rápido?

—He quedado en casa de Batiste para comer con su padre, y nos está esperando. Ha insistido mucho en que no nos retrasáramos —dijo Jero, mintiendo con una soltura impropia de su edad—. Así que agradecería que pudiéramos comenzar cuanto antes.

—Pues hazlo ya —le respondió Nico, que no se lo esperaba y estaba expectante.

—Sabes —empezó la explicación Jero— que nosotros jugábamos mucho con Amador y Arnau.

—Claro que lo sé. Lástima de su enfermedad. Incluso en una ocasión os vi jugando aquí adentro, en la escuela Me llamó bastante la atención.

—Entonces, ¿tuviste curiosidad en lo que estábamos haciendo?

—No te voy a engañar, desde luego que la tuve. No os distéis cuenta, pero aunque no os podía oír, ya que os miraba a través de la ventana, estuve un buen rato observándoos. No sé qué es lo que estabais haciendo. Parecía algún tipo de juego muy solemne, pero al mismo tiempo, daba la sensación de que os lo pasabais muy bien. Os lo confieso, sentí cierta envidia de no estar con vosotros.

—Todo ello es cierto. Tan divertidos estábamos jugando que ni siquiera nos dimos cuenta de que nos estabas mirando, imagínate. Precisamente de eso va esta breve conversación. Por eso, ahora, necesitamos tu ayuda.

—¿Mi ayuda? ¿Para qué?

—Tú ya has dicho que Amador y Arnau están enfermos, y por lo visto, van a ausentarse de la escuela una buena temporada. Están recibiendo clases particulares en sus casas, así que no resulta difícil deducir que no se les espera por aquí en las próximas semanas. No tiene ninguna pinta que vayan a volver en breve.

—No sabía que estuvieran tan mal.

—Ya te lo contaremos otro día —dijo Jero, apurado—, que ahora tenemos el tiempo justo. ¿Sabes a qué jugábamos con ellos?

—¿Cómo quieres que lo sepa? Tan solo os vi por la ventana, ya os he dicho que no os pude oir.

—Escucha con atención y no me interrumpas, apenas tengo dos minutos —dijo Jero, muy serio.

—Adelante.

Jero le contó brevemente que se habían constituido en el tribunal juvenil del Santo Oficio de la inquisición de la ciudad.

Que investigaban y analizaban casos muy interesantes, además reales.

—¿Y eso cómo es posible? —preguntó Nico, con evidente curiosidad.

—Elegimos un caso cercano. Unas amigas del padre de Batiste nos facilitaron información de una causa real que está tratando ahora mismo el tribunal del Santo Oficio —volvió a mentir Jero.

—¿Y eso es legal? ¿Se puede hacer?

—Claro que sí, jamás haríamos algo que no se pudiera hacer —mintió descaradamente Jero— No olvides que es un simple juego, Nico. Somos niños. Por supuesto que podemos jugar a lo que queramos. Se trata de un caso menor, en el que no manejamos información secreta, además, ni siquiera es un tema que pueda suponer la condena a la hoguera de nadie. Se trata de un tema sin demasiada importancia, de carácter económico. A pesar de ello, es muy interesante.

—Pero el tribunal del Santo Oficio, para este tipo de cuestiones, requiere cuatro personas como mínimo. El inquisidor, el promotor fiscal, el notario, y, al tratarse de un tema económico, supongo que también el receptor. Nosotros tan solo somos tres.

—Tienes razón —Jero no había caído en ese detalle. Estaba claro que no podía menospreciar a Nico y que era muy inteligente y lo sabía. Le gustaba ser halagado. Decidió aprovechar ese punto débil de su personalidad. No le quedaba otra oportunidad.

—Entonces no podemos jugar a eso que me propones —insistió Nico.

—Sí que podemos. Por eso te hemos elegido a ti. Eres una de las personas más inteligentes de toda la escuela. Para nuestra desgracia, nuestros dos amigos se encuentran indispuestos, y la verdad es que nos lo pasábamos muy bien. Echamos de menos el juego. Creo que, con tu sagacidad, con tres personas seríamos suficientes. Podemos prescindir del notario y delegar esa función en el promotor fiscal, que serías tú.

Nico se sentía halagado. Jero había tocado su fibra sensible, su inteligencia. Aunque intentaba disimularlo, se notaba que estaba contento con el ofrecimiento.

Batiste se dio perfecta cuenta de cómo lo estaba manipulando sin que se diera cuenta.

«Si con nueve años es así, cuando sea mayor dará miedo», pensó.

No le cabía ninguna duda que seguiría los pasos de su padre, don Alonso Manrique. Desde luego, de capacidad iba muy sobrado, pero, ahora mismo, no de tiempo, que se les estaba acabando.

—¿De qué caso se trata? —preguntó Nico, que ya había mordido el anzuelo.

—Ahora no tenemos tiempo de explicártelo, ya te he comentado que apenas disponíamos de cinco minutos, pero mañana podemos hacerlo. Entonces conocerás todos los detalles del apasionante caso que llevamos entre manos. Te aseguro de que te va a encantar.

—¿Y cómo lo piensas hacer?

—Después de la escuela, cuando terminen las clases, celebraremos la primera sesión del tribunal juvenil del Santo Oficio, contigo como miembro de pleno derecho, en tu calidad de promotor fiscal. Ya sabes que esa figura es una de las más importantes en todo el proceso inquisitorial, es la que lleva el peso de las investigaciones y de la acusación.

—¿Y qué cargos representáis vosotros?

—Como es lógico, Batiste, que es el mayor de los tres, hará las veces de inquisidor. En este caso, yo, de forma provisional, asumiré el papel que, hasta ahora, representaba Amador, o sea, de receptor.

Batiste no dejaba de sorprenderse con Jero. Una vez el pez había mordido el anzuelo, ahora estaba tirando de la caña para atraparlo. Tan solo había un problema. Estaba muy reciente el descubrimiento de los cadáveres de Amador y Arnau, y no sabía cómo se lo iban a tomar su padre y Damián. Igual no les parecía bien que, al día siguiente, ya decidieran no volver a casa al acabar la escuela, además para jugar.

Era una cuestión en la que no habían pensado. No iba a ser fácil de explicárselo, aunque, siendo puristas, no se saltaban ninguna norma acerca de su seguridad. No iban a estar ellos dos solos, para eso habían unido a Nico, e iban a jugar en el interior de la escuela, un recinto vigilado. Cuando terminaran, les recogerían y volverían acompañados a sus casas. Intentó tranquilizarse.

—Bueno, ahora nos tenemos que ir. Se nos acabó el tiempo por hoy —dijo Jero.

—Me alegro mucho de que os hayáis acordado de mí para incluirme en vuestro juego. Cuando vuelvan Amador y Arnau, el juego será todavía más divertido —dijo Nico, que parecía genuinamente emocionado.

«Pues ponte cómodo y espérate sentado a que vuelvan», pensó Batiste, un tanto macabro.

Salieron los tres del interior de la escuela, camino del patio, listos para volver a sus casas.

—Bueno, os dejo que tenéis prisa. Mañana nos vemos —se despidió Nico, marchándose.

—Vámonos nosotros también, además a toda velocidad —dijo Jero—. No quiero que acuda el alguacil a buscarme. A ver cómo lo explico.

—Sí —dijo Batiste, despidiéndose de su amigo—. A mí también me extraña que mi padre no haya acudido ya, dado nuestro retraso en salir.

En realidad, lo había hecho. Todos los compañeros de Batiste ya habían pasado junto a él. Se preocupó. Era el primer día con las nuevas normas de seguridad, y esperaba que no las hubieran olvidado. En consecuencia, a hurtadillas, se acercó hasta un lugar donde podía observar el patio de la escuela. En principio, no los vio, hasta que advirtió como salían del interior de la escuela, acompañados de otra persona.

Pudo ver cómo se despedían. No le gustó en absoluto lo que había contemplado. Era un inconveniente imprevisto.

Ahora, Johan estaba preocupado.

12 EN LA ACTUALIDAD, MARTES 23 DE OCTUBRE

—¿Un *piloto*? ¿Eso qué es? —le preguntó Rebeca a Borja, cuando cortaron con la emisión del supuesto programa de radio.

—Es un programa que se graba para que los jefes nacionales de nuestra televisión valoren el posible éxito del formato.

—¿Piloto? —dijo Fede—. Aquí, el único que hay es Charly, de Mare Nostrum Airlines.

—¡A ver si ahora me la cargo yo, que, por una vez y sin que sirva de precedente, no pinto nada en este asunto! —contestó de inmediato Charly.

—¿Eso significa que no se ha emitido en directo? ¿Qué tan solo se ha grabado para valorarlo con posterioridad? —siguió preguntando Rebeca.

—La mayor parte de las veces. los programas piloto se graban, pero, en otras ocasiones, también se emiten, para valorar también la reacción de la audiencia y de la crítica —respondió Borja—. Es un dato muy valioso para saber si el programa ha gustado o no al público televisivo.

—Entre líneas, te está diciendo que acaban de ver tu programa en toda España, a través de «14 TV» —dijo Carlota—. Deja de hacer preguntas idiotas, impropias de tu inteligencia. ¡Parece mentira! Me avergüenzas.

—Bueno... —intentó explicarse Borja

—Lo que dice mi hermana, ¿va en serio? —le cortó Rebeca—. Contéstame tan solo con un «sí» o un «no» y déjate de explicaciones innecesarias.

Borja se puso colorado.

—En realidad, sí. En este caso, decidieron emitir el programa en directo —reconoció Borja—. Aunque yo no he tenido nada que ver con esa decisión, de hecho, no me he enterado hasta el último momento. No te quise asustar.

—¿Hemos salido todos en la *tele*? —preguntó avergonzada Almu.

—¡Pues claro! —respondió Carlota—. ¿Por qué te crees que pretendían trasladar el emplazamiento del programa a sus estudios? ¿No te lo explicas ahora, Rebeca? Para ellos, era más cómodo emitirlo desde allí que desde un *pub*, porque ya disponían de la infraestructura adecuada. Aquí, han tenido que improvisar un estudio móvil, pero no de radio, sino de televisión.

—Pues entonces me alegro de no haber dado mi brazo a torcer —dijo Rebeca.

—Hablando de torcer el brazo y empinar el codo, vayamos a la barra, que el *pub* Kilkenny's nos tiene preparada una pinta extra de *Murphy's Irish Red* para celebrar el magno acontecimiento —propuso Carlota.

A pesar del asombro inicial, todos se lanzaron a la barra como locos. Los nervios, a toro pasado, se habían trasformado en sed.

—Si lo llego a saber, me visto de otra manera, como más mona —dijo Carmen.

—¡Si estás estupenda! Yo, sin embargo, voy con vaqueros y una camisa —dijo Carol, que, habitualmente, iba bastante más elegante, pero, curiosamente, hoy su vestuario era bastante informal, para su tren de vida.

—Como yo. ¿Eso es malo? —preguntó Xavier—. Si lo pensáis, es lo ideal. Jamás nos hubiéramos aproximado a la extrema elegancia de Rebeca. Casi mejor que haya sido ella la que haya captado todas las miradas. Así, nosotros habremos pasado más desapercibidos.

—Bueno, a no ser que yo hubiera venido vestido con mi uniforme de trabajo —dijo Charly, presumiendo.

—¿Acaso te atreves a compararte con nuestra Rebeca vestida con un Reem Acra? —preguntó Carlota, indignada—. Tu uniforme tan solo sirve para una cosa, para arrancártelo a bocad...

—¡No sigas! —le interrumpió Rebeca, riéndose— que no sé dónde puede acabar esta conversación.

—Por cierto, Rebeca, en la bolsa que está junto a la mesa del *Speaker's Corner*, tienes unos vaqueros, una camiseta y una chaqueta —le dijo Carlota—. Te lo digo por si quieres ponerte algo más cómodo que el modelo que llevas. No vayas a manchar semejante joya.

—¿No me digas que tenías ropa de recambio desde el principio y me has hecho vestirme con este traje? —le respondió Rebeca, haciéndose la enfadada.

—Ibas a salir por la televisión y, además, ya había contratado al *ultrapijo* del *personal stylist* ese, de nombre impronunciable. Venga, deja de quejarte que te acompaño hasta la bolsa a coger la ropa de recambio.

—¡Te mato! —dijo, mientras se levantaban del taburete de la barra del *pub*.

De camino, Carlota se dirigió a Rebeca, en un susurro.

—Cuando nos vayamos todos del *pub*, te espero en la Puerta de los Hierros de la catedral, a los pies del Miguelete. Es muy importante. Acude, sea la hora que sea.

—¿Por qué? No te mereces que te haga caso, después de la encerrona de hoy.

Carlota ni la escuchó, ya se había vuelto con los demás miembros del *Speaker's Club*.

Rebeca buscó la ropa en la bolsa de su hermana. Allí estaba. Subió al camerino improvisado para cambiarse, por segunda vez esta tarde. Cuando volvió, ya habían desmontado todas las cámaras y la decoración del *Speaker's Corner*. Sus amigos estaban sentados allí.

—Casi te prefiero así —dijo Xavier—. Al natural, vestida de ti misma.

—No tienes ni idea de moda —le respondió Carmen.

—Desde luego que no, pero de mujeres sí. Por ejemplo, de un regalo, ¿qué prefieres? ¿El continente o el contenido? El envoltorio, cuándo más fácil de quitar, mejor.

—¡Qué burro eres! —dijo Carmen, riéndose.

—Yo pienso lo mismo, y en eso que soy imparcial entre hombres y mujeres —dijo Jaume.

—¡No me digas! —le contestó Carmen sin poder parar de reírse. Aunque Jaume era bisexual, actualmente eran pareja y les iba muy bien.

—No habléis de esas barbaridades —dijo Almu.

—¿Barbaridades? —dijo Charly—. ¿Quieres oír una auténtica barbaridad? Pues pregúntale a tu amiga del alma, a Rebeca, cuánto cuesta el modelo que llevaba puesto hasta hace un momento.

Rebeca se giró de inmediato hacia Carlota, que hizo un gesto muy claro, encogiendo los hombros, como queriendo decir que ella no había contado nada.

—¿Cómo sabes tú lo que me ha costado mi modelo? —le preguntó Rebeca a Charly.

—San *Google*. Acabo de buscar en internet «Reem Acra». Te prometo que hasta hace diez minutos no sabía quién era esa tía. Es impresionante. ¿Sabéis que ha vestido a casi todas las famosas de Hollywood? Ahora también a nuestra Rebeca.

—¿Cuánto te ha costado? Ya tengo curiosidad —le preguntó Almu.

—Igual te sorprendes —dijo Carol, con una sonrisa de pilla. Ella sí que sabía de sobra quién era Reem Acra.

Rebeca se vio obligada a improvisar. Por nada del mundo quería confesar la cantidad de dinero que se había gastado.

—Hay una diferencia entre cuánto vale y cuánto me ha costado. Valer, unos diez mil euros, costar, nada. Las grandes diseñadoras prestan sus modelos para que les hagan publicidad en los eventos importantes. También lo hacen los joyeros, por ejemplo —mintió, hasta en su precio real.

—¡Ah! ¿sí? —se sorprendió Fede—. ¿Tienes el teléfono de Hugo Boss? Mi prima se casa la semana que viene y no tengo nada que ponerme.

—¿Cómo qué no? ¿Y esa camiseta talla XXXL de Los Ángeles Lakers de la fiesta de fin de curso de *cole*? —le recordó Charly.

Todos se rieron recordando la famosa anécdota.

—Bueno —dijo Charly—. Hoy Rebeca no es la única que tiene algo que celebrar.

—¿Qué dices Charly? ¿Te has echado novia? —le preguntó Carol.

—Eso no sería motivo de celebración. Además, cada día que pasa es más difícil, y más cuándo te eclipsan las *Spice Girls*.

—¿Llamáis *Spice Girls* a Rebeca y Carlota? No lo sabía. ¿Chicas picantes? —preguntó Carol, sin poder parar de reírse. Aquello sí que era gracioso.

—Y a ti *ecopija* —le respondió Charly —, así que no te rías tanto.

—Me parece que se ha abierto la veda —intervino Fede, con una sonrisa pícara en su rostro.

—¿No me digas que nos llamáis así? —se rio Carlota, también. A Rebeca no parecía hacerle tanta gracia. Nunca le había gustado ese grupo musical de los años noventa del siglo pasado, cuya componente más famosa fue la *ultrapija* de Victoria Beckham. Odiaba su pegadizo tema *Wannabe*.

—Bueno, a veces, ya sabéis, en conversaciones coloquiales e intrascendentes —aclaró Charly.

—¿No habéis puesto un mote a todos? —preguntó Bonet, con curiosidad.

Charly estaba apurado, no quería hablar ahora de este tema. Fede salió en su rescate.

—Más o menos, pero quizá no sea este el momento más adecuado...

—¿Cuál es el mío? Decid tan solo uno y me conformo —insistió Bonet.

—Bueno, tú lo has querido —dijo Charly—. Eres Bender, el robot de la serie *Futurama*, de los mismos creadores de *Los Simpson*, ¿te acuerdas?

Todos se rieron porque era un apodo acertadísimo.

—Anda Bender, acércame la cerveza —le dijo Xavier, partido de risa.

—Y no queráis saber más, que ahora hay un anuncio que hacer más importante que todo eso —dijo Fede—. Seguiremos con los motes el próximo martes.

—¿Qué quieres decir con esas palabras? —preguntó Carol— . ¿Qué existe en este mundo más importante que reírnos?

—Alguna cosa más —dijo Charly—. Para mi desgracia, desde la aparición de las *Spice Girls* ya nadie se acuerda de mí.

—Dan, el camarero sí lo hace. Eres el que siempre pides las cervezas —dijo Carlota.

—¡Muy graciosa! Al lado de vosotras, soy invisible. Claro, como yo no puedo traer a The Waterboys, pues...

—¡Mañana es 24 de octubre! —saltó, como un resorte, Calota, cayendo en la cuenta.

—Y pasado 25 —dijo Carmen—. ¿Y qué ocurre el 24, si no es indiscreción?

Carlota no se aguantó. Salto a los brazos de Charly y le estampó dos besos en sus mejillas.

—Mañana, 24 de octubre, ¿no lo comprendéis? Es su cumpleaños —dijo—. Es imperdonable no haberme acordado. Claro, con todo el lío de la tele y eso... —intentó justificarse con poco éxito.

—Pues sí. Cumplo ya veintidós años y me acerco, lenta pero inexorablemente, hacia la ancianidad anónima, cuesta abajo y sin frenos —dijo Charly, haciéndose el compungido.

Todas siguieron los pasos de Carlota, se abrazaron y le dieron dos besos. Hasta ellos hicieron lo mismo. Charly era uno de los miembros más entrañables del *Speaker's Club*, a pesar de ser un bromista empedernido. Caía bien a todo el mundo. Le tenían un cariño especial.

—Con mi sueldo me da para invitaros a una o dos rondas más de cerveza y pedirle a Dan, nuestro camarero oficial, que ponga alguna música diferente a la que está sonando, nada más.

—¡Marchando esas pintas! —le dijo Fede a Dan, mientras le susurraba al oído algo, de forma imperceptible.

La cerveza siguió corriendo, hasta que, de repente, por los altavoces del *pub* empezó a sonar el tema *After Dark*, de la banda méxico-estadounidense, Tito y Tarántula. Todos se empezaron a reír. Era la canción en la que Salma Hayek interpretó una de las escenas más sensuales de la Historia del cine, su baile, con una pitón enrollada alrededor de su cuerpo, en la película de culto *Abierto Hasta el Amanecer,* de Robert Rodríguez, con la magistral colaboración de Quentin Tarantino, precisamente protagonista de esa escena.

Todos se rieron otra vez.

—Yo no tengo medios para traer a The Waterboys, pero, al menos, nos podremos imaginar a Salma Hayek bailando con su serpiente en este tema.

—¿Aún quieres que la baile? —le preguntó Rebeca, con una sonrisa pícara.

—¿Lo harías por mí? ¿En mi cumpleaños? —preguntó emocionado Charly.

—Jamás —rio Rebeca—. Haría el más espantoso de los ridículos...

La tertulia y el cachondeo se alargaron hasta las once de la noche, pero ya era hora de terminar. Mañana era miércoles, día laborable, y todos tenían sus obligaciones, aunque, ahora mismo, nadie del grupo sería capaz ni de conducir. Se despidieron, y cada uno se fue a su casa en trasporte público. Bueno, todos no. Rebeca no se olvidaba del mensaje que le había trasmitido su hermana al oído.

«¿Y si no acudo?», se preguntó. «Se lo merece, me ha organizado una buena encerrona».

Por otra parte, Carlota le había dicho que era importante. Si su hermana se lo decía, desde luego era porque lo era, seguro que no se trataría de una tontería. Tenían muchos temas pendientes que aclarar, aunque le dio la sensación de que su hermana tan solo se refería a uno de ellos en concreto.

Intento salir la última del *pub*, para que nadie se diera cuenta de que se iba a dirigir en dirección contraria a su casa. La Puerta de los Hierros de la catedral estaba a apenas un minuto del local, en un lateral en la misma plaza de la Reina.

Era una puerta muy curiosa, primero por su disposición en la construcción. En origen, fue concebida para verla desde la estrecha calleja de Zaragoza, hoy desaparecida por la ampliación de la plaza de la Reina. Fue construida al estilo Bernini o Borromini, para dar una sensación de más amplitud a la estrecha calleja original. Al derribarse los edificios de esa calle, el efecto visual que se pretendía dar había desaparecido, y se asemejaba más a un enorme retablo espectacular de treinta y seis metros de altura. Y segundo, porque era la puerta más reciente de las tres de la catedral, cada una de ellas de un estilo arquitectónico diferente. La más antigua, la de La Almoina, que significa limosna en valenciano, era de estilo románico. La de Los Apóstoles, de estilo gótico y la de Los Hierros, de estilo barroco. De las tres, quizá la más famosa, aunque no la principal, fuera la que recaía en la plaza de la Virgen, la de Los Apóstoles. A su alrededor se reúne, todos los jueves a las doce del mediodía, el famoso *Tribunal de las Aguas de Valencia*, declarado Patrimonio Cultural Inmaterial de la Humanidad en 2008 por la UNESCO. Sus orígenes son desconocidos, aunque algunos lo datan en la época romana y continuado durante la presencia árabe en la ciudad.

Lo cierto es que el rey Jaume I en 1239, en su Fuero XXXV, ordenaba que las acequias se rigieran *«segons que antigament és e fo establit e acostumat en temps de sarrahïns»*, prueba de que es una institución de derecho consuetudinario que rige las relaciones entre los agricultores regantes valencianos, muy antigua y tradicional, con más de mil años de historia. Rebeca había asistido un par de veces, ya que sus sesiones eran públicas, y era algo digno de ver. También los autos de fe del tribunal local de la inquisición se celebraban allí. Desde luego era uno de los puntos mágicos de la ciudad, con una historia muy interesante.

Volviendo a la Puerta de los Hierros, «mucha gente no entiende el motivo por el que la entrada principal a la catedral se encuentre en un rincón de la plaza, extrañamente desplazada de su centro. Cuando fue construida no era así», se dijo Rebeca, desempolvando sus conocimientos de Historia, ya andando hacia ella, con el simple objetivo de rellenar sus pensamientos y alejarlos de su hermana.

Su instinto le decía que algo importante podía ocurrir, y más estando Carlota de por medio.

Cuando llegó a la puerta barroca, más bien a su reja exterior, ya que la puerta de la catedral, a estas horas, estaba cerrada, vio a su hermana apoyada en ella.

—Te has pensado si acudir o no —le dijo, cuando la vio llegar—. Tu cara es un libro abierto para mí.

—Me malinterpretas. Estaba reflexionando acerca de la curiosa historia de este lugar y sus alrededores, mientras caminaba hacia aquí.

—Anda, no me mientas.

—Una cosa no es incompatible con la otra.

—Venga, Rebeca, que son muchos años...

—¡Pues sí! —exclamó enfadada—. Si quieres que te diga la verdad, me lo he pensado, para que te lo voy a negar. ¡Menuda encerrona me has preparado en el *pub*! Además, planificado a conciencia, todo a mis espaldas.

—Pero te puede la curiosidad, como me ocurre a mí.

—Así es, para mi desgracia.

—Todo ha sido necesario, ahora lo comprenderás.

—¿Necesario para qué? No te entiendo.

—No puedo permitir que te quedes sola en tu casa. Además, se ha hecho muy tarde, ¿te vienes a la mía a dormir? —le preguntó Carlota—. Ya sabes que estoy preocupada por tu seguridad.

—No —insistió Rebeca, muy firme—. Tengo toda mi ropa y aseo personal en mi casa. Además, creo que me vendrá bien pasar una noche sola. También tengo que reflexionar, han pasado demasiadas cosas en poco tiempo. Necesito ordenar mis pensamientos. Creo que aún no he asimilado que mi universo se ha venido abajo en muy poco tiempo. Necesito poner cada pieza en su sitio, y eso lo tengo que hacer a solas.

—Pues eso no es nada comparado con lo que se avecina —le respondió Carlota, muy seria.

—Pero ¿para contarme esto me has citado aquí, a estas horas?

—En realidad no, pero necesito que te vengas a mi casa, aunque sea una sola noche. Es muy importante, y cuando digo muy importante, es que lo es de verdad.

Rebeca se quedó mirando a su hermana. Lo tuvo claro. Ya sabía que no la debía menospreciar, y menos con lo que vio en sus ojos. Le brillaban.

—No lo tengo claro —se hizo de rogar. No se lo pensaba poner fácil, después de lo de esta tarde.

—Bueno, mañana te espero a la hora de comer. Te quedarás a dormir, aunque sea tan solo una noche. No es algo que sea negociable, ¿lo entiendes? —dijo Carlota, con un tono de voz firme y el semblante muy serio.

—¿Qué ocurre? —preguntó Rebeca. Ahora estaba algo asustada.

—Que las cosas se van a precipitar muy en breve. Hay cuestiones muy importantes que desconoces, y se acerca una gran tormenta. Tenemos que estar preparadas, más que nunca. Lo de Tote ha sido tan solo el detonante, pero no es nada comparado con lo que se nos viene encima.

—¡Qué trágico me lo estás pintando! ¿No estarás exagerando para que me quede en tu casa y no esté sola?

—Mírame a los ojos y sabrás que no te estoy mintiendo. Ni te imaginas de lo que te vas a enterar mañana. Tú misma lo podrás juzgar.

—¿Y por qué no me lo cuentas ahora? Estamos en una de las puertas de la catedral, a unas horas intempestivas. No hay nadie alrededor que nos pueda escuchar.

—Por una cuestión muy simple. No debo de ser yo quién te lo cuente.

—¿Por qué? —preguntó sorprendida Rebeca. Ahora, su hermana le había dejado descolocada—. ¿Esta es la cuarta sorpresa que me habías anunciado en el programa en directo, hace un momento?

—No te olvides. Mañana tenemos una comida muy especial en mi casa —concluyó la conversación Carlota, mientras se giraba y abandonaba a Rebeca, bajo la torre de la catedral de Valencia, El Miguelete, a la luz de la luna de Valencia.

«¿Qué significa todo esto?», se preguntó, mientras veía alejarse a su hermana.

13   13 DE MARZO DE 1525

Don Cristóbal de Medina se encontraba solo en su residencia. Jamás en toda su vida, ni cuando era un simple renacuajo, recordaba haber vivido una situación como la actual, ni siquiera parecida. Para empezar, nunca había vivido solo, ni había tenido que lavarse él mismo la ropa, ni cocinar lo más básico. Era una situación de lo más extraña para él. Se encontraba desubicado. Lo único que le reconfortaba era encerrarse en su despacho y leer. Eso era lo que hacía la mayor parte del día. Para acompañar su soledad, hoy había citado a Juan Argent, notario de penitencias del tribunal local de la inquisición, que, para eso, era su ayudante particular en el Santo Oficio.

Ambos se encontraban en el interior del despacho del receptor.

—Lo acabo de recibir ahora mismo —dijo don Cristóbal, mientras le pasaba un pequeño legajo a su acompañante, anudado en un cordel

—¿Lo has leído?

—Por encima, pero quiero que saques tus propias conclusiones. Yo ya lo he hecho y sin necesidad de estudiármelo a fondo, que creo que tampoco hace demasiada falta.

Juan Argent lo abrió y miró en su interior. Tan solo contenía cuatro documentos. Tres de ellos eran inteligibles para su entendimiento, ya que eran fórmulas alquímicas y datos técnicos, sin embargo, el cuarto era otra cosa. Se supone que era la explicación, en términos comprensibles para los legos en la materia, de los tres documentos anteriores. Se tomó su tiempo. Lo leyó una vez, y, cuando terminó, lo volvió a hacer.

—¡Pero esto es impresionante, es lo que buscábamos! —acertó a decir.

—Eso parece —le respondió el receptor, que parecía extrañamente calmado, teniendo en cuenta las excelentes noticias que contenía aquel legajo.

—No te veo muy contento para lo que acabas de averiguar —observó Juan.

—Por curiosidad, ¿qué conclusiones has sacado tú de la lectura?

—Me parece que es muy obvio, como ya me habías advertido. Los tres documentos de estudios alquímicos no los comprendo, ya que esa no es mi especialidad y no tengo ni idea. Pero el cuarto, donde se sacan las conclusiones a sus pruebas, es absolutamente concluyente.

—Sigue —le dijo don Cristóbal.

—Según el alquimista Luis de Centellas, sin ningún tipo de dudas, en el pozo de la antigua residencia de la familia Vives, había oro. Y no solo eso, aquí pone que, con toda probabilidad, también otras piedras preciosas. A eso se le llama tesoro. ¿No era lo que ibas buscando?

—Sí, así es.

—Y entonces, ¿por qué pareces tan indiferente? Aquí indica con claridad que Centellas tomó muestras de la pared del pozo, a una altura de un metro del suelo, aproximadamente. Yo he estado en esa casa, cuando se produjo su venta definitiva a las hermanas Beatriz y Leonor Vives. Recordarás que intervine en esa operación, a principios de este mismo año. Me acuerdo perfectamente de ese pozo. Es de proporciones bastante generosas. Si a un metro del fondo del pozo había oro y piedras preciosas, lo depositado tuvo que ser de enorme tamaño. No estamos hablando de un tesoro valorado en unas decenas de miles de sueldos, que ya sería notable. Podemos estar hablando de varios centenares de miles. Eso es una auténtica fortuna, no una simple confiscación menor, como solemos hacer.

—Muy bien, Juan. Has razonado como yo —dijo don Cristóbal, que seguía con esa extraña actitud apática.

—¿Y por qué, ante estas magníficas noticias, hay una persona contenta y otra indiferente en el interior de este despacho?

—Porque algo no está bien.

—¿Qué? Luis de Centellas es el mejor alquimista de la ciudad. No seré yo el que ponga en cuestión sus conclusiones. ¿Acaso lo haces tú?

—¡Claro que no! No dudo de lo que afirma el alquimista, pero algo sigue sin estar bien.

—No te entiendo Cristóbal.

—¿Sabes? Hace poco estuve en la biblioteca del Santo Oficio del Palacio Real.

Juan Argent se sorprendió. No era nada habitual que un receptor accediese a la biblioteca, ya que era secreta. Lo usual era que solicitara, al notario del secreto o a los propios inquisidores, los documentos que precisara para su labor.

—¿Para qué hiciste eso? —le preguntó.

—Ya te he contado todo lo que pienso acerca del proceso inquisitorial contra Miguel Vives y gran parte de su familia, entre los años 1500 y 1501. Fue todo una auténtica farsa. Le hicieron pasar por un demente, cuando era una persona lúcida como pocas.

—Lo recuerdo. Creías que todos los testigos y encausados se pusieron de acuerdo con declaraciones coincidentes. Les interesaba que pareciera un débil mental, para tratar de que algunas manifestaciones suyas pasaran como las de un demente, y no se tuvieran en cuenta, como así ocurrió en la realidad.

—Y ahora resulta que tenemos en nuestras manos la prueba definitiva. Sus alocadas declaraciones no eran tales. Es completamente cierto que existió un tesoro en el pozo de la residencia de Luis Vives. En teoría, parece que no estaba mintiendo, ¿no?

—¿En teoría? Ahora tienes la confirmación científica. Por eso no comprendo tu actitud. Lo que siempre has creído se ha confirmado —dijo Juan.

—No. Mi teoría no se ha confirmado. En realidad, se ha complicado —le respondió don Cristóbal.

—No te entiendo.

—Está claro que el objeto de todo el proceso contra Miguel Vives fue una farsa. En eso coincidimos —empezó su explicación don Cristóbal—. Algo querían ocultar y debía ser de gran importancia, porque ya sabes que, más de treinta personas de diferente condición y procedencia social, mintieron, sabiendo que ello les llevaría a la hoguera, como así sucedió. No les importó morir.

—Claro, estaban intentando desacreditar las declaraciones de Miguel Vives.

—Sí, pero ¿cuál?

—¿Cuál va a ser? Tienes la prueba encima de tu mesa, el informe del alquimista.

—Cuando más leo esos papeles, menos me los creo —afirmó don Cristóbal, con una seguridad que le llamó la atención al notario de penitencias.

Ahora, el que estaba pensativo era Juan Argent.

—¿Por qué me has dicho antes que estuviste en la biblioteca del Santo Oficio?

—Porque tengo la sensación que se nos está ocultando algo, y es de mayor importancia que una colección de joyas escondidas en un pozo.

—Escucha, Cristóbal. No son una simple colección de joyas. Es una auténtica fortuna. ¿Qué puede haber más importante que eso?

—Ahora has llegado al punto dónde yo quería. Esa es la gran pregunta clave.

—Pues ya te la respondo yo, absolutamente nada. Ya sabes cómo eran esos *marranos* judíos haciéndose pasar por falsos cristianos. Podridos de dinero que, para ellos era lo más importante, pero no como nosotros lo entendemos. Se servían de él para prestarlo a los cristianos, incluyendo a reyes y nobles de rancio abolengo, y así obtener favores especiales. Esa era su verdadera fuente de poder. Utilizaban el dinero para eso, y tú lo conoces perfectamente.

—Dices todo eso porque no sabes lo que encontré en la biblioteca.

—¿Qué encontraste?

—Nada.

—¿Cómo qué nada?

—Lo que oyes. Estuve más de cinco horas, en compañía del notario del secreto. Buscamos documentación de todos los procesos relacionados con Blanquina March. A pesar de que debían existir diversos legajos, no encontramos nada.

—¿Y qué conclusión sacas de esa anomalía? Igual están traspapelados. Esa biblioteca es enorme, y parece en completo desorden.

—Te equivocas. No en el tamaño, evidentemente, pero sí en lo del desorden. No existen pasillos numerados, no existen estantes ni se guarda un orden alfabético de los expedientes, pero si sabes buscar, todo está perfectamente clasificado. Sigue un orden cronológico. Tienes que conocer las fechas de los procesos, pero si tienes ese dato, la biblioteca te da todo lo que quieras.

—Todo no. Me acabas de decir que no encontraste nada de Blanquina.

—Eso es lo extraño. Conocíamos las fechas exactas. Sabíamos que había sido interrogada en varias ocasiones, y que, toda la documentación generada, se guardó en sus correspondientes legajos.

—No lo entiendo.

—Ni yo. Si lo que pretendían ocultar era la existencia de un tesoro en el pozo de Luis Vives, no lo consiguieron. Tuvimos acceso a esa documentación con facilidad. Es cierto que tuve que presionar un poco a los inquisidores, pero Juan de Churruca no tardó ni veinticuatro horas en facilitármela, con las declaraciones de Miguel Vives incluidas. Sin embargo, ¿por qué molestarse en ocultar todo lo referente a Blanquina? Es decir, dejan al descubierto lo que, supuestamente es más importante, el tesoro, pero ocultan, con una eficacia extraordinaria, todo lo referente a una joven, que, la primera vez que declaró ante el Santo Oficio, no tendría más de dieciocho años. Además, hay legajos desaparecidos que no revestían la más mínima importancia, eran interrogatorios casi de rutina. ¿Le encuentras algún sentido?

—No, no tengo ni idea, pero ya me estás haciendo dudar —dijo Juan—. Había empezado la reunión de buen humor, pero ya no sé qué pensar.

—Creo que nos ha cegado el oro del pozo. ¿Sabes cómo continuaba la misma declaración de Miguel Vives que confesaba la existencia del tesoro?

—¿Acaso continuaba? —preguntó extrañado Juan.

—¿Te das cuenta? Nadie le dio la más mínima relevancia a sus palabras. A la primera parte de ellas porque parecía fruto de un demente, y a la segunda parte, porque después de confesar la existencia de mucho oro, ¿qué más podía importar? Para tu información, esta es la declaración completa. Quiero que le prestes atención a la segunda parte, y luego te contaré mi interesante conversación con el notario del secreto, en la biblioteca del Santo Oficio.

«En el corral de la casa de Luis Vives, en el fondo de su pozo, hay escondido un tesoro, custodiado por un negro barbudo, atado con un collar de oro. Sé muchas más cosas que todas las personas del mundo, y si quisiera, haría temblar a mucha gente».

—Ni siquiera conocía esa continuación —confesó Juan Argent.

—Ni tú ni parece que nadie —le respondió el receptor—, pero está claro que no se refiere al tesoro del pozo. Tengo el convencimiento de que es, precisamente esta segunda parte, la que se intentó ocultar.

—Está claro que sabes algo que no me estás contando —dijo Juan, mirando a su amigo.

—Es cierto, en concreto dos cosas —reconoció Cristóbal—. Empecemos por la primera. Ahora entra en juego el notario del secreto. Como estuvimos cinco horas en la biblioteca, nos dio tiempo para mantener una conversación muy interesante. ¿Sabías que, a pesar de que la inquisición conocía desde hacía mucho tiempo la existencia de la sinagoga clandestina de Miguel Vives, la noche que la descubrieron, se llevaron una gran sorpresa?

Juan se extrañó.

—Si conocían su existencia, ¿por qué se sorprendieron cuando la hallaron?

—El notario del secreto me contó la acción. Resulta que fue comandada por su antecesor en el cargo, el notario don Joan Pérez, acompañado del promotor fiscal don Juan de Astorga, de un fraile llamado Martín Ximénez y de dos personas más de apoyo. En realidad, la operación no tenía como objetivo desmantelar la sinagoga. Parece que llevaban un tiempo siguiendo a un grupo de diez *marranos*, que celebraban reuniones clandestinas con extraños ropajes. Llevaban espiándoles bastante tiempo, y esa noche los vieron entrar, a los diez, en la casa de Miguel Vives. Por eso precipitaron la operación, para atrapar a los diez a la vez, en una sola acción. Estaban preparados y disponían de los medios necesarios. Lo extraño es que, cuando accedieron a la residencia, no encontraron a nadie. Descubrieron la sinagoga clandestina, pero ni rastro de los diez. Se habían evaporado, porque la casa tan solo tenía una salida, y estuvo vigilada en todo momento. No existe ninguna explicación posible, sin embargo, ocurrió como te lo estoy contando.

—Y de todo eso, ¿no consta ninguna documentación? Acabas de decir que los llevaban siguiendo desde hacía bastante tiempo. Ya sabes cómo funcionamos en el Santo Oficio, todo lo informamos por escrito y lo archivamos en legajos. Bastaría acceder a toda esa documentación. Estará en su lugar correspondiente, cogiendo polvo, en el interior de esa lúgubre biblioteca.

—Ya te he contado que no hay ni rastro de ningún tipo de documentación con respecto a los diez, pero eso no significa que no exista o, al menos, no existiera. De hecho, el notario del secreto me dijo que su antecesor sí que lo hizo. O sea, que, en realidad sí que existían documentos al respecto. Es más, él mismo llegó a ver algunos de ellos.

—¿Y qué te contó? —ahora el interés del notario de penitencias subía de tono.

—Parece que la función de estas diez misteriosas personas era custodiar un árbol.

—¿Un árbol? —se extrañó Juan. El globo del interés se le había pinchado—. ¿Todo ese montaje, jugándose sus vidas en la hoguera, por un simple árbol?

—Según creían entonces los investigadores, ese árbol podría tratarse de una palabra clave que, en realidad, significara un tesoro.

—¿Otro tesoro más?

—Sí, y parece que este era el importante, no el que Miguel Vives declaró en su proceso.

—¿El importante? —Juan ya no sabía ni qué pensar de todo aquello. Se limitaba a repetir, como un mono, las palabras en forma de pregunta.

—Sí, y aquí entra en juego la segunda parte de la declaración de Miguel. ¿Te acuerdas? Dijo que él conocía muchas cosas, que si hablaba, mucha gente temblaría. Ponlo en contexto. Se podría referir a los diez.

—Pero eso es una pura conjetura —protestó Juan—. También se podría referir a cualquier otra cuestión.

—Si lo piensas bien, no a tantas, pero ahora respóndeme a dos preguntas. ¿Por qué no existe ni un solo legajo en todos los archivos del Santo Oficio relativos a este grupo de diez personas? Yo me he tenido que enterar de su existencia por mi conversación con el notario del secreto. Y la primera pregunta nos lleva a una segunda, más inquietante todavía, ¿quién tiene poder para hacer desaparecer decenas y decenas de documentos? En definitiva, ¿quién puede evaporar una investigación completa, hasta no dejar ni rastro de ella en ningún lugar?

Juan Argent empezaba a entender a don Cristóbal.

—La respuesta a la primera pregunta es alarmante, ya que es algo insólito, pero la contestación a la segunda es escalofriante. Sabes, igual que yo, que eso tan solo está al alcance de un inquisidor. Nadie más tiene semejante poder —respondió Juan—. Supongo que ya habrás investigado a los inquisidores de la época.

—Por supuesto, eran Monasterio y Mercado. Impecables en todo su trabajo y sin ninguna mancha en sus expedientes. Fueron dos inquisidores modelo, hasta llegar al asunto del asalto a la sinagoga clandestina. Aquí las cosas se torcieron para ambos, ya que tuvieron desencuentros y desavenencias hasta con el propio rey Fernando el Católico. Acabó destituyéndolos a ambos al mismo tiempo, un hecho insólito. A pesar de todo ello, no he sido capaz de encontrar nada contra ambos. Simplemente que el rey se enfadó porque, después de más de quince años funcionando el tribunal del Santo Oficio en la ciudad, aún existieran sinagogas clandestinas y no hubieran sido desmanteladas con anterioridad. Absolutamente ninguna referencia al grupo de los diez ni de ninguna clase de tesoros. Eso no aparece escrito por ningún lugar.

—Si tú no has encontrado nada... —empezó a decir Juan Argent.

—No es tan sencillo, ni mucho menos ¿Entiendes ahora el motivo de mis temores en todo este asunto? Miguel Vives sobornaba a media ciudad, entre ellos personal menor de la inquisición, pero también a gente muy importante, como al mismísimo tesorero real. Esa documentación sí que consta en los archivos y la tengo en mi poder. ¿Quién nos dice que no sobornó también a un inquisidor? De toda esa parte, no hay ni rastro en los archivos. Nada de nada. Desaparecida por completo, y debía de ser abundante. ¡Qué casualidad! ¿no?

Se hizo el silencio entre los dos. Se notaba que Juan estaba procesando toda la avalancha de información que acababa de recibir.

—Todo este asunto es perturbador. Lo que no acabo de comprender es el motivo por el que crees que se puede tratar de dos tesoros diferentes. ¿Por qué no podría ser el mismo? Según las pruebas del alquimista Centellas, el del pozo debió de ser enorme. No me entra en la cabeza la coincidencia en el tiempo de dos tesoros de esas proporciones. Jamás hemos incautado nada ni siquiera parecido. ¿Y ahora crees que hay dos? ¿El de Miguel Vives y el que custodia ese grupo de diez? ¿No te parece extraño?

—En absoluto. Recordarás que hace un momento te he dicho que te ocultaba dos detalles importantes. Ya te he contado el primero, pero el segundo lo tienes en tu regazo y no te has dado ni cuenta.

Juan miró entre sus piernas. Lo único que tenía en ellas era el informe del alquimista Centellas.

—Esto ya lo he leído. Habla del tesoro del pozo, del que habló Miguel Vives en su declaración ante el Santo Oficio. Corroborado por pruebas irrefutables.

—Acabas de emplear las palabras correctas, «pruebas irrefutables». Los tres primeros documentos de ese informe, casi ininteligibles, contienen la «prueba irrefutable» más importante de todas.

—¿Más que la existencia confirmada del tesoro? —preguntó Juan, sorprendido.

—Mucho más.

—¿Qué esperas para contármela?

—Luis de Centellas hizo un análisis muy detallado de sus hallazgos en el interior del pozo. No se limitó tan solo a constatar que, allí dentro, hubo un tesoro. Entre esos tres documentos casi ininteligibles, habla de muchas más cosas. Entre ellas afirma que, dada la extrema humedad del pozo y las demás condiciones que se encontró en el fondo del mismo, las trazas de oro tenían una antigüedad de entre los quince y los dieciséis años, a lo sumo. Además, también afirma que pasados veinte años, hubieran sido imperceptibles o hubieran desaparecido por completo. En consecuencia, no hubiera podido hacer ninguna prueba alquimista sobre ellas ni arrojar este resultado tan concluyente. También analizó, en función de la dirección de esas mismas trazas, las ascendentes y las descendentes, es decir, cuando fue, de forma aproximada, depositado el tesoro en el pozo, y cuando fue extraído.

—Bueno, pero afortunadamente para nosotros, llegamos a tiempo de que las pudiera datar y hacer pruebas sobre ellas. Eso es lo importante, ¿no? —afirmó Juan.

—No te das cuenta, ¿verdad?

—¿De qué?

—El tesoro fue depositado hace unos quince años, aproximadamente, y fue extraído poco después, ya que, en caso contrario, Centellas no hubiera encontrado ninguna traza.

—Sí, eso ya lo tengo claro.

—Pues las declaraciones de Miguel Vives ante el Santo Oficio fueron efectuadas en 1501, poco antes del auto de fe que terminó con su vida. Ahora, estamos en 1525.

Juan se levantó de su silla, en cuanto comprendió lo que quería decir el receptor.

—¡Eso no es posible! —exclamó.

—Y tanto que lo es. Ni los informes ni las fechas engañan. Se trata de la prueba definitiva, que da sentido a la existencia de ese grupo misterioso de los diez, custodiando un tesoro.

—No lo puedo creer —afirmó Juan, que estaba asimilando las consecuencias de aquello. Don Cristóbal concluyó su explicación.

—Como comprenderás, era imposible que Miguel Vives, en 1501, conociera la existencia de ese tesoro, si había sido depositado bastante tiempo después de su muerte. Él fue quemado hace veinticuatro años y no creo en la brujería ni nada por el estilo. Hasta puedo llegar a pensar en que no existiera, y fuera simplemente una maniobra de distracción para hacerse pasar por un demente. Pero se le escapó algo que no debió declarar, la segunda parte de su confesión, y se puso toda la maquinaria judía en marcha, para tratar de desacreditarle.

Ahora, por fin, Juan Argent compendió la turbación y la poca alegría que demostraba el receptor, que no se la explicaba al principio de la conversación.

—¿Y qué piensas hacer? Este tema parece muy grave.

—Esa no es la pregunta adecuada, Juan.

—¿Y cuál es?

—Qué es lo que ya he hecho —respondió, con una mirada gélida—. A mí, nadie me lleva la delantera.

14 EN LA ACTUALIDAD, MIÉRCOLES 24 DE OCTUBRE

La casa estaba vacía. Rebeca se encontraba sentada en la cocina, en la mesa, que, habitualmente, compartía con Tote para desayunar. Ahora se daba cuenta de cuánto la echaba de menos. Hasta ahora era todo pura teoría, pero se había despertado con la realidad en todos los morros. Precisamente en estos momentos cruciales, que tenía tantas cosas que contarle. Estaba desconsolada.

«La vida sigue», intentó animarse, sin conseguirlo. De hecho, logró el efecto contrario. Había querido quedarse sola esta noche, para reflexionar acerca de todo lo que había ocurrido últimamente, pero no lo había conseguido. Seguía con la mente en completo desorden.

Ni desayunó, no tenía ganas. Se tomó su vaso de leche fresca habitual. Era más pronto de lo acostumbrado. Tenía las heridas de las palmas de las manos en mejor estado, por lo que se iba a atrever, por primera vez en casi diez días, a tomar la bicicleta para acudir a *La Crónica*.

«Por lo menos, que me dé el aire en la cara», se dijo.

Llevaba desde el viernes pasado sin presentarse en su trabajo, por los dos días libres que le había dado el director Fornell, y la semana anterior también había faltado otros dos días. Hoy no tenía ni excusa ni escapatoria, a pesar de lo poco que le apetecía acudir.

Tenía la cabeza hecha un lío. Entre la ligera resaca por la cantidad de cervezas que se bebieron ayer, celebrando anticipadamente el cumpleaños de Charly, y la extraña actitud de su hermana, después de la fiesta, no tenía ganas de hacer nada. Además, Carlota se negó anoche a decirle nada más. Ya era muy tarde y la emplazó para hoy en su casa. Dijo que se preparara para alguna sorpresa, además recalcó que era muy importante.

Rebeca estaba intranquila. Aún le daba vueltas a la cabeza al tema de que su hermana fuera, en realidad, la segunda undécima puerta. «¿Cómo me pudo engañar?», se preguntaba Rebeca. No lograba comprenderlo. Le preocupaba mucho más que consiguiera burlarla que el propio hecho de que fuera la segunda undécima puerta. «Si lo había hecho una vez, ¿quién le aseguraba que no hubiera pasado en más ocasiones?» Era un pensamiento perturbador.

Decidió dejar sus reflexiones a un lado y dedicarse a lo que tenía pendiente.

Empezó a prepararse la maleta. Después de su jornada de trabajo en *La Crónica*, se iba a casa de su hermana a comer con ella y a pasar la noche. Aunque no quería reconocerlo, pensó que quizá le iría bien. Además de que Carlota le debía un montón de explicaciones, tenía que reconocer que la casa se le quedaba muy grande sin Tote. Prefería compañía, al menos en este preciso momento de su vida, aunque fuera tan solo por una noche.

Salió hacia el periódico antes de su hora habitual. Entró en la recepción, saludó a Alba o a su gemela, a saber, y se dirigió hacia su puesto de trabajo. Le costó llegar más de diez minutos, ya, que, por dónde pasaba, le obsequiaban con abrazos y besos. Todos querían intercambiar unas breves palabras con ella. La educación de Rebeca no le permitía decirles que no le apetecía nada esa clase de recibimiento, pero comprendía que era algo que tenía que pasar, y se resignaba, además con una sonrisa de oreja a oreja. Acababa de ganar un premio importante y suponía que tenía que pagar sus peajes.

Cuando, por fin, consiguió llegar a su mesa, allí le estaban esperando Tere, Fabio y Fernando. Los tres se fundieron en un prolongado abrazo. Con ellos sí que le apetecía.

—Han sido tan solo lunes y martes, pero te hemos echado de menos como nunca —le dijo Tere—. No nos vuelvas a dejar solos tanto tiempo.

—Yo también os he echado de menos —contestó Rebeca, con una verdad a medias. En realidad, si lo pensaba bien, apenas había tenido tiempo de hacerlo, pero eran sus amigos y compañeros.

—¿Por qué no nos dijiste que te han dado un programa de televisión? Es una grandísima noticia. Nos hemos enterado esta mañana por Tommy. Cómo no sabíamos nada, te escuchamos por la radio, pero no te vimos por «14 TV» —le reprochó Fernando—. Nos han contado que ibas vestida como en la gala de los Premios Ondas.

—Para empezar, no me han dado ningún programa. Lo de ayer fue un *piloto*, que supongo que sabréis lo qué significa, porque yo lo averigüé ayer. Y para acabar, me enteré de la emisión por televisión cuando terminé lo que pensaba que era un programa radiofónico. No me dijeron, en ningún momento, que se estaba emitiendo en directo por «14 TV». Imaginaros mi sorpresa cuando me enteré.

—¡No me digas! —dijo Fabio—. Lo escuchamos por la radio, pero pensamos que estaba guionizado. No se nos ocurrió que no supieras nada.

—En absoluto, la sorpresa que escuchasteis fue genuina. Aún no he tenido tiempo de ver el programa en la web, pero, supongo, que mi cara de idiota sería memorable.

—Y eso, ¿por qué lo hicieron? ¿Qué sentido tiene que te oculten una cosa así? —preguntó Tere.

Rebeca no tenía ninguna respuesta, pero Fernando se le anticipó.

—Está muy claro, La cadena la está probando. Quieren saber hasta dónde puede llegar. La fase del periódico la tiene más que superada, al igual que la de la radio. Faltaba por probar la televisión. Ella no debía de saberlo, la querían al natural y espontánea.

Rebeca se quedó pensativa. No se le había ocurrido esa posibilidad.

—¿Sabes? Puede que tengas razón. Ahora que lo recuerdo, la primera vez que entré en directo por la radio, también hicieron lo mismo, no me lo dijeron. Si ahora también ha sido así, me siento como una cobaya humana, sobre la que hacen experimentos, sin ella saberlo. ¡Qué imagen más desagradable me viene a la cabeza!

—Algo así, pero, a diferencia de los pobres animalitos, en tu caso es para bien, porque las cobayas deben morir —le replicó Fernando.

Rebeca se sobresaltó de inmediato al escuchar esa frase. Estaba segura de que no tenía conexión con el incidente del falso Álvaro Enguix, pero no pudo evitar rememorarlo. No le gustó nada. Además, había muy pocas personas que la conocían, y, entre ellas, no estaba Fernando. Jamás le había contado nada de aquel incidente.

—Pareces triste y asustada, a pesar de todo —intervino Tere, que interpretó mal su reacción— Por si te alegra, mira lo que hay encima de tu mesa. Te vas superando. Antes te los mandaban de uno en uno, ahora ya a pares. Lo próximo no sé qué será. ¿Quizá un Ferrari rojo envuelto en un lacito de color amarillo?

Se giró hacia su puesto de trabajo y vio un gran ramo de rosas rojas. A su lado, había otro más pequeño. No pudo evitar que le viniera a la cabeza el Gran Consejo, cuando le convocaron con un ramo similar.

«Después de lo que les dije y ocurrió en la última reunión, no creo que se atrevan a convocarme de nuevo», pensó, aunque no las tenía todas consigo. «Fornell es unególatra insensato, es perfectamente capaz».

Ahora sabía quién era la segunda undécima puerta, y como el director se hubiera enterado, no le extrañaría una nueva convocatoria. Aunque ella misma acababa de conocer la noticia, le daba la impresión de que Fornell tenía ojos y oídos por todas partes.

—Vuelves a parecer asustada o preocupada, no sé cómo interpretar tu mueca —le dijo Fernando—. Anda, relájate, que ninguno de los dos te lo he enviado yo.

—¡Idiota! —les respondió Rebeca, sonriendo.

—Bueno, al menos he conseguido que te cambie la expresión de tu cara. Objetivo cumplido.

Rebeca dejó la conversación y se quedó mirando a los ramos. Ambos venían con su correspondiente tarjeta. Abrió primero la del grande, que parecía menos sospechoso. Era un regalo de sus compañeros de *La Crónica*, con una felicitación muy cariñosa. Ese ramo no le daba miedo, era el otro al que temía. Nada más abrirlo, escuchó un aplauso en toda la sala central de la redacción. Ella no lo había advertido, pero todos sus compañeros estaban pendientes de que leyera la tarjeta.

Rebeca se subió encima de su silla y saludó a todos.

—Sois los mejores, pero no quiero más felicitaciones —dijo, riéndose—. Al final me lo voy a creer. Muchas gracias de corazón.

Se bajó de la silla y, con todo el disimulo que pudo, se separó un poco de sus tres compañeros de mesa. Aunque no tenía ninguna cinta negra, el aspecto era muy parecido al de la anterior convocatoria al Gran Consejo. Tomó el sobre con cierto desasosiego y lo abrió. Leyó su contenido para ella: «Enhorabuena cielo. Tranquila, todo se arreglará. Un beso, Joana».

«¡Joana estaba en la ciudad!», pensó, alegre. «¡Eso sí que es una buena noticia!».

Sus compañeros estaban expectantes.

—¡Cotillas! El ramo grande ya sabíais de quién era antes de que leyera la dedicatoria de la tarjeta. Como veo que tenéis curiosidad por la procedencia del otro, para vuestra información, es de Joana, la pareja de mi tía.

—¿No nos dijiste que estaba en Estados Unidos? —preguntó Tere.

—Pues parece que ahora no lo está —respondió una risueña Rebeca. Le había alegrado una mañana que no iba por muy buen camino—. Bueno, pues el misterio de los dos ramos ha quedado resuelto. Anda, volvamos a trabajar.

Tere y Fabio le hicieron caso, pero Fernando no. Se dirigió a ella.

—No hemos hablado estos últimos días y...

Rebeca le interrumpió.

—Lo sé, pero confía en mí. He tenido unos días frenéticos, y lo peor es que me temo que vengan más. Te pido que tengas algo de paciencia conmigo. Tampoco está siendo nada fácil para mí, te lo aseguro.

—No te preocupes, tendré toda la paciencia del mundo. Cuando quieras hablar con alguien, ya sabes que estaré a tu lado.

Rebeca agradeció las palabras de Fernando. Debía de reconocer que le gustaba de verdad, pero se lo quitó de la cabeza. Tenía que trabajar, preparar su próximo artículo y su intervención en la radio. En estos días convulsos, no sabía de cuántos momentos cómo este iba a disponer. Probablemente no muchos, así que tenía que aprovecharlos al máximo. Se puso a ello de inmediato.

A la una y media, se despidió de todos, tomó la bicicleta con su maleta en la cesta y se marchó hacia la casa de Carlota, a comer e incluso a quedarse a pasar la noche. Era la condición que su hermana le había impuesto. Aunque en un primer momento le fastidió, ahora tenía que reconocer que lo agradecía.

Carlota la recibió, como era su costumbre, con un gran abrazo. La acompañó a su habitación para que dejara su equipaje.

—¿Cómo puedes llevar tantas cosas para una sola noche? Yo, con una pequeña mochila, me apaño para una semana —le dijo Carlota.

—Nunca sabes dónde puedes acabar, así que siempre viajo preparada. El empaquetar más equipaje del necesario me ha salvado de alguna situación comprometida. Por ejemplo, recuerdo el día de la recepción en la casa del embajador francés en Madrid, que me invitó Carol. Si no llego a llevar aquel modelo de Lorenzo Caprile, no hubiera podido asistir.

—¿No me digas que te has traído el Reem Acra para venir a mi casa?

—¡Por supuesto que no! —le respondió Rebeca, riéndose—. Hasta ese punto no llego.

—¿Necesitas ducharte o asearte antes de comer?

—Ducharme no, lo he hecho hace cinco horas, pero sí asearme un poco y cambiarme de ropa. Aunque mis compañeros de *La Crónica* sean muy pulcros, el olor de la redacción de un periódico es muy peculiar.

—Perfecto, pues te dejo. En media hora comemos y, además, empezarán las sorpresas, ¡vete preparando! —dijo Carlota, enigmática, mientras salía de la habitación.

—Ya sabía que iba a ser un día intenso, pero ¿desde la misma comida? —dijo Rebeca, en voz alta, cuando Carlota ya había salido de la habitación—. No me das tregua. Eres un verdadero terremoto.

—Ya sabías adónde venías, no te quejes —la oyó gritar, desde la distancia.

Como le había dicho a su hermana, se aseó un poco, se cambió de ropa y salió de su dormitorio. Todas las habitaciones estaban en el piso superior, mientras que la cocina, el comedor, un salón con chimenea y alguna que otra estancia, se encontraban en la parte inferior. Era una casa enorme. Intentó contar las habitaciones del piso superior. Ocho. «¡Qué barbaridad!», pensó. «Y me quejo de que mi ático es demasiado grande».

Nada más salir de su habitación, en la misma puerta, se encontró con Rocío.

—Hola, Rebeca —le dijo, mientras se daban un abrazo—. Me alegro de verte otra vez.

—Y yo a ti —le respondió, con educación.

La verdad es que la hermana no biológica de Carlota era muy agradable. Cada día le caía mejor. Le parecía auténtica y honesta. Era de esa clase de personas que lo que ves, es lo que hay. Sin dobleces.

—Ya me ha contado Carlota lo de tu tía Tote. Lo lamento de verdad. Espero que lo arregléis, pero si no ocurre, quiero que sepas que estaría encantada que te vinieras a vivir con nosotras. A Carlota no la veo mucho. Igual, si estuvieras en casa, las tres podríamos pasar más tiempo juntas. Créeme que lo echo de menos.

—Me lo dijo Carlota ayer y os lo agradezco de corazón, pero todo está muy reciente. No puedo hacer planes a una semana vista, ya que ni siquiera sé lo que va a pasar mañana. Son días duros e inciertos. Prefiero quedarme, de momento, en mi casa. Tengo claro que aquí soy bienvenida. Te lo digo porque no quiero que interpretes mi negativa como un desprecio, sino todo lo contrario. Simplemente no quiero tomar ninguna decisión precipitada.

—No te preocupes por eso. Ya sabes que las puertas de esta casa las tendrás siempre abiertas. Tómate el tiempo que necesites.

—Lo sé —le respondió Rebeca, que se lo veía claramente en sus ojos.

—Pero no nos pongamos tan tristes, que hoy tenemos un invitado especial a comer —concluyó la conversación Rocío, mientras entraba en la cocina.

Rebeca se asustó. «¿Qué habrá planeado la petarda?». De la identidad del invitado no le había querido contar nada. «¿Quién sería?».

Se sentó en el corral de la casa. Tenía que reconocer que aquello era un auténtico lujo. La característica luz del mar Mediterráneo llegaba hasta allí y las gaviotas sobrevolaban la casa. Hasta se sentía atrapada por ese olor a salitre, que indicaba la proximidad de la playa

«Quizá tenga razón Carlota y se viva mejor aquí que en el ático de *La Pagoda*», pensó Rebeca, inspirando con placer el aire de aquella casa. Por un momento, se quedó sumida en sus pensamientos, sin darse cuenta de lo que sucedía a su alrededor.

—¿No me digas que eres capaz de dormirte hasta sentada en una silla?

—¡Carlota! ¡Qué susto me has dado! Tan solo había cerrado los ojos un breve momento. Estaba disfrutando de los aromas del mar.

—Te gusta esta casa, no lo niegues.

—Siempre me ha gustado. Ya sabes lo que te dije, si te quieres retirar, conviértela en un museo etnológico y cobra entrada. Ya no quedan alquerías originales como esta, con muebles y azulejos de hace más de dos siglos. Además, en plena ciudad y en un entorno privilegiado, todo ello a la vez.

—No te creas que no lo he pensado, pero me gusta mi trabajo, no me veo como guía de un museo —le respondió sonriendo —. Anda, no te quedes ahí, pasemos al comedor, que nuestro invitado ya nos estará esperando en la mesa, y es de mala educación que, el invitado, sea el único sentado.

—Eso me ha dicho tu hermana, pero no sabía nada que tuvierais un invitado. Podría haber venido después de comer y así no os molestaba ni a Rocío ni a ti.

Carlota se rio con ganas.

Rebeca no comprendió el motivo, pero no le gustó nada. Aquello presagiaba alguna sorpresa de la petarda.

—Lo llamamos invitado porque es la primera vez que viene a esta casa, pero tú ya lo conoces. No te apures. Anda, entra y salúdalo, ahora acudo yo.

Rebeca obedeció a su hermana. Abrió la puerta y accedió al comedor, con cierto temor. Efectivamente, el invitado estaba sentado en un sillón, hablando animadamente con Rocío.

—¡Cuánto tiempo sin vernos! —sonrió Rebeca, mientras se acercaba a él y le daba dos besos.

—Sí, exactamente dos días, ¿no?

—Exacto —respondió Rebeca—, pero me alegro de verte, en otras circunstancias, sobre todo con nuestros culos bien tapados —dijo Rebeca.

—Desde luego —se rio Nacho Frías.

—También me alegro de que Rocío te haya invitado a comer y hayamos coincidido los tres. Nos hiciste un favor con tus explicaciones y, con el desconcierto, creo que ni te dimos las gracias.

—Lo curioso es que no ha sido Rocío la que me ha invitado, sino Carlota.

—¿Qué? —preguntó Rebeca, muy extrañada.

—Es gracioso que, la primera vez que vengo a comer a casa de mi pareja, no sea por invitación suya, sino de su hermana —continuó Nacho, que estaba de buen humor.

—¿Es eso cierto? —siguió preguntando Rebeca.

—Y tanto. No es que no esté contenta de que Nacho esté aquí, pero esta comida no la he organizado yo. No sé qué mosca le ha picado a Carlota, que ha insistido especialmente en que comamos los cuatro juntos hoy. Como podrás comprender, ¡por mí encantada!

Rocío estaría encantada, pero ahora, la que estaba preocupada era Rebeca. «¿Qué trama la petarda?» Está claro que no daba puntada sin hilo. Para ella todo tenía siempre un motivo, aunque lo desconociera. «¿Debería preocuparme?». «Seguramente sí», concluyó su reflexión.

Mientras Rebeca pensaba, Carlota abría la puerta y entraba en el comedor.

—Ya veo que os habéis presentado —dijo, con su tono irónico habitual —, porque la última vez no sé si se fijaría en tu cara precisamente. ¿Te ha reconocido vestida? Igual le tienes que volver a enseñar tu culo.

Nacho siguió riéndose.

—¡Qué burra eres! —le contestó su hermana, colorada.

—Anda, sentaros en la mesa, que ahora mismo traigo la paella —dijo Carlota.

—¿Paella? ¿Dónde la has encargado? —le preguntó Rebeca—. Por esta zona tienes muchos restaurantes donde elegir.

—¿Encargar yo una paella? ¡Sacrílega! Tienes, delante de ti, a la *number one* de Valencia.

—Eso no me lo puedo creer. ¿Sabes cocinar paellas valencianas?

—No solo sabe —intervino Rocío—, sino que le salen de maravilla. Desde bien pequeña, con apenas doce años, mi madre le enseñó. Desde entonces, siempre las ha cocinado ella en casa. De pollo y conejo, con garrofón, aunque sin caracoles. La tradicional de toda la vida.

—No dejas de sorprenderme —dijo Rebeca.

—Pues si esto te parece una sorpresa, espérate un cuarto de hora más —dijo Carlota, mientras salía del comedor, riéndose.

—Tu hermana es muy simpática —dijo Nacho—. O me hace rabiar o me hace reír. Me gusta la gente así.

—La has definido perfectamente —le contestó Rocío.

—Igual, en un cuarto de hora, cambias de opinión —aventuró Rebeca, que no sabía a qué venía todo aquello. La verdad es que estaba expectante.

Carlota trajo la paella y la puso al centro de la mesa. En Valencia, lo tradicional era comerla con cuchara, todos directamente del recipiente de la paella, aunque en muchos restaurantes la solían emplatar y comerla con tenedor. Antiguamente, las cucharas eran de madera, pero, por cuestiones higiénicas, ahora se solía comer con cubiertos ordinarios metálicos.

—Probarla, a ver cómo me ha salido hoy. Cocinar una paella a leña no es una ciencia exacta.

Todos hicieron los honores.

—Carlota, ¡está fantástica! —exclamó Rebeca—. Hacía tiempo que no comía una paella tan buena.

—Cocinada como lo hacía mi madre, a leña, nada de fuego a gas, ingredientes de primera, incluido el garrofón natural, que es fundamental, capa fina de arroz y, sobre todo, una cocinera también de primera. Juntas todo ello y aquí tienes el resultado. Confieso que no me gusta demasiado la cocina, pero la paella es una excepción. Disfruto entre la leña.

—Sí que está muy buena, enhorabuena —dijo Nacho también.

Durante el primer cuarto de hora, la conversación fue intrascendente. Rebeca estaba pendiente de su hermana. Sabía que, en algún momento, iba a pasar algo, y le fastidiaba no saber ni qué ni cuándo.

Carlota, por su parte, estaba contenta y conversando como si nada fuera a ocurrir, pero nada más lejos de la realidad. «Me espero un poco más a que disfruten de la comida. Si a Rebeca se le tiene que atragantar la paella, que sea al final», pensaba divertida Carlota.

Así siguieron durante un rato, hasta que llegaron al *socarrat* del arroz. Para Rebeca, buenas paellas se podían comer en bastantes restaurantes de Valencia, pero paellas exquisitas, eso era otra cosa. No era nada fácil. El *socarrat* marcaba la gran diferencia entre lo bueno y lo excelente. Era esa leve capa crujiente donde el arroz se funde con la paella, cual ambrosía, al final de la misma. Esos escasos milímetros de arroz marcaban la sublimación de la paella, y Carlota lo había bordado. Sin duda era una gran cocinera, pero también era una gran *tocapelotas*, ya que eligió ese supremo instante para iniciar un nuevo tema de conversación. Rebeca vio en sus ojos que había llegado el momento. «Tenía que ser precisamente ahora», pensó, fastidiada.

—Por cierto, Nacho, ¿no tienes nada que contarnos?

—¿Yo? —se sorprendió—. ¿Acerca de qué?

—No sé, por ejemplo, de nuestros tatuajes.

Nacho casi se atraganta. Bebió un poco de agua antes de contestar.

—¿Cómo puedes saber eso? Ni siquiera se lo he contado a Rocío.

—¿Qué es lo que no me has contado? —se sorprendió Rocío, atrapada por la curiosidad—. Creía que no había secretos entre nosotros.

Carlota intervino rápidamente. No quería que el foco de la conversación se le fuera de las manos.

—Los magos no explican nunca sus trucos porque pierden encanto y convierten lo mágico en ordinario. Por eso no me gusta explicar mis razonamientos, pero en tu caso, fue tan evidente...

—¿Qué? —preguntó Nacho, inquieto.

—Hacia el final de la sesión, cuando estabas observando de cerca el fantástico culo de Rebeca, tu semblante cambió. Fue tan solo por un instante, pero hasta ella se hubiera dado cuenta, si no hubiera estado bocabajo.

—¿Tan solo por eso? No se lo conté a nadie que tú puedas, ni remotamente, conocer. ¿Cómo sabes eso? ¿Acaso eres bruja?

—Pelirroja y bruja, ¡a la hoguera! —rio Carlota—. No, en realidad, las cosas son más sencillas. Tu expresión indicaba a gritos que algo no iba bien, más concretamente, la interpreté con que algo de todo aquello no podía ser. Era un gesto de profunda extrañeza.

—Insisto, ¿qué es lo que no me contaste? —intervino Rocío, que ya estaba impaciente con tanto preámbulo.

—Ahora mismo estará buscando las palabras adecuadas, aunque yo ya lo sé —dijo una risueña Carlota.

Rebeca estaba muy sorprendida. No sabía de qué iba todo aquel circo.

Después de pensárselo un instante, al final, Nacho decidió contar lo que había descubierto.

—Pues sí, tienes razón en todo, Carlota. Es cierto, me sorprendí mucho.

—¿En qué exactamente? —le preguntó—. Lo digo porque, aunque yo lo tenga muy claro, me parece que nuestra audiencia no conoce de qué estamos hablando.

—Desde luego que no —respondió Rebeca.

—La cuestión es muy sencilla. En pocas palabras, vuestra historia no puede ser cierta. O sea, sin andarme por las ramas y yendo al grano, que es mentira de principio a fin.

—¿Qué es lo que crees que es mentira? —continuó preguntando Rebeca, que no entendía nada.

—Anda, explícale a mi hermana y a tu expectante pareja el porqué.

Así lo hizo.

Como estaba previsto, Rebeca se atragantó y tuvo que beberse un vaso de agua entero. Aún seguía tosiendo y con los ojos como platos. A su manera, Rocío también se sorprendió.

Desde luego, aquello parecía imposible de creer.

15 | 14 DE MARZO DE 1525

Por fin, Batiste lo había conseguido. Hacía muchas noches que no lograba dormir de un tirón sus ocho horas reglamentarias. Los problemas le invadían la cabeza, pero parecía que hoy le habían dado una pequeña tregua. La verdad es que lo necesitaba. El cansancio empezaba a hacer mella hasta en su carácter.

Se levantó de la cama de buen humor, se aseó y se vistió. Como todas las mañanas, bajó las escaleras y se dirigió a la cocina. Su padre estaba preparando el desayuno.

—Caramba, hoy tienes un aspecto casi decente —le dijo Johan, a modo de buenos días.

—¿Casi? Esta noche he conseguido dormir. Entre unas cosas y otras, al final siempre acababa llevándome los problemas a la cama —le respondió.

—Reserva todo eso para cuándo seas mayor, que ya te pasarás noches insomnes. Un muchacho de trece años debe dormir lo adecuado.

—Ya sabes que no soy un muchacho de trece años cualquiera. Conoces todo lo que nos ha ocurrido. Lo qué no sé es cómo he podido aguantar, sin casi dormir, estos días pasados.

—¿Y ha ocurrido algo extraordinario para que ahora estés más tranquilo?

—Nada de nada. Supongo que el cansancio acumulado ha hecho sus efectos naturales y ya estoy recuperado del todo de las fiebres.

—¿Qué pensáis de Bernardo, el justicia criminal? ¿Aún creéis que puede estar detrás de todo este asunto?

—De las muertes de Amador y Arnau, desde luego.

—¿En serio sospecháis que los ha matado? —preguntó Johan, que no se lo podía creer.

—No, eso no lo podemos afirmar porque no tenemos ninguna prueba de ello. Lo que sí que pensamos es que ha jugado y juega un papel en todo este asunto, aunque desconozcamos exactamente cuál.

—O sea, ¿qué está implicado?

—Desde luego, lo que no sabemos cuál es su grado de implicación, pero está claro que lo está. Tú también tendrías que estar de acuerdo con ello. Todos los acontecimientos de los que nos enteramos en el cementerio son muy extraños. Nadie se toma tantas molestias en ocultar una cosa así, si no es por un motivo de muchísima importancia, y lo sabes perfectamente. No te lo tendría que recordar.

—Ya conocéis, tanto Jero como tú, que Bernardo es amigo mío de la infancia. Sé que han ocurrido cosas extrañas a su alrededor y que, con toda probabilidad, sigan ocurriendo, pero me niego a verlo como un asesino de niños.

—Nadie lo acusa de eso, padre. Pero es innegable que, si no es el asesino, algo oculta. Y ese «algo» debe ser de gran importancia.

—Eso es lo que me preocupa —dijo Johan, con un extraño tono de voz.

A Batiste no se le pasó por alto.

—Te conozco padre, y sé que te intranquiliza algo que no nos has contado.

Johan se quedó mirando a su hijo.

—A veces se me olvida quién eres y tu inteligencia.

—Pues recuérdalo. No estamos en una posición de guardarnos secretos entre nosotros.

—No, no lo estamos —dijo Johan, muy serio—, pero tenemos pendiente una cita con Alonso Manrique. Supongo que será esclarecedora. Deberemos esperar.

—Entonces, ¿ya lo has convocado a la reunión que te pedimos?

—Sí, pero ahora no está ni siquiera en España. Aunque cerca, viene de camino, así que no sé cuándo se podrá pasar por la ciudad. Supongo que, por el tono de mi nota, no tardará demasiado en hacerlo. Su primera parada será Valencia y, me imagino, que lo hará con cierta premura.

—¿Cómo puedes saber todo eso?

—Digamos que Alonso y yo tenemos establecido un mecanismo de comunicación especial, por un conducto diferente al resto. Ya sabes que, a pesar de ser el arzobispo de Sevilla, por sus múltiples ocupaciones y cargos, viaja bastante. No te lo voy a detallar, porque además de innecesario, es secreto, pero siempre sé dónde se encuentra.

—¿No serás tú también algo parecido a un espía, como lo es don Alonso?

—No —rio Johan—. Aunque ya sabes que soy eclesiástico y pertenezco a la orden de predicadores, no tengo nada que ver con esas actividades. Mi trabajo es mucho más mundano. Diseño y construyo edificaciones. Tú me heredarás, estoy seguro. Eres bastante más inteligente que yo, al igual que no me extrañaría nada que Jero lo hiciera con su padre.

—Ahora mismo eso es lo último que me preocupa. Heredar. No sabemos siquiera si sobreviviremos a todo este asunto tan turbio.

—¡No se te ocurra decir eso ni en broma! —exclamó escandalizado Johan.

—Tenemos un enemigo que desconocemos y un asesino que es capaz de actuar contra nosotros hasta en el interior del mismísimo Palacio Real. ¿Te parece una broma? No lo es en absoluto.

—Sea quién sea ese enemigo, no sabe a quién se enfrenta. Aunque quizá no seáis conscientes de ello, Jero y tú formáis una dupla formidable. Dudo mucho que esté a vuestra altura. El que debería tener miedo es él.

Batiste se rio abiertamente.

—Padre, se te da fatal lo de dar ánimos. En serio, no es lo tuyo, déjalo. Supongo que Jero y yo nos apañaremos, lo qué no sé es ni cómo, ni dónde ni cuándo. En fin, meras cuestiones sin importancia.

—Encontraréis el camino.

—¡Ya hablas como un predicador, haciendo honor a tu orden! —exclamó Batiste, volviéndose a reír.

—Bueno, por lo menos te veo de buen humor.

—De buen humor y con poco tiempo. Ya es la hora de salir de casa e irnos a la escuela.

Recogieron los utensilios de la mesa de la cocina y la arreglaron. Para ser dos hombres, se apañaban solos muy bien en su casa. Ya llevaban muchos años e iban sobrados de experiencia.

Salieron de su casa, camino de la escuela.

—Padre, ¿nunca has pensado en volver a desposarte? Llevas solo demasiado tiempo.

Johan no pudo evitar reírse. Nunca habían tratado ese tema entre ellos, y le hizo mucha gracia la manera de plantearlo de su hijo, así, abiertamente.

—¿Sabes que es lo que de verdad deseo? —le respondió con otra pregunta.

—Pues no.

—Deseo que te hagas mayor rápido, aprendas el oficio de *pedrapiquer* y tomes mi relevo en el trabajo. Ya no soy ningún joven y cada vez me cuesta más hacer ciertas cosas. El reloj del tiempo es inexorable. ¡Crece rápido que quiero descansar!

—Aún te quedan muchos años de vida y no has contestado a mi pregunta original —insistió Batiste.

Johan se dio cuenta de que no tenía más remedio que responder a su hijo. Cuando se le metía una cosa en la cabeza, no había manera de sacársela.

—No te creas que no he tenido alguna oportunidad —le reconoció Johan, algo azorado—, pero ya sabes que me falta tiempo. ¿Qué le podría ofrecer ahora a una esposa? ¿Un marido ocupado y ausente de la casa, la mayor parte del tiempo, que no la podría ni atender cómo es debido? Nosotros nos apañamos bastante bien en la casa. Nunca hemos necesitado ni siquiera servicio doméstico, y sabes que nos lo podríamos permitir, si quisiéramos. No somos ricos, pero es algo a nuestro alcance

—Ese es el problema, el «nosotros». No siempre será así. Si sobrevivimos a la suerte de Amador y Arnau, se supone que, algún día, por lejano que ahora me pueda parecer, espero encontrar alguna esposa que se atreva conmigo.

—¿Por qué te preocupas por eso ahora?

—No sé. Quizá el ver la muerte tan de cerca, te haga reflexionar acerca de la vida y su sentido.

—Esos pensamientos demuestran una madurez impropia de tu edad, y me dan la razón. Vamos a preocuparnos por lo inmediato, que ya tenemos bastante, y no pensemos en un futuro tan lejano.

Sin darse cuenta, ya casi habían llegado a la escuela. Apenas faltaban dos manzanas.

—Por cierto, padre, hay una cosa que te debo decir, y, entre tanta conversación, casi se me olvida.

—Dime, soy todo oídos.

—Antes que nada, quiero que me escuches hasta el final, sin interrumpirme. Luego ya podrás hacer las observaciones que quieras.

—Por el tono de tu voz, me temo que voy a escuchar algo que no me va a gustar demasiado —presumió acertadamente Johan.

—Ya sabes, no me interrumpas.

—Tienes toda mi atención.

—Ayer, en la escuela, Jero y yo estuvimos hablando de la nueva situación creada y de las medidas de seguridad que nos habíais impuesto. Antes de que te solivianties, que te veo venir, estamos de acuerdo con ellas. No las discutimos, ese no es el problema, pero sí lo podría ser nuestra inacción. Está claro que algo está ocurriendo a nuestro alrededor que desconocemos. Por ello, y siguiendo los consejos de Damián y tuyos, hemos incorporado a un nuevo amigo a nuestro grupo, para no estar solos y poder seguir avanzando en la resolución de todos los enigmas que nos rodean. Ese sí que es el verdadero problema. Está bien tomar precauciones en cuanto a nuestra seguridad personal, pero estas medidas no pueden evitar que actuemos como undécimas puertas. No debemos recluirnos, tenemos que hablar entre nosotros e intercambiar ideas. Si no, no avanzaremos nada.

—¿Y eso lo queréis hacer uniendo a un extraño a vuestro grupo?

—No tenemos más remedio. Ya lo hicimos con Amador y Arnau en su momento, y pese a su muerte, la unión de los cuatro funcionó bien.

—Hasta su muerte, tú lo has dicho —le recordó Johan—. Y casi hasta la vuestra también, no lo olvides.

—No lo hacemos ni por un momento, pero ahora sabemos que hay alguien, ahí afuera, que nos quiere muertos y estamos alerta.

—¿Y qué le habéis dicho a esa tercera persona para incorporarla a vuestro grupo?

—Hemos pensado, como pretexto, recuperar el tribunal juvenil del Santo Oficio. Nuestro nuevo compañero pensará que está jugando, mientras, nosotros podremos hablar.

—Pero él no debe escuchar ciertas cosas. Hay cuestiones que son secretas.

—¡Claro! Pero también hemos de ser humildes. Necesitamos un punto de vista diferente de todo lo que está ocurriendo. Hay que reconocer que estamos atascados, mientras el receptor, don Cristóbal, puede seguir haciendo progresos en su investigación, desconocidos para nosotros. Es una situación muy delicada. La inacción, ahora mismo, puede conducirnos a nuestra derrota, y es algo que no nos podemos permitir. Mientras nuestro nuevo compañero, como ocurrió con Amador y Arnau, piense que todo es un juego y nada es real, no habrá problema.

Johan se quedó mirando a su hijo.

—No sé si es una buena idea, pero, al menos, es una idea —reconoció, al fin.

—Todo esto te lo decía porque, en cumplimiento de las instrucciones de seguridad, hoy me deberás recoger de la escuela una hora más tarde. Nos quedaremos en su interior, que sabes que está vigilada por un alguacil y, además, estaremos los tres juntos. Celebraremos la primera reunión del nuevo tribunal juvenil. No tenemos tiempo que perder. Ayer se lo comentamos a nuestro nuevo compañero de juegos, y le pareció bien. Ya está todo organizado. Jero también lo habrá comentado con Damián.

—¿Y pensáis que la persona más adecuada, para unirlo a vuestro grupo, es Nicolás?

Batiste se quedó helado.

«¿Qué pasa aquí?», pensó, con cierto temor. Se supone que su padre no debía conocer nada de aquello.

—¿Cómo sabes que es él la persona elegida? Es más, ¿cómo conoces su nombre?

—Eso no importa ahora.

—No me engañes, padre. Te conozco de sobra y algo te preocupa.

—No, te aseguro que no me preocupa nada. Seréis tres y estaréis en un lugar vigilado. Además, Nicolás os aportará seguridad.

—Entonces, ¿a qué se ha debido ese extraño gesto en tu cara? —insistió Batiste.

—Ese «extraño gesto», según tú, no tiene nada que ver con la preocupación. Lo que siento es otro sentimiento, en este caso, algo de intriga.

—¿Acerca de qué?

Johan sonrió y cogió de la cabeza a su hijo.

—Me temo que eso tendréis que averiguarlo Jero y tú, que para eso sois las dos undécimas puertas, como bien me has recordado hace un momento.

Johan dio por terminada la conversión, besó a su hijo y se fue. Dejó a Batiste con un gesto de verdadero asombro en su rostro.

«Por lo menos no se ha negado», pensó, aunque no había entendido su extraña reacción.

Otro misterio más para la colección. Ya había perdido la cuenta.

16 EN LA ACTUALIDAD, MIÉRCOLES 24 DE OCTUBRE

—¿Estás completamente seguro? Eso que nos acabas de contar es sencillamente imposible —dijo Rebeca, cuando consiguió recuperarse de la información que le acababa de facilitar Nacho Frías.

—No, no lo es.

—¿Cómo puedes afirmarlo con tanta rotundidad?

—Esta contrastada. Lo que acabas de escuchar es la pura realidad.

—Disculpa, Nacho. No quiero parecer descortés —se disculpó por anticipado Rebeca—, pero no te puedo creer. Me resulta inconcebible.

—Como ha contado Carlota, que no me explico cómo puede saberlo, me di cuenta de ello la última vez que observé de cerca tu culo —continuó con su explicación Nacho—. Me tenía que haber dado cuenta mucho antes, pero como vinisteis con esa historia de la marca de nacimiento, pues no le presté la debida atención hasta el final. La culpa es enteramente mía. No debía haber tardado tanto en reaccionar.

—Te repito, es imposible —Rebeca insistía.

—Yo también te lo repito, no lo es. Cuando os fuisteis, hice una llamada a una buena amiga mía. Me confirmó todas mis sospechas.

—Pero eso significa... —empezó a decir Rebeca.

—Que vuestros tatuajes son muy recientes. La pigmentación utilizada no existía hace veintidós años. Es imposible que os tatuaran al nacer, entre otras cosas porque ni habían inventado ese material ni existía esa técnica.

—¿Quizá un año después de nacer? —insistió Rebeca—. Supongo que tampoco lo recordaríamos...

—Vuestros tatuajes tienen menos de un año, y eso, tirando muy para largo. Si tuviera que fijar una fecha más concreta, diría que no tienen más de dos o tres meses, incluso menos. Como ya os he explicado, ese tipo de pigmentación es de muy reciente comercialización y muy cara. Eso significa que es difícil de conseguir, tan solo está al alcance de unos pocos.

—¿No te puedes haber confundido?

—No. Además, para quedarme completamente tranquilo y seguro, tomé del culo de Rebeca una pequeña muestra y la mandé analizar. El laboratorio confirmó plenamente mis sospechas.

—¡Pero eso no puede ser! ¡Nos acordaríamos de habernos hecho un tatuaje! ¿Cómo se puede olvidar una cosa así?

—Yo solo os explico la parte técnica. Del resto no os puedo contar nada, porque nada sé. Pero que no os quede la más mínima duda de mis palabras —concluyó la discusión Nacho, de una manera rotunda.

Dieron por terminada la comida. Se despidieron amablemente de Nacho. Rebeca con cara de pasmada y Carlota con cara de divertida.

Salieron del comedor, subieron a la habitación de esta última, mientras Rocío y Nacho se quedaron hablando en la cocina.

—¿Cómo podías saber una cosa así? —fue lo primero que le preguntó Rebeca, cuando se quedaron solas.

—Ya sabes que no me gusta explicar mis trucos, pero este fue muy evidente. Supe que algo no iba bien en el propio gabinete de Nacho. Tenías que haberle visto su cara. Como ya te he dicho, hasta tú te hubieras dado cuenta, si no hubieras estado bocabajo. Lo que no sabía era el motivo, así que me puse a investigar por mi cuenta. Primero indagué acerca de los propios símbolos de los tatuajes, por separado y unidos. No encontré nada, Punto para Nacho. Tenía razón, no nos mintió, no figuran en ningún catálogo profesional. Si no era eso, ¿qué había podido sorprender de esa manera tan evidente? Después de mucho leer en páginas especializadas, llegué hasta los pigmentos. En el mundo del tatuaje han cambiado mucho las técnicas y los materiales utilizados en estos últimos veintidós años. Allí encontré la respuesta, pero quería que fuera él, en persona, el que nos la dijera. Si te lo contaba yo, a tus oídos no tendría tanto valor.

—¿Y qué explicación le encuentras? Este descubrimiento echa por tierra tu teoría de que fueron nuestros padres los que nos marcaron antes de separarnos, en el mismo momento del nacimiento, para poder reconocernos e identificarnos en caso de necesidad.

Carlota sonrió.

—No la invalida, tan solo la modifica, pero déjame que empecemos las cosas por el principio.

—¿Y cuál es ese principio?

—Hace apenas tres días te confesé que soy la segunda undécima puerta. No hemos hablado nada acerca de ese tema. No me digas que no tienes curiosidad, porque no me lo puedo creer.

—¡Por supuesto! Tan solo por eso accedí ayer a dormir en tu casa y estoy ahora aquí. Esta sorpresa del tatuaje ha sido sobrevenida e inesperada. No me habías contado nada.

—¿Y no tienes nada que preguntarme al respecto? Luego habrá tiempo de hablar del tema de los tatuajes.

—¡Y tanto! Muchas cosas, pero como tú bien dices, empezaremos por el principio. La primera cuestión que me tiene muy preocupada y no logro comprender, ¿cómo conseguiste engañarme? Te pregunté, mirándote fijamente a los ojos, si eras la segunda undécima puerta, y pondría la mano en el fuego a que no me mentiste, cuando me lo negaste de esa manera tan rotunda.

—Y no lo hice. No te mentí.

Rebeca se quedó mirando a su hermana, sin comprender la respuesta.

—¿Me quieres volver loca?

—No, lo que quiero es que reflexiones y pienses un poco por ti misma.

—¿Y eso qué tiene qué ver con que seas la segunda undécima puerta? O lo eres o no lo eres. O me mentiste o no. Ambas cosas no pueden ser ciertas a la vez.

—Ahí está el meollo de la cuestión.

—¿Qué meollo? De verdad Carlota, cuando te lo propones, no hay quién te entienda.

—Anda, vamos a sentarnos, que quiero que comprendas y asimiles algunas cosas, pero paso a paso.

Así lo hicieron. Rebeca estaba visiblemente alterada. No comprendía ni su reciente tatuaje ni a su hermana.

Carlota inició su explicación.

—Somos hermanas gemelas, eso está claro, ¿verdad?

—Supongo que los análisis genéticos no mienten, pero has conseguido que hasta dude de eso.

—Somos hermanas gemelas, eso no está en cuestión. Continuemos. Nuestros padres eran las dos undécimas puertas, ¿verdad?

—Sí.

—Y ese fue el motivo por el que nos separaron al nacer, ¿no? —Carlota iba paso a paso, para que Rebeca se centrara un poco, que la notaba muy desconcertada.

—Supongo que también.

—¿Qué caracteriza a las dos undécimas puertas?

—Que cada una de ellas es la portadora de una mitad de un mensaje, que una vez unido y descifrado, debe conducir hasta el árbol judío del saber milenario.

—Muy bien. ¿Crees en las casualidades?

—No, pero ¿a qué viene ahora esta pregunta? —Rebeca se empezaba a impacientar.

Carlota se fue hacia el aparador de la habitación. Tomó de ella dos objetos y los depositó encima de la mesa.

—¿Qué ves?

—Dos fotografías, una de ellas es la que te dio tu madre y la segunda es mía, la que te llevaste de mi casa, el otro día, de forma un tanto intempestiva, mientras yo intentaba arreglar las cosas con Tote.

—Exacto. Ambas fotografías parecen idénticas, ¿verdad? —Carlota siguió con su explicación, paso a paso.

—Lo son, excepto porque en una estás tú con nuestro padre, y en la otra estoy yo. Por el resto, son iguales. Misma ropa, misma pose y mismo fondo. Hasta diría que debíamos tener la misma edad. Supongo que la fotógrafa, en ambas, debió ser nuestra madre.

—Volviendo a la pregunta anterior, ¿crees que nuestros padres harían esto por casualidad, entregando cada una de las fotografías a una familia diferente, como hicieron con nosotras, sin un propósito determinado? Sabemos quiénes eran y a qué se dedicaban, no dejaban nada al azar.

—Pues no sé, supongo que no.

—«Une lo separado», esa fue la última frase de mi madre. Hasta ahora había pensado que se refería a ti, a que buscara a mi hermana gemela, pero estaba equivocada.

—No te entiendo —dijo Rebeca.

—Fotos idénticas salvo por nosotras, y ahora un tatuaje en el culo que, una vez unido, forma un extraño símbolo. No era exactamente a nosotras, como hermanas, lo que había que unir, ¿no te das cuenta?

Rebeca entendió ahora hacia dónde se dirigía el argumento de Carlota. De repente, se le ocurrió un posible razonamiento que lo podría explicar.

—Quizá pudiera ser. No me mentiste cuando te pregunté, en el tren, si eras la segunda undécima puerta. Ni nuestra madre ni nuestro padre te iniciaron ni te enseñaron nada acerca del Gran Consejo ni del árbol judío. Tú has llegado a la conclusión de que debes ser la segunda undécima puerta, porque, en realidad, ambas poseemos, cada una, la mitad del mensaje que puede conducir al árbol.

—¡Exacto! Por eso no te mentí, simplemente entonces no lo sabía. Ahora sí que lo sé. Tú eras la undécima puerta visible, y yo era la segunda undécima puerta invisible, hasta el punto que ni yo misma lo conocía. ¡Mayor seguridad imposible! Nuestra madre te inició a ti, pero a mí no me dijo ni una sola palabra de grandes consejos ni de árboles. Reconoce la extrema brillantez del plan.

—Lo que reconozco es que tu hipótesis se viene abajo de forma estrepitosa.

—¿Por qué?

—Por lo que acabamos de averiguar ahora acerca de los tatuajes. Si tienen menos de tres meses, no tiene ningún sentido tu teoría de que hubieran sido nuestros padres los que nos los mandaran tatuar, a cada una, una mitad del mensaje secreto. ¡Por favor, Carlota! Llevan muertos casi catorce años. Lo de *Regreso al Futuro* es solo una película.

Carlota no se rendía y continuó con su razonamiento. Se notaba que había estado pensando y reflexionando mucho acerca del tema.

—¿Recuerdas la explicación que me diste, ayer mismo por la mañana, acerca de lo que había detrás de las palabras *Yellow Submarine*?

—Pues claro, ¿y qué tiene eso que ver con esta conversación?

—Que fue la segunda vez que tuve la misma sensación. La primera fue en la ceremonia de los Premios Ondas, con el título del *podcast* que también ganó en tu sección.

—*¿Las tres muertes de mi padre?*

—Ese. No pude evitar estremecerme. Y la segunda vez fue cuando me explicaste lo que te dijo el abogado de nuestros padres, Vicente Arús.

—¿Exactamente qué? Porque me dijo muchas cosas.

—¿Crees que una pareja de treintañeros va a dejar todo perfectamente preparado y organizado en favor de sus hijas, por si les pasara cualquier cosa? Insisto, ¿con treinta años? Eso no lo hace nadie con esa edad, a no ser que sea por algún motivo muy concreto. ¿Cuántos amigos conoces que hayan otorgado testamento? No es algo corriente.

—Recuerda que nuestros padres no eran gente corriente —se defendió Rebeca.

—¡Precisamente por eso!

—¿Qué pretendes insinuar?

—Ya lo has comprendido, lo veo en tus ojos. El tatuaje reciente ha sido la confirmación, ¿verdad?

—¡Estás loca!

—Rebeca, nuestros padres podrían estar vivos, y lo sabes tan bien como yo.

—¡No, no lo sé! —se resistió Rebeca.

—Pero ahora lo sospechas, lo veo en tus ojos. La duda inicial que te invadía se ha convertido en cuasi certeza, por lo reciente del tatuaje. ¿Quién, si no, nos haría una cosa así? Sabes que hay tan solo una respuesta posible y que encaje con todos los hechos que conocemos.

—Tote me contó cómo ocurrió el accidente. Mi padre murió en el acto, y mi madre en el hospital, a las pocas horas. Tú misma ibas en el coche, cuando todo pasó. Fuiste testigo directo. ¿Cómo lo puedes cuestionar?

—No cuestiono el accidente en sí mismo, sino sus consecuencias. ¿Te parece normal que, según me contaste, el coche quedara destrozado, murieran dos ocupantes y el tercero, que era yo, tan solo sufriera una fractura de muñeca y algún rasguño más, sin apenas importancia? Al día siguiente ya estaba en mi casa, y nuestros padres supuestamente enterrados.

—Ibas en una silla de seguridad para niños, bien fijada, en el asiento trasero —se explicó Rebeca—. Esa es, precisamente, su función. Salvar vidas de niños en caso de accidente.

Carlota se quedó mirando a su hermana.

—Tu única fuente de información ha sido siempre nuestra tía Tote, ¿verdad?

—Sí, ¿qué insinúas? ¿Qué me ha podido mentir?

—Por ahora no. Lo único que te hago ver es que hay otras fuentes de información con las que no hemos hablado, por lo menos yo.

—¿Quiénes?

—La madre de Carol, Carmen. Junto con su entonces pareja, Jacques, vivieron el accidente, quizá incluso más de cerca que nuestra tía, sobre todo ella, ya que trabajaban juntas y eran socias en los laboratorios. Tenían una relación muy cercana, casi como hermanas. Nunca hemos escuchado con detalle su versión de los hechos. ¿No te parece extraño? Ya ha pasado mucho tiempo de aquello y tenemos veintidós años, no somos unas crías como para escondernos los detalles. Creo que somos lo suficientemente adultas y maduras para conocer lo desconocido.

—Adultas desde luego, lo de maduras, en tu caso...

—Estoy hablando en serio, Rebeca. Ahora mismo no estoy bromeando.

—¿Y qué es lo que pretendes?

—Que llames a Carol y que le digas que vamos a tomar café a su casa.

—¿Ahora?

—No, si te parece la llamas dentro de un mes. ¡Pues claro que ahora!

Rebeca estaba en una nube. En condiciones normales no hubiera hecho ni el menor caso a su hermana y a sus extravagancias, pero ahora le invadía una incertidumbre que no le permitía pensar con claridad. Se dejó llevar. Salió al cuarto de baño e hizo la llamada. Volvió a la habitación.

—Nos esperan dentro de treinta minutos.

—¿Les has dicho el motivo de nuestra visita?

—¡Claro que no! Si lo hago ni nos reciben. Eso sí, te advierto que Carol se ha extrañado bastante. No sé qué nos vamos a encontrar.

—Bueno, deja tu bicicleta y tomemos un taxi. Es algo tarde y no nos daría tiempo a llegar.

Así lo hicieron, y en apenas veinte minutos estaban en la plaza de la Legión Española, justo a espaldas de la vivienda de Rebeca.

—Déjame llevar el peso de la conversación a mí —dijo Carlota—. No deben saber el motivo real de nuestra visita. Tan solo que estamos pasando unos días juntas y que ha salido el tema de la muerte de nuestros padres. A ver cómo reacciona Carmen. Esa será la verdadera clave. Fíjate bien en su lenguaje no verbal. Quiero saber si es sincera o no, y tú eres experta en esas cosas.

Después del desplazamiento en taxi, llamaron al interfono y accedieron a la vivienda de Carmen y Carol. Les recibieron con la amabilidad y hospitalidad habitual en la familia Antón. Rebeca siempre había dicho que Carol era la chica más educada que había conocido en su vida, aunque con algunas incongruencias. Defendía la causa ecologista a muerte y era vegana, eso sí, viviendo dónde vivía, en una piso de auténtico lujo, quizá más que el suyo propio, y con todo tipo de comodidades, calefacción y aire acondicionado incluido. Por eso su apodo en el grupo era la *ecopija*. Y luego iba a manifestaciones contra los efectos de determinados gases y combustibles sólidos en nuestra atmósfera, mientras ella era usuaria habitual de ellos.

Después de intercambiar las frases de cortesía habituales, Carlota entró en el tema. Lo hizo con una delicadeza increíble, como un cuchillo entra en la mantequilla templada. A pesar de ello, Carol y Carmen no pudieron evitar sorprenderse de forma evidente.

—¿En serio? ¿Quedáis para pasar ratos juntas, y el tema de la conversación es la muerte de vuestros padres? No sé, ¿no se os ocurre algo más agradable de lo que hablar? —les preguntó extrañada Carol.

—Compréndelo —dijo Carlota—. Hasta hace semanas no sabíamos ni siquiera que éramos hermanas. No conocemos prácticamente nada de nuestros padres, salvo lo que nos contasteis en Madrid. Se levantó un muro entre nosotras, y Tote me localizó precisamente a consecuencia de un accidente que nadie nos quiere desvelar, ni siquiera contarnos absolutamente ningún detalle. No sabemos nada. No nos parece normal.

—Todo lo contrario, es lo más normal —dijo Carmen—. Fue terrible, ¿Cómo querías que os contáramos eso? Y, sobre todo, ¿para qué? ¿Acaso va a cambiar las cosas?

—Entiendo que no lo hicierais cuando éramos unas niñas, pero ahora ya tenemos veintidós años. No somos tontas. Creo que merecemos conocer, de hecho, queremos saber.

—¿Vuestra tía Tote no os ha dicho algo? —preguntó Carmen, extrañada.

—Algo —intervino Rebeca—. Pero ella lo hizo desde su punto de vista profesional, como Policía. Nos narró los hechos, la causa y la investigación, pero omitió su punto de vista personal. Supongo que se lo guardó para ella, para protegernos. Pero como os ha dicho Carlota, creo que ya somos mayorcitas, y también creo que merecemos conocer los acontecimientos desde ese punto de vista, el personal. Eso es lo que echamos en falta.

Carlota, viendo el titubeo de Carmen, aprovechó para lanzar el ataque final.

—Tú eras más que una hermana para Cata, nuestra madre. No sé, algún recuerdo personal tendrás de todo aquello —se aventuró.

Carmen se quedó mirando a las hermanas. En su rostro se reflejaba una profunda tristeza.

—Duele como una puñalada en el corazón, y eso que han pasado casi catorce años, pero tenéis razón. Merecéis saber, aunque sea muy duro —dijo Carmen, mientras se levantaba de su elegante sofá y se dirigía hacia uno de los muebles del comedor. Abrió un cajón, rebuscó por su interior y volvió al sillón con una especie de álbum de fotos.

—¿No conservas ningún recuerdo de tus padres? —le preguntó a Carlota—. Resulta extraño, porque manteníais cierta relación.

—Nos veíamos de vez en cuando, ya sabéis, haciéndose pasar por mis tíos, pero no. Mi hermana Rebeca tiene decenas de fotos con ellos, sin embargo, yo, tan solo tengo una.

Abrió el bolso, la sacó de su funda y la dejó encima de la mesa. Carmen se quedó mirando la instantánea con evidente curiosidad.

—Pues para ser la única foto, no refleja una actitud muy cariñosa que digamos. Ese posado es bastante feo.

—Sí que lo es —reconoció Carlota—. Por eso entended mis ganas de conocer algo más. Prácticamente no tengo nada ni tampoco sé nada.

Carol estaba observando la foto de cerca.

—Supongo que serás tú con tu padre Julián —le dijo, que parecía bastante más nerviosa que al principio de la conversación.

A Rebeca no se le pasó por alto la reacción de Carol, pero no supo interpretar su actitud. Le resultó extraña. «También debe ser un tema muy desagradable para ella», intentó justificarla.

—Sí —le respondió Carlota—. Esto es lo único que conservo. Con mi madre no tengo ninguna fotografía. Comprended mi curiosidad

Madre e hija se quedaron mirando. Carmen rompió el incómodo silencio que se había creado.

—Debo de advertiros. Lo que vais a ver es muy duro, pero es lo que buscáis. Es tan impactante que ni siquiera me he atrevido a enseñárselo a mi hija Carol... Ella también lo va a ver ahora por primera vez.

«Quizá esa sea la causa del nerviosismo de Carol», pensó Rebeca, «Lo curioso es que no se ha producido cuando ha visto el álbum, sino cuando Carlota ha dejado su foto encima de la mesa»

—¿Estáis seguras? —preguntó Carmen, en un último intento—. Me temo que voy a abrir la caja de Pandora. Sigo pensando que no es una buena idea,

—Hemos de afrontar la realidad. Adelante —le respondió, con seguridad, Rebeca.

Carlota lo tomó en sus manos, y lo puso entre Rebeca y ella, con Carol, de pie, a sus espaldas, atenta. El álbum consistía en una colección de recortes de diversos periódicos y de fotografías de hacía catorce años.

Fueron pasando páginas lentamente. La prensa de la época se había hecho abundante eco del accidente. Había numerosos recortes de artículos. Estuvieron unos veinte minutos leyendo las noticias y mirando las fotografías, con detenimiento.

—Espantoso, y pensar que yo iba en el interior de ese vehículo. Después de aquello, jamás volví a ver a mis padres. Me parece un milagro que sobreviviera, sin apenas heridas, y que ellos fallecieran.

—No parece un milagro, en realidad, lo fue —dijo Carmen— . Mirad el estado en el que quedó el coche. Aún recuerdo cuando me llamó la Guardia Civil. La primera en acudir fui yo. Reconocí en el propio lugar del accidente el cadáver de Julián, e inmediatamente me trasladé al hospital, detrás de la ambulancia que llevaba a vuestra madre, medio moribunda.

Las tres amigas se estremecieron. Se estaban poniendo en la piel de Carmen.

—Llegó al hospital con un hilo de vida, que se rasgó a las pocas horas. Me hicieron ver y reconocer su cadáver. Estaba destrozada con la cabeza abierta. No me explico cómo se pudo aferrar a la vida durante tantas horas. Aún conservo esa imagen en mi mente, no la puedo borrar. Comprenderéis que ese tipo de recuerdos no quisiéramos que los tuvierais vosotras. Os aseguro que son muy traumáticos.

Carmen se puso a llorar. Su hija Carol la abrazó.

Rebeca y Carlota también estaban muy afectadas, medio llorando.

—Sentimos mucho haberos causado este trastorno, pero no sabíamos dónde acudir. Nadie nos había enseñado estos recortes de prensa ni habíamos visto estas fotos —dijo Carlota, como pudo.

—Tranquilas. Sabéis que nos tenéis para lo que preciséis, aunque, a veces, sea así de impactante.

Se despidieron de Carmen y Carol, que también estaba muy afectada. A pesar de que no eran sus padres, había tenido una relación muy cercana y estrecha con Cata y con Julián. Los llamaba tíos, aunque no lo fueran carnalmente.

—¡Bufff! —no pudo evitar exclamar Carmen, cuando las hermanas salieron de su domicilio—. Estaba al borde de un ataque de nervios, como Carmen Maura en la película de Almodóvar.

—Menos mal que no han hecho la pregunta adecuada y se han limitado a mirar el álbum. Iban muy perdidas y no han llegado a comprender lo verdaderamente importante del asunto. Estaba nerviosa. Ya conoces su inteligencia.

—Y tanto, por eso yo también estaba en tensión. Apenas podía ocultarla —le reconoció Carmen.

—A pesar de que nunca me habías enseñado esas horribles fotografías, estaba más pendiente de sus reacciones que del álbum —le respondió su hija, con voz temblorosa.

—Y Rebeca de las tuyas. ¿No te has dado cuenta?

—Por supuesto. Ha observado mi reacción, pero ha sido espontánea. No la he podido evitar. De todas maneras, dudo mucho que la haya comprendido.

—¿Te crees que aún me tiemblan las piernas?

—Claro que te creo. A mí también.

Anda, borremos esas imágenes de la cabeza y a seguir con lo nuestro —dijo Carmen—. Vamos a hacer como si está reunión no hubiera sucedido jamás.

Mientras tanto, una vez en la calle, Rebeca no se pudo aguantar y se dirigió a su hermana.

—¿Aún piensas que están vivos, después de lo que acabamos de ver? No se trata de un solo periódico. Hemos visto una auténtica colección de fotografías y noticias, algunas de ellas impactantes de verdad. Ahora comprendo por qué nos las ocultaron durante tanto tiempo.

—En este momento, no sé lo que pienso, aunque supongo que estaba equivocada —dijo Carlota, que también estaba visiblemente afectada—. Lo único cierto son las fotos iguales nuestras, que podrían no tener ninguna relevancia, y el misterio de los tatuajes, que sí podría tenerlo.

—Bueno, ya es un paso. Reconoces que nuestros padres no pueden estar vivos.

—Después de lo que acabamos de ver, es difícil imaginarlo. Lo que de verdad reconozco es que estamos ante un callejón sin salida.

—Otra vez —recordó Rebeca,

—Ojalá estuviera en la ciudad el profesor Lunel, quizá él pudiera echarnos una mano con los tatuajes, no se me ocurre otra cosa. Parecía saber mucho acerca de simbología y esas cuestiones. Creo que sería de ayuda, porque volvemos a estar atascadas, y no me gusta nada.

Rebeca se permitió una pequeña sonrisa, en medio de la devastación emocional que acababan de sufrir, pero, el sorprender a su hermana siempre le producía ese efecto, sobre todo porque solía ser al revés.

—Tengo que contarte una cosa, Carlota. En realidad, el profesor Lunel sí que se encuentra en la ciudad.

—¿Cómo lo puedes saber?

—Porque vino a la reunión del último Gran Consejo que nos convocaron a ambas, al que tú no asististe. Se ha vuelto a establecer en su casa de la urbanización *La Cruz de Gracia*. Ya no reside en Sudamérica.

—¡No me digas! —exclamó Carlota—. Aunque sí te digo. Ya sabes, ¿no?

Rebeca se quedó mirando a su hermana, incrédula.

—Que lo llame, ¿verdad?

—¡Pues claro!

Carlota tenía un extraño brillo en los ojos. A Rebeca no se le pasó por alto, aunque en ese momento no fue capaz de terminar de interpretar aquella expresión. Le pareció que le estaba tomando el pelo.

«¿Se está burlando de mí?», pensó. «¿Por qué?».

17 14 DE MARZO DE 1525

Batiste continuó andando hasta la escuela, sin poder quitarse de la cabeza las palabras de su padre. No alcanzaba a comprender cómo había conseguido adivinar el nombre de su nuevo compañero, en el juego del tribunal juvenil de la inquisición.

No tenía ningún sentido. Jamás había acudido a la escuela en horario de clases. Tan solo lo había hecho para hablar con el profesor Urraca, en alguna ocasión, pero siempre había sido en reuniones privadas. No conocía a ningún compañero de su escuela, más allá de su círculo íntimo, de los cuales dos estaban muertos y el otro era Jero.

«Bueno, está claro que eso no es cierto», iba pensando Batiste, mientras andaba. «No solo sabía que íbamos a incorporar a Nico a nuestro grupo, sino que, además, lo conoce».

Inconcebible. Doble misterio.

Llegó, como ayer, con una antelación de quince minutos al patio que daba entrada a la escuela. También, como ayer, se sentó en uno de los bancos de piedra, esperando que llegara Nico. Hoy tenía una pregunta muy importante que hacerle, y prefería que no estuviera Jero delante.

Efectivamente, apenas un par de minutos después de sentarse, vio a Nico entrar en el patio. De inmediato, se dirigió hacia él y se sentó a su lado.

—Buenos días, Batiste —dijo, muy animado para lo que era habitual a esas horas de la mañana.

—Hola, Nico. ¿Estás preparado?

—Lo que estoy es nervioso, no te lo voy a negar. Creo que se me nota.

—Tranquilo, es un juego muy inocente —mintió Batiste, poniendo en su rostro el gesto más simpático que fue capaz de fingir.

—Pero... —empezó a decir Nico, deteniéndose en seco y esperando que Batiste continuara.

—Pero ¿qué? —preguntó extrañado.

—Tienes cara de «pero».

Batiste recordó la inteligencia de Nico e inmediatamente se puso en guardia. Tenía que grabarse a fuego en su mente que era casi una copia de Jero, pero con tres años más. No lo podía menospreciar.

«Seguramente habrá leído en mi rostro algún signo de preocupación», pensó, mientras buscaba las palabras adecuadas para lo que le interesaba preguntarle.

—Venga, que no muerdo —dijo Nico, riéndose—. Sea lo que sea, ya me habéis liado en vuestro juego. No me voy a arrepentir, tranquilo. Me puedes contar lo que sea, que no voy a salir corriendo.

—No es eso —dijo Batiste.

—Es la primera vez que te veo tan azorado. No es nada habitual en ti no ser capaz de encontrar las palabras adecuadas que decir, ¿verdad?

«Cada segundo que pasa la situación se vuelve peor», pensó alarmado Batiste. «Pues me lanzo, igual quedo como un idiota, pero ¿qué más da?».

—Sabes quién soy, ¿verdad? —comenzó.

Nico se le quedó mirando, sin comprenderlo.

—¿Me tomas el pelo? Pues claro, eres Batiste. ¿Aún estás dormido?

—¿Conoces a mi padre?

—Pues claro. Es Johan Corbera, maestro *pedrapiquer* de la ciudad. ¿Quién no lo sabe en toda la escuela? Aunque no pertenezca al consejo de la ciudad, es muy conocido. Pero todo eso tú ya lo sabes. No entiendo para qué me preguntas esa tontería.

—No me refiero a eso. Claro que sé que mi padre es conocido en la ciudad. Mi pregunta no iba por ahí. Lo que quería decir es que si lo conoces físicamente, no por su cargo. Por ejemplo, si alguna vez te lo han presentado y has hablado con él.

—¡Ah! Eso no. Jamás lo he visto, que yo sepa.

—¿No te has cruzado nunca con él?

—Eso ya no lo sé, ya que si eso hubiera ocurrido, cosa que dudo mucho, tampoco lo hubiera reconocido. Es obvio, ¿no te parece?. Por otra parte, no suele venir mucho por la escuela, ¿verdad?

—¿Estás seguro de lo que dices?

—¿De verdad te encuentras bien? ¡Pues claro que lo estoy! —exclamó Nico, ahora algo enfadado—. Si lo conociera te lo diría. ¿Qué puedo ganar con esconder semejante estupidez? Pregúntaselo a tu padre, si acaso dudas de mí palabra. Así lo tendrás claro.

«Ese es el problema», pensó Batiste, «que no lo tengo nada claro».

En ese justo momento, vieron como Jero se acercaba hacia ellos.

—Buenos días a los dos —saludó—. ¿Interrumpo algo? Tenéis una expresión extraña en vuestras caras. ¿Ha ocurrido algo? ¿No me digáis que se ha suspendido el juego de hoy? ¡Con lo que me ha costado convencer a Damián! Es más tozudo que una mula.

—No, tranquilo —dijo Batiste—. No tiene importancia. Estábamos hablando de mi padre, pero ya habíamos terminado la conversación.

—¡Bufff! —exclamó Jero—. Menudo susto me he llevado. He tenido que echar mano de todos mis recursos para que me autorizara. Si ahora lo suspendéis, os mato.

En ese momento sonó la campana.

—Bueno, antes de entrar, unas palabras —dijo Jero—. En el descanso no estaremos los tres juntos. Cuando termine la escuela, permaneceremos sentados en nuestra silla, haciendo como si estuviéramos arreglándonos las cosas de la mesa, por ejemplo. El profesor Urraca suele abandonar la clase con bastante rapidez, así que no creo que tengamos problemas. Tan solo cuando nos quedemos completamente solos, daremos inicio al juego.

—¡Qué ganas! —dijo Nico, mientras se levantaba del banco y entraba en el edificio.

Jero se quedó mirando a Batiste. Estaba claro que se había dado cuenta.

—Sea lo que sea, ya me lo contarás luego —le dijo—. Ahora, vámonos a la clase.

Las primeras tres horas de clase se pasaron volando. Los tres jóvenes tenían la mente en otro lugar. Cuando llegó la hora del descanso, ni siquiera Batiste se juntó con Jero. Intentó evitarlo. No quería que le interrogara acerca de la conversación que había mantenido con Nico, y, todavía menos, preocuparlo por las extrañas palabras de su padre. Jero tampoco hizo ademán de acercarse a hablar con él. Era lo suficientemente inteligente para saber que Batiste se lo contaría cuando lo considerara oportuno.

Por fin, la escuela terminó. Nico se sentaba en la última fila de mesas. Tal y como habían convenido, Jero y Batiste pudieron observar cómo disimulaba, haciendo como si recogía un libro. La clase se vaciaba rápido. Todos tenían ganas de salir al patio y volver a sus casas.

—Ya estamos solos —dijo Nico.

—Esperaremos un momento, por si alguien se le ocurre volver y nos sorprende —dijo Jero.

Se quedaron en silencio durante un par de minutos.

—Bueno, creo que ya podemos comenzar —dijo Batiste—. Es importante que sepas, Nico, que aunque no deje de ser un juego, intentamos que todos los procedimientos se ajusten lo máximo posible a los reales del tribunal de la inquisición de la ciudad.

—¿Y cómo los conocéis? Eso no nos lo explican en la escuela.

Jero se quedó callado. Podía contestarle que había sido testigo, a través de la rejilla de la calefacción de su habitación, de multitud de ellos, pero prefirió que fuera Batiste el que le diera la explicación oficial, preparada al efecto. Ya se esperaban esa pregunta.

—Ya sabes quién es el padre de Amador —dijo Batiste. Le costaba hablar en presente de él—. Es el receptor del Santo Oficio, y nos explicó cómo funcionaba el proceso en la realidad. Ahora somos tres, y tendremos que modificar algunas normas de procedimiento, pero serán las mínimas. También el caso que vamos a tratar es un auténtico caso del tribunal real.

—¿De qué se trata? —Nico estaba inquieto.

—Como ya te comentamos, elegimos el asunto al azar, pero no queríamos uno que pudiera conllevar aparejada penitencias graves o la hoguera. Nos pareció más apropiado, para nuestra edad, algún tema menor, de alguien anónimo, y que hiciera referencia a temas económicos. A pesar de ello, oiremos y leeremos declaraciones tomadas bajo tortura, que no serán agradables.

En ese momento, Batiste depositó, encima de la mesa que tenía delante, tres legajos, que tenían todo el aspecto de ser muy antiguos.

—¿Cómo conseguisteis la documentación auténtica del tribunal del Santo Oficio? Tengo entendido que el procedimiento es secreto.

—De eso se encargó Amador. Su padre guarda una enorme cantidad de legajos en el despacho de su residencia familiar. Al azar, comenzando por las letras A-B, tomó el primero que cayó en sus manos. Resultó ser un tema totalmente desconocido y anodino, pero, a medida que fuimos avanzando, el asunto se volvió más interesante de lo que parecía al principio —mintió a medias Jero.

—¿Y quién es el desgraciado?

—La desgraciada, en este caso. Se llama Blanquina March.

—¡Blanquina! —exclamó Nico, muy sorprendido

—¿Acaso la conoces? —preguntó Batiste, aún más sorprendido por la reacción de su amigo.

—¿Cómo quieres que la conozca? ¡Pero si lleva muerta desde antes de que todos nosotros naciéramos!

—¿Cómo puedes saber eso de ella? —siguió preguntando Batiste, que seguía desconcertado—. Yo no tenía ni idea quién era, hasta que cayó en nuestras manos esta documentación —ahora mintió.

—¡Sois idiotas! Blanquina era la madre de Luis Vives, el gran humanista cristiano que ahora vive en Oxford, Inglaterra. Lo estudiamos el año pasado, incluso hemos leído algún fragmento de su obra, en latín. ¿No os acordáis de lo mal que lo pasó el profesor Urraca con la pronunciación? Hasta le costó traducirlo al castellano. No habla latín nada bien, aunque él crea que sí.

Jero y Batiste se quedaron mirando entre ellos, sin decir ni una sola palabra.

—Es cierto —rompió el silencio Jero—. Yo sí que me acuerdo de aquella anécdota. Tienes razón Nico, me costó horrores no reírme en voz alta. Fue muy gracioso. Parecía que se peleaba con el lenguaje.

—Porque los dos hablamos y leemos latín mejor que él —dijo Nico, riéndose de forma estruendosa.

Batiste recordaba vagamente un episodio en el que el profesor Urraca se lio con el latín, pero no tan nítidamente como sus compañeros de juego. Sería porque él no lo hablaba con la fluidez de sus amigos y no le haría tanta gracia el incidente.

—Bueno —continuó Jero, dirigiéndose a Nico—, una vez aclarada la cuestión, y como ya te hemos comentado, tratamos de ceñirnos a los procedimientos legales y reglamentarios, en la medida de lo posible, aunque sea un juego. Llegado a este punto, el señor inquisidor, en este caso Batiste, declaraba abierta la sesión de tribunal juvenil del Santo Oficio, junto con el notario del secreto, de penitencias y escribano, que era Arnau, el receptor, que era Amador y por último, el promotor fiscal, que era yo. Como solo somos tres, tenemos que cambiar algunos procedimientos y cargos. Así, Batiste continuará siendo el inquisidor. Nico, ahora serás el promotor fiscal, y yo me reservaré el papel más modesto, el receptor. Me temo que tendremos que prescindir del notario. Intentaré hacer el papel doble, en cuanto deba de intervenir.

—Venga, empecemos ya —dijo Nico, que tenía ganas de ver en acción toda la parafernalia del juego.

—Antes de iniciarse la sesión —continuó Jero, dirigiéndose a Nico—. como nuevo miembro y promotor fiscal de este tribunal, el señor inquisidor tendrá que tomarte juramento de tu cargo. Es lo que ocurre en la realidad.

Jero se acercó hasta la mesa del profesor Urraca, cogió una Biblia y volvió con sus amigos. Junto con el libro, le dio un papel escrito a Nico y continuó explicándose.

—Este documento que te he entregado contiene el juramento oficial que todos los miembros del Santo Oficio están obligados a realizar, con la mano puesta encima de la Biblia, en presencia del señor inquisidor. Piensa que es el texto original. En cuanto lo pronuncies, te vas a convertir en un auténtico promotor fiscal, aunque sea juvenil.

Nico leyó por encima el papel que le había entregado Jero. Ponía que juraba defender la fe católica y se comprometía a cumplir con su cargo con la rectitud, honradez y fidelidad al Santo Oficio de la Inquisición y a todas sus normas, por encima de su propia vida.

—Estoy emocionado —dijo Nico, que no hacía ninguna falta que lo comentara. Estaba alterado de los nervios.

—Pues comenzamos la sesión ya. Cuando Batiste te ceda la palabra tan solo tienes que añadir tu nombre al principio, y luego recitar todo lo que pone en el en papel. Acuérdate, con la mano encima de la Biblia y mirando fijamente al señor inquisidor —dijo Jero—. Piensa que tu solemne juramento es ante él.

—Empecemos ya.

Tomo la palabra Batiste.

—Queda inaugurada la sesión ordinaria del tribunal juvenil del Santo Oficio de Valencia. Preside Batiste, como inquisidor. Actúa como promotor fiscal Nicolás y como notario y receptor del secreto, Jerónimo. Hoy trataremos el pleito contra la memoria y la fama de Blanquina March en su primera fase documental. Como paso previo, y dado que el promotor fiscal aún no ha jurado su cargo ante este tribunal, le solicito se ponga en pie y se aproxime ante mí presencia.

Nico se levantó. Se le notaba muy nervioso. Desde luego se había metido en el papel. Batiste continuó hablando.

—Don Nicolás, ponga la mano sobre la Biblia y proceda a jurar su cargo ante este tribunal.

Así lo hizo, con voz muy solemne. Recitó completo el juramento oficial.

Cuando concluyó, Batiste dejó caer la Biblia al suelo. Su cara estaba desencajada. Parecía que se fuera a desmayar de un momento a otro.

—Perdonad —acertó a decir, mientras salía a toda prisa de la habitación, en dirección a los baños.

18 EN LA ACTUALIDAD, MIÉRCOLES 24 DE OCTUBRE

Rebeca y Carlota tomaron otro taxi, esta vez en dirección a la urbanización *La Cruz de Gracia*, cercana a la ciudad, lugar de residencia del profesor Abraham Lunel. Rebeca lo había llamado hacía cinco minutos, y estaba encantado de atenderlas ahora mismo, según le había dicho.

—¡Menuda tarde me estás dando! —le dijo Rebeca a su hermana—. Creía que iba a tu casa en busca de respuestas, y resulta que no nos hemos dejado de hacer preguntas, pero no hemos obtenido ni una sola contestación a nuestras dudas.

—Mujer, yo no sabía que los acontecimientos se iban a precipitar de esta manera tan frenética. ¡Pero a qué es emocionante! —exclamó, que no podía dejar de ser Carlota, ni en un momento así.

—¡Claro que lo sabías, no me tomes por tonta! Conocías de sobra qué iba a pasar en la comida con Nacho. Después, como no eres idiota, también sabrías lo que íbamos a escuchar en la casa de Carmen y Carol Antón. Supongo que no con esa crudeza tan desgarradora, pero era de imaginar. Hemos terminado llorando las cuatro. Y ahora no sé qué te esperas oír de boca de Abraham Lunel.

—Es muy sencillo, espero escuchar la verdad.

—Esperas tu verdad, que no es lo mismo.

—Mi verdad es la verdad. Para mí, sí que es lo mismo —respondió Carlota—. Tan solo busco respuestas a mis interrogantes. ¿No decías hace un momento que no habíamos obtenido ninguna contestación a nuestras dudas? ¿Y si Abraham tiene alguna respuesta?

—El profesor Lunel es un historiador judío experto en la Historia de las Religiones en la Alta Edad Media, pero especializado en el pueblo hebreo. No sé qué respuestas esperas encontrar en él, sobre todo de un tatuaje muy reciente y de unas fotos tomadas en España, que, como mucho, tendrán trece años de antigüedad. No veo que encaje demasiado en su especialidad. En realidad, si lo piensas bien, no encaja nada.

—Pues a ti te ayudó bastante en tus pesquisas.

—Eso fue en el pasado, y mira cómo terminó todo. Parece un bucle, vuelta a los orígenes.

—Pero reconoce que ahora es muy diferente. Tenemos las dos partes del Gran Mensaje que podría conducir al árbol judío perdido.

—Eso también lo dices tú. Ya ha quedado demostrado que no pudieron ser nuestros padres quiénes nos marcaron con esos pequeñísimos tatuajes, porque son muy recientes y ellos llevan casi catorce años muertos. El asunto ha quedado bastante claro, ¿no te parece? No creo que dudes de las palabras de Tote y de Carmen, absolutamente coincidentes, que, además, ahora, apenas tienen relación entre ellas. También acabamos de ver los espantosos recortes de prensa, que hasta nos han hecho llorar a todas.

—No me lo estés recordando todo el rato, con una vale.

—Lo siento —dijo Rebeca—. No me lo quito de la cabeza.

—¿Y las fotografías idénticas? Esas sí que son de nuestros padres.

—¿Y qué conclusiones has sacado de ellas? Ninguna. A lo mejor, simplemente son lo que parecen, dos fotos familiares. Un recuerdo de sus dos hijas. No sé si te acordarás, pero, en aquella época, se estilaba vestir a los hermanos con la misma ropa y este tipo de fotografías. Eran horribles, pero se puso de moda. Quizá no tengan nada que ver con grandes consejos y todo eso. De hecho, tengo más de cien fotos con mis padres. ¿Las analizamos todas? Podemos pasarnos varios meses entretenidas, te lo aseguro.

—Podrás tener cientos, pero tan solo dos iguales. Digas lo que digas, es muy significativo. Recuerda lo de «une lo separado».

—Lo que eres es muy cabezota.

—Si tan claro lo tienes ¿por qué has accedido a visitar al profesor?

—¿Te digo la verdad? Porque me apetecía verlo y hablar con él. Siempre me cayó muy bien. Es una buena persona y se le nota. Me advirtió de peligros en el pasado. Después del *teatrillo* que organicé en la Lonja de Valencia, cuando creyó que el árbol judío había sido saqueado, se esfumó, se marchó de Europa y se fue a vivir a Sudamérica. No volví a saber de él hasta el último Gran Consejo, hace prácticamente nada. Mis motivos, como verás, son personales.

—Bueno, pues cada una de nosotras tendrá sus motivaciones, pero coincidimos en que ambas queremos verlo. Ya es algo.

Mientras iban conversando entre ellas, no se dieron cuenta de que ya habían llegado a la garita de seguridad, que daba acceso a la urbanización. El guardia les preguntó y le informaron que tenían una cita con Abraham Lunel. Después de comprobarlo en un listado, les dijo que el profesor les estaba esperando. También les preguntó si sabían llegar a su chalé, a lo que Rebeca contestó que sí. Llegaron a la cancela exterior de su residencia y llamaron al timbre.

—Caramba con el profesor. ¡Menudo tren de vida lleva! —dijo Carlota, tan solo observando el exterior de su vivienda, con su cuidado jardín.

—Ten en cuenta que es toda una autoridad mundial en su materia. Da conferencias por todo el mundo, y está claro que las cobra muy bien. Quizá sea el historiador más famoso en su especialidad, que es muy específica.

Inmediatamente les abrió la puerta.

—¡Caramba! ¡Mis hermanas gemelas favoritas! —dijo el profesor Lunel, cuando abrió la puerta—. ¡Menuda sorpresa más agradable me acabáis de dar!

Carlota le dio un par de besos, pero Rebeca se abrazó con él, para sorpresa del profesor.

—Te fuiste sin avisar —le reprochó—. Al menos podrías habérmelo advertido.

—Y tú sin decirme que eras la undécima puerta —le dijo, aunque no en modo de reproche—. Tengo que reconocer que lo hiciste de maravilla. Me tuviste engañado en todo momento. Eres toda una artista. ¿No te has planteado dedicarte al teatro de forma profesional?

—No me tomes el pelo. Sabes de sobra que mi misión era proteger el árbol, y eso es lo que hice. No me fiaba demasiado de Tania Rives y su marido.

El profesor pareció un tanto alterado. Rebeca no lo comprendió en ese momento.

—Anda, pasad al interior de mi casa. Soy un maleducado manteniendo esta conversación en la misma puerta de acceso, sin permitiros entrar.

Cruzaron el jardín hasta llegar a su casa. El profesor las acomodó en el mismo sitio que Rebeca ya había estado, en el gran salón con chimenea.

—No sé si deberíamos mantener este tipo de conversación delante de tu hermana, tú ya me entiendes —dijo Abraham, mirando a Rebeca y haciéndole una exagerada mueca con su cara.

«¡Claro! Ahora comprendo el motivo de la turbación del profesor», pensó Rebeca «Estamos hablando de puertas y árboles en presencia de Carlota».

—Abraham, me parece que hay ciertos hechos sobrevenidos que desconoces. Te presento a Carlota Penella o Mercader, a tu gusto.

—Encantado, pero ya sé quién es, no sé para qué me la vuelves a presentar —le interrumpió el profesor.

Rebeca reanudó la presentación.

—No me has dejado terminar, Abraham. Te decía que te presentaba a Carlota Penella... y la verdadera segunda undécima puerta, que es lo que nos interesa en este momento. Por eso podemos mantener esta conversación en su presencia, que es lo que creo que te tiene preocupado. Forma parte de todo esto.

El profesor dio un respingo tan grande, que casi se cae de la silla.

—Pero... —empezó a balbucir, claramente sorprendido por la revelación.

—Sí, ya sé lo que dije en aquel Gran Consejo, que estaba segura de que no era el segundo número once, pero, en ese momento, no os mentí.

—Eso ¿cómo puede ser? Afirmaste con rotundidad que no lo era, y ahora me dices que sí lo es.

Carlota tomó la palabra.

—Supongo que ya te habrán informado de todo lo referente a nuestra vida personal, que nos separaron al nacer y que mis padres biológicos me hicieron desaparecer y falsificaron la documentación, para que pareciera que era la hija de otras personas, porque ellos eran las dos undécimas puertas, y se asustaron.

—Sí, toda esa historia ya la conozco —confirmó el profesor Lunel.

—También sabrás, porque así lo ha reconocido ella misma, que mi hermana Rebeca es una de las dos undécimas puertas.

—Claro. Por eso volví a España. Recibí una llamada telefónica del nuevo conde de Ruzafa, el número uno, diciéndome que había localizado a las dos undécimas puertas y que pensaba reconstruir el Gran Consejo con sus funciones primitivas. Luego pasó lo que pasó, que tan solo había localizado a una de ellas, que eres tú —dijo, señalando a Rebeca.

—En aquel momento, esa era la realidad —intervino ahora Rebeca.

—Pues ya me explicaréis qué ha cambiado desde entonces —insistió incrédulo el profesor.

—Ha cambiado que tenemos el Gran Mensaje —dijo Carlota, así, de sopetón.

«Eso es mentira», pensó de inmediato Rebeca. «¿Qué pretende engañándole?».

Abraham casi se cae del sillón.

—¿Os habéis vuelto locas? ¡Qué decís!

—Lo que oye. No le voy a relatar todos los hechos desde el principio, porque, además de extensos, son innecesarios para nuestro propósito, pero cada una de nosotras tiene la mitad de un mensaje, que debería conducir, una vez descifrado, al árbol judío del saber milenario —explicó Carlota.

El profesor estaba como en trance. A Rebeca le dio la impresión de que no terminaba de creerlas. De repente, volvió a la realidad.

—Disculpad, no os he ofrecido nada de beber. No tengo cerveza en mi casa, ya sabéis que soy abstemio. Tan solo puedo invitaros a un vaso de agua o zumo de naranja.

—El zumo estará bien para las dos —dijo Rebeca—. Muchas gracias.

El profesor abandonó el salón en dirección a la cocina. En cuanto desapareció de su vista, Rebeca se dirigió a su hermana, medio enfadada.

—Pero ¿qué estás diciendo? No tenemos ninguna mitad de ningún mensaje. Eso ya ha quedado claro. Nuestros padres no nos hicieron ese tatuaje, ¿no lo habíamos hablado ya? —preguntó, indignada—. Estamos engañando al bueno del profesor, y me parece que se ha dado cuenta.

—Tú confía en mí, que tengo una estrategia —le respondió Carlota.

—¿Cómo quieres que lo haga si ya empiezas la conversación mintiendo?

—Te lo repito, por una vez en tu vida, confía en tu hermana gemela.

Rebeca no estaba dispuesta a entrar en este juego con Abraham Lunel, al que le tenía un especial aprecio personal, pero se quedó mirando a Carlota. Tenía esos ojos característicos en ella, brillantes, indicativos que su cerebro estaba a pleno rendimiento. Ello le hizo dudar. Al final, decidió darle una oportunidad y dejarla hacer, pero si la situación se le iba de las manos, entonces intervendría. Mientras tanto, le iba a dar un voto de confianza. «Espero no arrepentirme», pensó, preocupada.

El profesor regresó con tres vasos de zumo de naranja. Los dejó encima de la mesa y le dio un buen trago al suyo.

—No me estaréis tomando el pelo, ¿verdad? —fue lo primero que dijo, tras volver de la cocina—. Ya estoy mayor para soportar ciertas emociones y mi corazón ya no es el de antes.

Rebeca sintió un punto de remordimiento interno, pero permaneció en silencio.

—No —respondió muy seria Carlota—. De hecho, por eso he conocido que soy la segunda undécima puerta. Mis padres jamás me iniciaron, no me contaron nada acerca de grandes consejos ni árboles judíos, sin embargo, sí que hicieron una cosa. Me dieron la mitad del Gran Mensaje, al igual que a mi hermana.

—¡Pero si Rebeca negó que lo tuviera, en el último Gran Consejo! No sé los demás, pero yo la creí.

—Ya le he contado que han sucedido acontecimientos sobrevenidos... —empezó a explicarse Carlota.

El profesor la interrumpió.

—Si no te importa, tutéame. Me siento más cómodo, y todavía más en esta situación.

—Sin problema —continuó Carlota—. Como te estaba diciendo, cuando mi hermana afirmó eso, estaba diciendo la verdad. Las dos partes del Gran Mensaje las hemos descubierto con posterioridad a aquella reunión.

Abraham Lunel parecía excitado.

—¿Y cuáles son? ¿Las puedo ver?

—Claro, para eso hemos venido aquí. Aunque, como ya te he dicho hace un momento, te voy a ahorrar los detalles innecesarios, alguna breve introducción debo hacer. Comprende que es necesario.

—¡Ya tardas! —se notaba que el profesor estaba ansioso por conocer la información.

—Resumiendo mucho, por diversas circunstancias, Rebeca y yo nos dimos cuenta que teníamos una marca de nacimiento idéntica, cada una en una de nuestras nalgas.

«Por diversas circunstancias», se rio en su interior Rebeca, recordando la fiesta de su cumpleaños. No se le hubiera ocurrido jamás calificar aquella «madre de todos los excesos» de mera «circunstancia». No pudo evitar sonreír.

—Posteriormente, un experto en tatuajes nos sacó de nuestro error —continuó explicando Carlota—. No eran marcas de nacimiento, además, tampoco eran iguales. Ni Rebeca ni yo recordamos habernos tatuado nada jamás, así que supusimos que no quedaba otra opción de que hubieran sido nuestros padres, antes de separarnos, nada más nacer, los autores de ese tatuaje.

—¡Eso es un descubrimiento increíble! —el profesor seguía emocionado por las verdades a medias de Carlota.

—La cuestión es que el tatuador nos informó de que, esas marcas desiguales podrían formar parte de un único tatuaje mayor.

—¡El Gran Mensaje! —Abraham Lunel ya no se había podido aguantar y se había levantado de la mesa—. Dos partes unidas en una. ¡Es lo que hemos estado buscando durante muchos siglos!

—Hasta aquí, todo nos parecía conducir en esa dirección. La cuestión es que esos tatuajes no significan nada, ni por separado, ni unidos.

—¿Y eso cómo lo sabes? —le preguntó el profesor.

—He hecho los deberes. He perdido muchas horas investigando por internet. Son únicos. No figuran en ningún catálogo de tatuadores. No están registrados en ninguna base de datos del mundo, en consecuencia, desconocemos su significado.

—¡Eso es fantástico! —exclamó Lunel—. Que no encontraras nada, no es algo malo, sino todo lo contrario.

—Entonces, ¿no saber lo que significan es bueno?

—Yo no he dicho eso. Piensa un poco. ¿No creerás que el Gran Mensaje lo vas a encontrar en cualquier catálogo vulgar de tatuadores o en internet? Se supone que es un mensaje único y secreto. Que no hayas averiguado nada, es una señal muy buena.

«El profesor ha picado el anzuelo hasta el fondo», pensó Rebeca. Carlota había omitido cualquier referencia a que los tatuajes eran muy recientes. «De todas maneras, le voy a dejar que haga su exposición, tampoco tenemos nada que perder más que tiempo, y de eso nos sobra».

—¡Quiero verlos! Si os da vergüenza porque estén en una nalga de vuestro culo... —empezó a decir Abraham.

—No te preocupes. Aunque te enseñáramos nuestros culos, haría falta una lupa de muchos aumentos para que los pudieras distinguir. Son minúsculos. Pero no te inquietes por eso. Tenemos fotografías ampliadas. Nos las facilitó el tatuador —dijo Carlota.

—¿Las llevas encima?

—Claro —le respondió—. Precisamente por eso hemos venido hasta su casa.

El profesor parecía emocionado y ansioso.

—¿Podría verlas?

—Por supuesto —respondió Carlota, mientras abría su bolso y depositaba las dos fotos, encima de la mesa de cristal del salón.

Abraham Lunel se apresuró a observarlas de cerca.

—¿Cuál es cuál? Me refiero, ¿qué tatuaje se encuentra en la nalga de quién?

—La primera fotografía, la de arriba, se corresponde con el tatuaje de mi hermana —dijo Carlota—. La segunda, con el mío.

El profesor se tomó su tiempo. Sacó de un cajón del mueble aparador una lupa, y se puso a observarlos de cerca. Se notaba que no tenía ninguna prisa, ya que procedía con una extrema parsimonia.

Aprovechando que el profesor estaba concentrado en los tatuajes, Rebeca cogió del brazo a su hermana y la apartó de la mesa.

—No le has contado toda la verdad —le dijo, en un susurro—. Has omitido detalles muy importantes, a propósito.

—Déjame que lo intente a mi manera. A ver qué sacamos en claro —le contestó Carlota—. ¿Tenemos algo qué perder? ¿Qué nos diga que no los entiende? Eso ya lo sabemos nosotras.

—¡Pero si son recientes! ¿Acaso esperas que te diga otra cosa? —le preguntó Rebeca, que seguía sin estar conforme con aquel pequeño engaño al bueno de Abraham.

Por fin, el profesor se incorporó de la mesa. Había estado, al menos, diez minutos. Parecía que había terminado su análisis. Las hermanas se volvieron a acercar a él, esperando sus conclusiones.

—¿Has sacado algo en claro de los tatuajes? —preguntó Carlota.

—No. No los había visto nunca ni sé qué significan, pero eso no quiere decir que no puedan ser las dos mitades del Gran Mensaje.

—En todo caso, de un Gran Mensaje que no sabemos qué significa —observó Rebeca, que no pudo permanecer en silencio—. ¿De qué sirve tener las dos mitades si no somos capaces de descífralo? Casi equivale a no tener absolutamente nada.

—Eso no es cierto —le respondió el profesor—. Algo es algo, aunque aún no lo entendamos.

—¿Aún? Lo que te decía, nada de nada —insistió Rebeca, que seguía incómoda ocultándole información sustancial al profesor. Se había comprometido y lo iba a cumplir, pero eso no significaba que le gustara engañarlo.

—Antes me habíais dicho que el tatuador pensaba que ambas partes podían unirse. ¿Cómo lo hizo? —preguntó el profesor.

—Muy sencillo. Se guio, sobre todo, por su instinto profesional. Para ello se sirvió de un sofisticado programa de tratamiento y manipulación de imágenes por trazos, que usan en su trabajo para los tatuajes mediante láser, que requieren de gran precisión. Ya nos advirtió que se trataba de una extrapolación, que podría no ser exacta, ni la unión coincidir, aunque a él le parecía que sí, que la imagen guardaba cierta armonía. Le añadió un fondo para que resaltara mejor, aunque insistió en que, una vez unida, tampoco sabía qué significaba —le explicó Carlota.

—¿Tienes esa imagen? Aunque pueda no ser precisa, me gustaría verla también.

—Sí, la llevamos con nosotras —respondió Carlota, mientras la sacaba de su bolso y dejándola encima de la mesa, al lado de las otras dos—. Pero como ha observado, no estamos seguras de que esa unión sea la adecuada, aunque es cierto que guarda cierta armonía.

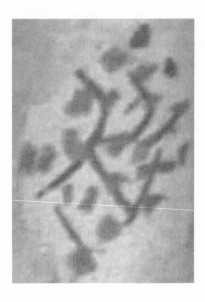

Nada más verla, el profesor dio un salto hacia atrás, apartándose de la mesa. Las hermanas se sorprendieron por la brusca y repentina reacción de Abraham Lunel.

—¿Te ocurre algo?

—Nada, nada... —dijo el profesor, observando el extraño símbolo, aunque de lejos.

Las hermanas se quedaron mirando. Estaba claro que esa afirmación no guardaba ninguna relación con su exagerada reacción.

—¿Has sacado alguna conclusión de esta composición entre los dos tatuajes? —le preguntó Carlota.

—Sí, desde luego. De hecho, más de una —les respondió, con los ojos completamente abiertos.

—¿Más de una? —pregunto ahora Rebeca, muy extrañada—. ¿Y cuáles son?

—La primera, que el tatuador tenía razón.

19 14 DE MARZO DE 1525

—¿Qué ocurre? —preguntó alarmado Nico, ante la repentina espantada de su compañero Batiste, en dirección a los baños de la escuela, justo después de su juramento como promotor fiscal.

—No lo sé —le respondió Jero, que tampoco tenía buen aspecto, pero había aguantado el tipo.

—Esta mañana ya no se debía encontrar muy bien —observó Nico.

—¿Por qué dices eso?

—Porque me hizo unas preguntas muy extrañas. No las comprendí. No les di mayor importancia, pero visto lo que acabo de ver, está claro que me equivoqué. Algo extraño le pasaba.

—¿Antes de que yo llegara? —le preguntó Jero,

—Sí.

—¿Te importaría reproducir la conversación? Me has dejado preocupado.

—Claro que no.

Nico le explicó todo lo que había acontecido en el patio de la escuela esta misma mañana.

—Escucha, Nico. Quédate en la clase custodiando los legajos originales del Santo Oficio. Como promotor fiscal del tribunal juvenil, es tu obligación, no sea que se pase el alguacil de la escuela y se los lleve —le ordenó Jero—. Yo, mientras tanto, me voy a acercar a los baños, a ver qué le ocurre a Batiste y cómo se encuentra.

—De acuerdo.

—Ten en cuenta que acaba de salir de unas fiebres —intentó buscar una disculpa Jero—, y todavía no debe estar recuperado del todo.

Jero conocía perfectamente el motivo de la estampida de Batiste, y desde luego que no tenía nada que ver con las fiebres. Él también estaba preocupado, y todavía más con lo que acababa de escuchar.

Salió de la clase y se marchó en dirección a los baños. Allí estaba Batiste, con un aspecto lamentable. Nada más ver entrar a Jero, se abalanzó sobre él.

—¿No lo has oído?

—Pues claro, te recuerdo que estaba a tu lado.

—¿Y no te preocupa? —Batiste seguía con un aspecto horrible.

—Ahora el que me preocupas eres tú.

—Te comportas cómo si nada acabara de ocurrir en la clase —insistió Batiste.

—Sí, he escuchado, como tú, que el nombre completo de Nico es Nicolás Almunia, ¿y qué?

—¿Cómo que «¿y qué?»? Pues está muy claro. Acabamos de unir al juego al hijo de Bernardo Almunia, el justicia criminal. ¿No te parece una catástrofe? Le hemos contado lo de Blanquina. Ahora mismo, está solo en la clase con los legajos originales del Santo Oficio, y a ti parece que todo te da igual. Hemos metido al zorro a cuidar de las gallinas.

—Relájate un poco, Batiste. Estás exagerando la reacción. Amador también era el hijo de don Cristóbal de Medina, receptor y enemigo declarado nuestro en este asunto, y no te pusiste en ningún momento así.

—No es lo mismo. Amador era nuestro amigo.

—También lo es, Nico.

—¿Cómo lo sabes?

—Tiene tantas ganas de jugar como nosotros, y lo conocemos desde hace casi tres años. Siempre ha sido un buen chico, amable y buena persona.

—¡Pero su padre es el principal sospechoso de las muertes de Amador y Arnau!

—¿Cómo sabes eso? Desde luego, algún papel juega en toda esta historia, pero no tenemos ninguna prueba, ni siquiera ningún indicio, que nos lleve a esa conclusión. ¡Por favor,

Batiste! Somos las dos undécimas puertas, debemos comportarnos con cierto raciocinio y no dejarnos llevar por los nervios.

—Ahora que nombras las dos undécimas puertas, mi padre me ha advertido esta mañana.

—Sí, ya me lo imaginaba. Nico me ha contado las extrañas preguntas que le has hecho en el patio, antes de que yo llegara. Se ha dado perfecta cuenta de que algo te ocurría. Ya sabes que no es nada tonto, más bien todo lo contrario.

—Pues que sepas que mi padre lo conoce personalmente. Ya sabes que jamás ha venido a la escuela en horario de clases. De hecho, no conoce a ningún pupilo del profesor Urraca, sin tener en cuenta a Amador, Arnau y a ti. ¡Y resulta que ahora me entero que también conoce a Nico!

—¿Y qué? Está ciudad, aunque grande, se conocen casi todas las familias.

—No lo entiendes. Nico me ha negado rotundamente que lo conociera, me ha dicho que jamás lo había visto en persona. Sin embargo, de las palabras de mi padre, deduzco que eso no es verdad. Él sí que lo conoce físicamente y sabe quién es. Esa es la clave. Nico nos ha mentido. ¿Para qué iba a hacerlo en una cuestión aparentemente tan trivial cómo esta? —le preguntó Batiste, que se notaba que había estado reflexionando en los dos minutos escasos que llevaba en los baños.

—Para empezar, que tu padre lo conozca no es extraño. Por su oficio, sabe quién es media ciudad, por no decir toda.

—Una cosa es que sepa quién es una persona, por su cargo. Este no es el caso. Lo conoce personalmente y Nico lo ha negado. A ver cómo justificas esta mentira, porque lo de mi padre es real.

—No tiene importancia si lo conoce o no.

—¿Qué dices? —exclamó Batiste, indignado—. ¿Por qué afirmas esa barbaridad?

—Porque Nico no es el hijo de Bernardo Almunia, aunque compartan apellido.

Batiste se quedó asombrado, mirando a su amigo.

—¿Acaso tú lo conoces y sabes quién es su padre?

—No me hace falta saberlo, Batiste.

—Lo siento, Jero, no te entiendo nada. ¿Cómo puedes estar seguro de lo que afirmas si no conoces a su padre? El mío me advirtió contra él de forma específica. Además, me dijo que nos correspondía a nosotros, como undécimas puertas, descubrir el misterio. Sin embargo, vi en sus ojos, con total claridad, que él ya lo sabía.

—Vamos a ver, Batiste. Tienes que tranquilizarte. No puede ser el hijo de Bernardo por el simple motivo que Bernardo vive solo en su casa. ¿No lo recuerdas? En nuestra última visita a su pequeña vivienda, ante nuestra extrañeza por lo humilde de su casa, nos dijo que no necesitaba más espacio para él solo. ¿Quién no viviría con su propio hijo?

Batiste se quedó en silencio. Jero tenía razón. Esas habían sido las palabras de Bernardo.

—Entonces, ¿cómo explicas la advertencia de mi padre?

—No te ofusques y piensa con claridad. ¿Crees que tu padre, como están las cosas, te hubiera permitido que nos quedáramos a jugar con Nico, si supusiera cualquier clase de peligro para nosotros? Ya te aseguro yo que no. No te hubiera dejado ni por un momento. Otra cosa es que le haya llamado la atención la persona que hemos seleccionado para unir a nuestro grupo, pero si lo hubiera considerado peligroso o, incluso, algo arriesgado para nuestros propósitos, ¿no te lo hubiera dicho de forma directa? Te aseguro que, en ese caso, no estaríamos aquí y ahora.

Batiste estaba reflexionando. La verdad es que el razonamiento de su amigo era impecable. Jero continuó su explicación.

—¡Por favor! Le íbamos a enseñar toda la documentación de Blanquina March. ¿Crees que lo hubiera permitido si Nico fuera el hijo del justicia criminal o supusiera algún riesgo para nosotros o nuestra investigación? ¡Ni por un momento! No quiero insistir más en lo evidente. Creo que ya deberías comprenderlo.

—No, supongo que tienes razón —respondió Batiste, que, poco a poco, parecía que se iba tranquilizando.

—¡Pues claro que la tengo, idiota! ¡Es tu padre! ¿Crees que iba a permitir que el zorro cuidara de las gallinas, como tú decías hace un momento?

—Ya te he dado la razón.

—Pues, ahora, a ver cómo volvemos ahí afuera y deshacemos el desaguisado que has organizado.

—Siempre puedo decir que al escuchar el apellido «Almunia» me ha venido a la cabeza la visita que nos hizo el justicia criminal a la escuela. Fue un hecho insólito.

—¡Pero si tú no estabas! Te la conté yo. Tenías fiebres, ¿no lo recuerdas?

—Bueno, pero algo tendré que decir...

—Pero no esa estupidez. Recuerda a quién tenemos enfrente, es Nico, no un alumno cualquiera de esta escuela. No se va a tragar cualquier excusa ridícula.

—De todas maneras, hay algo que no me cuadra en toda esta historia. Si no es el hijo de Bernardo Almunia, ¿por qué lo conoce mi padre? —dijo Batiste, que se notaba que no paraba de darle vueltas a la cabeza—. Y sobre todo, ¿por qué me preguntó si consideraba que era la persona más adecuada para unirla al grupo?

—¿No te has parado a pensar que, aunque no sea su hijo, puede ser un familiar, por ejemplo, su sobrino?

—¡Pues lo acabas de arreglar! Estamos en las mismas...

—No. No es lo mismo.

—Ahora que lo dices —siguió Batiste—, creo que mi padre empleó la expresión que nos «daría seguridad al grupo» o algo así. Puede que tengas razón.

—No puede, la tengo —dijo Jero, con una rotundidad que no pasó desapercibida a Batiste.

—¿Acaso sabes algo que yo no sepa?

—Menuda pregunta me haces ¿Cómo quieres que sepa lo que tú sabes? No soy un brujo.

—No seas idiota, Jero. Entiendes perfectamente lo que quiero decir.

Jero se le quedó mirando. Estaba sopesando las palabras que iba a emplear. Quería tranquilizar a su amigo, pero no ir más allá.

—Escucha con atención, Batiste. Tan solo te voy a decir dos cosas más, de las que estoy absolutamente seguro. ¿Lo comprendes? —le preguntó, en un tono muy serio—. No estoy bromeando.

—Adelante.

—La primera es que, aunque Nico sea sobrino de Bernardo Almunia, no le va a contar nada de nuestro juego. Y la segunda, que como no salgamos ya de los baños, nos vendrá a buscar él, y no quiero que eso ocurra.

—¿Por qué estás tan seguro de que no le va a contar nada al justicia criminal?

—Todo a su debido tiempo, pero lo conozco mejor que tú. Dale un voto de confianza a tu amigo y, de paso, también a Nico.

Batiste no supo qué decir, pero Jero no estaba dispuesto a que la situación se le fuera de las manos.

—Lávate la cara, finge que has vomitado, fruto de las fiebres que aún arrastras, y volvamos ya a la clase. Tienes veinte segundos antes de que te saque a patadas de aquí. Cuando vuelvas, le repites que no te encuentras bien, y dejamos el juego por hoy. Vamos a tener más días para ello. Nos ponemos a hablar de cualquier otro tema que nada tenga que ver con Blanquina y en media hora, que es cuando nos van a pasar a recoger, nos vamos. ¿Está todo claro?

Batiste ni rechistó.

20 EN LA ACTUALIDAD, MIÉRCOLES 24 DE OCTUBRE

—Aparte de que el tatuador tenía razón, cosa que ya nos imaginábamos, ¿qué más has sacado en claro? —le preguntó Carlota al profesor Lunel— Porque resulta evidente que no es lo único...

—No, por supuesto. Se trata de un antiguo símbolo hebreo muy popular, aunque, nadie lo ha utilizado en siglos, que yo sepa. Tan solo los historiadores de una época muy concreta lo podemos reconocer. No es un dibujo tribal ni nada parecido, es decir, nada de lo que se estila hoy en día, en el mundo de los tatuajes. Es normal que los profesionales de ese campo no lo conozcan. En realidad, jamás lo han tatuado a nadie, más que a vosotras dos. Estamos observando algo especial.

Carlota era muy perspicaz, y sabía que el profesor se guardaba algo.

—Pero ello no ha causado esa reacción tuya, ¿verdad? —siguió, con su particular interrogatorio.

—Tienes razón. No únicamente.

—¿Y qué más te ha llamado la atención, si eres tan amable de compartirlo con nosotras?

—Precisamente la época y la procedencia histórica a la que pertenece. Es ciertamente sorprendente, lo tengo que reconocer.

—¿Y cuál es esa época y su procedencia? —le continuó preguntando Carlota, que ya estaba empezando a perder la paciencia, con la extrema parsimonia del profesor con sus explicaciones.

Abraham se tomó su tiempo para contestar. Hizo una de esas pausas teatrales tan de su gusto, y tan de disgusto para Rebeca, y ahora también para Carlota.

—Se trata de un símbolo hebreo que fue muy popular a partir del siglo XIII, pero, sobre todo, en el XIV, y más concretamente en su segunda mitad.

Rebeca se levantó de la silla como si tuviera un resorte en el culo.

—¡En el siglo XIV! —exclamó, que ya no pudo reprimir su silencio—. A mediados de ese siglo se dio comienzo al gran proyecto de recopilación, traslado y reunión del árbol judío en la aljama de la ciudad de Valencia, que fue concluido más de treinta años después. De hecho, la primera reunión de un Gran Consejo creo que data de 1389. Además, todavía incompleto, si no recuerdo mal. ¡Eso fue a finales del siglo XIV! ¡Es extraordinario!

—Efectivamente, tienes razón en todo —le confirmó el profesor, que, a pesar de la aparente revelación, ahora parecía apático.

Rebeca se dio cuenta de inmediato.

—Y si tengo razón, ¿por qué no demuestras ninguna emoción? Hace un momento te morías por ver los símbolos y los has analizado con esmero, minuciosidad y verdadero interés. Te he estado observando durante todas tus operaciones con las fotos —siguió Rebeca—. Creo que acabamos de hacer un gran descubrimiento, tengo que reconocer que inesperado por mi parte.

Ahora, Abraham respondió con prontitud. No hizo pausa alguna.

—Siento ser portador de malas noticias, pero me temo que no es así —contestó, sin cambiar el gesto de su rostro, taciturno.

—¿Cómo qué no? No te entiendo. Tenemos, cada una de nosotras dos, una mitad de un símbolo hebreo del siglo en el que fue reunido todo el saber milenario del pueblo judío y creado el Gran Consejo —insistió Rebeca—. Además, justamente en nosotras, que no olvides que somos las dos undécimas puertas. No me digas que eso puede ser una casualidad, que no me lo trago.

—No me interpretéis mal. Puede que no lo sea, de hecho, seguramente tengas razón —dijo el profesor Lunel, que seguía sin aparentar ninguna emoción especial. Se suponía que tenía que estar excitado.

Rebeca no comprendía la extraña apatía de Abraham ni sus palabras.

—Lo que te quiere decir el profesor —intervino Carlota— es que, a pesar de no creer que sea una casualidad, su significado no le dice nada. En definitiva, que no lo entiende o no tiene ningún sentido para él.

Rebeca se había dejado llevar por la emoción de descubrir que portaban símbolos hebreos de la misma época de la creación del Gran Mensaje original.

—¿Es eso cierto, profesor? ¿Tiene mi hermana razón en su razonamiento?

—Me temo que sí. Es un símbolo de origen vegetal o herbáceo, sin especial relevancia. Nada arcano ni secreto ni conduce a ningún lugar. Desde luego no se trata de un mapa del emplazamiento del árbol, por ejemplo, ni nada que se le pueda parecer.

—¡Pero es un símbolo precisamente del siglo XIV! ¿No lo podrías observar con algo más de detenimiento, tal solo por ese dato? Ya sabes que no creo en las casualidades —insistió Rebeca.

—Yo tampoco creo en ellas. De acuerdo, lo haré porque me lo pides tú, aunque pienso que no van a cambiar las cosas —cedió Abraham, mientras volvía a tomar la lupa entre sus manos.

Estuvo durante otros diez minutos, al menos, observando las imágenes de los tatuajes. No se dejó ningún detalle.

—¿Cuántas veces están ampliadas estas fotografías? —preguntó, al fin.

—Creo que nos dijeron que cincuenta veces —respondió Rebeca.

—Son impresionantes, desde un punto de vista técnico. Su ejecución roza la perfección. Supongo que sabréis que son un verdadero prodigio. Hoy en día casi nadie hace estos trabajos, utilizan técnicas como el láser. Es verdaderamente sorprendente que estos tatuajes tengan veintidós años. No entiendo demasiado de ese mundo, pero desde luego son formidables.

—Lo sabemos —dijo Rebeca, que ya no pensaba contarle al profesor Lunel la revelación que les acababa de hacer Nacho Frías, acerca de que, en realidad, eran recientes. Ya se había olvidado de sus reticencias iniciales.

—Bueno, ¿y cuál es tu veredicto final?

—¿La verdad?

—¡Pues claro que la verdad! ¡Si te atreves, miéntenos! —le retó Carlota.

—No me malinterpretéis. No es que no quiera contaros la verdad, es que es algo graciosa. No os lo toméis a mal y no os riais, pero es como si llevarais tatuada, cada una en vuestro culo, la mitad de una lechuga.

—¿Una lechuga? —preguntó Rebeca, con estupefacción. Ahora comprendía la aparente indiferencia del profesor—. ¿En serio? ¿Tenemos tatuada la mitad de una lechuga en nuestro culo?

Rebeca parecía enfadada, sin embargo, Carlota no podía reprimir una pequeña sonrisa. El profesor continuó con su explicación.

—Entiéndeme bien, no sé si es una lechuga exactamente, es solo un ejemplo que te he puesto para que me comprendas, pero, desde luego, se trata de algo de origen vegetal o herbáceo. Debería estudiar el símbolo con detenimiento y consultar mi documentación para precisar de qué vegetal o hierba se trata en concreto, si es que se refiere a alguna en particular, cuestión que tampoco tengo clara.

—¡Ah! Entonces me quedo más tranquila —dijo Rebeca, en tono claramente sarcástico.

—En cualquier caso, y como resumen final, lo importante es que ese símbolo no me dice nada. No le encuentro ninguna relación con el árbol. Os repito, no es ningún trazo secreto ni nada parecido. De hecho, era algo bastante común en su época. No me aporta ninguna información histórica relacionada con nuestra búsqueda.

—¡Pues vaya fastidio! —exclamó Carlota—. Estaba convencida de que teníamos algo sólido, y en su lugar, tenemos una verdura para hacernos una ensalada.

—Hasta yo, que era reacia en un principio, me he llegado a ilusionar —dijo Rebeca—. Sí que es un fastidio.

Carlota se empezó a reír.

—Y ahora, ¿qué te pasa?

—Que como se enteren los del *Speaker's Club* que llevamos tatuada media lechuga en el culo, en vez de *Spice Girls* nos llamarán *Cabbage Patch Kids* o muñecas repollo, ¿Te acuerdas de ellas?

—¡Pues claro! —le contestó Rebeca—. Tuve una de pequeña, de las originales, fabricada mucho antes de que yo naciera, en 1986. Mi tía me la compró en un mercadillo. No había dos iguales. La mía era morada y parecía una princesa. ¿La quieres ver?

—¿No me digas que la llevas contigo? —preguntó Carlota, incrédula.

—¡No, mujer! ¡Cómo la voy a llevar aquí! —dijo, señalando su pequeño bolso—. Pero sí que tengo una foto de ella en mi móvil. Era uno de mis juguetes favoritos.

Abrió su bolso y sacó el teléfono. Lo manipuló y les enseñó su muñeca.

—¡Es horrible, Rebeca! ¿Cómo te podía gustar ese engendro? —dijo Carlota, riéndose.

—Pues era un repollo precioso —le contestó, mientras volvía a guardar el teléfono en su bolso. En ese preciso momento, se le resbaló de las manos y se le cayó al suelo, desperdigándose todo su contenido por el parqué del salón.

Rebeca se agachó de inmediato a recoger todos sus objetos personales.

—¿Es eso lo que parece? —dijo Carlota, que ahora volvía a sonreír de una forma pícara, señalando un pequeño objeto esférico.

—¡Calla idiota! —le contestó su hermana, sonriendo—. Es un pequeño táser, un arma eléctrica de autodefensa, ¿qué te creías? —le contestó, mientras intentaba volver a introducir en su bolso todo su contenido, a toda velocidad.

El profesor Lunel llevaba un rato en silencio. Ahora intervino.

—Con las prisas que te has dado en guardar las cosas de tu bolso, te has dejado dos fotografías debajo de la mesa —le dijo a Rebeca.

Se agachó y las cogió.

—Son nuestras fotos, las idénticas —le dijo Rebeca a su hermana.

—¿Sois vosotras? —preguntó el profesor, mirándolas desde la distancia.

—Sí, de cuando éramos pequeñas. No creo que tuviéramos más de dos años —le contestó, dejándolas encima de la mesa de cristal, junto a las fotografías de los tatuajes.

El profesor se quedó observándolas con algo más de detenimiento.

—El que está con vosotras en la fotografía, ¿era vuestro padre?

—Sí, Julián Mercader.

—Son verdaderamente curiosas —dijo Abraham—. ¿No os lo parece?

—Son verdaderamente feas —le respondió Carlota—. No te cortes, puedes decirlo libremente. Tranquilo, que no nos vamos a enfadar.

—Más que feas, me parece extraña y curiosa su composición. Parecen muy estudiadas, sin pretender que lo parezca. No puedes evitar tener la sensación de que cada cosa se encuentra en el sitio que le corresponde.

—¡Qué casualidad! Yo tuve la misma sensación, la primera vez que la vi —dijo Rebeca.

—¿Y por qué os las tomaron? —siguió preguntando el profesor—. ¿No os parece un poco ridículo? Es cierto que, hace algún tiempo, este tipo de fotografías tenían cierta popularidad, pero no me parecen tan antiguas, a pesar de su estado de conservación. Además, vuestros padres tampoco eran muy convencionales.

—No lo sabemos ni lo entendemos —dijo Rebeca—. La mía me la dio mi tía, y la de mi hermana, su madre adoptiva, momentos antes de fallecer.

—¿Y a las mentes más brillantes del país no les parece algo extraño todo este tema? ¿No me digáis que, al menos, no os parece, por lo menos, curioso?

—¡Pues claro que sí! —le respondió Rebeca—. No te creas que no le hemos dado mil vueltas al asunto de las dichosas fotos, pero es un callejón sin salida. Si pretendían decirnos algo, el mensaje no ha llegado.

—Pues a mí me ha llamado la atención la palabra que has pronunciado hace un momento, «ridículo». Ese término no entraba en el vocabulario de nuestro padre ni de nuestra madre biológica —dijo Carlota—. Personalmente, no creo que nuestro padre, que no olvidemos que era una de las undécimas puertas, nos las dejara, una a cada una, de forma casual. Somos conscientes que pudieran tener algún sentido, pero no se lo encontramos.

—Es un detalle interesante —dijo Abraham, mientras cada vez las observaba con más atención.

Rebeca se puso a su lado.

—¿Me prestas la lupa que has utilizado para los tatuajes? —le preguntó al profesor—. Aprovechando que la has sacado, ¿la puedo usar?

—¡Pues claro! —le respondió, entregándosela.

Rebeca se puso a observar las fotos con más minuciosidad. La verdad es que eran horribles, pero Abraham tenía razón. Todo parecía dispuesto con un orden fuera de lo normal. Eran fotografías muy estudiadas. Hasta las poses de su padre y las de ellas. «Lástima no recordar exactamente cuándo nos las tomaron», pensó Rebeca.

Observó también que la librería, que aparecía medio difuminada en el fondo de la fotografía, era la del salón de su casa, dispuesta de idéntica manera en ambas fotos, con todos los estantes exactamente iguales. Aquel orden jamás existió en la realidad. La foto estaba claramente preparada, aunque se le escapaba la intencionalidad.

De repente, algo llamó su atención.

Se quedó pasmada. Aquello no podía ser, era una anomalía evidente, y en el orden, no debería existir. Acercó la lupa a esa parte de la fotografía. Lo comprobó con ambas, hasta por tres veces. Su sorpresa fue monumental.

Dejó caer la lupa encima de la mesa, al mismo tiempo que se separaba de ella. Su rostro se había trasmutado.

Tanto Abraham como Carlota se dieron cuenta de la extraña actitud de Rebeca, pero, sobre todo, de su expresión de incredulidad y desconcierto.

—¿Qué es lo que te ocurre? —le preguntó Abraham.

—¿Te encuentras bien? No tienes buena cara —le dijo su hermana, preocupada.

—Estábamos equivocados desde el principio.

—¿En qué? —le volvió a preguntar su hermana.

—Los tatuajes, en realidad, son las fotografías.

21 15 DE MARZO DE 1525

Hoy era domingo. Batiste lo agradecía. No era habitual en él, pero hoy se pensaba levantar de la cama pasadas las diez de la mañana. Aunque ayer le pusieran como excusa a su amigo Nico que no se encontraba totalmente recuperado de las fiebres, como pretexto para suspender el juego del tribunal juvenil, la realidad es que era verdad. La enfermedad le había dejado débil y se lo notaba, tan solo subiendo las escaleras hasta su habitación. Lo que pasaba es que no lo quería reconocer.

Aún eran las ocho, así que pensaba saborear esas dos horas como nunca. No sabría cuántas oportunidades como esta tendría en los próximos días.

Parecía que su padre había decidido lo mismo que él, porque el silencio en la casa era total. No se escuchaba a nadie trasteando por la cocina, como era habitual a estas horas.

«Mucho mejor», pensó Batiste, mientras se arropaba en la cama y se volvía a dormir.

Se despertó con unos ruidos. Estaba claro que su padre ya estaba activo. Faltaban quince minutos para la diez, pero decidió levantarse de la cama y bajar a la cocina. Ya había descansado lo suficiente y se encontraba relajado.

—Buenos días, dormilón —le recibió Johan, cuando se sentó en la mesa.

—Tú tampoco tienes mucho que decir hoy. Hasta ahora mismo no te he escuchado —le respondió Batiste.

—Te equivocas. Llevo despierto más de una hora, lo que pasa es que he procurado no despertarte. Está claro que necesitas descansar, aunque no lo quieras reconocer.

—Sí que quiero —dijo Batiste—, y hoy lo he puesto en práctica. Pero no has hecho ni un solo ruido, gracias.

—En realidad, he estado haciendo de ti.

—¿Qué? —preguntó Batiste, sin comprender qué quería decir su padre.

—Bueno, luego te lo explicaré. Ahora me toca preguntar a mí, que para algo he sido el primero que me he despertado.

—Preguntar, ¿qué?

—Ayer no pudimos hablar, ya que llegué muy tarde del trabajo —afirmó Johan—. La reestructuración de la «Casa de la Diputación General del Reino de Valencia» se está haciendo interminable. ¿Qué tal os fue la reunión del tribunal juvenil ese?

—¿Por qué no me dijiste nada?

—Sí que te dije, lo que pasa es que no me entendiste.

—¿Quién es Nicolás Almunia?

—¿Todavía no lo sabéis? ¿Por qué no se lo pregustasteis a él directamente? Seguro que os hubiera contestado con mucho gusto.

Batiste le relató lo sucedido ayer, en la escuela. Johan no pudo evitar reírse.

—La verdad, no sé qué le ves de gracioso —le respondió su hijo, un tanto enfadado.

—No os habéis dado cuenta, ¿verdad? En realidad, se puede disculpar, me suelo olvidar que apenas sois unos niños, o jóvenes, como queráis.

—Y eso, ¿qué tiene que ver con esta conversación?

—Mucho. Digamos que Bernardo Almunia no es del tipo de personas que tienen hijos. Dicho de otra manera, no es muy aficionado a las mujeres, por eso vive solo. Jamás se ha casado ni lo hará.

Ahora Batiste comprendió la hilaridad de su padre, al suponer que podría ser su hijo.

—Entonces, ¿quién es Nicolás?

—Es el primogénito de su hermano mayor, es decir, es el sobrino de Bernardo Almunia, por eso comparten apellido. Yo lo conozco desde bien niño, pero es lógico que él no me recuerde a mí. Ya ha pasado mucho tiempo.

—Aunque no sea su hijo, ¿no consideras peligroso hacerle partícipe de nuestros avances, en el tema de Blanquina?

—Esa no es mi decisión, es la vuestra, tuya y de Jero, que, como ya te dije, sois las dos undécimas puertas. Si lo que me estás preguntando es mi opinión personal, te confieso que al principio pensé que era una mala idea, pero he ido variando mi percepción, a medida que reflexionaba más. Es un joven muy inteligente que no os va a dejar indiferentes. En esa cuestión estoy seguro. El único problema es no saber si será para bien o para mal, pero si queríais un soplo de aire fresco, desde luego es la persona adecuada.

—No me aclaras gran cosa, pero bueno, ya me lo imaginaba. Una vez dejado ese tema cerrado, ahora me toca preguntar a mí.

—Adelante —le respondió Johan, que parecía divertido.

—¿Por qué me has dicho, cuando he entrado en la cocina, que habías estado haciendo de mí? ¿Qué querías decir exactamente con eso?

—Curioso, ¿eh? Bueno, te mereces la respuesta. Resulta que esta mañana, cuando me he despertado, alguien había tirado una nota por debajo de la puerta.

—¡No me digas! ¿Dónde la tienes?

Johan la tomó de un estante y la extendió en la mesa de la cocina.

HOY ES EL DÍA B-M

Batiste se estremeció de inmediato, sobre todo cuando vio las iniciales «B-M». No le había contado nada a su padre, acerca del envoltorio que contenía los documentos falsificados de Blanquina. En su fuero interno, a pesar de lo que pensara Jero, seguía creyendo que era su dirección, calle Blanqueríes esquina con la calle Morer, pero claro, aquella nueva nota ya le parecía demasiado. Ahora ya empezaba a dudar seriamente. Estaba descolocado.

—Te veo inquieto —le dijo Johan, con una extraña sonrisa en sus labios.

—Es que no sé qué significa.

—Por eso no te preocupes, ya te he dicho que he estado haciendo de ti.

—No sé qué quieres decir.

—Pues deduciendo su significado. Llevo una hora pensando y sacando conclusiones, y, por fin, he alcanzado una respuesta. Como sueles hacer tú.

—Pues intercambiamos los papeles. Ilumíname con tus deducciones —le dijo Batiste, que ahora también parecía divertido, como su padre.

—Para empezar, el papel utilizado es de gran calidad. Exactamente el mismo que utiliza el Santo Oficio. ¿No te da alguna pista?

—De momento, no. Continúa con tu razonamiento y ya te diré.

—Las iniciales «B-M» son nuestra dirección. Así queda claro que la carta va dirigida a nosotros dos, los moradores de esta casa. En cuanto al texto «Hoy es el día», dime una cosa, ¿qué es lo que estamos esperando que ocurra? ¿Qué reunión hemos solicitado? Une un papel utilizado por el Santo Oficio con estas preguntas y ¿qué es lo que obtienes?

—¡Qué don Alonso Manrique está en la ciudad y nos ha citado! —exclamó Batiste—. Ese crees que es el significado de la nota.

—Muy bien. ¿Ves, cómo si yo quiero, también sé deducir enigmas y ponerme a tu nivel?

—Siento decepcionarte padre —dijo Batiste, que seguía pareciendo divertido—, pero te equivocas.

—¡Pero si está muy claro! Todo coincide. Así deduces tú las cosas. ¿Acaso no te he imitado bien?

Ahora, Batiste ya no pudo evitar reírse.

—No creas que le quito mérito a tu deducción. Podría ser perfectamente válida, tu razonamiento es impecable, pero equivocado. No es culpa tuya, porque hay dos cuestiones fundamentales que necesitas saber para comprender esta nota, que no conoces.

Johan parecía disgustado.

—A ver, *listillo*, refuta mi razonamiento.

—Lo voy a hacer muy sencillo y muy rápido. Para empezar, esa letra manuscrita es la caligrafía de Jero, no la de don Alonso. Eso tú no lo sabes porque no la conoces, pero yo sí.

Johan parecía perplejo. Una hora para descifrar el mensaje y su hijo se lo había desmontado en un segundo.

—Entonces, si Alonso no es al autor de esa nota, ¿cómo la explicas?

—Como te decía, hay dos cosas que no sabes. La primera te la acabo de contar. Y la segunda, resulta que Jero y yo nos apostamos una comida en su casa, si conseguía sacarle con vida de aquel lúgubre despacho que nos encerraron. En realidad, esta es su invitación. Hoy es domingo, el día perfecto. Lo confirman las iniciales «B-M», pero eso es muy largo de explicar ahora mismo. Lo importante es que Jero sabría que yo las comprendería. No se corresponden con nuestra dirección. Los criados del palacio ya saben dónde vivimos. ¿De qué les sirve ese dato? —dijo Batiste, haciendo suyos los argumentos de Jero.

—Pero mi razonamiento ha sido impecable —se resistía Johan.

Batiste seguía de buen humor.

—¿Sabes lo que te digo? Que tienes razón, por eso te vas a venir conmigo, a disfrutar una comida a todo lujo, en el salón principal del Palacio Real. A Jero no le importará. Me lo gané a pulso.

—¿Estás seguro?

—Tú también te lo has ganado con tu razonamiento. Anda, vayamos a arreglarnos. No me gustaría llegar tarde a tan magno acontecimiento.

Dicho y hecho. Se asearon, se pusieron unos ropajes más elegantes de lo habitual, y salieron de su casa, en dirección al Palacio Real. Mientras tanto, iban conversando. Johan estaba preocupado.

—¿Y si no me dejan entrar los alguaciles? —preguntó—. Al fin y al cabo, Jero te ha invitado a ti.

—¡Padre, por favor! Estará Damián en la puerta. ¿Cómo te va a negar el acceso?

—Obedece instrucciones.

—¡Pero somos nosotros! Si no nos deja pasar de forma directa, te aseguro que entrará en el palacio a preguntar. Ya sabes que Jero no pondrá ningún problema. Aunque cueste creerlo, un niño de nueve años es el superior jerárquico de Damián.

—No es Jero, lo es su padre.

—Pero como él no está...

Cruzaron el río y en apenas diez minutos ya estaban en la puerta principal del palacio. Para su absoluta sorpresa, no estaba Damián de guardia. Había tres alguaciles en la puerta. Aquello no era nada habitual, de hecho, es la primera vez que

Batiste lo veía. Parecía que se habían reforzado las medidas de seguridad.

—Ya empiezan los problemas —dijo Johan.

—Déjame hablar a mí. Conozco a uno de ellos y él también me conoce, se llama Pere. Fue el que recogió a Jero cuando le pegaron ese tremendo porrazo en la cárcel de la inquisición, en la Torre de la Sala. Aunque no tengo ninguna confianza con él, por lo menos sabe quién soy y supongo que atenderá a mis peticiones.

Se acercaron hacia la entrada del palacio. Cuando Pere lo advirtió, se interpuso en su camino.

—Buenos días, Batiste —dijo Pere, reconociéndolo—. Supongo que tu acompañante es tu padre, Johan Corbera.

—Así es. Resulta que he recibido una invitación del señorito Jerónimo para comer y quizá tenga que verificar... —empezó a explicarse, ya que acudía acompañado de su padre y no en solitario.

—No tengo que verificar nada. Ha habido algunos cambios en la seguridad del Palacio Real. Ahora yo soy el jefe de la guardia de los alguaciles.

—¿Le ha ocurrido algo malo a Damián? —preguntó con temor Batiste—. Ya sabes que nos llevábamos bien.

—No, todo lo contrario. Lo han ascendido. Ahora es el responsable personal de la seguridad de la virreina, doña Germana de Foix y superior de todos nosotros.

—Me alegro por él —le respondió Batiste, sin demasiada convicción.

«Vaya casualidad, justo hoy, un domingo, se producen estos cambios de tanta importancia», pensó. «Pero yo no creo en las casualidades».

Pere continuó hablando.

—No quiero molestar de forma innecesaria a nadie. Conozco perfectamente al señor Corbera. El señorito Jerónimo me ha explicado esta mañana lo de la comida y me ha dado instrucciones precisas, a pesar de la situación de excepción de seguridad en la que nos encontramos. Pueden pasar. Me ha dicho que le espera en el salón de la chimenea.

«¿Situación de excepción de seguridad?». Batiste reparó en esa frase, que no entendió. No quiso dar a entender su preocupación.

—Gracias, Pere —se despidieron Batiste y Johan, un tanto sorprendidos por la situación.

—Tu menudo amigo se está haciendo con el control del Palacio Real. Todos los alguaciles parecen obedecer sus órdenes sin rechistar ni hacer preguntas. Me ha dejado pasar «por no molestarle». No me extrañaría que, en breve, lo llamaran su majestad, porque parece que dirige hasta los nombramientos de la guardia.

—No «se está haciendo» con el control, estoy convencido que ya lo ha hecho —le respondió Batiste, riéndose—. No sabes lo bien que sabe dar instrucciones, hasta a mí me asusta verlo en acción.

—Ya lo observé con los alguaciles del cementerio, hace tres días, ¿no te acuerdas?

«¡Cómo olvidarlo!», pensó Batiste.

Entraron en palacio, subieron por su soberbia escalera de mármol, de una sola pieza, y llegaron hasta la puerta, que daba acceso al salón de la chimenea. Para su absoluta sorpresa, había otro alguacil custodiando la estancia. Era la primera vez que Batiste veía una cosa así.

«¡Qué extraño!», pensó, mientras se dirigía a él.

—Creo que nos han citado... —empezó a decir Batiste.

—Adelante, les esperan a los dos —les contestó el alguacil, sin demostrar ninguna sorpresa.

«¿Cómo puede saber que somos dos?». se preguntó de inmediato Batiste. «Pere, ni ningún otro alguacil, ha tenido tiempo de avisarle».

Abrió la puerta y se encontró con la explicación a todas sus dudas. En una butaca, en una posición bastante desenfadada, estaba sentado Jero, pero a su lado lo estaba don Alonso Manrique.

—¡Tenía razón yo! —exclamó Johan, mientras cruzaban la puerta en dirección a los butacones.

—¿Qué dices, amigo? —le preguntó don Alonso, dándole un gran abrazo a Johan.

Para sorpresa de Batiste, también le dio otro abrazo a él. Era la primera vez que lo hacía.

—No sabes cómo te agradezco que salvaras la vida de mi hijo, incluso por encima de la tuya propia, Sabía de sobra que estabas preparado para tu tarea, pero, aun así, quiero que sepas que no lo olvidaré jamás.

—En realidad, fue Jero el que dedujo la solución. Yo me limité a poner en práctica su intuición —le respondió, un tanto confundido por la inesperada muestra de cariño.

—Anda, no me tomes por tonto, que mi hijo ya me lo ha contado todo y me ha puesto al día.

Al final, acabaron abrazándose todos con todos.

—¿Qué es lo que has dicho cuando has entrado en el salón? —le preguntó don Alonso a Johan.

—No tiene ninguna importancia, es una tontería.

—Me encantan las tonterías. Anda, cuéntamela.

—Cuando hemos recibido vuestra nota, yo he interpretado que estabas en la ciudad y que nos citabas para la reunión que te había solicitado. Sin embargo, mi hijo pensaba que la nota significaba otra cosa, que Jero le invitaba a comer, para pagar la apuesta que se hicieron encerrados en aquella estancia secreta. Me alegro de haber tenido razón, por una vez.

—El realidad, siento decepcionarte, pero no la has tenido —dijo don Alonso, mientras se quedaba mirando a su hijo.

De repente, los dos se echaron a reír.

Batiste y Johan contemplaban la escena con cara de no comprender nada.

—Algún día me tienes que contar cómo lo haces —le dijo don Alonso a su hijo—. Me parece que aquí, el único que ha perdido una apuesta soy yo.

—¿Qué? —preguntó Johan, que no sabía de qué iba todo aquello.

—Nada, otra tontería, pero hay que reconocer que ha sido graciosa. Mi hijo ha osado a retarme a un juego mental. y yo jamás rehuyo a esas cosas. ¡Y me ha ganado! ¡Con nueve años! Creo que debería asustarme.

«Y tanto», pensó Batiste.

—¿Qué juego? —preguntó Johan, con curiosidad.

—Cuando os iba a convocar para esta reunión, me ha invitado a que le dejara a él escribir la nota. Me ha retado. Me ha dicho que, utilizando tan solo cuatro palabras y dos iniciales, iba a suceder justo lo que acaba de pasar.

Batiste se echó a reír, por no llorar. Jero se estaba haciendo mayor, y con él, su inteligencia. Empezaba a madurar, y también a asustar, como bien había dicho su padre y él mismo pensaba.

—¿Así que no he ganado nada? —preguntó Johan, simulando tristeza.

—En realidad, el único que ha ganado ha sido Jero y el único que ha perdido he sido yo —respondió don Alonso, risueño—. En vuestro caso, lo vamos a dejar en empate.

—Empatar con mi hijo es casi como ganar —dijo Johan, participando ahora de las risas generales.

Aquel momento de sincera alegría pareció un oasis, dentro de la multitud de problemas que deberían afrontar durante el día.

—Anda, no demoremos más el acontecimiento. Pasemos al comedor real, que todo debe de estar preparado —dijo don Alonso.

—¿El comedor real? —preguntó Batiste, sorprendido.

—Tan solo se abre para grandes acontecimientos, como son las visitas reales y actos protocolarios, pero creo que hoy merece que lo utilicemos, además con todos los honores. Así lo he dispuesto —le respondió, mientras les invitaba a salir del salón de la chimenea—. Tenemos que trasladarnos al palacio nuevo. Ya sabréis que nos encontramos en la parte vieja, la edificada sobre la antigua residencia árabe de recreo que existía en estos jardines, llamados Del Real. Como habréis comprobado, está muy reformada a nuestro gusto y con todas las comodidades. Siempre le he encontrado mucho más encanto a esta zona que a la parte nueva, a pesar de que allí se encuentran las estancias de lujo, de más reciente construcción, y toda la corte virreinal.

Mientras andaban, que no estaba nada cerca, Jero se dirigió a Batiste.

—Es la primera vez.

—Claro, jamás he comido en el palacio.

—No es eso, me refiero que es la primera vez también para mí. Ni siquiera he entrado jamás en esa estancia. Está siempre cerrada.

—¿Tus habilidades con las cerraduras no te han permitido abrirla?

—Ni siquiera he podido intentarlo, ya que está zona del palacio está mucho más concurrida que de dónde venimos. Siempre hay alguien andando por este pasillo. Comprenderás que se extrañarían de ver a un niño forzando una cerradura. No me he atrevido nunca.

—¡Qué cobarde! Entonces, ¿no comes en el comedor principal del palacio?

—¿Tú quién te crees que soy, la virreina? —le respondió Jero, sonriendo—. Ni siquiera ella lo utiliza, salvo para recepciones y actos importantes. Ya te dije que no acostumbro a comer atendido por sirvientes, cubiertos de plata y en salones imperiales como te imaginabas. Lo hago en una pequeña estancia anexa a la cocina del palacio viejo.

—Entonces, ¿lo de hoy...? —empezó a preguntar Batiste.

—Yo no tengo nada que ver. De forma inesperada, mi padre lo ha dispuesto así. Ya sabes, no hay que discutir con su eminencia, así que vamos a disfrutar los cuatro de toda una experiencia —dijo Jero, sonriendo.

—De la comida y del entorno, no tengo ninguna duda. De lo demás, no lo tengo tan claro.

—Bueno, ahora tenemos a mi padre y al tuyo juntos, en un ambiente distendido. Nosotros beberemos agua, pero seguro que ellos disfrutan de algún buen vino de la bodega del palacio. Ninguno puede salir vivo sin darnos la información que necesitamos —dijo Jero, que, a pesar del jolgorio, tenía las ideas muy claras.

—Pienso ir con el cuchillo entre los dientes —dijo Batiste—. La situación es límite. Tienen dos opciones, o entenderlo o entenderlo. Si ni siquiera lo comprenden ahora, cuando nuestras propias vidas están en juego, que se esperen una gran tormenta, eso sí, después de disfrutar de la comida, que una apuesta ganada sabe muy bien, y más en este privilegiado entorno.

—Con el cuchillo entre los dientes... para cortar las excelentes viandas que nos van a servir, que te conozco. El que más agallas tiene siempre soy yo. Pero, por una vez, me vendrá bien algo de ayuda.

Batiste se abalanzó sobre Jero, cayéndose ambos al suelo, mientras se reían.

—Chicos, un poco de formalidad —dijo don Alonso—, que ya hemos abandonado el ala que ocupa la inquisición. Estamos en la parte noble, en el llamado palacio nuevo. Aquí reside la virreina. Pensad que os podría ver haciendo el idiota.

Mientras se entretenían discutiendo, llegaron a una puerta de proporciones descomunales y una decoración fuera de lo común. El trabajo de marquetería era impresionante. La palabra espectacular se quedaba corta. Era deslumbrante, como debía ser la puerta del cielo.

—Bueno, ya hemos alcanzado nuestro destino final. Detrás de esta modesta puerta se halla el comedor real. La han cruzado todos los reyes y las reinas de España, sin ninguna excepción, desde hace dos siglos, además de los de media Europa. Esta puerta tan solo se abre para ellos, ni siquiera para los nobles de un mayor rancio abolengo de España, salvo temas protocolarios importantes. Hoy, sin embargo, vamos a tener el honor de que lo haga para dos reyes, quizá sin corona, pero con un corazón y un valor que ya quisieran muchos de los anteriores —dijo don Alonso, tan emocionado que pareció que le corría una pequeña lágrima por una de sus mejillas.

Cuando concluyó su breve pero emotivo discurso, dio dos sonoras palmadas. De repente, los dos vanos de la inmensa puerta se abrieron de par en par. Dos alguaciles salieron de su interior y se apostaron en los lados exteriores de la puerta. Todo muy solemne y pomposo.

El espectáculo que se observaba en el interior del comedor era majestuoso. Jero, sin embargo, se quedó observando a los alguaciles. Habitualmente, en ese lugar, no había guardia. Le extrañó, pero no dijo nada. Se centró en lo importante.

El salón que quedó a su vista era enorme. Estaba todo chapado en madera, cubiertas con tapices venecianos colgados de las paredes, lámparas de araña de cristal de murano y muebles de estilo afrancesado, El techo era una maravilla, tallado en madera también. La marquetería era muy parecida a la de la puerta de entrada. Aquello desprendía un aroma a lujo absolutamente espectacular. En el centro, había una mesa, de una sola pieza, de proporciones descomunales. Podrían fácilmente caber sentados, para comer, más de cincuenta personas, de forma amplia y cómoda. Sin embargo, tan solo había cuatro sillas dispuestas, en uno de sus extremos, el más alejado de la puerta y próximo a un gran ventanal.

Johan, Batiste y Jero se quedaron con la boca abierta. Don Alonso no parecía impresionado, seguramente ya habría hecho uso de él en otras ocasiones. No se atrevían a dar ni un solo paso. Les parecía que iban a profanar algo sagrado.

—Aunque espectacular, no deja de ser un comedor, adelante —dijo don Alonso, observando la turbación de sus acompañantes—. Sí, de acuerdo, es algo impactante, sobre todo cuando se observa por primera vez, pero ahí parados, en la puerta, no os van a dar de comer.

—No sabía que esta estancia pudiera estar dentro del palacio, y eso que llevo casi tres años viviendo aquí —rompió el hielo Jero.

—¿No has podido con su cerradura? —le preguntó su padre.

—No, lo que pasa es que es un sitio muy concurrido, y no he tenido la... —se interrumpió Jero de golpe—. Espera, ¿tú cómo sabes eso? Se supone que es un secreto mío. No te lo he contado jamás.

—Para mí no hay secretos. No lo olvides nunca —le contestó, con una sonrisa burlona en su rostro.

Sin más demora, cruzaron la impresionante puerta y penetraron en el no menos impresionante comedor. Llegaron hasta dónde estaban colocados los servicios de comida. Cuatro, dos en la parte izquierda y dos en la derecha.

—Como me temo que esta comida va a ser un interrogatorio, nos sentaremos enfrentados —dijo don Alonso—. Vosotros dos sentaos en el lado izquierdo, y Johan y yo lo haremos en el derecho.

Así lo hicieron. Don Alonso hizo sonar una pequeña campana. Al instante, salieron cuatro sirvientes y les retiraron el plato que tenían enfrente de ellos.

—¿Se llevan la vajilla? —preguntó extrañado Batiste—. ¿Para qué?

—Para empezar a servir la comida. El plato que teníamos era simplemente decorativo, para no dejar la mesa vacía —respondió don Alonso.

En efecto, no había trascurrido ni un minuto cuando empezó el servicio a desplegarse por el comedor. Parecía un baile sincronizado. Cada uno de ellos tenía un camarero asignado, y se movían con absoluta soltura y elegancia, sin tropezarse ni coincidir en su camino ni una sola vez.

—Parece que lo tengan ensayado —observó Batiste.

—Lo tienen —le respondió don Alonso—. Es su trabajo y son verdaderos profesionales. Además, hoy contamos con el equipo de élite.

Batiste consideró que no debía abordar los temas que le preocupaban hasta mitad de la comida, para poder disfrutar, al menos, de aquel espectáculo culinario sin meterse en discusiones. Al parecer, Jero pensó lo mismo, porque tampoco dijo ni una palabra de los asuntos importantes. Cuando sirvieron la carne, Batiste estimó que ya había llegado ese momento.

—Don Alonso, ya sabrás por qué le dijimos a mi padre que te convocara. Supongo que tu hijo te habrá hecho un pequeño resumen de la situación.

—Sí. Hemos estado hablando esta mañana, casi dos horas, hasta que habéis llegado. Así que me ha hecho algo más que un pequeño resumen.

—¿Y qué opinión te merece todo lo ocurrido?

—La situación se complica, pero eso ya sabíamos que iba a suceder, tampoco supone ninguna sorpresa. Recordaréis que ya lo comentamos la última vez que estuve en el palacio, no hace tanto. Los acontecimientos fluyen, lo importante es estar preparados para ellos. Vosotros habéis demostrado estar a la altura, así que poco tengo que añadir.

—¿Poco que añadir? —dijo Batiste, que ahora mostraba algo de enfado—. ¿Llamas «fluir de los acontecimientos» a que hayan asesinado a nuestros dos mejores amigos y lo hayan intentado con nosotros? ¿No piensas hacer nada?

—Yo no he dicho eso —le respondió muy serio don Alonso—. ¡Pues claro que ya he hecho algo! No me voy a quedar de brazos cruzados. No quiero parecer insensible, pero lo que más me ha preocupado de todo lo que he conocido, es que hayan sido capaces de atacaros en el interior del palacio, con tanta facilidad. Eso es muy grave, porque, en teoría, este es un lugar que debería ser seguro y está vigilado. Al respecto, ya he tomado medidas urgentes que, evidentemente, no os voy a detallar ahora. Con respecto a las medidas que tomó Johan, me parecen muy acertadas y suficientes, de momento. Las refrendo completamente. Johan ha actuado con prudencia y responsabilidad. Todas ellas se mantienen en pie. No os quedaréis solos nunca más en las calles de la ciudad. Ya sé que puede dificultar vuestra labor como undécimas puertas, pero muertos ya no lo seríais. No hace falta que os repita que la seguridad es lo esencial. Supongo que también habréis observado algunos cambios en el palacio.

—Lo de la seguridad me parece estupendo. No pienses que discuto esas medidas, pero vamos a ciegas en todo este asunto —le dijo Batiste—. Así no podemos seguir. Mientras don Cristóbal de Medina irá haciendo sus progresos, nosotros no somos capaces de avanzar nada. La sensación que tenemos es que tan solo reaccionamos a las acciones de otros, que, además no sabemos quiénes son. ¿No te das cuenta? Hace tiempo que hemos dejado de llevar la iniciativa en todo este asunto. ¿Crees que nos lo podemos permitir? Desde luego, yo creo que no.

—Tienes tan solo parte de razón, pero volvéis a menospreciarme. Yo también tengo oídos y ojos por muchos lugares que os sorprenderían. Por ejemplo, ¿sabéis que don Cristóbal de Medina estuvo, al menos, cinco horas en la biblioteca del Santo Oficio? Se cree que no me entero. Estuvo hablando con el notario del secreto durante más de una hora, ellos dos, a solas.

—Eso no lo sabíamos, por ejemplo —respondió Batiste—. Seguro que habrá hecho avances que desconocemos. A ese tipo de cuestiones me refiero. Nos jugamos mucho y no sabemos nada.

—Por supuesto que habrá hecho avances. Con el pretexto de revisar temas económicos, que son de su competencia y ni siquiera yo puedo evitar que los investigue, se saltó mi prohibición expresa de inmiscuirse en este asunto. Pero vosotros también estáis avanzando, a vuestra manera. Ha sido una buena idea incorporar a Nicolás Almunia a vuestro grupo, aunque quizá no sepáis el motivo todavía. Todo a su debido tiempo.

—Esa frase es la que me preocupa. ¿Se puede saber cuál es «su debido tiempo»? ¡Pero si apenas ya nos queda tiempo! —Batiste subió el tono de su protesta.

Aquello parecía un diálogo entre don Alonso y Batiste. Tanto Johan, como, sobre todo, Jero, guardaban un silencio muy significativo.

—¿Qué quieres de mí, Batiste? La última vez que estuve aquí me pedisteis ayuda, y os la di, a pesar de vuestros recelos iniciales, por no emplear directamente la palabra desconfianza en mis poderes como inquisidor general, y otros que no vienen al caso. Os aseguro que ya he hecho todo lo que puedo hacer por vosotros, al igual que Johan. Ahora, somos nosotros los que estamos en vuestras manos. En realidad, no nos necesitáis para nada, exceptuando algunos temas de seguridad, que ya estoy en ello.

—¿Cómo qué no os necesitamos? —el enfado de Batiste iba en aumento—. Para empezar, a pesar de ser las dos undécimas puertas, no disponemos de la mitad del Gran Mensaje que deberíamos poseer cada uno de nosotros.

—Eso, ¿cómo lo sabes?

—¿Acaso me tomas el pelo?

—Jamás lo haría contigo, Batiste. Probablemente seas más inteligente que yo y saldría perdiendo. Nunca libro batallas, ni siquiera dialécticas, que sepa de antemano que voy a perder. Es uno de mis principios.

Batiste se giró hacia su amigo.

—¿Y tú, Jero? ¿No tienes nada que decir? Parece que el único preocupado en esta mesa sea yo.

Jero no le respondió y se quedó mirando a su padre, como esperando que continuara la conversación.

—Que sepas que mi hijo ya me ha atacado en tropel, esta misma mañana, con palabras muy parecidas a las tuyas, por eso permanece ahora en silencio. No te extrañe su actitud pasiva. Sois una pareja formidable, no me canso de repetirlo, pero quizá deberíais buscar mejor.

Batiste, que en ese momento estaba bebiendo un poco de agua, se atragantó y se puso a toser de una forma muy exagerada.

Jero se asustó y le dio unos golpecitos en la espalda y, a cambio, recibió un pellizco en su pierna. Estuvo a punto de quejarse, cuando Batiste tomó la palabra.

—Voy un momento al baño, me parece que me he derramado algo de agua por mi ropa. Por favor, Jero, ¿me puedes acompañar? No tengo ni idea de dónde se encuentra. Si voy solo, seguro que me perdería. Nunca he estado en el palacio nuevo y, entre tanto pasillo y habitación seguro que no soy capaz de orientarme.

—Claro —le contestó su amigo, mientras se levantaban los dos y abrían las puertas del comedor.

Los dos alguaciles se hicieron a un lado, y les permitieron salir.

Johan estaba extrañado por la situación creada.

—¿Aquí adentro, con todo este lujo, no hay baños? —le preguntó a don Alonso.

—Pues claro que sí, pero lo de ir al baño es un simple pretexto, ¿no te has dado cuenta? Está claro que quieren hablar entre ellos, lejos de nuestra presencia, sea de lo que sea. Déjalos, hoy están completamente seguros en el interior del palacio —le contestó don Alonso.

Johan no entendió esa última frase, pero no quiso seguir con el tema.

En cuanto los dos amigos se alejaron unos metros de la puerta del comedor, Batiste ya no se pudo aguantar.

—¿No te has dado cuenta? —dijo, completamente fuera de sí.

—¿De qué? Ya había tenido una conversación muy parecida con mi padre esta mañana, y me atrevería a decir que ha pronunciado las mismas palabras que ahora.

—¡Por eso!

—No te entiendo.

—Escucha —dijo Batiste, mientras cogía a Jero por el hombro y lo detenía, en mitad del pasillo—. Como comprenderás, lo del baño era un simple pretexto. No hace falta ni que vayamos. Tan solo quería hablar un minuto contigo a solas, sin padres delante.

—¿Por qué en medio de la comida? Podrías haberte esperado a terminar. Te recuerdo que hoy es domingo a mediodía y nos va a sobrar el tiempo para hablar de lo que queramos.

—Insisto, ¿no te has dado cuenta?

—Yo también insisto, no lo he hecho.

—Tu padre ha dicho que le pedimos ayuda y nos la dio. También ha dicho que no puede hacer nada más por nosotros, excepto tomar alguna medida de seguridad adicional. Y luego ha pronunciado la frase fundamental. Estoy seguro de que también te la habrá dicho a ti.

Jero se quedó un momento en silencio, recordando la conversación y su final.

—¿Te refieres a qué debemos buscar mejor? —le respondió Jero—. Así acabó conmigo, y también lo ha hecho ahora.

—¡Exacto! —dijo Batiste, emocionado—. ¿Sigues sin darte cuenta?

—No sé de qué me estás hablando.

—Buscar mejor.

—Sí, eso ya lo he entendido.

—No, no lo has hecho. **B**uscar **M**ejor. «B-M». ¿Te suena de algo? No creo en las casualidades, y todavía menos viniendo de tu padre, que no deja nada al azar.

Por fin, Jero comprendió a su amigo. Se quedaron mirando, muy preocupados.

22 EN LA ACTUALIDAD, MIÉRCOLES 24 DE OCTUBRE

—Pero ¿qué tonterías dices, Rebeca? ¿Te has vuelto loca? —preguntó Carlota, que miraba la cara desencajada de su hermana—. ¿Necesitas un poco de zumo de naranja? Las fotografías son fotografías y los tatuajes son los tatuajes. ¿Cómo van a ser las fotografías los tatuajes? No tienen nada que ver ni se parecen en nada. Eso es imposible

—¡Claro que no! Tan solo se nos pasó por alto un pequeño detalle en las fotografías —se empezó a explicar Rebeca—. Con la lupa lo he podido apreciar.

—¿Un pequeño detalle? —repitió Carlota, sin comprenderla—. A ver, ilumínanos.

—No hace falta. Lo podéis observar por vosotros mismos —dijo, mientras le pasaba la lupa a su hermana.

—¿Qué quieres que haga con ella? ¿Mirar nuestras caras con dos años?

—No. Fija tu atención en la librería del fondo, en concreto al lado de la figura de la bailarina de *Lladró*. Eso es lo primero que me llamó la atención. Que yo recuerde, esa figura jamás estuvo en la estantería. Se encontraba en el recibidor de la casa, en una pequeña mesa.

Ese detalle despertó el interés de Carlota. Hizo lo que su hermana le dijo. Tomó primero su fotografía, y le prestó atención al lugar exacto que su hermana le había indicado. A continuación, cogió la foto de Rebeca, e hizo exactamente lo mismo.

—¡Atiza!

—¿Te has dado cuenta?

—Desde luego. ¡Qué cosa más extraña!

—¿Me podéis dejar verlo a mí? —preguntó el profesor, con curiosidad.

—Claro —le dijo Carlota, pasándole la lupa—. En la mesa tienes las fotos.

Abraham repitió lo mismo que había hecho Carlota, pero, a diferencia de ella, estuvo, al menos, diez minutos estudiándolas, cambiando constantemente de foto, de forma frenética. Parecía fuera de sí.

—¡Esto es verdaderamente extraordinario! —dijo, separándose de la mesa.

—Bueno, no deja de ser una anomalía, pero tanto como extraordinario, tampoco lo veo —dijo Carlota—. Tengamos en cuenta que las fotografías se tomarían en diferentes momentos temporales. Los objetos en la estantería podrían haberse modificado, de una foto a otra.

Rebeca no parecía demasiado conforme con el razonamiento de su hermana. No recordaba haber visto jamás esa figura en ese lugar, pero claro, entonces era una niña. Entraba dentro de lo posible que no se acordara, pero, en su fuero interno, no creía en esa posibilidad.

—Piensa un poco, Carlota —dijo—. Nuestros padres nos dejan, a cada una de nosotras, una fotografía igual en todos sus detalles. ¿Qué sentido tenía eso? ¿Qué podíamos sacar en claro de dos fotografías idénticas en todos sus pormenores?

—Supongo que la respuesta que esperas de mí es que, en realidad, las fotos no sean idénticas en todos los detalles, como tú misma dices, y que, precisamente esa diferencia, sea lo relevante de ellas, lo que nos querían decir.

—¡Exacto! Sabemos quiénes eran nuestros padres, las dos undécimas puertas. Sabemos quiénes somos nosotras, las dos undécimas puertas. Sabemos que tenían que dejarnos, a cada una de nosotras, la mitad de un mensaje, que, al menos yo, pensaba que no lo habían hecho, o no había sido capaz de localizarlo ¿Continúo el razonamiento o tu privilegiada mente ya entiende el resto?

—¡Idiota! Eso ya lo había comprendido. Está claro que crees que las fotografías son ese mensaje, pero ¿tú lo entiendes? Ya te anticipo que yo no. Esa minúscula y casi inapreciable diferencia no tiene ningún significado para mí.

—Ni para mí. De eso no tengo ni idea, pero igual el profesor, aquí presente... —empezó a decir Rebeca, en el mismo momento que observó que Abraham Lunel ya no se encontraba en el salón de su casa.

Rebeca se alarmó y Carlota se inquietó. Ninguna de las dos había advertido su marcha. Estaban enfrascadas en su conversación, y no le habían prestado atención.

—¡Profesor! —gritó con todas sus fuerzas.

No obtuvo ninguna respuesta.

—¿Dónde se ha ido? ¿Lo has visto salir? —preguntó Rebeca, dirigiéndose a su hermana, con cierto nerviosismo.

—La verdad es que no. Ya sabes, estábamos enfrascadas en nuestra conversación, y no prestando atención a nuestro alrededor. No me he dado ni cuenta que se ha ausentado del salón. Igual ha ido a la cocina a por más zumo de naranja.

—¡Profesor! —volvió a gritar Rebeca. Retumbó en todo el salón.

De nuevo silencio.

—¿Y no contesta? ¿Lo buscamos o piensas seguir gritando? —preguntó Carlota—. Te recuerdo que es experto en desaparecer, y no me haría ninguna gracia que lo volviera a hacer, precisamente en este momento.

—¡Vamos! —le respondió su hermana, mientras se disponía a salir del salón.

Lo buscaron por toda la casa, habitación por habitación, pero estaba claro que no estaba en su interior. No había nadie en ella. Ni rastro.

—¿Miramos en el exterior? —preguntó Carlota—. Es en el único lugar que nos falta por buscar.

—¡Vamos!

Salieron al jardín. Era grande. Cada una fue por un lado, rodeando la casa, hasta que se juntaron por el lado opuesto de la vivienda.

—Nada, ¿verdad? —preguntó Rebeca.

—Nada de nada —le respondió su hermana.

—¿Cómo es posible que se haya desvanecido delante de nuestras narices?

—Pues muy sencillo, se ha vuelto a escapar. Además, su repentina huida es una noticia muy mala —reflexionó Carlota, que ahora estaba seria.

—¿Por qué dices eso? —preguntó Rebeca, extrañada.

—Está claro. ¿Cuál es el único motivo que tiene para escaparse de nosotras, justo en este preciso momento? ¿No te lo imaginas?

—¿Qué haya comprendido el misterio que se esconde detrás de las fotografías? —se aventuró.

—¡Exacto! Tiene todas las papeletas. Sea lo que sea, lo ha entendido antes que nosotras —dijo Carlota.

—¿Y para qué se ha marchado?

—¿Tú qué crees? Si conocieras la ubicación del árbol judío milenario, que se lleva buscando desde hace muchos siglos, ¿qué harías? ¿Quedarte quieta o salir corriendo hacia él, para encontrarlo antes que nadie? Es una tentación demasiado poderosa.

Rebeca no estaba plenamente convencida del razonamiento de su hermana.

—No sé, hay algo que no me cuadra en tu explicación.

—¿Qué exactamente?

—No lo sé, es tan solo una sensación.

—Pues lo mío no es una sensación, es una realidad. El profesor no está ni en el interior ni en el exterior de su chalé. La conclusión obvia, casi diría que única, es que se ha marchado. No caben medias tintas, o está o no está, sensaciones aparte.

—Quizá sí o quizá no —dijo Rebeca, que seguía con muchas dudas.

—¿Me tomas el pelo?

—Ni por un instante.

—Tan solo nos queda una solución a este problema —dijo Carlota.

—¿Cuál? ¿Llamar a la Policía y denunciar su desaparición? —preguntó Rebeca.

—¿Has pensado por un momento qué les diríamos? —le respondió su hermana—. ¿Qué el profesor Lunel se ha ausentado de su casa por voluntad propia? ¿Qué piensas que nos diría la Policía? Quizá hasta se nos llevaran detenidas, por estar en el interior de una propiedad privada sin permiso aparente de su propietario, ya que no está con nosotras para corroborarlo.

—Pues a ver, listilla —dijo Rebeca, algo picada—. ¿Cuál es esa única solución, según tú?

—Muy sencillo, hacer lo mismo que el profesor.

—¿Salir huyendo de su casa?

—¡No, idiota! —se rio Carlota—. Si el profesor ha sido capaz de resolver el misterio que ocultan nuestras fotografías, ¿por qué no podemos hacerlo nosotras también? Nuestras mentes unidas son formidables, sin duda mejores que la de Lunel en solitario.

—Eso no lo dudo, pero quizá el profesor posea conocimientos que nosotras no tenemos. No olvides que es un gran especialista en esa materia, y nosotras unas simples aficionadas.

—A mí no me llames aficionada ni al parchís —le respondió Carlota—. Además, ¿se te ocurre otra cosa que hacer? Si no podemos alertar de su desaparición, ¿qué es lo único que podemos hacer? Deberíamos empezar cuánto antes, creo que el tiempo es importante.

Rebeca se quedó pensativa un instante.

—No, la verdad es que no se me ocurre otra cosa que hacer. Ahora mismo, estamos en el jardín de la casa del profesor sin el profesor, además, haciendo el tonto.

—Pues vayamos al interior, a volver a ver las fotografías con más detenimiento. No me pienso levantar de la mesa hasta resolver el enigma.

«Pues siéntate cómoda», pensó Rebeca, ante la arrogancia de su hermana.

Se dirigieron hacia el interior, en concreto hacia el salón, y más concretamente todavía, hasta la mesa, dónde se encontraban las dos fotografías.

Se llevaron una gran sorpresa.

—¡No están! —casi gritó Rebeca.

—Bueno, tampoco es para tanto —respondió Carlota.

—¿No me digas que no te parece extraño y completamente fuera de lugar?

—Sí, pero al fin y al cabo, las fotografías que faltan son las de las dos lechugas, que no olvides, las llevamos con nosotras, tatuadas en nuestros culos. Las fotos que nos interesan, las que estamos con nuestro padre, sí que están en el mismo lugar dónde las dejamos.

—Las ha debido de coger el profesor cuando estábamos en el exterior.

—¡Bravo, Sherlock Holmes! —exclamó Carlota—. Brillante deducción.

—Pero eso significa que... —empezó a decir Rebeca.

—Significa que, cada minuto que pasa, el profesor tiene sesenta segundos de ventaja sobre nosotras —le interrumpió Carlota, con cierta sorna—. Anda, pásame la lupa y empecemos de una vez.

Carlota se quedó observando las dos fotografías durante diez minutos. Imitó los movimientos del profesor, posando su mirada, cada poco, de una a otra. Cuando terminó, dejó la lupa encima de la mesa, con un gesto de satisfacción.

—¿Ya está? —le preguntó Rebeca, ansiosa

—Sí, ya está.

—¿Y cuál es el misterio que encierran? ¿Cuál es el mensaje que esconden?

—¡Ah! De eso ni idea. Simplemente me he limitado a imitar lo mismo que le he observado hacer al profesor.

—¡Has dicho que no te levantarías hasta sacar conclusiones definitivas!

—¡Pero eso es precisamente lo que he hecho!

—No entiendo nada. Vamos a ver, ¿no tienes ni idea, pero has sacado tus conclusiones en la misma frase? Explícame el sentido.

—Muy sencillo. Si yo no he sido capaz de resolver el misterio en diez minutos, el profesor tampoco lo ha podido hacer. Eso lo tengo clarísimo.

—¡Eres una presumida y creída cómo no he conocido otra en mi vida! ¿Lo sabías?

—Pues claro, pero también sabes que tengo razón.

—A ver, que no te termino de comprender. Si el profesor ni tú habéis resuelto su supuesto mensaje oculto, ¿qué conclusiones has sacado? Anda, explícate.

De repente, Carlota, sin contestar la pregunta de su hermana, empezó a correr hacia el exterior del salón, en dirección al jardín. Salió de la casa. Rebeca se quedó sentada, absolutamente sorprendida por la reacción de su hermana. Decidió esperar a que volviera, y no seguirla. Ya la conocía lo suficiente, y sabía que regresaría.

Efectivamente, a los cinco minutos escasos, volvió al salón con cara de satisfacción.

—Hipótesis confirmada —dijo Carlota, casi sin resuello.

—¿Qué hipótesis? ¿Has descubierto el enigma que se supone que esconden las fotografías?

—No, eso no, ya te lo había dicho antes.

—Entonces, ¿qué hipótesis has confirmado?

—Otra vez la respuesta es muy sencilla. El profesor no ha huido. Todavía se encuentra en el interior de esta casa.

—Eso es lo que pretendía decirte yo hace un momento, y no me has dejado.

—Pero tú te basabas en tus sensaciones, y yo lo hago apoyándome en pruebas concluyentes y hasta en hechos incuestionables. Instinto contra razón, interesante debate.

—No te vuelvas a ir por las ramas ¿Cuáles son esas pruebas y esos hechos concluyentes, según tú?

—La primera, estamos en una urbanización, a trece kilómetros de la ciudad. El coche del profesor se encuentra en el garaje, no ha huido con él.

—Eso no prueba nada. Hay vida más cerca de la ciudad. De hecho, si te paras un momento a observar, estamos rodeados de ella. Esta zona se encuentra completamente urbanizada y habitada.

—Déjame que concluya mi argumentación, no seas impaciente. El chalé tan solo tiene una puerta que da a la calle, y resulta que tiene una hermosa telaraña en su pomo. Nadie la ha abierto, al menos, en la última media hora. Los setos perimetrales son lo suficientemente altos para que nadie los pueda saltar. En resumen, si no se ha ido en coche y tampoco lo ha hecho a pie, ¿qué nos queda? Que una vez descartado lo imposible...

—...lo que queda, por improbable que parezca, debe ser la verdad —le interrumpió Rebeca—. Estoy harta de Conan-Doyle y su frasecita. ¡Mira que eres pesada con ella!

—Pero eso le da otra perspectiva a todo el asunto. Si el profesor no ha huido, la conclusión obvia es que se encuentra oculto en su habitación del pánico.

—¿Habitación del pánico? —preguntó Rebeca, con cara de pasmada—. ¿Qué tonterías dices? Continúas con tus chifladuras sin ningún sentido.

—¿No sabes lo que es? Es una estancia que permite, a las personas que se refugian en ella, mantenerse fuera del alcance de posibles intrusos durante un tiempo determinado, hasta la llegada de los servicios de seguridad o la Policía. O simplemente una habitación donde ocultar cosas que no quieres que vea la gente que te pueda visitar o el servicio doméstico, por ejemplo.

—Eso ya lo sabía, *listilla*. La pregunta que te había formulado era para inteligentes. Quería decir qué cómo sabes que en este chalé hay una habitación del pánico. ¿Hay algún cartel indicador o algo parecido?

Carlota se quedó mirando a su hermana.

—A veces no pareces una Mercader-Rivera ¡Caro que no hay carteles! ¿Qué sentido tendría entonces la habitación del pánico? Sin embargo, hay múltiples pistas que nos indican su existencia. La primera de ellas es obvia. Sabemos que el profesor no ha abandonado la vivienda, sin embargo, no lo hemos encontrado.

—Eso no prueba nada.

—Continúo. Las habitaciones del pánico las suelen instalar en sus domicilios las personas de elevado poder adquisitivo, y un cierto riesgo de ser atacados o asaltados. El profesor es rico, además es uno de los israelíes más famosos que viven fuera de su país. Cumple sobradamente ambos requisitos.

—Tampoco demuestra su existencia.

—Te falta por conocer la prueba definitiva.

—¿Cuál?

—Abraham Lunel es un famoso historiador e investigador de la Historia de las Religiones, sobre todo en la Edad Media. Ha publicado varios libros y realizado importantes avances en la materia, ¿no?

—Eso es obvio, es información que ya conocemos. ¿Dónde quieres llegar?

—Convendremos que hemos registrado toda su casa hace un momento.

—Sí, ¿y qué?

—¿Has visto alguna estancia donde pueda guardar sus documentos, y sus libros, que los debe tener a cientos? Y voy más allá, ¿has visto algún despacho o habitación de trabajo?

Rebeca se quedó pensativa.

—La verdad es que no.

—No me digas que no es extraño, sobre todo en un profesor que escribe y da conferencias de forma habitual por todo el mundo. Esta no es solo su vivienda, también es su lugar de trabajo, y, francamente, no me ha parecido verlo por ningún lugar. ¿Te parece lógico?

Ahora, Rebeca comprendió lo que quería decir su hermana.

—No había caído en ese detalle, pero quizá puedas tener razón.

—¿Quizá? ¿Puedo? ¿Qué clase de respuestas son esas? —insistió Carlota.

—Venga, te doy la razón —concedió Rebeca—. Además, desde el principio me pareció muy raro que el profesor desapareciera, de esta manera, tan repentina y extraña, delante de nuestras narices. Sin que sirva de precedente, te voy a dar un voto de confianza.

—Bueno, vamos avanzando, ya estamos de acuerdo en algo. Ahora solo falta encontrar esa maldita habitación.

—Supongo que será difícil —dijo Rebeca—. Por su propia utilidad, estará bien oculta y escondida.

—Sí, pero también tiene que ser fácilmente accesible. Piensa que, en la eventualidad de un ataque, que, por su propia definición, siempre se producen por sorpresa, no debe encontrarse en un emplazamiento remoto. Su entrada debe estar cerca de sus lugares habituales de estancia, ya que, en caso contrario, perdería su sentido y eficacia. Tú has estado en esta casa, en otra ocasión, con el profesor.

—Así es, estuve una vez.

—Pues dame algo de información de sus movimientos habituales.

—Apenas estuve un momento. Tampoco he vivido con él, desconozco sus rutinas de desplazamiento por la casa ni dónde pasaba su tiempo.

—En algún detalle te fijarías. Te conozco.

—Bueno, el día que estuve me dio la impresión de que el profesor hacía vida en este mismo salón. En ese supuesto, su ruta más habitual de desplazamiento debía ser entre este lugar y la cocina. También podría encontrarse cerca de su dormitorio. Esos son los lugares que supongo más comunes, dentro de esta casa —dijo Rebeca.

—No creo que andes desencaminada. Pues empecemos por la primera opción —dijo Carlota, mientras efectuaba el recorrido entre ambas estancias, el salón y la cocina, que era muy corto, ya que la puerta de la cocina daba al propio salón, justo detrás de la chimenea.

Rebeca la siguió.

—Apenas hay cinco metros entre un lugar y otro, y no veo nada que pueda ser una entrada a una habitación. De hecho, no veo nada de nada.

—No, la verdad es que no —reconoció Carlota.

—Vamos a su dormitorio —dijo Rebeca, dirigiéndose hacia él con rapidez.

Se encaminó hacia él. Le dio varias vueltas. Entró en el armario empotrado, apartando toda la ropa colgada en perchas. Con su mano, palpó todo el fondo del armario. Encontró, en la parte inferior a la izquierda, una pequeña irregularidad en la madera que lo forraba.

«Aquí hay algo», pensó de inmediato. Se giró para decírselo a su hermana. No estaba en el dormitorio.

«No me ha debido de seguir», pensó.

—Carlota, ya he encontrado la entrada —gritó, para que acudiera.

Nadie le respondió. Salió al salón para decirle que había localizado una posible entrada a esa habitación del pánico.

—¡Carlota! —volvió a gritar.

Carlota no estaba.

Batiste y Jero volvieron al comedor real. La conversación, a partir del diálogo entre don Alonso y Batiste, giró hacia temas triviales e intrascendentes. Se limitaron a disfrutar del momento. Probablemente jamás volverían a comer en aquel lugar, con semejantes lujos. La comida fue espectacular. La carne se deshacía en la boca. Batiste pensó que nunca había probado nada, ni siquiera parecido.

—¿De dónde sacan estos manjares los cocineros del palacio? En la ciudad no los he visto jamás —preguntó.

—Ni los verás. No proceden de estas tierras. Estamos comiendo venado, cocinado según alguna receta de procedencia francesa.

—¿Francesa? ¿Por qué? —se extrañó Johan.

—Sí, ya sé que nuestras relaciones con ellos no son nada buenas, pero en materia culinaria, hay que saber reconocer que nos llevan cierta ventaja, sobre todo en la sofisticación de ciertas salsas, por no hablar de lo que vas a catar después de esta comida. Son un verdadero placer para el paladar. Ya conoces que viajo mucho. Como allí, no se come en ningún sitio de Europa. Además, no olvides que la virreina del Reino de Valencia, doña Germana de Foix, es nacida en Francia. Sus padres son Juan de Foix, conde de Etampes y vizconde de Narbona y su madre la mismísima María de Orleans, hermana del rey Luis XII de Francia. Ya comprenderás como esta corte virreinal está un poco afrancesada, al igual que su cocina, para nuestro disfrute.

—¡Pues viva Francia! Desde luego que está fantástica —confirmó con entusiasmo Johan, que también estaba disfrutando. En su casa, lo más sofisticado que se podía comer era cordero al horno, que no podía competir con aquellos manjares.

Todos dieron buena cuenta de la comida. Dejaron los platos relucientes, en animada conversación.

Cuando terminaron, decidieron no hacer la sobremesa en el comedor real. No dejaban de entrar y salir sirvientes. Aquello era demasiado imponente y les apetecía un lugar algo más íntimo.

Volvieron al salón de la chimenea. Allí seguía en la puerta el mismo alguacil. En cuanto les vio llegar, les franqueó el acceso, con un saludo algo exagerado.

Don Alonso y Johan se sentaron, disfrutando una copa de un magnífico destilado de origen francés, que se empezaba a producir en la región protestante de Cognac. Recientemente había llegado al palacio una barrica, curiosamente desde Inglaterra. Por lo visto se producía en Francia, pero se importaba a través de familiares franceses emigrados a otros países. Era llamativo, pero, sin ninguna duda, el destilado era magnífico, digno de reyes. Se pusieron a hablar entre ellos, muy animadamente, dejando un tanto de lado a los dos jóvenes, que se estaban aburriendo.

—¿Nos podemos ir a mi habitación? —preguntó Jero, con educación—. En media hora volvemos. Ahora vemos que estáis disfrutando de la sobremesa y no queremos estropearos el momento.

—No molestáis —le respondió su padre—, pero si queréis iros a la habitación, adelante, pero no tardar en volver con nosotros.

—Gracias —respondió, con educación.

—Pero nada de pasadizos secretos, os limitáis a sentaros y hablar, como estamos haciendo nosotros, disfrutando de la sobremesa —advirtió Johan.

Batiste y Jero abandonaron el salón y entraron en la habitación.

—¡Por fin solos! —exclamó Batiste—. Menos mal que has entendido mis indicaciones.

—Las he entendido yo y nuestros padres también, por lo visto. Han sido demasiado evidentes. Lo de disimular no es tu especialidad —dijo Jero, medio riéndose.

—Necesitaba estar contigo a solas. No logro quitarme de la cabeza la conversación con tu padre, durante la comida. Me ha impresionado, lo reconozco.

—Yo la había tenido un par de horas antes. Te acabo de decir, hace un momento, que las respuestas que me dio a mí fueron casi idénticas a las tuyas.

—¿También te dijo que teníamos que buscar mejor?

—Ya te he dicho que sí, lo que ocurre es que yo no caí en las iniciales «B-M». Por una vez, y sin que sirva de precedente, me parecen una coincidencia muy forzada.

—Podría ser. Son dos letras bastante comunes.

—Eso mismo pienso yo —confirmó Jero.

—Si vinieran de otra persona te lo aceptaría, pero no de tu padre. ¿Crees que concluiría, por simple casualidad, la conversación contigo y conmigo con la misma frase exacta? Las casualidades no existen con tu padre, es algo que ya deberíamos haber aprendido hace tiempo. Me parece claro que nos quería decir algo, pero no de forma directa. Es evidente que quiere que pensemos.

—¿A qué te refieres?

—Por ejemplo, nos acaba de decir que ya tenemos el Gran Mensaje.

—¿Cuándo ha ocurrido eso? —preguntó Jero.

—Por ejemplo, cuando nos ha contado que no necesitábamos más ayuda por su parte, excepto en ciertos temas relacionados con nuestra seguridad.

Jero se quedó un momento en silencio.

—Puede ser. Todo ha ocurrido tan rápido que no había tenido tiempo de analizar las palabras de mi padre en profundidad.

—Por eso he insistido en que viniéramos a tu habitación —dijo Batiste, que estaba nervioso.

—Aunque yo también tengo esa sensación, ¿en qué te basas tú para mantener esa afirmación tan rotunda?

—En dos cuestiones fundamentales. La primera ya te la he dicho. Tu padre ya no puede hacer nada por nosotros, ni el mío tampoco. Eso quiere decir que ya nos han trasmitido su parte del mensaje.

—¿Y la segunda? —preguntó un pensativo Jero.

—La insistencia en que ellos estaban en nuestras manos y que debíamos «buscar mejor».

—Esta segunda parte no termino de comprenderla.

—Une las dos y lo harás. No pueden hacer nada por nosotros y debemos buscar mejor. ¿No te dice nada?

Jero seguía pensando. De repente, le cambió el semblante de la cara, pero no le contestó a su amigo.

—Por tu expresión, veo que lo has entendido. Nadie dice que busques mejor algo que no tienes a tu alcance. Ese es el sentido de la frase, al margen de las iniciales «B-M». —prosiguió Batiste.

—He entendido tu razonamiento, pero la realidad es que nuestros padres no nos han trasmitido nada.

—Querrás decir que creemos que no lo han hecho, o, por lo menos, no lo hemos sabido reconocer como tal.

—¿Acaso sabes algo que yo no conozca? —preguntó Jero.

—No, pero en algún momento, nos han trasmitido el mensaje, de eso estoy seguro. Las palabras de tu padre han sido muy claras.

—¿Y en qué momento ha sucedido eso? Porque me parece que yo me lo perdí.

—No lo sé, pero por eso precisamente estamos encerrados ahora en tu habitación. No saldremos de aquí hasta que no lo averigüemos.

—Pues puede ir para largo —pronosticó Jero.

—De eso nada. Si lo pensamos bien, tampoco hemos tenido tantas conversaciones con tu padre y el mío últimamente. En alguna de ellas tuvo que suceder. Ambos tenemos buena memoria.

—Eso es cierto.

—Pues pongamos nuestras mentes a trabajar. Piensa que el Gran Mensaje puede ser cualquier cosa, desde unas simples frases orales hasta alguna carta escrita —explicó Batiste—. ¿Ha ocurrido algo fuera de lo normal estas últimas semanas?

—La verdad es que sí —le respondió Jero, de inmediato.

—¿Qué?

—Lo más sorprendente, sin ninguna duda, fue la falsificación de los papeles de Blanquina en un tiempo récord, tan solo en una noche. Eso fue cosa de mi padre, y no me negarás que reúne las características, insólito e inesperado.

—Pero esos documentos respondían a una cuestión de urgencia y se los entregamos a nuestro malogrado amigo Amador que, a su vez, se los devolvió a su padre. Aunque pudieran tener algo que ver con el Gran Mensaje, cosa que dudo, ya nada podemos hacer. Para nuestra desgracia, ya no se encuentran en nuestro poder.

—Todos no.

—¿Qué dices? ¡Claro que se los di todos! No me guardé ninguno —protestó Batiste.

—No me refiero a los papeles propiamente dichos, sino al envoltorio. «B-M, III y V». Tú mismo lo acabas de reconocer, en boca de mi padre, lo de «buscar mejor». Tendrás que reconocer que es lo más extraño que nos ha ocurrido, con respecto a mi padre, últimamente. ¿No era eso lo que preguntabas hace un momento?

Batiste se quedó pensativo.

—Siempre pensaste que no se referían a mi dirección —le dijo, pensativo.

—Eso lo tuve claro desde el principio. Jamás mi padre escribiría, de su puño y letra, un envoltorio con la dirección de tu casa, para que se la llevara un sirviente. No tiene ningún sentido. Todos ellos, sin excepción, saben dónde vivís, era algo completamente innecesario. Y te aseguro que mi padre no hace ninguna cosa innecesaria, todo lo que ocurre a su alrededor tiene su motivación. Odia perder el poco tiempo que tiene en temas triviales.

—Eso mismo te decía yo. Siempre hay que analizar las palabras de tu padre. Parece que lleve un guion escrito y lo ejecute.

—Es que lo lleva, pero en el interior de su cabeza —le respondió.

Lo que no me imaginaba, y aún no lo hago, es que pudiera ser el Gran Mensaje, porque no le encuentro ningún sentido.

—Sí «B-M, III y V» es el Gran Mensaje, tan solo saco algo en claro.

—¿Qué? —preguntó por curiosidad Jero.

—Que tan solo es una parte. Algo tan escueto y simple no lo veo como el Gran Mensaje en su totalidad. Además, piensa una cosa. Se supone que son dos partes. ¿Quieres que crea que en ese escueto texto están las dos?

Jero estaba muy pensativo. Algo se había despertado en su cerebro.

—Tienes toda la razón —le contestó—. No puede ser el Gran Mensaje entero. Se supone que, cada uno de nosotros, debe tener una parte. No veo cómo se puede partir en dos «B-M, III y V». ¿Tú te quedas con la «B» y el «III», y yo lo hago con la «M» y el «V», por ejemplo? Me parece una estupidez sin ningún sentido.

—Eso me parece a mí también, pero ya hemos avanzado algo. Ambos pensamos que esas dos letras y números forman parte del Gran Mensaje. Ahora hay que buscar mejor algo más, que se nos escapa.

De repente, Jero se levantó de la silla en la que estaba sentado, dejándola caer.

—¡Claro! ¡Qué idiotas! —gritó.

Batiste se sorprendió por la repentina reacción y se llevó un buen susto. Ahora, le observaba con cara de asombro. Jero parecía trastornado.

—¿No me digas que has conseguido descifrado el Gran Mensaje?

—Eso no, pero ya sé cuál es la segunda parte, aquello que nos faltaba.

—¿Y qué es?

—¡Qué tontos hemos sido! Está muy claro que nos lo trasmitieron.

—¿Me lo puedes explicar? Yo no tengo conciencia de haber recibido ninguna mitad del Gran Mensaje.

—No debería hacer falta que te dé más explicaciones. Si lo piensas bien, tan solo hay una posibilidad.

Batiste no entendía nada.

24 EN LA ACTUALIDAD, MIÉRCOLES 24 DE OCTUBRE

«A ver, Carlota, ¿dónde estás?», se preguntaba Rebeca, mirando el salón vacío.

—¡Carlota! —volvió a gritar, esta vez a través de la puerta que daba al jardín, por si se había salido de la vivienda.

En vano.

«¡Solo me faltaba eso! Ahora, en vez de uno, tengo dos desaparecidos».

Se sentó en uno de los sillones del salón. «¿Sería posible que Carlota hubiera hallado la entrada a la habitación secreta? En ese caso, podría estar con el profesor Lunel».

Sintió vergüenza. En ese supuesto, su hermana, que no había estado jamás en el chalé del profesor Lunel, había sido capaz de encontrarla antes que ella. Se lo iba a restregar por la cara, en cuanto se volvieran a ver.

Tenía que localizarla lo antes posible. Se quedó mirando a su alrededor. Debía reflexionar. Cerro lo ojos e intentó concentrarse.

Si Carlota no le había acompañado hasta el dormitorio, se tenía que haber quedado en el tramo entre el salón y la cocina. Lo visualizaba a través de su mente. Ya lo había recorrido varias veces, sin observar ninguna posible entrada oculta, pero la clave, por necesidad, debía encontrarse allí.

Ahora que estaba concentrada, cayó en la cuenta que no había estado una sola vez en este chalé. Había estado dos. La primera de forma presencial, cuando le citó el propio profesor Lunel, hacía cinco meses. La segunda indirectamente, cuando la inspectora Cabrelles le informó de su fallecimiento, describiéndole la escena de lo que parecía un crimen y enseñándole unas fotos horrendas, que luego se descubrieron falsas.

Tenía que pensar en profundidad. ¿Había algo que le había llamado la atención? ¿Había alguna coincidencia entre ambas ocasiones?

No recordaba nada de forma especial. Las fotografías eran espantosas, pero reflejaban la casa como era y como estaba ahora mismo, eso sí, sin la aparente sangre.

¿Se había comportado el profesor Lunel de forma extraña? ¿Había hecho algún gesto sospechoso? Tampoco le venía nada a la cabeza.

De repente, se levantó del sillón. Seguía con los ojos cerrados, pero su gesto había cambiado. La única vez que había estado en ese mismo salón, la reunión se terminó de forma repentina, cuando le informó a Abraham Lunel de que la condesa de Ruzafa había fallecido. Lo recordaba a la perfección. El profesor no lo sabía y le afectó profundamente. Parece que mantenían algún tipo de relación sentimental. En ese momento, Rebeca pudo sentir su dolor y su debilidad. Ahí debía de estar la clave. ¿Qué hizo en ese justo momento de fragilidad? Se supone que cuando alguien se siente vulnerable y dispone de una habitación del pánico, de forma inconsciente tiende a acudir hacia ella.

Por otra parte, en la segunda vez que estuvo en este mismo salón, en esta ocasión no de forma presencial, sino a través de los ojos de inspectora Cabrelles, ¿cómo describió la escena del crimen? Ahora sus ojos eran los de Sofía.

Lo comprendió enseguida.

Cuando ella misma le informó de la muerte de la condesa, el profesor acudió a un lugar específico y se apoyó. Parecía que se iba a desmayar, estaba en una situación clara de debilidad. Cuando la inspectora Cabrelles le describió la escena del crimen, también había un charco de sangre enfrente de ese mismo lugar.

«¡Cómo me ha costado tanto deducirlo!», se reprochó Rebeca, con toda la razón. Debía haberlo averiguado antes. Como le gustaba decir a su hermana, tenía todas las piezas del rompecabezas delante de ella, y no había sabido unirlas con la debida presteza.

Ese sitio.

La chimenea. Ese era el lugar coincidente.

Abrió los ojos. La tenía justo enfrente de ella. «¿Y ahora qué hago?», pensó.

Se aproximó y la observó con detenimiento. Estaba completamente impoluta, limpia como si jamás se hubiera utilizado, pero eso mismo se podía decir de toda la casa del profesor. La misma sensación tenía con los muebles del salón, incluso con su dormitorio y su armario.

«¿Quién es? ¿Un fantasma que levita por su casa, sin ensuciar nada?». Anotó ese detalle en su mente, y se concentró en la chimenea. La miraba. Parecía un modelo estándar, sin nada fuera de lo corriente. No tenía ningún saliente ni palanca que pudiera formar parte de un mecanismo de apertura de alguna puerta secreta.

Vía muerta.

Se dio cuenta de que ese no era el camino. Tenía que dejar atrás el cerebro racional de Rebeca Mercader, e intentar pensar como lo haría Abraham Lunel. Tenía que introducirse en su mente. Se volvió a concentrar, pero, esta vez, desde otro punto de vista.

«Nada es lo que parece»

Es el primer pensamiento que le vino a la cabeza. Era la frase que más le gustaba repetir al profesor. ¿Qué puede ser lo que no pareciera en una chimenea?

«¡Claro!», pensó. De todas las posibilidades que se le ocurrieron, era la más evidente.

Acercó su mano hacia los troncos, que parecían auténticos. Apenas cuando movió uno de ellos, la chimenea se giró sobre sí misma y desapareció de su vista, dejando un hueco oscuro.

El asombro de Rebeca fue mayúsculo. Jamás había visto una cosa así en la realidad, tan solo en las películas. En cualquier caso, sin pensárselo dos veces, accedió a él. En cuanto lo hizo, la chimenea volvió a su posición original. Toda la operación apenas le había llevado unos segundos, sorprendentemente rápida y silenciosa. Estaba impresionada.

Ahora estaba en completa oscuridad y un tanto atemorizada, ya que no veía nada. Aún estaba sobresaltada por su hallazgo.

—¡Es alucinante! —exclamó, en voz alta, pensando en el mecanismo.

—De eso nada —escuchó a una voz, justo delante de ella—. Has tardado una eternidad, pensaba que tendría que salir a buscarte. Menudo bochorno te hubiera supuesto.

—¡Carlota! ¿Cómo has podido encontrar tan rápido esta...?

—¿También te tengo que explicar esto? —le interrumpió su hermana—. Vamos a ver, ¿qué objeto está en el centro de la casa, equidistante entre el salón, la cocina y su dormitorio? Me atrevería a decir que se encuentra a una distancia sorprendentemente parecida de cada uno de ellos. Además, es el único elemento que se encuentra en el camino, entre el salón y la cocina. No había otra posibilidad más lógica.

—¡Pues podías haberme avisado! He estado haciendo la idiota en el dormitorio del profesor. Pensaba que había encontrado la entrada allí, en una pequeña irregularidad, dentro de su armario empotrado.

—¡Os podéis callar! —escuchó decir, precisamente al profesor—. Lo que has encontrado es mi caja fuerte, que, por cierto, está vacía. Es un simple señuelo, por si recibo alguna visita indeseada.

—Pues la tiene muy bien escondida para ser un simple señuelo —le replicó Rebeca, cuyos ojos aún se estaban acostumbrado a la penumbra de la estancia.

—¡Silencio, por favor! Me estáis desconcentrando. Necesito absoluta tranquilidad para poder continuar —exclamó el profesor, en voz alta.

«Para poder continuar, ¿con qué?», pensó de inmediato Rebeca, un tanto cohibida por la reacción de Abraham. Se giró hacia su hermana, que le hizo un gesto, llevándose el dedo índice a los labios, y, al mismo tiempo, señalándole hacia la parte superior.

Rebeca levantó la vista. Lo que observó sí que era verdaderamente impresionante. No sabría si definirlo como biblioteca o despacho, pero era enorme. Tendría más de cuatro metros de altura, y sus estanterías contenían cientos de libros y carpetas, además de multitud de simbología hebrea y fotografías.

Rebeca se fijó especialmente en dos de ellas.

—Sorprendente, verdad —le susurró Carlota.

—Más bien impresionada.

—Tú, que lo conoces mejor, ¿esa no es una foto del profesor? —dijo Carlota, señalando una de las paredes.

—Lo es —confirmó Rebeca—. ¿No te sorprende nada de esta foto?

—¿Sus ropajes? —preguntó Carlota, a ciegas—. Parece que se esté preparando para un oficio religioso en una sinagoga.

—Exacto, eso es precisamente lo que está haciendo.

—¿Y eso es sorprendente? Ya sabíamos que era judío. ¿Qué tiene de extraordinario?

—Lo inesperado de la fotografía son sus ropajes. Lleva la *kipé*, el *talit gadol* y el *tefelin.*

—¿Y eso qué quiere decir?

—Recuerdo, de mi último año en la Facultad de Historia, que ese tipo de prendas eran típicas de los judíos ortodoxos.

—¿Esos que se visten de negro y llevan pelo largo?

—Sí. Son bastante radicales. No me imaginaba que el profesor Lunel pudiera pertenecer a esa rama del judaísmo.

—Hay más fotos y escudos por todas partes —observó Carlota.

—Sí, y todos parecen radicales. Asustan un poco —dijo Rebeca, señalando el que tenía sobre su cabeza.

—Bueno, cambiando de tema. ¿Qué te parece esta habitación del pánico?

—No tengo palabras. ¿Cómo han podido camuflar esta estancia en la vivienda? Es una obra de arte, no se me ocurría definirla jamás como una habitación del pánico ordinaria.

—Supuso que la chimenea, sobresaliendo de forma amplia por encima del tejado, tendrá algo que ver —le respondió Carlota, que también estaba genuinamente sorprendida.

Ambas se fijaron en el profesor. Tenía encima de la mesa multitud de libros y documentos antiguos. No hacía más que pasar páginas y leer de forma frenética. Se percató de que tenía adheridas las fotos de sus tatuajes, justo enfrente de él, en un atril, a la misma altura que sus ojos. En ese preciso momento, alzó su mirada.

—No os lo repetiré por tercera vez, ¡callaos! —dijo el profesor, enojado.

Rebeca le señaló a Carlota el pequeño pasillo por el que habían entrado. Quería alejarse un poco del profesor, para hablar con su hermana.

—¿Qué hace con nuestras lechugas enfrente? —le preguntó, en un susurro.

—Parece que no son lechugas.

—¿Y qué son? ¿Rábanos? ¿Qué importancia puede tener qué tipo de vegetal sean? ¿Qué más da?

—Pues, según el profesor, ahora es fundamental averiguarlo. Parece trastornado, lleva así desde el principio. No se le puede ni hablar, ya lo has visto.

—¿Y nuestras fotos? ¿Ya no tienen importancia?

—¡Y tanto! Sin que sirva de precedente, tenías razón. Las fotos son el verdadero tatuaje, forman las dos partes del Gran Mensaje.

—Entonces, vuelvo al principio, ¿qué importancia tiene qué tipo de verdura tengamos tatuada en nuestro culo? ¿No sería más importante descifrar las fotografías?

—A mí no me digas nada. Cuando he descubierto la entrada a esta extraña habitación secreta, el profesor ya estaba en este estado. Me ha recibido como a ti, pidiéndome silencio. Está como trastornado y muy nervioso. No me ha querido explicar nada.

—Pero eso no implica que nosotras no podamos pensar, ¿no? Insisto, ¿no deberíamos estar intentando averiguar qué significa la diferencia entre nuestras fotografías?

—No lo sé —dijo Carlota—. Las fotos se han quedado en la mesa de cristal del comedor.

—No —le respondió Rebeca—. Las he cogido y las llevo conmigo, aunque con esta penumbra no podremos ver casi nada. Tendremos que recordarlas, para eso tenemos muy buena memoria.

—En la mía, en la librería del fondo, había tres libros apilados, uno encima del otro. En la tuya, en lugar de esos libros, había una talla, que parecía de una virgen.

—Exacto, ¿y qué sacamos en claro de esa curiosa diferencia?

—¿Qué a nuestros padres les gustaba leer y las esculturas de vírgenes de apariencia cristiana?

—No seas idiota, Carlota —sonrió Rebeca—. ¿No puedes dejar de bromear ni en una situación como esta?

—Aunque no te lo parezca, no estoy bromeando.

—¿Qué quieres decir?

—Que sé qué tres libros son los de mi fotografía, a pesar de que apenas se distingan en mi foto, por su pésimo estado de conservación.

—¿Cómo puedes estar segura?

—Porque los tengo en un cajón del aparador de mi habitación, eso sí, cosidos, formando una unidad. Son los mismos que me dio mi madre al fallecer. Te los enseñé cuando saqué la fotografía mía, con nuestro padre, desde su interior, ¿no lo recuerdas?

—¡No fastidies! ¿Estás segura?

—Pues claro. Son una Biblia, un Corán y una Toráh, los tres libros sagrados de las tres religiones monoteístas —confirmó Carlota, con absoluta seguridad.

—¿Y también conoces la identidad de la talla de la virgen de mi foto?

—No soy demasiado religiosa, ya lo sabes. De eso no tengo ni la más remota idea.

—Es una talla muy antigua de Santa Catalina de Alejandría. Por su estilo, debe tener más de cinco siglos de antigüedad —escucharon una voz a sus espaldas.

—¡Profesor Lunel! ¡Ha vuelto! —exclamó Rebeca.

—Siempre he estado aquí, pero haciendo mis deberes, no como vosotras.

—¿Qué conclusiones has sacado de todo este galimatías? —le preguntó Carlota.

—Que hay que convocar un Gran Consejo de inmediato, con vuestra presencia en él.

—¡Eso no es una respuesta! —protestó Rebeca—. Somos las dos undécimas puertas y portadoras del Gran Mensaje, que, por cierto, no te olvides que te lo hemos traído nosotras, de forma voluntaria. Merecemos algo de información. ¡Qué digo algo, merecemos toda!

—Y la vais a tener, por eso os acabo de decir que hay que convocar un Gran Consejo, con vosotras incluidas. No os estoy excluyendo.

—Digo ahora, no en medio de un Gran Consejo —protestó Rebeca—. Ya sabes cómo son las cosas allí, parece que no despertamos demasiadas simpatías entre sus miembros.

Abraham ya estaba marcando un número de teléfono, sin hacer caso a las protestas de las hermanas. Tan solo podían escuchar la parte de la conversación en la que hablaba el profesor. Desconocían quién era su interlocutor.

—Sí, esta misma noche, es muy urgente —decía el profesor a la persona que tenía al otro lado del teléfono.

—¡Pues claro! Las tengo enfrente de mí, ¿cómo no voy a estar seguro?

—Debe ser el número uno del Gran Consejo —supuso Rebeca—. Le estará solicitando que convoque una reunión extraordinaria.

—¿Lo conoces? —le preguntó Carlota.

—Y tú también, pero vamos a callarnos, sino, nos perderemos la conversación.

—¿Yo lo conozco? —preguntó Carlota, que parecía genuinamente sorprendida.

—¡Shhh!

—También, por supuesto —oyeron decir al profesor.

—Vale, a las diez en San Nicolás. Allí estaremos —concluyó la conversación Abraham. Colgó el móvil.

—¿Con quién y de qué hablabas? —preguntó Rebeca, aunque ya suponía la respuesta.

—Con el número uno. Va a convocar un Gran Consejo de urgencia, esta misma noche, en nuestro lugar habitual de reuniones, en la iglesia de San Nicolás.

—¿Por qué? —preguntó Carlota—. ¿Tan solo porque has descubierto a la segunda undécima puerta?

El profesor Lunel se quedó mirando a Carlota, con cierta indulgencia.

—Aunque ese podría ser un motivo suficiente para su convocatoria, es evidente que no es por eso.

—Entonces, ¿por qué es? —insistió Carlota.

—Porque he encontrado las dos undécimas puertas y, además, he descifrado el Gran Mensaje, y en consecuencia, conozco el paradero actual del árbol judío. ¿Te parece ese un motivo suficiente?

Las dos hermanas se quedaron mirando entre ellas. Eso no lo habían visto venir.

—¿Cómo lo has logrado? —preguntó Rebeca, intrigada. Tenemos los mismos datos que tú, pero nosotras no hemos sido capaces.

Abraham Lunel se rio, por primera vez en bastante tiempo, pero era una risa nerviosa. Aún conservaba una expresión extraña en su rostro. Rebeca se llegó a cuestionar si estaba cuerdo.

—No lleváis tatuadas lechugas, es otro tipo de hierba.

—¿Y eso qué importa?

—Importa todo —contestó el profesor, haciendo un gesto con la mano, queriendo decir que lo dejaran en paz.

—No nos vas a contar nada más, ¿verdad? —preguntó Rebeca, a la desesperada.

—No. Faltan un par de horas para la reunión. Es hora de cenar algo y descansar. Presumo que esta noche será larga. Después de la iglesia de San Nicolás, nos desplazaremos a otro lugar.

—¿A qué lugar?

—Después de más de cinco siglos, saldremos, nada más y nada menos, que al encuentro del árbol judío milenario. Va a ser una noche histórica, presumo que de grandes emociones. Hacía tiempo que no estaba tan entusiasmado, y a la vez nervioso. ¿Vosotras no?

«Y tanto», pensó Rebeca.

Carlota, sin embargo, no lo parecía.

25 15 DE MARZO DE 1525

—¿Te importaría iluminarme? —le preguntó Batiste a Jero—. Que yo sea consciente, no nos han trasmitido ninguna mitad del Gran Mensaje, a no ser que lo hicieran tan solo a ti, sin estar yo presente.

Jero no pudo evitar reírse, aunque no respondió a la pregunta de su amigo.

—¿Qué es lo que te hace tanta gracia?

—Una cuestión muy simpática.

—Pues lo será para ti. Yo no le encuentro ninguna gracia a este tema que no comprendo.

—Teniendo en cuenta que has tenido el Gran Mensaje en tu poder durante bastante tiempo, sí que es gracioso.

—¿Qué lo he tenido yo? —preguntó Batiste, incrédulo.

—Hace un momento estábamos preguntándonos qué es lo que nos han trasmitido nuestros padres, bien sea de forma oral o de cualquier otra manera, en estas últimas semanas, ¿no?

—Sí, claro.

—Pues si lo piensas bien, además de ese extraño envoltorio con esas dos letras y números, tan solo existe una posibilidad más.

Batiste se estaba estrujando el cerebro. No quería darle el gusto a Jero que le pusiera en evidencia, pero no se acordaba de ninguna frase ni mensaje especial.

—Lo siento, no recuerdo nada.

—¿No te acuerdas lo que tuviste, enfrente de tu cama, durante algún tiempo? —le preguntó Jero, con una sonrisa burlona en su rostro.

Ahora, Batiste cayó en la cuenta.

—¡Claro! ¡Qué idiota!

—Recordarás que lo primero que hizo mi padre, cuando se descubrió su identidad real, fue dividir el Gran Mensaje, que tú, sin saberlo, lo custodiabas. Yo me quedé con una parte, y tú lo hiciste con la otra.

—¡La talla de la virgen y los tres libros!

—Te ha costado, pero si lo piensas bien, es lo único que nos dieron de una forma directa, y repartido entre dos. Por lo menos, reúne las condiciones para poder ser el Gran Mensaje.

—Y si tuvieras razón y lo fueran, ¿qué significado pueden tener? —preguntó Batiste, que aún estaba asimilando la información.

—De eso no tengo ni la más remota idea, pero ya es un gran paso adelante. Por eso mi padre insistía tanto que buscáramos mejor, porque ya lo teníamos en nuestro poder desde el principio, aunque no lo hubiéramos sabido reconocer. No nos tenía que dar nada más.

Batiste se quedó un momento en silencio.

—Ahora, por fin, veo que hemos avanzado algo, puedes tener razón. Pero si no conseguimos descifrar el Gran Mensaje, de nada servirá que lo tengamos en nuestro poder.

—Esa es otra cuestión.

—La verdad, no veo qué sentido pueden tener una talla de una virgen cristiana extranjera con los tres libros sagrados de las religiones monoteístas, la Biblia, la Toráh y el Corán, todo ello unido en un mismo mensaje.

—Quizá ahí esté la clave, en su disparidad. Quizá no haya que fijarse en lo que los diferencia, sino en lo que los une. Está claro que es un único mensaje dividido en dos, en consecuencia, hemos de buscar similitudes entre las partes, no divergencias.

—Pues me estás dando ánimos —dijo Batiste—. Si quisiera unir fragmentos de algo, completamente diferentes entre sí, posiblemente eligiera esta combinación. No existe mayor disparidad posible.

—Está claro que el Gran Mensaje, que conduce a la ubicación del árbol judío, no puede ser sencillo de descifrar. Piensa que, en el supuesto de caer en manos no deseadas, no debían de ser capaces de comprenderlo con facilidad. En eso consistía el secreto del mensaje. Por ello, también nos va a costar a nosotros. Nadie nos dijo que iba a ser simple, todo lo contrario.

—Lo que tú digas, pero ¿qué sentido tiene que sus dos guardianes, o sea, nosotros, no seamos capaces de saber dónde se encuentra el árbol que, en teoría, debemos custodiar, porque no somos capaces de desentrañar el significado del mensaje oculto? Es absurdo. El tema ese de la seguridad del mensaje se debía de aplicar a terceras personas, pero no a las dos undécimas puertas. ¿Y si no lo resolvemos jamás? Ahora mismo, es el escenario más posible.

—Pero ¿qué creías? ¿Que el Gran Mensaje sería una frase dividida entre dos? ¿Algo así como, una parte diciendo «el árbol judío está en...» y otra con el lugar exacto del emplazamiento? ¡Vamos! Eres más listo que eso.

—¡No, idiota! —exclamó Batiste—. Aunque supongo que existen términos medios. Estas piezas no tienen ni sentido ni nada en común entre ellas.

—Dirás que no lo estamos sabiendo ver, porque, desde luego, algo une a la virgen con los libros.

—¿Aún crees que el envoltorio forma parte del Gran Mensaje?

—Sí, aunque tampoco le encuentro sentido. Si ya no lo hago de forma individual, aún menos si lo uno con el resto. En apariencia, es todo un sinsentido, pero me imagino que en eso consiste en Gran Mensaje. Se supone que, aunque complicado de desentrañar, al final todo tiene que formar parte de una unidad y, desde luego, tener cosas en común que permitan llegar a alguna conclusión.

—Pues no tienen ninguna cosa en común, ya te lo digo yo —respondió de inmediato Batiste—. Al menos, con el nivel de conocimientos que tenemos ahora.

—¡Exacto! —exclamó Jero, para sorpresa de amigo— A lo mejor has dado con la clave. Quizá aún no dispongamos de todos los conocimientos. Igual nos falta alguna pieza por encontrar.

—Quizá, pero tu padre acaba de dejar muy claro que tenemos que buscar mejor. Eso significa que, aunque lo que acabas de decir sea cierto, lo que puede ser, está a nuestro alcance. Nadie te dice que busques mejor algo que no puedas encontrar.

Los dos amigos se quedaron, mirándose, en completo silencio. Les invadía un sentimiento de impotencia. Habían realizado un gran avance, pero estéril. No les conducía a ningún lado.

—Quizá tengamos que mirar las cosas desde otro punto de vista —rompió el silencio Jero—. Cambiar la perspectiva de todo este embrollo.

—¿Qué quieres decir?

—Que creo que las dos partes originales del mensaje son la virgen y los tres libros. También creo que hemos de mirar el envoltorio con las iniciales y los números de otra manera. Para empezar, no es un mensaje partido, es un único acertijo. Supone una anomalía dentro del caos.

—Sigo sin comprenderte.

—Tú mismo lo has dicho.

—Yo no he dicho nada —respondió Batiste, que no comprendía a su amigo.

—Sí lo has hecho. Acabas de decir que, con el nivel de conocimientos que tenemos ahora, nada parece tener sentido. ¿Y sí el extraño texto tiene como función precisamente esa?

—¿Qué quieres decir?

—Qué quizá no haya que unir las tres piezas, sino que el texto sea una forma de interpretar las otras dos.

Batiste se quedó en silencio.

—Supongo que, como teoría, podría ser, como cualquier otra. Cuando no tienes ni idea de adónde dirigir tus pensamientos, cualquier hipótesis puede ser buena, aunque eso no signifique que sea acertada —dijo, al fin.

—No te enrolles —le contestó Jero— Si queremos ser prácticos y desatascar esta situación, no podemos atacar los tres problemas a la vez. Quizá deberíamos centrarnos en uno de ellos primero, y cuándo lo resolvamos, pasar al segundo.

—Podría ser una buena estrategia. Ahora mismo, nada perdemos por intentarla.

—Pues mi voto va por empezar por el envoltorio. Como ya te he explicado anteriormente, me parece que no tiene una relación directa con los otros dos objetos del Gran Mensaje. No sigue su patrón.

—¿Tienes alguna idea de qué pueda significar «B-M, III y V»? Porque yo no.

—La verdad es que no, salvo por la indicación de mi padre de «buscar mejor».

—¿Buscar mejor, III y V?

—Ya sé que no tiene aparente sentido, pero es una manera de empezar. Vamos a ver adónde nos conduce.

—Nos conduce a un callejón sin salida.

De repente, Jero se levantó de golpe de la silla. Su semblante había cambiado por completo. Había pasado del desánimo a la excitación en tan solo un segundo.

—¡De eso nada! —exclamó, casi gritando.

—¿Qué dices?

—Creo que acabo de resolver el mensaje —dijo Jero, mientras andaba nervioso alrededor de la habitación.

—Haz el favor de sentarse y explicármelo, ¡pero ya!

Jero le obedeció y volvió a su silla, aunque aún seguía visiblemente alterado.

—¿Cómo puedes haberlo resuelto? —le respondió su amigo, asombrado—. Para mí, sigue siendo incomprensible.

—Es mucho más sencillo de lo que parece. En realidad, es una vergüenza que no lo hayamos entendido antes. Mi padre nos lo puso muy fácil.

—Eso lo dices tú.

—Y ahora lo vas a comprender tú también. Dejando de lado las letras «B-M» y centrándonos en los números, respóndeme a una sencilla pregunta. ¿Qué es lo único que conocemos que está numerado? Piensa un poco, ¿para qué iba a escribir mi padre, en un mensaje para nosotros, unos números? ¿Qué esperaría que entendiéramos nosotros?

Batiste seguía en silencio. Jero continuó.

—Insisto, ponte en el lugar de mi padre, ¿qué debía esperar que comprendiéramos? No hay tantas opciones. En realidad, si lo piensas bien, tan solo hay una.

Batiste se quedó pensativo. A los pocos segundos, se levantó también de la silla.

—¡Pues claro! ¡Qué idiotas hemos sido! —dijo.

26 EN LA ACTUALIDAD, MIÉRCOLES 24 DE OCTUBRE

—No me da buenas vibraciones este tema —dijo Rebeca, mientras estaban sentadas en los sillones del salón del chalé del profesor Lunel.

Acababan de salir de la mal llamada habitación del pánico, aunque más que eso se parecía a un despacho de trabajo oculto a miradas indiscretas. El profesor se había dormido. Quedaban dos horas para la convocatoria del Gran Consejo y estaban haciendo tiempo.

—A mí tampoco —le contestó Carlota—. Jamás me ha gustado ir a ciegas a nada.

—En apenas un rato estaremos a merced del Gran Consejo. Te aseguro que eso no será bueno. No les caemos especialmente bien. Es curioso, nos consideran extrañas para lo que les conviene, pero al mismo tiempo nos necesitan. La última reunión que asistí no fue demasiado amistosa que digamos. Si no es por la ayuda de dos amigas, no sé cómo hubiera acabado.

—Lo sé.

—¿Cómo lo puedes saber? ¿Quién te lo ha contado? —le preguntó Rebeca, sorprendida.

—Nadie —le respondió su hermana, con una extraña sonrisa, mezcla entre la burla y la indulgencia.

—Y entonces, insisto. ¿Cómo lo puedes sabes?

—Porque también asistí.

—¿Qué tonterías dices? —preguntó asombrada Rebeca.

—Ya sabes, me pudo la curiosidad, es mi principal defecto, aunque también es mi motor. No sé qué sería sin ella.

Rebeca no parecía reaccionar.

—¡Me lo tenía que haber imaginado! ¡Me dijiste que no te interesaba mi club de chalados! Me acuerdo perfectamente de tus palabras.

—Y también me conoces de sobra y no me tenías que haber hecho caso —le respondió, ahora ya con una sonrisa claramente burlona.

—Espera, espera... me estás tomando el pelo, ¿verdad?

—En absoluto —le respondió Carlota, ahora con semblante serio.

Rebeca se dio cuenta de que no le estaba mintiendo, pero, al mismo tiempo, aquello era imposible.

—¿Cómo pudiste asistir? ¿Te colaste y nos espiaste desde el fondo de la iglesia? —le preguntó, con la única explicación que se le podía ocurrir.

—Llevaba puesta una capa negra con su correspondiente capucha, y estaba sentada con vosotros.

—¡Pero eso no puede ser! No te escuché en esa reunión —recordó Rebeca—. Me acuerdo perfectamente de que el número uno presentó a todos los miembros del Gran Consejo, uno a uno, y tú no estabas entre ellos.

Carlota hizo un gesto de saludo, algo teatral, tocándose la cabeza con la mano izquierda.

Rebeca lo comprendió de inmediato.

—¡No me digas que te hiciste pasar por Tania Rives! —exclamó Rebeca, sorprendida, rememorando aquel Gran Consejo.

Carlota no respondió enseguida, se limitó a sonreír.

—Tiene que ser eso. Ella hizo el mismo gesto que acabas de hacer tú, y también me acuerdo que no dijo ni palabra en toda la reunión —recordó Rebeca.

Carlota seguía callada.

—¿Me lo piensas explicar? —preguntó Rebeca, ahora en un tono nada amistoso—. ¿Cómo pudiste evitar qué Tania acudiera a la reunión? Se supone que nadie conocía su paradero, al parecer, excepto el número uno.

—Negativo —le respondió.

—Negativo, ¿qué? —Rebeca se estaba empezando a enojar de forma evidente.

Carlota empezó a explicarse.

—No te enfades, hermanita, que no te sienta nada bien. La respuesta la tienes delante de tus narices, para variar. El número uno creía conocer donde se ocultaba Tania Rives, pero su convocatoria para el Gran Consejo llegó demasiado tarde para ella.

—¿Ya no estaba en ese lugar?

—Ya no estaba entre nosotros. Tania murió en Egipto hace dos meses, más o menos.

—¿Cómo...? —empezó a preguntar Rebeca, desconcertada.

No se hacía llamar así —le interrumpió Carlota—. Se cambió el nombre, pero no le perdí la pista ni por un momento. La única reseña que se publicó en los medios fue que una occidental había fallecido, de muerte natural, en el «Hotel Old Cataract» en Asuán. No se me ocurre un lugar mejor para morir, aquello es paradisiaco.

—¿Va en serio?

—El hotel es muy famoso, construido en pleno siglo XIX y de estilo victoriano. ¿Sabes? La famosa escritora de novelas de misterio Agatha Christie era cliente habitual. En su fabulosa terraza escribió su conocido libro *Muerte en el Nilo*, que publicó en 1937. ¿No te parece curioso? Incluso se podría emplear la expresión de «muerte poética».

Carlota se refería al título de libro, pero a Rebeca le llamó la atención por otra cuestión. Se lo apuntó en su agenda mental.

—No te pregunto por el hotel, eso me da igual, sino por la muerte de Tania Rives.

—Falleció cuando iba a embarcar en un crucero por el lago Nasser, estando de vacaciones. La noticia pasó completamente desapercibida, pero no para mí. También sabes que tenía una invitación y una de esas estrafalarias capas para ese Gran Consejo, así que las utilicé para entrar en la iglesia y aprovecharme del desconocimiento general de su muerte. Nadie lo advirtió. ¿A qué cuándo explico mis trucos todo parece mucho más sencillo?

Rebeca seguía tomando notas mentales.

—¿Cómo pudiste seguirle la pista de esa manera? Ni siquiera la inspectora Cabrelles ni la Policía Nacional manejan esa información, ni figura en ninguna de sus bases de datos —preguntó Rebeca, que seguía impresionada con su hermana. Ya se le habían acabado los adjetivos.

Carlota cambió de tema.

—Estamos perdiendo el tiempo. Tenemos una hora, más o menos, para intentar averiguar lo que ya ha hecho el profesor Lunel, si no quieres que vayamos a oscuras al Gran Consejo, y no creo que sea muy recomendable. Presumo que la reunión de hoy será algo tensa.

—Como todas, con el agravante que, supongo, van a desconfiar todavía más de mí, cuando descubran que eres la segunda undécima puerta. Se lo negué y confiaron en mi palabra.

—Pero entonces no lo sabías. No te lo había dicho.

—Pero eso, ellos no lo conocen. Por cierto, ¿para qué me has preguntado si conocía al número uno hace un momento? Tú también sabes quién es, si asististe a ese Gran Consejo —le dijo Rebeca, que aún le duraba el enfado, por el evidente engaño de su hermana.

—Por supuesto, pero no porque asistiera a esa reunión —dijo, con una sonrisa burlona en sus labios—. Y también conozco a la quinta puerta, a la séptima y a alguna más, ¿verdad?

—¿Alguna más? —Rebeca no salía de su asombro.

—La vida te da sorpresas, como decía Rubén Blades en su célebre canción.

—¿Qué sorpresas?

—¿No decías que nos centráramos en descubrir el Gran Mensaje antes del Gran Consejo? El reloj no para de correr. Nos quedarán unos cincuenta minutos para salir de este chalé hacia la iglesia de San Nicolás. Me podrás interrogar a tus anchas, cuando todo esto concluya. Te prometo que me dejaré. Ahora tenemos trabajo.

—Sigo en estado de *shock*.

—Pues haz el favor de salir de ahí y centrarte en lo que tenemos delante —dijo, mientras señalaba las fotografías, que estaban extendidas en la mesa.

Rebeca hizo un esfuerzo.

—¿Por dónde empezamos?

—Quizá sea más práctico hacerlo por aquello que ya conocemos. Sabemos que la anomalía en nuestras dos fotos es una virgen, en la tuya, y tres libros, en la mía. ¿Qué tienen que ver las tres religiones monoteístas con una talla muy antigua de Santa Catalina de Alejandría?

—Por mis estudios, lo único que sé de esta santa es que era una mártir cristiana, del siglo IV o por ahí —recordó Rebeca.

Carlota tomó el móvil entre sus manos y buscó en *Google*, como era habitual en ella.

—Tienes razón. Si era cristiana, tendría sentido relacionarla con la Biblia, pero ¿qué pintan el Corán, que es libro sagrado del Islam y la Toráh, que son las leyes y la identidad del pueblo judío?

—Bueno, la Toráh se refiere a los cinco primeros libros de la Biblia, el Pentateuco, por si te sirve de algo. Era la llamada Ley Mosaica o de Moisés.

—No me dice nada, salvo destacar que el elemento más discordante sea el Corán. ¿Qué tiene que ver el Islam con una santa cristiana del siglo IV?

—Estoy leyendo en internet. Fue decapitada por orden del emperador romano Majencio. Nada que ver con el Islam.

—¿Cómo va a tener qué ver, Carlota? El Islam se inició con la peregrinación de Mahoma a la ciudad de La Meca, en el año 622. Cuando martirizaron y decapitaron a Santa Catalina, ni siquiera existía como tal.

—Bueno, bueno, que yo no soy historiadora, tan solo estoy leyendo lo que encuentro por la red. Por cierto, aquí hay algunos datos curiosos.

—¿Cuáles?

—Que Santa Catalina es patrona de numerosos municipios, en América pero también en España.

—¿Eso te parece curioso? Es de lo más normal. Es una santa cristiana. Ocurre con todas. No creo que exista ni una sola que no cumpla esa condición.

—Sí, pero de los diecinueve pueblos de los que es patrona en España, tres de ellos están en Valencia. En concreto, Domeño, Vilamarxant y Aras de los Olmos.

Rebeca se quedó pensativa.

—De los tres pueblos posibles, Domeño y Vilamarxant están a corta distancia de Valencia, a poco más de 30 kilómetros. Sin embargo, Aras de los Olmos está a casi 100 kilómetros. Este último me parece muy lejano, yo lo descartaría.

—Sí, no creo que ocultaran el árbol, a principios del siglo XVI, en un pueblo tan lejano de la ciudad, con todas las dificultades que hubieran tenido para su trasporte —corroboró Carlota—. Demasiado riesgo.

—De todas maneras, no me dice nada este camino que estamos tomando. No le veo ninguna relación con el resto de elementos. Además, no olvidemos la importancia que el profesor le ha dado a nuestra lechuga tatuada —dijo.

—Ha dicho que no era una lechuga —le recordó Rebeca.

—Digo «lechuga» como podría decir cualquier otro vegetal u otra hierba, me da igual. Llámalo rábano, si quieres.

—No sé si nos debería dar igual. El profesor ha dicho claramente que esa hierba era fundamental para resolver este enigma.

—Por supuesto que no os debería dar igual —intervino en el debate Abraham Lunel, de repente.

Ambas hermanas se sobresaltaron.

—Le hemos despertado, lo sentimos. Hemos alzado en exceso la voz —se disculpó Rebeca.

—No, no estaba dormido, tan solo tenía los ojos cerrados. Os estaba escuchando. Muy interesantes vuestras reflexiones, al mismo tiempo que muy desviadas de la realidad. En cualquier caso, ha sido entretenido escuchar vuestro particular *brainstorming*, vuestra tormenta de ideas.

—Pues acláranos las dudas —le dijo Carlota—. Somos las portadoras y propietarias del Gran Mensaje. No se nos debe ocultar.

—Portadoras sí, propietarias, desde luego que no. Lo es el Gran Consejo en su totalidad. Precisamente para no dejaros fuera, ya que no pertenecéis a él, estáis invitadas a la reunión y a ser parte de los acontecimientos que ocurrirán esta noche. Entonces, conoceréis la verdad, como todos los demás y al mismo tiempo que ellos.

—Yo apoyo a mi hermana —dijo Rebeca—. Si alguien debería conocer con antelación el Gran Mensaje somos nosotras, que admites que somos sus portadoras.

—Eso no os da más derechos —se mantuvo muy firme el profesor.

—Al menos, nos podrías decir dónde nos vamos a desplazar, después del Gran Consejo —siguió Rebeca.

—Eso sí que os lo puedo contar —cedió el profesor—, aunque comprenderéis que no mencione el lugar exacto.

Se lo dijo.

—Vaya, pues nos hemos equivocado en nuestra elección —dijo Carlota—. Tu razonamiento no era correcto —comentó, mientras se giraba hacia su hermana. Le sorprendió verla pensativa y algo nerviosa.

De repente, Rebeca se levantó de golpe. Estaba completamente blanca.

—¿Qué te ocurre? —le preguntó el profesor—. ¿Te encuentras bien?

—No te preocupes, Abraham. No tiene nada que ver con lo que nos acabas de contar. Tan solo necesitaré pasar por mi casa, antes de acudir al Gran Consejo, Cosas de mujeres, ya me entiendes.

—No pasa nada, no hay ningún inconveniente. Lo único es que tendremos que salir con un poco de antelación. Vamos a cenar algo ya. Presumo que la noche va a ser larga —dijo el profesor, dirigiéndose a la cocina.

Cuando Abraham se perdió de vista, Carlota se giró hacia su hermana.

—¿Cosas de mujeres? ¿Precisamente ahora? ¡Venga ya! —le susurró—. Lo que nos acaba de decir el profesor ha sido la causa, aunque no la comprendo. Lo que sí que tengo claro es que me ocultas algo.

—Igual que tú, ¿no?

—No es lo mismo.

—Tienes razón, lo tuyo es más grave, pero te daré alguna pista. Nuestra madre hizo amistad con un famoso historiador francés llamado Bartolomé Bennassar, ilustre hispanista y conocido por ser una de las máximas autoridades vivas acerca de la inquisición española.

—Ese nombre me suena. ¿No fuiste con Carol Antón a una fiesta, en su honor, en la embajada francesa en Madrid?

—En la residencia del embajador, sí, lo recuerdas bien. Coincidí con Joana, que había volado desde Estados Unidos, con el único propósito de entrevistar a Bennassar.

—¡Caramba! Sí que debe ser famoso ese *pollo* ¿Y qué tiene que ver ese historiador francés y la inquisición con este asunto? Si ya me descolocaba la lechuga o el rábano en nuestro culo, imagínate esto.

—Hasta ahora yo tampoco tenía ni idea del motivo por el que nuestra madre contactó con Bennassar. Jamás me expliqué el porqué de aquella relación tan extraña, porque Catalina no era experta en esos temas, al menos que yo supiera. Por lo menos a mí jamás me contó nada.

—Acabas de decir «hasta ahora». O sea, que en este momento, ¿sí que te explicas los motivos?

—Tampoco.

—No te entiendo —dijo Carlota—. Entonces, ¿por qué te has sorprendido?

—Lo que me ha extrañado es el lugar que nos acaba de decir el profesor Lunel, dónde iremos después del Gran Consejo.

—Sigo sin entenderte —dijo Carlota—. Es cierto que tu razonamiento acerca de las distancias era equivocado, pero tampoco pasa nada.

Rebeca intentó explicarse mejor.

—No es eso. Cuando hablé con Bennassar, en aquella recepción en Madrid, quedó conmigo en remitirme todos los documentos que conservaba en su archivo, y que estuvo estudiando junto con nuestra madre. Pues bien, hace poco cumplió con su palabra y me envió una caja enorme con un montón de expedientes. Él mismo me dijo que Catalina se interesó por dos personajes relacionados con la inquisición, pertenecientes al siglo XVI.

—Pero me acabas de decir que la inquisición no tiene nada que ver con tu sorpresa.

—No te he dicho eso exactamente, sino que lo que me ha sorprendido es el lugar dónde iremos, ¿no te imaginas por qué lo ha hecho?

—¿Cómo lo voy a saber?

—Porque dentro de esa enorme caja que me envió Bennassar, lo curioso es que había dos carpetas con los nombres de dos lugares diferentes.

—Y eso. ¿qué tiene de curioso? —preguntó Carlota, intrigada.

—Del expediente donde aparecía el nombre del primer lugar, no tengo ni idea de qué pinta en este asunto, porque no se encuentra ni en la provincia de Valencia. Supongo que, en algún momento, formaría parte de sus investigaciones. La verdaderamente curiosa es la segunda carpeta. Está rotulada justo con el sitio dónde vamos a ir esta noche.

—Eso es algo más que curioso —ahora Carlota parecía interesada.

—Por supuesto que lo es. Además, nosotras no acostumbramos a creer en las casualidades, ¿verdad?

—Desde luego que no. ¿Y qué es lo que contenía esa carpeta?

—No tengo ni idea. Ya te he dicho que, en la caja de Bennassar, había decenas de expedientes, con cientos de folios. La documentación era demasiado voluminosa como para estudiársela con cierto detenimiento. No te exagero, me hubiera llevado varios meses hacerlo. Tan solo le eché un vistazo en general, fijándome en los nombres escritos en el exterior de cada una de las carpetas y hojearlas muy por encima. También leí acerca de quiénes eran las dos personas por las que se interesó nuestra madre. Nada más. Por eso recuerdo que había una carpeta con ese nombre, pero, como te decía, creo que esa ni siquiera la llegué a abrir.

—Pues la solución es muy sencilla. Llama a ese historiador por teléfono y pregúntaselo. Si era tan amigo de nuestra madre, no le importará informarte.

—Ya me gustaría, pero Bartolomé Bennassar está a punto de fallecer. Según me comentaron, le quedan días de vida. Está esperando tranquilamente la muerte en su residencia de Toulouse, Francia, en compañía de los suyos. Ya hace días que no se comunica con nadie, está sedado.

—Vaya, no lo sabía. Por eso quieres pasar primero por tu casa, para coger ese expediente, supongo —ahora Carlota empezaba a comprender a su hermana.

—Exacto. No sé si tendrá algo que ver o nos ayudará en algo, pero me parece, cuanto menos, curiosa la coincidencia de los nombres.

En ese momento apareció el profesor Lunel con una cena fría a base de fiambres, e interrumpió la discusión.

—Disculpad, no hay tiempo para preparar algo más elaborado. Es lo que tenía a mano en la nevera. Me hubiera gustado cocinar algo más acorde con vuestra presencia en mi casa, pero ya sabéis que vamos con el tiempo algo justo. No estaba previsto pasar por casa de Rebeca.

—Es más que suficiente —dijo Carlota—. Muchas gracias Abraham.

Cenaron en silencio y con cierta prisa. Como había comentado el profesor, no les sobraba el tiempo, de hecho, les faltaba.

De repente, Rebeca habló en un tono de voz reflejando una clara preocupación.

—¡Las capas negras! —exclamó—. Tú tienes la tuya —dijo, dirigiéndose al profesor—, yo aprovecharé y cogeré la mía de mi casa cuando me lleves, pero no nos dará tiempo a pasarnos por la casa de mi hermana a recoger la suya. No llegaríamos a tiempo a la iglesia de San Nicolás, a las diez.

—No os preocupéis por eso. Yo tengo dos capas. Quizá te venga algo grande —dijo el profesor, dirigiéndose a Carlota—, pero eso tampoco se notará. Todas son enormes.

Terminaron la frugal cena y salieron, en el vehículo de profesor, en dirección a *La Pagoda*. Rebeca subió y bajó en apenas cinco minutos. Rápidamente partieron hacia el aparcamiento de la plaza de la Reina. Dejaron el coche y comenzaron a caminar, cruzando la plaza de la Virgen, hacia la calle Caballeros.

El silencio se podía cortar con un cuchillo.

—Escuche profesor —rompió la calma Rebeca—. Cuando entremos en la iglesia, Carlota y yo nos sentaremos juntas en la segunda fila. Ya sé que no es lo habitual. En los dos Grandes Consejos que he asistido siempre lo hacen en la primera bancada, pero nosotras no pertenecemos al Gran Consejo. Me parece más lógico que vosotros os sentéis en los primeros asientos, y Carlota y yo ocupemos un lugar secundario.

—No es necesario, pero sentaros dónde queráis, eso me da igual —contestó Abraham.

—No te separes de mí ni un solo momento —le susurró Rebeca a su hermana, aprovechando que se estaban poniendo las capas.

27 15 DE MARZO DE 1525

—¿Justo hoy?

—Justo ahora. Está sucediendo en estos momentos, mientras nosotros hablamos.

—¡Pero eso es imposible! Tenía entendido que no estaba en España.

—Y no lo estaba. Nadie lo esperaba en la ciudad. Ha sido una verdadera sorpresa. Ni siquiera el arzobispo lo sabía, se lo he preguntado en persona. No ha sido avisado.

—Algo muy grave ha tenido que ocurrir. Una personalidad como él no se desplaza desde tan lejos y tan rápido por un motivo trivial.

—Eso parece evidente.

—¿Sabemos cuáles han sido sus movimientos dentro del Palacio Real?

—Claro, y eso es lo extraño. Según mis fuentes, parece que el motivo de su visita ha sido asistir a una celebración.

—¿A una qué? —preguntó, incrédulo acerca de lo que acababa de escuchar.

—Una especie de fiesta. Han abierto el comedor real, cosa que, como ya sabes, ocurre muy pocas veces.

—¿El comedor real? —preguntó, cada vez más pasmado. Parecía un loro, repitiendo las frases.

—Sí, y eso tan solo ocurre en visitas reales o acontecimientos muy importantes, sobre todo de carácter diplomático. Por eso he considerado venir a informarte cuánto antes, sin perder ni un segundo. Además, hay otras cuestiones muy intrigantes, que ahora te informaré.

—Has hecho bien. ¿Quiénes han asistido a esa celebración en el comedor real?

—Su excelencia, Johan Corbera y los dos jóvenes.

—¿Ellos solos? ¿Han abierto el comedor para ellos? — preguntó, atónito.

—Parece que sí. Tan solo había servicio de comida preparado para cuatro personas.

—¿De qué han hablado? ¿Lo sabemos?

—No. Cerraron la puerta del comedor real y tan solo accedió el servicio restringido de la cocina del palacio. El equipo de élite, un camarero por comensal. Ni siquiera había alguaciles presentes en el interior ni entró en el comedor nadie que no estuviera autorizado.

—¿Por qué? Eso no es nada habitual, suele haber más personal de servicio.

—Instrucciones de sellado —soltó la bomba.

—¿Qué? —los ojos se le salían de las órbitas

—Como lo oyes. Ya sé que parece increíble, pero te juro que es cierto.

—¡Pero eso está reservado para situaciones en las que se tratan asuntos extremadamente confidenciales! Y aun así, esas instrucciones son muy poco frecuentes.

—Poco no, poquísimo. Mientras esa orden está vigente, nadie puede entrar en el comedor real más que los expresamente autorizados por la orden de sellado. Ya lo sabes. Además, se duplica la vigilancia de los alguaciles en todo el palacio, incluso en la propia puerta del comedor se apostan dos de ellos.

—¿Y qué tiene que ver esa orden con esta celebración de la que me estás informando? ¿Instrucciones de sellado para una celebración? Perdona que me sorprenda, pero me parece fuera de lugar.

—No tengo ni idea del motivo.

—Me preocupa mucho la falta de información. Esto es algo completamente inusual. ¿Cuándo fue la última vez que se impartió una orden de sellado para el comedor real?

—Te puedo dar la fecha exacta. Fue el 23 de diciembre del año pasado. Me acuerdo perfectamente porque asistí a aquel acto. La virreina, doña Germana de Foix, negoció un indulto para el gremio de los *perayres*, es decir, para el conjunto de las personas que trabajan la lana, que, como bien sabes, junto con los restantes gremios artesanos y parte de la población, también se alzaron en armas contra el rey de España. Fue la llamada Rebelión de las Germanías, cuya principal incidencia tuvo lugar entre los años 1520 y 1522.

—¡Y tanto que lo recuerdo! Hubo momentos muy complicados. Hasta que el rey no se lo tomó en serio y mandó tropas, los *agermanados* consiguieron conquistar plazas importantes. En mi familia, lo vivimos con verdadera angustia y preocupación. Pero, afortunadamente, ya pasó todo.

—No te creas. No hay que caer en ese error. El conflicto, aunque ya muy mermado, aún conserva ciertos rescoldos. Hay gremios resistentes y zonas peligrosas. Aquí, en la ciudad de Valencia, todo parece en calma desde el 3 de marzo de 1522, cuando entraron las tropas reales y sofocaron la revuelta, ajusticiando públicamente a su cabecilla, Vicente Peris. Pero aún quedan focos activos, sobre todo en la periferia.

—Lo sé. No te olvides que viajo por alguna de esas zonas, y tengo que llevar guardia de escolta.

—Pues sabrás, como yo, que doña Germana de Foix, nombrada virreina después de ser pacificada Valencia, hace un par de años, siempre se ha mostrado partidaria de indultos parciales. Ese fue la última ocasión en la que se impartieron instrucciones de sellado del comedor. El motivo era trascendental. Te cuento todo esto para que comprendas la importancia de los sellados.

—No creas que no lo hago, por eso, cada vez se me hace más incompresible toda esta situación.

—Es que lo es.

—Aunque nos hemos desviado algo del tema, tengo entendido que una orden de sellado tan solo puede ser decretada por la virreina en persona. Nadie tiene delegada esa función. ¿Por qué ha hecho una cosa así? No me cuadra en absoluto, además sin ser ella una de las comensales, o, al menos, presente en el comedor.

—Doña Germana no ha sido.

—¿Qué? —preguntó, completamente sorprendido—. Entonces, ya no entiendo nada. Su excelencia, por muy poderoso que sea en España, que no me cabe ninguna duda de que lo es, incluso en Europa, no tiene facultades para ordenar una cosa así, al menos en el interior del Palacio Real.

—Te olvidas de algo. Hay otra persona que también puede ordenar el sellado, no solo la virreina.

—¿No me digas que...? —ahora la cara de asombro era absoluta. Pasaba de la total sorpresa a la tremenda estupefacción, en apenas unos segundos.

—Ya veo que lo has comprendido. Así ha sido. Su excelencia ha traído en mano una orden, firmada por el mismísimo rey de España.

—Esto es algo completamente fuera de lugar. No lo consigo comprender.

—Pero el tema no acaba ahí. La orden de sellado se extiende a todo el palacio viejo. Ya sé que esa zona apenas está habitada y casi en desuso, pero, por ejemplo, hasta los dos inquisidores de la ciudad, que residen allí de forma permanente, ya que es su sede en la ciudad, han tenido que abandonar el palacio por esta única noche. Está completamente aislado y sellado, con vigilancia reforzada por todas partes. Hay alguaciles en cada rincón.

—No tengo palabras. Son medidas de seguridad desproporcionadas, muy pocas veces vistas.

—Poquísimas, y siempre asociadas a actos de guerra o negociaciones sobre ellas. Es la primera vez, que yo sepa, que se ordena por un motivo desconocido. Para que te hagas una idea de las extremas medidas de seguridad, ni siquiera la mismísima virreina está autorizada a entrar en esas zonas ahora mismo.

—¡No me digas! ¿Eso ha ocurrido alguna vez?

—¡Por supuesto que no! Es la primera vez que pasa una cosa así. ¡Imagínate! Doña Germana no se puede mover libremente por su propio palacio, por orden del rey. Si no lo supiera con absoluta seguridad, no le daría ningún crédito a esa información.

—Estoy más que asombrado. Esto no puede significar nada bueno.

—Alguien quería hoy máxima seguridad en el palacio, y ese alguien es su excelencia.

—Decías que la orden de sellado comprendía el comedor real y el palacio viejo, ¿no?

—Sí, así es.

—¿Ocurrió algo fuera de lo normal en el exterior de las zonas de sellado? El comedor real está a cierta distancia del palacio viejo. Para desplazarse de un lugar a otro hay que atravesar lugares no afectados por esa orden.

Se hizo el silencio durante un instante.

—Ahora que lo dices, una sirvienta contó una historia, aunque no creo que tenga ninguna relevancia.

—¡Eso lo juzgaré yo! —exclamó.

Cuando no comprendía las cosas se solía poner de mal humor.

—No te enfades. Tan solo sucedió que uno de los jóvenes, por lo visto, se derramó un poco de agua por encima de sus ropajes, y necesitó acudir al baño para asearse. Le acompañó su amigo.

—¿Y salieron del comedor? —preguntó, asombrado.

—¿Por qué te extrañas de esa manera? Supongo que tan solo querría secarse un poco.

—Me extraño porque en el propio comedor hay baños. No tenía ninguna necesidad de salir para eso. Si lo hicieron, desde luego que sería por otro motivo.

—¡Mira, ese detalle no lo sabía! Ten en cuenta que tan solo he estado una vez en el comedor real y desconocía su existencia en el interior, porque no necesité utilizarlos —se excusó.

—Entonces si salieron del comedor, aunque fuera brevemente, algo irían hablando de camino a los baños más próximos, que no están cerca del comedor. ¿Qué ha contado la sirvienta?

—Muy poco. Que iban conversando entre ellos de forma muy animada.

—¿Pudo escuchar algo?

—Sí, iban diciendo algo así como que debían «buscar mejor»

Su interlocutor se levantó de la silla de golpe, casi derribándola.

—Buscar mejor, «B-M» —dijo, con la cara desencajada y los ojos abiertos de par en par. Ahora parecía más sorprendido que al principio de la conversación.

—No te entiendo.

—Lo que hay que entender es que nos han alcanzado en conocimiento, y eso es muy preocupante.

—Si tú lo dices…

—¡Y tanto que lo digo! La prueba son los hechos que están ocurriendo ahora mismo. De todas maneras, nada podemos hacer al respecto. Escapa a nuestras competencias.

—Así es.

—Pues si nada podemos hacer en ese flanco, vamos a cambiar de tema. Dame, al menos, alguna buena noticia. ¿Cómo va el grupo de asesinos?

—Controlado, aunque ya sabes, si por ellos fuera, la situación sería otra. No obstante, tus instrucciones se siguen a rajatabla. Recibimos informes diarios de su actividad. Por esa parte, todo parece en orden. Un orden algo inestable, ya los conoces, pero orden al fin y al cabo.

—También parecía controlada la parte de los jóvenes, y mira por dónde nos han salido. Nos han sorprendido y, quizá, por primera vez, estemos igualados en conocimientos. Es algo que no puede continuar así. Quiero un mayor control, pero en ambos flancos. No me fío un pelo de los otros tampoco.

—Lo que tú digas. Daré las instrucciones oportunas, aunque es mi obligación advertirte. Cuanto más nos exponemos, más posibilidades hay que se descubran nuestras actividades clandestinas. Me preocupa, en especial, su excelencia. No lo menospreciemos, ya has visto el poder que parece tener.

—Lo sé, soy consciente del riesgo que corremos, pero no quiero más sorpresas ni cabos sueltos. Teníamos la situación controlada, y ahora mismo, ya no lo tengo tan claro.

28 EN LA ACTUALIDAD, MIÉRCOLES 24 DE OCTUBRE

Llegaban cinco minutos tarde a la reunión del Gran Consejo, en la monumental iglesia de San Nicolás. Les abrió la puerta otro encapuchado, y les franqueó el acceso. Rebeca y Carlota se dirigieron a la parte derecha de los bancos, la más próxima a la puerta de entrada y, como habían convenido, se sentaron en la segunda fila. El profesor Lunel se sentó a la izquierda, en primera fila, como acostumbraban a hacer en todos los Grandes Consejos.

Rebeca contó seis personas, más ellas dos. En total había ocho. Se supone que tenían que estar presentes los diez miembros del Gran Consejo, menos el número tres, que era Tania Rives, que se acababa de enterar que estaba muerta, y el número cuatro, Miguel Vives, que llevaba fallecido desde marzo de 1500. En total, ocho miembros, más ellas dos, como undécimas puertas, debían sumar un total de diez personas presentes en la reunión. En consecuencia, aún faltaban dos por acudir. Por lo menos no habían llegado los últimos a la iglesia, como temían.

Llamaron a la aldaba de la puerta. Vieron como entraban dos miembros más, que se sentaron separados. Ya estaban todas y todos, era imposible distinguir su género debajo de esa gran capa con capucha negra. Rebeca esperaba que tomara la palabra el número uno de inmediato, pero la iglesia permanecía en completo silencio. Aprovechó para observar, una vez más, la serena belleza de la iglesia, que sobrecogía vacía y desprendía un halo de cierto misterio.

Volvieron a llamar a la puerta. Rebeca se sorprendió. No se esperaba a más miembros. Entraron dos personas más.

«Esto no es normal», se dijo, un tanto asustada. «Aquí están ocurriendo cosas fuera de lo ordinario, precisamente esta noche».

Se giró hacia su hermana. No le podía ver la cara, ya que la llevaba tapada por la capucha, pero se encogió de hombros, como diciéndole que ella tampoco entendía lo que ocurría.

Ahora eran doce personas. Se suponía que los diez del Gran Consejo más ellas dos, pero eso era imposible. Había dos fallecidos, y no creían en los espíritus.

El silencio era total en el interior del templo, aunque no en la cabeza de Rebeca, que intentaba comprender qué estaba sucediendo. De repente, sus pensamientos se vieron interrumpidos. Pudo observar cómo se levantaba una persona y se dirigía hacia el centro de la iglesia.

—Buenas noches y bienvenidos a esta intempestiva y sorprendente reunión. Soy el número uno.

Parecía que la primera puerta le hubiera leído la mente. Todos permanecieron el silencio y expectantes. Rebeca supuso que estaban igual de asombrados que ellas, por el número de asistentes.

—Hoy celebramos un Gran Consejo histórico, por dos motivos fundamentales. El primero, supongo que ya lo habréis notado. Por primera vez desde el 20 de marzo de 1500, nos reunimos todos los miembros del Gran Consejo al completo. Si contamos a las dos undécimas puertas, que asisten como invitadas, es un hecho que no se había producido jamás. Estamos escribiendo la historia —dijo el número uno, en un tono muy pomposo. Había orgullo pero también determinación en sus palabras.

—¿Cómo es posible? —le susurró Rebeca a Carlota.

—Tengo la misma idea que tú, ninguna. Supongo que en breve nos enteraremos —le contestó.

—Como siempre, vamos a presentarnos. Yo soy el número uno —dijo Bernat Fornell, viejo conocido de las hermanas Mercader-Rivera.

—Yo soy el número dos —dijo Abraham Lunel, desde la otra esquina de la sala—. Encantado de estar con vosotros en una noche que va a ser histórica.

—¿El número tres? —preguntó Fornell.

Se levantó una persona, e hizo exactamente el mismo saludo teatral que le había mostrado Carlota.

Rebeca se sorprendió.

—¿No decías que Tania Rives estaba muerta?

—Y lo está. Esa no es ella, te lo puedo asegurar —le contestó con total firmeza.

—Entonces, ¿quién es?

—¿El número cuatro? —continuó preguntando Bernat Fornell.

Para sorpresa general, se levantó otra persona y saludó a los presentes, con un gesto de su mano.

—Aunque no os veo las caras —dijo el número uno—, puedo percibir vuestra sorpresa. Como ya os dije en la anterior reunión, era prioritario nombrar a un nuevo número cuatro. Ya sabéis que el anterior llevaba fallecido y sin sustitución más de cinco siglos. El Gran Consejo debía estar completo para poder cumplir con su labor, y ahora ya lo está.

Uno a uno fue llamando al resto de miembros. Algunos dirigían un breve saludo, otros se limitaban a hacer algún gesto con sus manos. También presentó a Rebeca y Carlota, sin nombrarlas por sus verdaderos nombres, como había hecho con el resto, como las dos segundas undécimas puertas. No hablaron, se limitaron a saludar con un gesto.

—Antes de comentaros el segundo motivo que hace de esta reunión algo histórico, me gustaría pediros disculpas por la premura y urgencia en la convocatoria de este Gran Consejo. Enseguida comprenderéis el motivo.

Hizo una pequeña pausa. A Rebeca le dio la impresión que estaba sondeando el ambiente. Continuó.

—Ruego que me acompañe en este atril nuestro compañero, la segunda puerta.

Abraham Lunel se levantó de su asiento y de situó junto al número uno.

—Me parece que tienes que revelarnos un hecho importantísimo —le dio entrada el número uno.

—Así es, querido *Keter* y resto de miembros del Gran Consejo. Es un momento muy solemne, y estoy orgulloso de todos vosotros. Para una ocasión así, me vais a permitir que os nombre y os salude personalmente —dijo.

—¿Nos va a nombrar? —se asustó Carlota.

—No lo sé, no creo. Sería un hecho extraordinario, eso no ha sucedido jamás, en ningún Gran Consejo. Precisamente portamos estas capas con sus enormes capuchas para mantener nuestro anonimato, aunque conozcamos a algunos, por sus voces. Es una de las reglas básicas del Gran Consejo, desde su fundación. La diversidad y el anonimato de sus miembros. La única conexión con la realidad, por decirlo de alguna manera, es que cada miembro está asociado a una *sefiráh* del árbol cabalístico, que tiene un significado concreto. En teoría, al menos así sucedía al principio, tenían relación con sus funciones.

—Antes de comenzar mi exposición —continuó el número dos—, quiero agradecer la inteligencia de **Biná**, número tres, la misericordia y la bondad de **Hessed**, número cuatro, la justicia de **Gevurá**, número cinco, la belleza interior de **Tiféret**, número seis, la victoria de la vida sobre la muerte de **Netzaj**, número siete, el temor de **Hod**, número ocho, la estabilidad de **Yesod**, número nueve, y el reinado de **Maljut**, el número diez, sin olvidarme de la dualidad de **Daat**, los números once, que, cómo sabéis, no pertenecen al Gran Consejo, ya que son la forma oculta y no material de nuestro **Keter**, el número uno, del que no me quiero olvidar, ya que de él emanan todas las demás *sefirot*. Como también conocéis, yo represento la sabiduría de **Hojmá**, la segunda *sefiráh*.

Hizo una pequeña pausa, algo teatral, Abraham no lo podía evitar ni en su papel de segunda puerta.

—Tan solo ha nombrado a cada uno por su correspondiente *sefiráh* —susurró Rebeca—. Eso es correcto, no ha dicho nada que no supiéramos. Vamos a ver cómo continúa.

—¿Por qué he hecho esta pequeña introducción, recordándonos nuestro querido y primigenio árbol *sefirótico* de la cábala judía? —sin esperar ninguna respuesta, el número dos continuó hablando—. Porque, por primera vez en cinco siglos, hoy vamos a volver a los orígenes del Gran Consejo. Conviene recordar de dónde venimos, para saber adónde vamos.

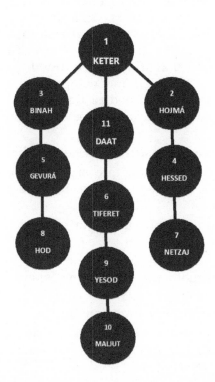

Otra pausa. Nadie se atrevía a hablar, todos estaban en completo silencio.

—Como ya conocéis —continuó el profesor—, durante muchos siglos hemos desconocido el paradero del árbol judío milenario. No olvidéis que, el objeto mismo de la creación de este Gran Consejo, siempre fue velar por la preservación de nuestro gran tesoro, desde el siglo XIV. Hasta ahora no lo habíamos podido hacer.

Ahora se atrevió a alzar la voz un miembro del Gran Consejo

—¿Qué quiere decir «hasta ahora»? ¿Acaso, en estos momentos, lo conocemos?

La voz era del número cinco.

Tanto Rebeca como Carlota la conocían, era la inspectora Sofía Cabrelles.

—Todo a su debido tiempo —intervino el número uno—. Como casi todos los presentes sabéis, salvo dos personas que no asististeis al último Gran Consejo, el número cuatro por motivos obvios, y la segunda undécima puerta, porque la primera nos ocultó su verdadera naturaleza, a pesar de estar convocada, me comprometí a reconstruir el Gran Consejo. En resumen, devolverle el sentido para el que fue creado, es decir, proteger el árbol. También me comprometí a reconstruir el Gran Mensaje, y dividirlo en diez fragmentos, para que cada uno de nosotros custodiara una parte, como ocurrió en los siglos XIV y XV.

—Esto no va bien —susurro Rebeca a su hermana.

—Por lo menos no saben que sí asistí a ese último Gran Consejo, tenemos una ventaja, aunque sea pequeña —le contestó Carlota.

El número uno se aproximó a la primera fila de asientos, con gran solemnidad.

—Bueno —continuó el número uno—, hoy va a ser ese gran día. Ha llegado el momento que hemos esperado durante tanto tiempo.

Estaba verdaderamente emocionado.

Se formó un pequeño revuelo en la iglesia. Muchos miembros querían hablar a la vez. No habían terminado de comprender al número uno.

De repente, para sorpresa de Rebeca, Carlota aprovechó el desconcierto y se levantó de su asiento.

—Para empezar, debía darle vergüenza, como número uno, mentir a sus compañeros —dijo, dirigiendo su dedo hacia Fornell—. Siento estropearle su minuto de gloria, pero sabe perfectamente que la primera undécima puerta no ocultó mi naturaleza, en la anterior reunión. Y también sabe que, si no fuera por nosotras, no estaríamos todos reunidos aquí y ahora. Tenga un poco de respeto hacia los presentes. Así que, por favor, ahórrese ciertas expresiones completamente innecesarias y fuera de lugar. No son propias de un *Keter*. No olvide quién se lo está diciendo, su otra forma no material, si cree o entiende algo de la cábala, que lo dudo mucho.

—¿Y si no quiero retractarme? ¿Por qué lo iba a hacer? —le retó el número uno, que no deseaba soltar la presa—. Las dos habéis bloqueado nuestros progresos de forma deliberada— continuó su ataque.

—¡Asqueroso mentiroso! —exclamó Carlota, que parecía muy alterada, haciendo ademán de dirigirse hacia el altar donde se encontraba Fornell—. No se merece el puesto que ocupa, le viene muy grande, ¡qué digo, enorme! Estoy segura de que, cualquiera de los presentes sería más digno de esa posición. Usted no es más que un engreído, un pavo real con las plumas extendidas, pretendiendo exhibirse ante sus compañeros. Si por usted fuera, no habría ningún Gran Mensaje que reconstruir, recuérdelo muy bien. El mérito no es suyo, no se apropie de logros ajenos. Sea lo que sea lo que pase esta noche, usted no ha intervenido para nada. Un poco de humildad y educación no le vendría nada mal. ¡Y no me tire más de la lengua, que sabe que saldrá trasquilado!

El revuelo no solo había cesado, sino que, ahora mismo, era casi un estruendo. Aquel enfrentamiento personal amenazaba con terminar el pelea.

Rebeca sujetó de la capa a su hermana.

—Ni se te ocurra moverte de donde estás. ¡Haz el favor de sentarte! —le susurró, algo abochornada por el espectáculo.

Nunca había visto a Carlota emplear esa actitud tan amenazadora, además en un momento tan delicado como este. Se quedó mirando a su hermana a través de la capucha, para ver su rostro y poder hablarle a la cara. Pretendía tranquilizarla y que dejara el tema, pero lo que observó, le sorprendió muchísimo.

Carlota, en realidad, no estaba enfadada. Lucía una sonrisa de oreja a oreja, e incluso le guiñó un ojo. No hacía falta tranquilizarla porque ya lo estaba.

«Solo pretende sacar de sus casillas a Fornell», pensó Rebeca. «Está actuando, aunque no sé por qué».

—Haya paz —dijo el número dos, claramente afectado, viendo el cariz que tomaban los acontecimientos—. La segunda undécima puerta tiene sus motivos para decir lo que dice. Lo importante es que no nos ataquemos entre nosotros. A los doce aquí presentes nos une una misma causa. No deberían existir bandos entre nosotros.

«De eso no estoy nada segura», pensó Rebeca.

—Opino lo mismo —dijo la séptima puerta—. Conozco personalmente a las dos undécimas puertas y pongo la mano en el fuego por ellas. No creo que hayan obstruido nada.

—Ni yo —dijo el número cinco—. Más bien todo lo contrario.

El número diez levantó la mano, haciendo un gesto en señal de apoyo a lo dicho por las puertas siete y cinco. Se le entendió perfectamente, sin necesidad de decir ni una sola palabra e incendiar más el ambiente.

Rebeca se dio cuenta de que Fornell no quería perder el control de la reunión. Parecía que se disponía a bajar el tono de sus palabras. La táctica agresiva de su hermana había surtido sus efectos, simulando una indignación inexistente.

—Bueno, quizá me haya excedido un poco en mi tono. Disculpad si os he ofendido —rectificó el número uno, al percatarse de que sus rivales también tenían sus apoyos. «Tampoco es el momento de librar batallas ahora mismo», pensó. «Ya llegará esa oportunidad».

—No le acepto sus disculpas, porque sé que son más falsas que Judas, y lo digo dentro de un templo católico, pero acepto la paz. Eso sí, de momento. Sepa que no me fío ni un pelo de usted —dijo Carlota, que aparentaba seguir enfadada.

Rebeca le susurró al oído de su hermana.

—¡Cualquiera diría que conoces al número uno muy bien! Ya le has parado los pies, pero no tenses más la cuerda. Has logrado tu objetivo.

Carlota asintió con la cabeza.

—Reconduzcamos el tema —dijo el número seis, dirigiéndose a todos los presentes—. Estabais diciendo que hoy era un día histórico —ahora hablaba mirando a las puertas uno y dos —. ¡Pues hacedlo realidad!

El profesor Lunel tomó la palabra.

—La realidad de la que hablas es que sabemos dónde se encuentra el árbol judío milenario, oculto desde 1509.

Ahora sí, el revuelo que se formó en la iglesia de San Nicolás fue antológico. Al menos ocho personas se pusieron a hablar a la vez, levantados de sus asientos.

—¿Cómo es eso posible? —preguntó, por encima de todas las voces, el número seis.

—Si me dejáis continuar quizá os lo pueda explicar —empezó a decir el profesor.

—¡Callaos todos y sentaos! —ordenó el número seis, que parecía tener cierta ascendencia sobre el resto del Gran Consejo—. Adelante, número dos, ahora tiene toda nuestra atención.

—Como había empezado a deciros, el emplazamiento del árbol nos ha sido revelado por la unión de las dos mitades del Gran Mensaje, que portaban las undécimas puertas —dijo, mientras se notaba con claridad que le temblaba la voz en exceso.

Parecía que le había afectado la discusión entre Carlota y Fornell. Por lo visto, no quería que nada empañara la gran revelación que iba a hacer. No era para menos, quizá fuera el gran momento de gloria de toda su vida.

—El profesor Lunel es un hombre de paz —le susurró Rebeca a su hermana.

—Pues Fornell es un hombre de guerra, no te quepa ninguna duda. Y a los hombres de guerra no se les para con palabras de paz —le respondió Carlota, rotunda.

El profesor Lunel continuó con su explicación.

—Ahora nos desplazaremos hasta ese lugar, que, para mi sorpresa, no se encuentra aquí, en la ciudad.

—¿No se encuentra en Valencia? —preguntó la novena puerta, sorprendida—. Siempre hemos entendido que el árbol no debía salir de la ciudad.

Abraham Lunel se le quedó mirando. Parecía que tenía la mirada perdida. Para sorpresa general, se tambaleó ligeramente y, de repente, se quitó la capucha. Su cara parecía un tomate, estaba completamente roja. Daba la impresión de que le faltaba el aire, que se estaba ahogando. En apenas unos segundos se desplomó, de forma aparatosa, sobre el suelo de la iglesia.

Durante un pequeño instante nadie pareció reaccionar, excepto Rebeca, que se levantó de inmediato del banco de la iglesia. A pesar de estar sentada en la parte más alejada del profesor, llegó la primera a su lado. Lunel respiraba con mucha dificultad. De inmediato le quitó la aparatosa capa. Estaba claro que le faltaba el aire. Intentó desabrocharle la camisa. Cuando el profesor la vio, le cogió por el cuello y la acercó. Sus caras casi se estaban tocando.

—No seáis como la hiedra, no os enredéis en discusiones estériles —dijo, mientras apenas podía respirar.

A Rebeca le dio la impresión que estaba a punto de exhalar.

—Me muero —le dijo el profesor, con un hilo de voz, mientras la apartaba con el brazo y la alejaba de él.

Rebeca se quedó completamente aturdida, sin saber qué hacer. Ahora sí que estaba muy asustada. Reaccionó en un par de segundos.

—¡Por favor, que se está muriendo! —gritó Rebeca, cuya voz resonó en todo el templo—. ¡Ayuda! ¡Rápido!

—¡Tranquilos! Se ha debido desmayar por la tensión del momento —también gritó el número uno—. No le agobiéis. Dejar espacio y que corra el aire para que se pueda recuperar —dijo, cuándo todos se acercaron hacia él, preocupados de verdad.

—¡No es un desmayo, idiota! —volvió a gritar Rebeca.

En ese preciso momento, el número siete se abalanzó, literalmente, contra el profesor. Apartó de un fuerte manotazo a Fornell, que cayó al suelo como un muñeco. Nada más ver el aspecto del profesor, su expresión fue de profunda preocupación. Parecía saber lo que hacía, se manejaba como una profesional. De inmediato, empezó a efectuarle maniobras de reanimación cardiopulmonar.

Todo ello había ocurrido en apenas un minuto.

—¿Qué es lo que ocurre? —preguntó alarmado el número uno, mientras se levantaba. Ahora, el que parecía asustado era él.

—Que la segunda puerta no se ha desmayado como usted decía. Ahora mismo está en parada cardiorrespiratoria, probablemente causada por un infarto —le respondió el número siete, con cara de circunstancias—. Por favor, ¡qué alguien llame a emergencias ya! —gritó.

Siguió manipulando el cuerpo del profesor, haciendo maniobras de reanimación, ante el absoluto estupor de todos los presentes, que no habían reaccionado todavía.

A los quince minutos cesó en su empeño. Se quedó sentada junto al cuerpo de Abraham Lunel. Sin que nadie lo percibiera, le resbaló una lágrima por su mejilla.

—Lo siento de verdad. La segunda puerta ha fallecido. No he podido hacer nada por salvarla.

Algunos se pusieron a llorar. Otros se taparon la cara con las manos, escondida detrás de la capucha, Entre los que estaban más afectados se encontraba el número uno, Bernat Fornell. Parecía sin consuelo posible.

Rebeca estaba también llorando, no así Carlota, que mantuvo la compostura, observando las reacciones de todos los presentes, como siempre hacía.

La consternación dominaba a todos los miembros del Gran Consejo.

—Era una gran persona. Siempre se portó muy bien conmigo y me advirtió de los peligros que me acechaban. Te parecerá extraño, pero a su lado me sentía segura —acertó a decir Rebeca.

—Sí, era una gran persona y su muerte supone una gran pérdida. Siempre me pareció un buen hombre, en todos los sentidos —le respondió.

Rebeca estaba desconsolada y sin palabras. Curiosamente, le pareció que Carlota también lo estaba, aunque haciendo un gran esfuerzo de autocontrol.

—¿Te ha llegado a decir algo antes de perder el conocimiento? —le preguntó.

—Sí, que no nos enredáramos. Supongo que lo último que quería es que nos pusiéramos a discutir entre nosotros, precisamente ahora, que estamos a punto de descubrir el Gran Mensaje. A continuación, me dijo que se moría. Era consciente que no estaba sufriendo un simple desmayo.

—Pobre hombre —se lamentó Carlota—. Menudo final ha tenido. Una gran personalidad judía muriendo, de esta manera, en un templo católico. ¿No crees que habría que avisar a su hijo Rafa?

—Me parece que eso no nos compete a nosotras. Supongo que lo harán por los cauces oficiales. Eso sí, una vez lo sepa, le mandaremos el pésame.

Se quedaron un instante en silencio.

—La salida a la luz del árbol ya no va a ser lo mismo, sin él presente, que fue quién descifró el Gran Mensaje —dijo Rebeca, que se le notaba afectada.

—Desde luego, de eso estoy segura —le respondió Carlota, con un extraño tono de voz.

—¿Por qué hablas así? —le preguntó Rebeca, todavía con lágrimas en sus ojos y algo confusa.

—Mira a Fornell —le dijo—. Está demasiado desconsolado.

—¡Cómo no lo va a estar! Se supone que serían amigos, el número uno y el dos.

—Aunque colegas, dudo mucho que lo fueran, eran demasiado diferentes —contestó Carlota con una firmeza que sorprendió a Rebeca.

—¿Por qué dices eso? Míralo, está descompuesto, casi diría que más que ninguno de los presentes.

—Está descompuesto por otro motivo, no te equivoques.

—¿Acaso lo sabes?

—Pues claro, y tú también deberías saberlo.

—Pues si debería, te aseguro que lo desconozco.

—En realidad, me temo que no tiene ni idea del paradero del árbol. El profesor no le llegó a revelar su emplazamiento exacto. Abraham Lunel lo quería hacer aquí, delante de todo el Gran Consejo. ¿Recuerdas sus palabras en su casa? Quería que todos conociéramos el emplazamiento exacto a la vez. No hizo excepciones ni con nosotras, y ahora, con su muerte, se ha llevado su gran secreto a la tumba.

Rebeca dio un respingo. No se le había ocurrido esa posibilidad.

—Suponiendo que tengas razón en el significado de los números, III y V, ahora nos falta conocer qué quieren decir las letras «B-M» —dijo Batiste, volviéndose a sentar en la silla. Me temo que sea insuficiente descifrar una mitad del mensaje y no la otra.

—Eso ya está hecho y lo sabemos. Nos lo ha dicho mi padre hace un momento. Supongo que se habrá dado cuenta de que no habíamos resuelto el acertijo, y nos ha dado un pequeño empujón.

—Entonces, según tú, el mensaje oculto en el envoltorio vendría a significar algo así como «Buscar mejor a las puertas tercera y quinta».

—Exacto —respondió Jero—. Todas las pistas que tenemos nos conducen a ello.

—Ya sé que nos ha costado resolverlo demasiado tiempo, para nuestra vergüenza, pero ¿no te parece que plantea algunas incógnitas?

—¿A qué te refieres?

—Primero, por lo que ya te he dicho, por simple vergüenza. Me parece un mensaje muy simple, no sé, como demasiado elemental, viniendo de tu padre —dijo Batiste—. Quizá esperaba algo más sofisticado. Y segundo, porque tu padre conoce que sabemos quién es la tercera puerta, ya que asistimos a aquel Gran Consejo que convocó el conde de Ruzafa, escondidos debajo de la mesa. Nosotros mismos se lo contamos. Pero, no olvidemos que también sabe que desconocemos quién es la quinta puerta.

—¿Qué quieres decir? —preguntó Jero, que parecía que lo veía todo muy fácil.

— ¿Qué sentido tiene que nos diga que busquemos a alguien que no sabemos ni quién es? Eso, ¿en qué nos ayuda?

—No lo sé, pero es lo único que tenemos ahora mismo. Al menos, sabemos quién es la tercera puerta. Podríamos empezar por ahí —dijo Jero, con una sonrisa burlona en su rostro.

A Batiste no se le pasó desapercibida.

—¿Qué es lo que te hace gracia de la situación? Francamente, estamos en un callejón sin salida.

—Te equivocas —le respondió Jero.

—¿En qué?

—Aunque ahora no te lo parezca, hemos dado un importante salto adelante. Lo que ocurre es que hemos de proceder con cautela, ya sabes quién es la tercera puerta.

—Me da auténtico pavor enfrentarme a ella —reconoció Batiste.

—A mí tampoco me hace mucha gracia, pero es lo que hay. Recuerda que el conde de Ruzafa, en aquella reunión, nos convocó a nosotros también. Quizá no sería descabellado suponer que la tercera puerta sabe que nosotros somos las dos undécimas puertas. Tampoco se debería sorprender si contactáramos con ella.

—Te has planteado una pregunta muy simple, ¿y qué le decimos?

Jero se quedó pensativo.

—No. La verdad es que no me lo había planteado, y tampoco podemos hacer alusión al acertijo que acabamos de resolver. Eso no debe conocerlo.

—Pues ya me dirás. Nos plantamos delante de la tercera puerta, que ya impone de lo suyo, y le decimos «venimos a hablar contigo». Ella nos contesta, por ejemplo, «vale, hablemos, ¿qué queréis?». ¿Y cómo quieres que continuemos la conversación? «Pues no sé, ¿se te ocurre algo a ti?». Reconoce que haríamos el más espantoso de los ridículos. No sé si me produce más risa o temor.

Jero seguía pensativo.

—Es cierto, no te falta razón —reconoció.

—En resumen, que ese «importante salto adelante» que, según tú, hemos dado, se ha quedado en un «pequeño brinco», si es que llega a eso —concluyó Batiste, que parecía abatido.

—No te creas eso, pero es cierto que se nos plantea un problema.

—¿Uno solo?

—Sí, uno inmediato. ¿Cuál debería ser nuestro próximo paso? —se preguntó Jero.

Batiste se quedó mirando a su amigo.

—Si lo piensas bien, eso ya lo habíamos decidido ayer mismo. Reanudar el juego del tribuna juvenil del Santo Oficio. Ya sé, ya sé lo que me vas a decir...

—Y tanto que lo sabes, ¿recuerdas cómo acabó el primer intento? Un desastre total, debido a tu repentina espantada. Tuvimos que suspender el juego, con el pretexto de tus supuestas fiebres.

—Pero Nico es sobrino del justicia criminal de la ciudad. Es comprensible que el conocimiento de la noticia me impactara. Todos sabemos cómo han acabado Amador y Arnau, y quién está implicado, en mayor o menor medida. O como encubridor o como asesino, tú eliges. Cualquiera de las dos opciones me espanta.

—Ya te dije que Nico no suponía ningún inconveniente. No le dirá nada a su tío, otra cosa es que hubiera sido su padre.

—No te entiendo —respondió Batiste, levantando los hombros.

—En realidad, si lo piensas bien, tenemos un problema mucho más importante para ser capaces de reanudar el juego. Uno de base, que nos lo impide.

—¿Más importante que lo de Nico? —preguntó Batiste, incrédulo.

—¡Pues claro! Solo somos tres. Antes de tu «numerito», ya me di cuenta de que aquello no iba a funcionar. Necesitamos un mínimo de cuatro personas, como éramos antes con Amador y Arnau, para poder reanudar el juego. Si no, no es divertido y no tiene sentido. Decimos que queremos ser fieles a los procedimientos y reglamentos del Santo Oficio, y el juego ya se inicia incumpliendo varios de ellos. Tres personas no son suficientes.

—¿Y qué quieres que hagamos? Con todas las restricciones de seguridad que nos han impuesto, va a ser casi imposible. No podemos jugar en el exterior de ninguna de nuestras casas, salvo en la escuela, y porque está vigilada. Tampoco podemos incorporar a desconocidos, por motivos obvios. Ya me contarás qué quieres que hagamos. Estamos atados de pies y manos. Lo único que nos queda libre es el pensamiento.

—¡Precisamente! Tengo alguna idea al respecto.

—¿Y serías tan amable de compartirla conmigo?

—Claro, pero no ahora —le respondió Jero.

—¿Por qué?

—Porque debemos salir al salón de la chimenea. Mi padre nos estará esperando.

—¿Para qué? —siguió preguntando Batiste, intrigado.

—No paras de hacer preguntas. ¡Qué pesado estás!

—Eres tú el que me obliga a ello.

—Anda, salgamos de una vez. Les hemos dicho a tu padre y al mío que estaríamos en la habitación unos treinta minutos. Ya ha pasado ese tiempo. No hagamos que se preocupen y nos vengan a buscar. Sabes que lo harán.

—Al menos, dime porque nos estará esperando tu padre en el salón de la chimenea. ¿Ocurre algo?

—¡Mira que eres impaciente! Pero tranquilo, esta vez es una cuestión divertida, nada de malas noticias ni misterios arcanos para resolver.

—¿Y no puedes tú anticiparme...? —empezó a preguntar Batiste.

—No —le interrumpió—. No puedo. Así me lo ha ordenado y lo pienso cumplir.

—Bueno, pues entonces no nos queda otra opción que acudir —dijo Batiste, resignado.

Salieron de la habitación de Jero, anduvieron el corto espacio que les separaba del salón de la chimenea, y entraron en él. Don Alonso y Johan estaban sentados en la misma posición que los habían dejado hacía cuarenta y cinco minutos, charlando animadamente. Tanto, que ni siquiera advirtieron la presencia de sus hijos.

—Ya veo que el maravilloso destilado francés ese, que estáis bebiendo, hace sus efectos —les interrumpió Jero.

Los dos se sorprendieron.

—No es eso —protestó Johan—. Aunque tiene unos aromas únicos, es demasiado fuerte para mí. Tan solo me he tomado dos copas.

—Pues yo tres —dijo don Alonso, sonriendo—. Anda, sentaros junto a nosotros.

Así lo hicieron. Cuando se acomodaron, continuó la conversación.

—Le estaba contando a Johan los cambios en la seguridad del palacio que me he visto obligado a sugerir al rey.

—Ya nos hemos dado cuenta —contestó Batiste—. Cuando hemos llegado mi padre y yo, no estaba Damián en la puerta, como era lo habitual. Aunque conocíamos a Pere, el alguacil al cargo, no sabíamos si nos iba a dejar pasar.

—Os aseguro que no ha sido fácil convencer al rey, y más en tan corto espacio de tiempo. Yo no tengo competencias más que en el ala que ocupa la inquisición, la parte vieja, pero necesitaba que los cambios se produjeran en todo el palacio. Eso tan solo lo puede ordenar el rey o la virreina, y me siento más cómodo con el rey. Doña Germana no es fácil de manejar y me hubiera solicitado algunas explicaciones que no le quiero facilitar.

—Esos cambios, ¿no serán debido a nosotros y lo que nos ocurrió, cuando nos quedamos encerrados en la habitación secreta?

—Ya llevaba algún tiempo con la idea del cambio —dijo don Alonso—, pero tengo que reconocer que esos hechos me han llevado a acelerar la toma de decisiones. Resulta perturbador que alguien pueda eludir la seguridad interior del palacio con tanta facilidad. Los cambios eran necesarios, y así lo ha entendido el rey.

—¿Cómo le has convencido? No le habrás contado nada de lo nuestro...

—¡Claro que no! Los cambios en la seguridad y las rotaciones de los alguaciles se producen con frecuencias programadas, no es nada extraño. En este caso, me he limitado a acelerarlos. Me ha parecido más oportuno que Pere se haga cargo del perímetro exterior, y asignar a Damián la seguridad interior, además de doblar la guardia. Hasta la virreina se lo ha tomado bien. Al fin y al cabo, una mayor seguridad beneficia a todos los moradores de este palacio, incluyéndola a ella y a toda su corte, que no son pocos.

—El alguacil que está apostado en la puerta del acceso a este salón, por la puerta que da a las escaleras, ¿va a permanecer? —preguntó Jero.

—No, esa es una medida temporal. Tan solo vigilará esa puerta hasta mañana por la mañana.

—¿Por qué esta noche? —preguntó ahora Batiste.

—Precisamente lo estaba comentando con Johan ahora mismo. Esta noche, el palacio viejo se encuentra más protegido que lo ha estado nunca. De ahí la seguridad reforzada en su acceso. No quiero ninguna sorpresa ni entradas no autorizadas por mí.

—¿Por qué? —siguió preguntando Batiste.

—Porque esta noche, dormiremos todos aquí. Obviamente no me refiero a este salón, sino al Palacio Real, en concreto en este ala. Es lo que le estaba contando a tu padre.

—¿Qué? —preguntó sorprendido Batiste. No se esperaba una cosa así.

—Mañana es lunes y ya podréis iros a vuestra casa. Además, tenéis escuela.

—¿Por qué tenemos que dormir en el palacio? —siguió Batiste, que no comprendía esa decisión.

—¿Acaso te disgusta? Este mediodía has comido de auténtico lujo en el comedor real, y ahora vas a pernoctar en el palacio. Muy pocas personas pueden afirmar que lo han hecho en el mismo día, quizá tan solo reyes —dijo don Alonso, intentando quitar hierro al asunto y convertir la situación en algo divertido.

—¿Y a los señores inquisidores? ¿No les importará que pasemos la noche en su residencia, junto con ellos? No son demasiado sociables, aunque supongo que eso ya lo sabes.

—Dudo mucho que les importe. Antes de que me vuelvas a preguntar el porqué, ya te anticipo que esta noche, no van a dormir en el palacio.

—¿Están de viaje?

Don Alonso se rio.

—Se podría decir así. Por instrucciones mías, se han desplazado a otro edificio del Santo Oficio de la ciudad, por tanto, esta noche, tan solo pernoctaremos nosotros cuatro en todo el palacio viejo, al margen del servicio y el personal de seguridad, por supuesto.

—¿Por qué has hecho semejante cosa?

—¿Por qué no paras de hacer preguntas y disfrutas? —intentó zanjar don Alonso aquella especie de interrogatorio—

.Te acabo de decir que semejante honor está reservado para reyes y personalidades del máximo rango. Te he asignado la habitación contigua a mi hijo Jerónimo, y a tu padre, justo la siguiente. Son de las mejores de todo el palacio viejo. Esperaba que os gustara la sorpresa que os he preparado. Os repito, es una atención fuera de lo normal. De hecho, porque estamos en el palacio viejo, ya que en la parte nueva, esto sería imposible de conseguir. Además, con la guardia doblada en el exterior y máxima seguridad en el interior. Estamos sellados.

—Yo estoy encantado. Es una experiencia inesperada, pero, como no creo que se repita jamás, la disfrutaré todo lo que pueda —dijo Johan.

Sin embargo, Batiste, ahora, estaba preocupado de verdad. Esas excepcionales medidas de seguridad no auguraban nada bueno. Nadie toma estas decisiones por pura diversión, y mucho menos don Alonso.

«Está claro que, don Alonso, algo teme esta noche, pero no nos lo va a contar. Como dice Jero, ni sus torturadores del Santo Oficio serían capaces de arrancarle lo que no quiera decir de forma voluntaria».

Cuando más lo pensaba, su preocupación se trasformaba en un mayor miedo.

30 EN LA ACTUALIDAD, MIÉRCOLES 24 DE OCTUBRE

—Ahora vamos a retirarnos todos de los alrededores del cuerpo del número dos —dijo la quinta puerta, la inspectora Sofía Cabrelles— y vamos a dirigirnos a la sacristía. No tocar absolutamente nada. Una vez hayáis abandonado este lugar, haré unas llamadas. Pensad que, en un momento esto se llenará de policías y sanitarios.

—¿Es preciso actuar así? —preguntó el número ocho, que aún no se había hecho a la idea de lo que acababa de ocurrir en la iglesia.

—¿No os dais cuenta? Se ha producido una muerte, por supuesto que lo es.

—Yo puedo certificar su fallecimiento —dijo el número siete—. Ha sido causado por un infarto fulminante, supongo que fruto de la tensión a la que estaba sometido. Era un hombre mayor.

—¿Acaso eres médico? —preguntó sorprendido el número cinco.

—Sí, en realidad lo soy, aunque jamás lo he dicho ni he ejercido la profesión, a pesar de estar colegiada. Si quieres, lo puedes comprobar —le comentó, extrayendo su documentación de un pequeño bolso y dándosela al número cinco.

—Lo haré, si no te importa —le respondió Sofía—. No es por desconfianza, ya sabes, son los protocolos para el atestado y todo eso.

—No olvidéis mi *sefiráh*, **Netzaj**, el triunfo de la vida sobre la muerte, aunque en esta ocasión, para desgracia de todos, no lo haya podido conseguir —contestó el número siete, que se la notaba apenada. La verdad es que nadie podía negar que había puesto todo el empeño posible en salvar la vida del malogrado profesor Lunel.

—Tampoco olvidéis la mía —dijo la quinta puerta—, **Gevurá**, la Justicia. Os podéis imaginar a qué me dedico y porque os estoy dando estas órdenes tan precisas.

Rebeca y Carlota estaban asombradas escuchando la conversación. Conocían personalmente a ambas puertas, y había un extremo que les había causado verdadera sorpresa. No tenían ni idea.

—¿Sabías algo? —le susurró Carlota a su hermana.

—No, y mira que la conozco —le respondió.

A pesar de todo el revuelo formado, los miembros del Gran Consejo, hicieron caso a las instrucciones del número cinco, sin saber que, en realidad, era la inspectora del Grupo de Homicidios Sofía Cabrelles, pero su determinación, control de la situación y, por qué no decirlo, el ser la quinta *sefiráh*, les bastó. Entraron en la sacristía de forma ordenada, teniendo en cuenta lo reducido de su tamaño.

—Tenemos cinco minutos, a lo sumo, antes de que se presenten una buena cantidad de policías y una ambulancia, con sus sanitarios incluidos —dijo el número cinco, dirigiéndose al número uno—. Lo que tengas que decirnos, lo debes de hacer ahora mismo, ¿no lo comprendes? No nos queda nada de tiempo.

Rebeca y Carlota seguían observando al número uno, No parecía reaccionar.

—En realidad, al pavo real se le han caído todas las plumas de golpe —observó Carlota, divertida.

—¿Eso qué significa? ¿Qué es lo que quieres decir?— preguntó una de las puertas.

—Que me temo que no sabe el emplazamiento exacto del árbol, eso tan solo lo conocía la segunda puerta.

Se formó, de inmediato, un pequeño revuelo, como en el caso del infarto del profesor. Carlota subió el tono de su voz y continuó.

—¿Se atreve a contradecirme, número uno?

Fornell pareció salir de su letargo.

—Bueno, conozco el sitio dónde se encuentra el árbol, pero es cierto que no sé su emplazamiento exacto, dentro de ese lugar.

Otra vez, todos los miembros del Gran Consejo se pusieron a hablar a la vez, aunque, en esta ocasión, al ser dentro del pequeño espacio de la sacristía, pareciera mayor. Igual hasta lo era, porque la afirmación de Carlota y la titubeante respuesta del número uno los había inquietado.

Se traspiraba la consternación. Todos suponían que el número uno estaba informado de todos los extremos, no en vano había convocado el Gran Consejo.

—Deberíamos irnos antes de que llegue la policía. No quiero que me relacionen con esta muerte, aunque haya sido por causas naturales —dijo la octava puerta.

Otros asintieron con la cabeza. Nadie deseaba tener que lidiar con todo lo que conlleva una muerte, aunque hubiera sido natural y fortuita.

—No hay problema con eso —dijo Sofía—. Yo me quedaré y lo resolveré. Necesitaré la ayuda de la séptima puerta, para que les explique a los médicos, que están de camino, lo sucedido y para el papeleo necesario. También está avisado el juez de guardia, para proceder al levantamiento del cadáver. Nosotras nos ocupamos de todo, pero el tiempo vuela. Ya nos queda muy poco. O ahora o nunca.

—Un momento —dijo Rebeca—. El número uno ha dicho que sabía el lugar dónde se encontraba el árbol. ¿Por qué no nos vamos todos allí? Luego se pueden incorporar las puertas cinco y siete, cuando hayan concluido su trabajo.

—Buena idea —dijo la sexta puerta. Ahora se quedó mirando hacia el número uno—. ¿Dónde debemos marcharnos?

—Me parece que no lo comprendéis —dijo el número uno, que parecía verdaderamente abatido.

—Sí que lo hacemos —dijo la octava puerta—. Tenemos que abandonar esta iglesia de inmediato. Vienen de camino policías, médicos y un juez. ¿Quieres que nos vean con estas capas y capuchas negras puestas? ¿Qué crees que pensarán de nosotros, si eso ocurre? ¿Qué explicación les piensas dar? ¿Qué estábamos celebrando un aquelarre en el interior de un templo católico?

—Si yo fuera policía —dijo otra puerta—, desde luego nos retendría a todos nosotros hasta que se aclarara el asunto. Seamos sensatos, con este aspecto, parecemos un grupo de chalados pertenecientes a una secta satánica o algo peor, además, con un muerto de por medio. Y como no les podemos contar la verdad, esa es la versión que acabaría prevaleciendo. Debemos largarnos de aquí lo más rápido posible.

—Así es —confirmó Sofia—. Es mejor que os vayáis ya. La muerte ha sido por causas naturales y tengo una médica presente que lo puede certificar, además de mi persona, que hemos sido testigos directos de la misma. Es suficiente para todo el papeleo. Yo lo puedo resolver sin dificultad. Ese es mi trabajo ahora, pero vosotros tenéis otra misión muy diferente que completar.

Todos se quedaron mirando al número uno, esperando su reacción. Parecía como ido. Se vio obligado a explicarse, ya que notaba que todas las miradas estaban posadas en él, esperando unas palabras.

—Lo que no comprendéis es que el lugar donde se encuentra el árbol es muy amplio. Sin conocer su emplazamiento exacto, dentro de ese lugar, será imposible encontrarlo —dijo el número uno.

—Menos es nada —dijo otra puerta—. Aquí no nos podemos quedar, y además, el tiempo vuela y lo estamos malgastando con tonterías. Me parece que tenemos pocas alternativas más que irnos a ese lugar que dices.

—Seguís sin comprenderme —insistió en número uno, que estaba muy abatido.

—¿Por qué?

—Porque el lugar al que me refiero es un pueblo bastante grande. ¿Cómo queréis que localicemos el árbol? ¿No lo comprendéis? Se puede encontrar en cualquier parte de ese pueblo. ¿Qué pretendéis? ¿Qué registremos casa por casa?

Se hizo el silencio entre los miembros del Gran Consejo. Estaban asimilando la información que les acababa de trasmitir el número uno.

—Entonces tenía razón la undécima puerta, el profesor no te confesó el lugar exacto del árbol —dijo una de las puertas.

—Muy a mi pesar, así es. Me dijo en qué pueblo se encontraba, nada más —confirmó Fornell.

—Entonces es como buscar una aguja en un pajar —dijo la novena puerta.

—Ahora lo comprendemos. Lo que parece claro es que el conocimiento del emplazamiento exacto del árbol ha muerto con la segunda puerta —dijo el número ocho—. Podemos decir adiós a reconstruir el Gran Mensaje.

Fornell no se daba por vencido.

—No necesariamente —dijo el número uno, de una forma algo enigmática.

Rebeca se giró hacia su hermana y se acercó a su oído. Parecía bastante nerviosa.

—Quítate la capa negra ahora mismo y estate alerta —le susurró—. No me gusta nada lo que presumo que pretende el número uno. Tengo un plan. Ahora mismo, debes confiar en mí. ¿Serás capaz de hacerlo?

—¿Estás segura? Bernat Fornell, a pesar de su aspecto gris y aparentemente anodino, puede llegar a ser peligroso —le advirtió Carlota.

«¿Lo intuye o lo sabe?», se preguntó Rebeca, sin decirle nada a su hermana acerca de sus pensamientos. Continuó con sus advertencias.

—Eso ya me lo imagino. Lo importante es que, haga lo que haga a partir de ahora, me sigas la corriente, sin contradecirme ni hacer ninguna pregunta. Esto no es ninguna broma, va muy en serio ¿Lo entiendes, Carlota Penella? Ahora nos jugamos mucho. No quiero que hagas ninguna tontería de las tuyas. Limítate a seguirme la corriente, pase lo que pase, que te aseguro de que van a pasar cosas.

—A mí tampoco me gusta ni un pelo la actitud de Fornell —le respondió Carlota, haciendo caso a Rebeca, quitándose la capa y preparándose para lo que fuera que su hermana planeara— Y que lo sepas, tampoco estoy para bromas con el sediento de gloria de ese mequetrefe. Le arrancaría sus plumas de pavo real una a una, y te aseguro que no es una metáfora.

—Eso es precisamente lo que no quiero que hagas, ni siquiera que digas.

La conversación seguía entre los miembros del Gran Consejo. Todos se dirigían al número uno.

—¿Por qué dices eso ahora mismo, después de desanimarnos? ¿Has encontrado una respuesta mágica, así, súbitamente? —preguntó extrañada la sexta puerta.

De repente, escucharon unas sirenas. También oyeron cómo aporreaban la puerta de la iglesia.

Sofía Cabrelles les apremió.

—Tenéis que marcharos por la puerta trasera, pero ya. Os doy treinta segundos antes de abrir a la policía y a los sanitarios —dijo, mientras se separaba del grupo y se dirigía a la entrada principal.

Todos salieron en estampida por la puerta lateral que comunicaba la sacristía con la calle posterior a la iglesia de San Nicolás.

—Y ahora, ¿qué hacemos? —se giraron todos, mirando al número uno—. Aunque a estas horas no pasa casi nadie por esta calleja lateral, aquí no podemos quedarnos.

—Muy sencillo. El profesor Lunel parece que descifró el Gran Mensaje, que portan las dos undécimas puertas que, curiosamente, se encuentran con nosotros.

—¿Qué quieres decir? —preguntó el número seis.

—Que si él fue capaz de hacerlo, ¿por qué no vamos a poder nosotros, que somos más y tenemos de rehenes a las undécimas puertas? Abraham Lunel descifró el mensaje en muy poco tiempo.

Todos dirigieron sus miradas hacia Rebeca y Carlota, y no precisamente de una forma amistosa.

Carlota había deducido el plan de su hermana, que debía ser tan simple como echar a correr. Habían perdido la ayuda de los números cinco y siete, que se habían quedado en el interior de la iglesia. Por eso Rebeca le había pedido que se quitara la capa. Los miembros del Gran Consejo aún las llevaban puestas. Eso les daba cierta ventaja a la hora de escaparse, ya que las capas, que eran muy aparatosas, dificultaban el correr. Además, ahora, ambas estaban en una buena forma física. Carlota se preparó, esperando el mínimo gesto de su hermana para salir huyendo a toda velocidad.

Rebeca dio un paso al frente, saliéndose del tumulto del grupo.

Carlota estaba en máxima tensión, lista para batir algún récord. Tan solo esperaba el pistoletazo de salida, como en una prueba atlética.

—Os ruego un poco de atención a todos —dijo Rebeca, casi gritando.

Se hizo el silencio en el grupo.

—El Gran Mensaje no se ha perdido —continuó—. Sé exactamente donde se encuentra el árbol.

Ahora, la cara de todos los miembros de Gran Consejo era de absoluta sorpresa. La primera, la de Carlota, que se había quedado pasmada. No había visto venir esa maniobra de su hermana.

Rebeca siguió explicándose.

—¿Creéis que el número dos pudo descifrar en solitario el Gran Mensaje? Ya os respondo yo. ¡Por supuesto que no! No disponía de toda la información, que nosotras sí teníamos.

—¿Qué pretendes insinuar? —le preguntó Fornell.

—Que el profesor Lunel, el número dos, no dedujo, en solitario, el significado del Gran Mensaje, Lo hizo con mi ayuda. Entre los dos, desentrañamos su secreto. Como ni mi hermana ni yo pertenecíamos al Gran Consejo, decidimos que fuera él quién lo expusiera ante vosotros, en la iglesia. Ese fue el motivo por el que nos sentamos en la segunda fila de asientos, lugar nada habitual. ¿No os llamó la atención ese pequeño detalle? Queríamos dejarle todo el protagonismo al profesor. Pensamos que era lo más lógico y natural. Creo que todos le apreciábamos. Se merecía su momento de gloria.

«¡Qué dice la loca de Rebeca!», pensó Carlota. «Eso no es lo que sucedió, no es verdad. El profesor no nos desveló ningún secreto».

—¿Nos estás contando que conoces el emplazamiento concreto del árbol, dentro de ese pueblo? —preguntó el número uno, sorprendido. La verdad que esa revelación le pilló desprevenido, y se le notaba en su rostro pasmado. No se esperaba esa colaboración de forma voluntaria. Sin embargo, cuanto más pensaba en ello, más le parecía una estratagema, aunque no la alcanzaba a comprender.

Rebeca siguió hablando.

—Exactamente eso es lo que os acabo de decir. Tenemos que desplazarnos cuanto antes a ese pueblo. Una vez allí, os llevaré al lugar exacto donde está oculto el árbol.

—No sé por qué, pero no te creo —dijo Fornell, mirando a los ojos a Rebeca.

Ahora, se dirigió, en un tono de voz más alto y autoritario al resto de los miembros. Tenía que convencerlos y era consciente que los primeros momentos eran fundamentales. Apenas disponía de treinta segundos para ello y evitar perder el control de la situación.

—A pesar de las hostiles palabras del número uno y de su animadversión contra nosotras, que sabéis que no son nuevas, me parece que ya ha quedado muy claro que estamos en el mismo equipo. La mejor prueba es que estamos aquí, con vosotros, y que acudimos al profesor Lunel y a este Gran Consejo, de forma voluntaria. Nadie nos ha obligado a venir ni a colaborar con vosotros, como lo estamos haciendo. Además, ya estoy harta de estos recelos tan absurdos y me estoy empezando a cansar, y, lo que es peor, a enfadar también ¿Queréis que localicemos el árbol de una vez? ¿Sí o no? Esa es la cuestión. Tomar una decisión ahora mismo. Si no lo hacéis, mi hermana y yo nos marcharemos para siempre y no nos volveréis a ver. Y, por supuesto, olvidaros del tesoro judío para siempre.

«¡Caramba con mi hermanita!», pensó Carlota. «Cuando quiere saca el genio»..

—Pues claro que sí queremos —respondieron varios miembros al mismo tiempo.

—Pues vayamos para allí, que nos costará un buen rato llegar. Nos volveremos a reunir en la misma puerta del ayuntamiento del pueblo —dijo Rebeca—. Si no habéis estado nunca, lo ponéis en los navegadores, que está en el mismo centro de la población.

—¿Qué garantías tenemos que no vais a huir en cuanto cada uno se vaya por su cuenta? —preguntó Bernat Fornell, que seguía recelando de la buena intención de las hermanas.

—Te propongo lo siguiente —le respondió Rebeca al número uno—. Hemos venido a la iglesia de San Nicolás en el vehículo del fallecido profesor Lunel. Por motivos más que obvios no podemos utilizar su coche. ¿Nos harías el honor de llevarnos en el tuyo? Así nos tendrías vigiladas en todo momento. ¿Quieres hacerlo?

—Claro —contestó un aturdido Fornell, que no comprendía qué estaba sucediendo a su alrededor. No le pillaba el truco a las hermanas.

«¿Y si no lo hay?», pensó, por un momento. Aquello era turbador.

«¿Tendrá razón Rebeca y conocerá el emplazamiento del árbol?». Debía de reconocer que era una posibilidad que no podía descartar. «Lo que acaba de contar es plausible, además su hermana y ella se vienen conmigo en el coche», pensó, intentando convencerse. «No les permitiré huir, si es lo que planean».

—¿Aprobáis mi plan? —preguntó Rebeca, a los miembros del Gran Consejo.

Todos, sin excepción, hicieron un gesto afirmativo con la cabeza, incluido el número uno, que no encontró ningún motivo para oponerse.

«Rebeca se ha vuelto loca», pensó Carlota. «Tan solo estamos ganando tiempo. ¿Qué pensará hacer cuando lleguemos allí? ¿Una visita turística?».

Miró a su hermana con preocupación. Lucía una extraña sonrisa en su rostro.

Estaba claro que tenía un plan.

31 15 DE MARZO DE 1525

Esta vez, la cena no se pareció al majestuoso espectáculo de la comida. Además de frugal, ya que ninguno de los cuatro tenía excesiva hambre, después de los excesos del almuerzo, lo hicieron en una especie de comedor de muy reducidas dimensiones, anexo a la cocina del palacio. Por su tamaño, como mucho podría dar servicio a ocho personas. Quizá hasta llamarlo «comedor» era excesivo. Era una pequeña sala habilitada para ello.

—Ves, aquí desayuno, como y ceno yo de forma habitual —le dijo Jero a Batiste—. Nada de cubiertos de plata, ni criados ni nada parecido. La cocina de tu casa, dónde coméis tu padre y tú, probablemente sea más grande que esta estancia.

—Pero la cena está fantástica también —señaló Johan—. Los cocineros son los mismos. Si le quitas toda la fanfarria de alrededor del comedor real, esta sopa está exquisita. Hacía tiempo que no probaba una mejor.

—Se nota que llevas mucho tiempo sin una mujer en casa —le contestó don Alonso, divertido.

—¿Insinúas que cocino mal? —le respondió.

—¡Hombre! Ya sé que la comida del palacio no es comparable con la de ninguna casa de la ciudad. Aquí está lo mejor de lo mejor. Ya se preocupa la virreina de ello. Le encantan los ágapes, y también sobresalir y lucirse en su corte —dijo don Alonso, riéndose—. Pero tu cordero al horno no está nada mal.

—¿Acaso me estás insinuando ahora que me despose con dona Germana de Foix? —le respondió Johan, señalándole una de las paredes laterales de la estancia—. ¿Justo debajo de su cuadro?

—Me temo que a eso llegas tarde. Aunque permanezca soltera en la actualidad, después de enviudar dos veces, los chismorreos en la corte son inevitables. La relacionan con don Fernando de Aragón, el actual duque de Calabria, con el beneplácito del mismísimo rey. No me extrañaría que, en breve, se desposaran. Parece que le van los «Fernandos», ya que, como sabréis, su primer esposo fue Fernando el Católico, cuando enviudó de la reina Isabel de Castilla.

—Te olvidas de un pequeño detalle, querido Alonso. Su segundo esposo fue Johann de Brandeburgo —le replicó Johan, también riéndose—. Si es por nombres, aún debería tener alguna oportunidad.

Todos se rieron a gusto. Johan había estado rápido y agudo en la réplica.

—Si vamos a comer y a cenar todos los días como hoy, ya puedes empezar a cortejarla desde mañana mismo —dijo Batiste, de buen humor.

Continuaron en animada conversación. La velada se les pasó volando.

—Me parece que es hora de retirarnos a nuestros aposentos. Jero lo sabe, pero vosotros, como es la primera vez que pasáis una noche aquí, no. Cada habitación tiene una cuerda, justo al lado de la cama. Está conectada a una campana que, a su vez, está instalada en la estancia del servicio doméstico del palacio. Si necesitáis algo, lo que sea, a cualquier hora, podéis hacer uso de ella. Aunque, esta noche, os debo advertir, para que no os asustéis, de que, junto a la criada, también acudirá un alguacil. Ya os he contado, en varias ocasiones, que he reforzado la guardia.

—No nos cuentas nada que no sepamos. En casa también tenemos una cuerda de esas —dijo Johan, muy serio.

Por un momento, don Alonso lo creyó, hasta que vio a Batiste que no pudo evitar reírse.

—¿Cuerdas? ¡Si ni siquiera tenemos servicio doméstico! —exclamó, entre risas.

—Bueno, ahora que veo que estáis de buen humor, quizá haya llegado el momento de retirarnos a nuestros aposentos y despedirnos —dijo don Alonso.

—¿Despedirnos? —preguntó Johan.

—Por lo menos de mí. Ya sabéis que me gusta mucho madrugar. Tengo que volver a Sevilla y siempre suelo partir antes de la salida del sol. Es un viaje largo, así que ya no nos veremos hasta la próxima ocasión que retorne a la ciudad.

Johan y Batiste le dieron un abrazo a don Alonso, agradeciéndole todas las atenciones que había tenido con ellos. Salieron de la pequeña estancia, dejando solos a Jero y a su padre para que se pudieran despedir a solas.

—No me quedo nada tranquilo Jerónimo, pero sé que estarás a la altura de las circunstancias. Los acontecimientos se van a precipitar. Lo intuyo, y me temo que, con toda probabilidad, yo no pueda estar a tu lado. Confía en tu instinto, que, con tu edad, es mejor que el mío.

—Yo siento lo mismo, padre —le respondió—. Lo malo no es que los acontecimientos se precipiten, sino no saber quién mueve los hilos. Nunca sabes en quién confiar y, ahora mismo, eso es muy peligroso.

—En realidad, en tu interior, sí que lo sabes, pero aún no te has dado cuenta. Todo llegará en el momento adecuado, al menos, eso espero. Me temo que tendréis que tomar decisiones dolorosas, pero, en el fondo de tu corazón, sabrás que son las adecuadas. Apóyate siempre en Batiste, él te ayudará. Os complementáis muy bien.

Se fundieron en un prolongado abrazo.

—Recordad lo que os he dicho. Tenéis todo lo que necesitáis. Ahora, poned vuestras mentes a trabajar, que lo saben hacer muy bien. Quizá, la próxima vez que nos veamos, sea en otras circunstancias bastante diferentes —dijo don Alonso, mientras se separaba de su hijo y salía de la estancia.

«¿En otras circunstancias?», pensó Jero, mientras veía a su padre alejarse. «¿Bastante diferentes?»

Las despedidas siempre eran dolorosas, pero esta lo estaba siendo con especial intensidad. Por la forma de despedirse de su padre, en su interior, algo le dijo que tardarían en volver a encontrarse.

No pudo evitar sentirse solo, de nuevo. Era el sentimiento que le había acompañado en toda su corta vida. Ninguna novedad, aunque en esta despedida había un componente inquietante.

Salió de la estancia dónde habían cenado. Ni rastro de su padre ni de nadie. Se encaminó hacia su habitación y entró en ella. Se encontraba bastante triste.

Mientras tanto, Batiste estaba tumbado en la cama de su habitación. La estancia era muy parecida a la de Jero, aunque de menor tamaño. Los muebles y toda la decoración eran de auténtico lujo. Después de las emociones del día, se había desvelado. No sabía qué hacer y no le apetecía estar tumbado en la cama, mirando el dosel.

Por curiosidad, se acercó a la rejilla de la calefacción, por ver si desde esa habitación, contigua a la de Jero, también se observaba la sala principal del Santo Oficio. Se asomó. La absoluta oscuridad no le permitió confirmarlo, aunque, por orientación, supuso que, aunque con un peor ángulo de visión, también se podría.

Levantó la vista y vio el panel de madera, idéntico al de la habitación de su amigo, que escondía una puerta que daba acceso al pasadizo secreto. Su curiosidad le pudo. Intentó moverlo, por ver si también ocultaba alguna sorpresa. En vano. Esta vez no parecía existir nada detrás de él.

«Supongo que no todas las habitaciones tendrán pasadizos secretos, tan solo las más importantes», pensó Batiste. «Eso significa que la habitación de Jero debe ser una de esas. No estaría de más preguntar quiénes fueron sus moradores anteriores». Recordó que, en alguna ocasión, habían hablado de ese tema, pero no se acordaba como había concluido la conversación.

Cuando se cansó de dar vueltas a la estancia, observando todos los detalles con detenimiento, se tumbó en la cama. Ya no le quedaba ninguna distracción. «Supongo que tendré que intentar dormirme. Mañana hay escuela», se dijo.

Se acurrucó en la cama, esperando que el sueño llegara a su cuerpo.

Nada. Allí no llegaba nada.

No había manera. Para terminar de desvelarse, la habitación no cejaba de emitir ruidos. «Tanta madera es lo que tiene», pensó. «Sus crujidos deben ser inevitables. Supongo que Jero estará acostumbrado, pero para mí, que es la primera vez, no me gustan nada».

Intento no pensar en ellos.

Imposible.

«Bueno, ya que no puedo evitar oírlos, voy a jugar con ellos. Si no puedes con tu enemigo, únete a él. Trataré de identificar la procedencia de cada uno. No se me ocurre un juego más aburrido que este, espero que me entre sueño rápido».

—El armario de mi lado —dijo en voz alta—. Esta vez ha sido evidente.

Durante un momento reinó el silencio.

—¿Qué es eso? —volvió a decir, esta vez en un susurro.

No era un crujido de madera. Sonaba como si alguien estuviera arañando el panel que estaba enfrente de su cama, justo detrás del espejo. Se quedó inmóvil. No había ninguna duda. Aquello no parecía de procedencia natural. Batiste no creía en los fantasmas, pero estaba empezando a replantearse sus creencias.

«Una cosa son crujidos, que entiendo que se produzcan, pero alguien está arañando el panel de madera, situado encima del escritorio. Y no hay nadie, al menos, que yo sea capaz de ver», pensó, claramente acobardado.

Se empezó a asustar de verdad, ya que los sonidos, lejos de desaparecer o disminuir, iban a en aumento. Miró la cuerda que comunicaba con el servicio. No pudo evitar pensar «¿y si pido un vaso de agua?» Aunque no tenía sed, al menos, sabría que acudiría algún ser humano a su habitación.

No lo pensó más. Pegó un tirón, con todas sus fuerzas, a la cuerda.

«Igual me he precipitado. Ni siquiera me he acercado a ese lugar. Igual el ruido tiene una procedencia explicable», pensó, mientras se levantaba de la cama y se acercaba al espejo sujeto en el panel de madera.

Allí, el sonido se escuchaba con más claridad, pero no había nadie que lo produjera. Sus piernas le temblaban. «¡Qué raro! Parece provenir justo de detrás del espejo, pero ahí no puede haber nada, apenas hay espacio para un dedo».

No sabía qué hacer. Ahora mismo, se estaba librando una cruenta batalla interna entre su curiosidad y su miedo. El resultado parecía incierto, pero, al final, se terminó imponiendo su curiosidad. No lo pudo evitar.

«Yo no creo en fantasmas» se repetía, para sacar fuerzas de flaqueza. Arrastró la silla del aparador hasta situarla enfrente del espejo. Se subió encima de ella y acercó su oreja.

Estaba muy claro. El sonido provenía de allí, y era constante en su ritmo. Era evidente que el ruido era de procedencia artificial, y no natural.

Tomó una decisión, cogió el espejo con ambas manos. Pesaba bastante. No tenía nada claro que fuera capaz de manejarlo.

«He llamado al servicio doméstico. Si se me cae, pasarán dos cosas, un espejo menos en el palacio y una excusa más para haber tirado de la cuerda del servicio», pensó. «Que arreglen el estropicio que voy a montar en unos momentos».

Lo levanto y lo intentó retirar de la pared, con todo el cuidado que pudo. Aquello pesaba un disparate, y le costó bastante separarlo del panel de madera. Por fin, después de varios intentos, pudo levantarlo y asirlo con las dos manos, aunque no sabía qué hacer con él. No lo había pensado. Subido encima de la silla tenía pocas opciones.

—Ya era hora —escuchó decir.

Batiste, del tremendo susto que se llevó, al oír una voz, se cayó de la silla, con la fortuna de que el espejo lo hizo sobre su estómago y no se rompió.

—¿Qué haces ahí? —preguntó Batiste, aún desparramado en el suelo.

—Te ha costado mucho. Llevo arañando la madera lo menos diez minutos —dijo Jero—. Ya no me quedan uñas.

—¿Y cómo querías que supiera que eras tú? —le preguntó, levantándose del suelo, aún con el espejo entre sus manos.

—¿Quién suponías que era? No hay nadie más en la habitación contigua a la tuya.

—Aun así. Se suponía que nos habíamos retirado para dormir, cada uno en su habitación —se defendió Batiste.

Espera, espera... ahora que me fijo mejor, tienes cara de estar asustado. ¿No habrás pensado que era un fantasma? —le preguntó Jero, riendo, mientras accedía a la habitación de su amigo.

—Desde luego que no, idiota —mintió Batiste—, pero podías haberme avisado de que existía esta obertura entre las dos habitaciones, así me habría ahorrado un buen susto y tener que estirar de la cuerda del servicio.

—¿Qué has hecho qué? ¿Pero no has escuchado a mi padre, insensato? Además de venir una sirvienta, también lo hará un alguacil. Estarán de camino, no creo que tarden demasiado. ¡A ver qué les decimos! —exclamó Jero, mientras le tomaba el espejo de las manos a su amigo y, con gran esfuerzo, lo ponía en su sitio, volviendo a tapar la oquedad secreta.

—Tú eres el señorito Jerónimo del Palacio Real. Yo soy el invitado. Yo me deshago de la sirvienta y tú del alguacil. La explicación corre de tu cargo, invéntate lo que quieras.

En ese preciso momento llamaron a la puerta. Batiste se fue hacia ella y, sin dejar entrar a la sirvienta en la habitación, le dijo que se había apoyado en la cuerda de forma accidental y que no precisaba nada. Que sentía las molestias ocasionadas. La sirvienta se marchó, sin cuestionar en ningún momento la versión de Batiste.

La tranquilidad les duró bien poco. Inmediatamente volvieron a llamar a la puerta. Solo la manera de hacerlo, ya les quedó claro que, esta vez, no era una sirvienta, sino un alguacil de la guardia.

—Es tu turno —le dijo Batiste.

—Por lo menos abre la puerta, que esta es tu habitación, no la mía.

Así lo hizo. Para su sorpresa, el alguacil que entró en la habitación era Damián. Cuando vio a los dos amigos, puso cara de enfado.

—¿Qué hacéis juntos? Ya es tarde. A estas horas, cada uno debería estar en su habitación.

—¿Y tú? ¿Qué haces aquí, dentro del palacio? —preguntó Jero.

—¿No lo sabéis? Ha habido algunos cambios en la organización de la seguridad. Ahora soy el responsable de la guardia interior, bajo las órdenes de doña Germana. Ya no me ocupo de ti, a partir de ahora lo hará Pere. Instrucciones directas del rey, que ha traído don Alonso hoy mismo.

—En realidad, sí que lo sabíamos. Ya nos lo había contado mi padre. Enhorabuena por tu ascenso. A este paso llegarás a virrey.

—No me adules, que no soy idiota. Eso no os va a librar de... —empezó a decir Damián.

—¡Calla! —le interrumpió de forma súbita Jero, con tal tono de voz que hasta el alguacil se puso casi firmes—. ¿No entiendes que hemos tirado de la cuerda para hablar contigo? Sabíamos que vendrías tú, y los dos deseábamos conversar en privado.

«¡Qué dice este loco!», pensó asustado Batiste. «¡Eso es mentira!».

—¿En privado? ¿Por qué? —preguntó Damián, que ahora había cambiado su actitud. Parecía curioso.

—Es un tema delicado, y no teníamos otra opción que hacerlo así, cara a cara. Qué mejor opción que hacerlo a estas horas, que estamos todos a salvo de miradas y oídos indiscretos.

Batiste no se quitaba el susto del cuerpo. Primero los ruidos del espejo, y ahora Jero diciendo tonterías, además contándoselas a Damián, que le imponía mucho con su extrema robustez.

Para su absoluta sorpresa, Jero le empezó a explicar el juego del tribunal juvenil del Santo Oficio. Le contó que eran cuatro personas los participantes, pero que dos amigos suyos estaban ausentes. Le relató que habían incorporado a Nicolás Almunia, pero que aún necesitaban reclutar a otra persona más. También le explicó que, por las nuevas medidas de seguridad, no podían unir a personas que no ofrecieran confianza, ni jugar al aire libre, fuera de la escuela o de sus casas.

—¿Por qué me lo propones a mí? —preguntó Damián, absolutamente sorprendido—. Hablas de un tribunal juvenil.

Yo, de juvenil, no me quedan ni los recuerdos. Ya he cumplido cuarenta y cinco años.

—Ya te lo he explicado, porque no tenemos a nadie más. Nuestros padres no conocen a más niños en nuestra escuela. El último era Nicolás Almunia, y ya está unido al grupo. Tú eres nuestra única opción. Si no aceptas, no podremos seguir jugando.

—Pero yo no pinto nada en ese juego —dijo Damián.

—Escúchame, por un momento, ponte en nuestro lugar. No estamos autorizados a andar solos por las calles, siempre de la casa a la escuela y de la escuela a casa. Ni siquiera podemos juntarnos con nuevos amigos. ¿Qué se espera que hagamos? ¿Cómo pretenden qué nos divirtamos? ¡Por favor! Somos jóvenes, no podemos recluirnos y ya está. Creo que tú nos comprendes. Una vez nos comentaste que te gusta frecuentar, de vez en cuando, las tabernas. ¿Qué ocurriría si te las prohibieran para siempre?

—Me estás liando —dijo Damián—. Una cosa no tiene nada que ver con la otra.

Batiste estaba pasmado. Sabía que su amigo Jero era un prodigio de rapidez mental, pero de lo que estaba siendo testigo superaba todo lo que había visto con anterioridad de él, que ya era mucho decir. Le había dado la vuelta a la situación. Hace un minuto, los que estaban en un apuro eran ellos. Ahora era Damián el que debía explicarse para rechazar la absurda petición de Jero. «Absurda desde luego, pero también muy eficaz para desviar la atención de nosotros», se dijo.

—Escucha con interés, Damián. Si lo piensas bien, ambas situaciones son idénticas —dijo Jero—. Tenemos un problema de seguridad, pero al mismo tiempo, somos jóvenes que necesitamos divertirnos, igual que tú necesitas, de vez en cuando, tomarte un trago, con tus amigos, en una taberna.

—Eso es cierto.

—Me temo que tendremos que terminar jugando en el interior del palacio, precisamente por esos motivos de protección personal tan estrictos que nos han impuesto. Ahora, tú acabas de ser nombrado el responsable de seguridad en el interior del palacio. ¿No lo entiendes? No solo eres la única persona posible. Aunque no lo fueras, también serías la más adecuada, por tu nuevo cargo.

—Os comprendo perfectamente —dijo Damián —, pero yo tengo encomendado un trabajo. No puedo salir del palacio, y estoy a las órdenes de doña Germana. No puedo jugar con vosotros, tengo una labor muy importante que cumplir y una gran responsabilidad. Al ascenderme, ahora soy el jefe de toda la guardia del palacio. Tengo a mi cargo a más de cincuenta alguaciles. De verdad, me alegro de que os hayáis acordado de mí para vuestros juegos. Aunque no lo creáis, por un momento me habéis hecho sentir más joven, pero debo rechazarlo. No puedo descuidar mis funciones.

Batiste respiró. Jero había conseguido su objetivo con una elegancia y finura florentina. Era todo un artista de la manipulación. Damián no se había dado cuenta de que había sido utilizado. Ahora estaría deseando salir de allí cuanto antes, y no les haría ninguna pregunta, sobre todo acerca de cómo podían estar juntos en la misma habitación.

Jero se quedó en completo silencio. Parecía que no tenía ninguna intención de hablar.

Aquello le pareció extraño a Batiste, ya que era el momento ideal para despedirle de la habitación. En su lugar, parecía que Jero deseaba que Damián continuara hablando. Se alarmó de inmediato. Su amigo no se estaba comportando de acuerdo con la lógica más elemental. Algo no marchaba como debía. Su instinto se puso en guardia.

Batiste se giró hacia Damián. Para su completa sorpresa, parecía que Jero lo iba a conseguir, ya que veía reflejado en la cara del alguacil que quería seguir hablando. Definitivamente, algo no iba bien, nada bien.

—Quizá no pueda jugar con vosotros a ese tribunal juvenil del Santo Oficio, pero os puedo proponer otra cosa —dijo Damián, al fin.

Batiste se quedó pasmado. De inmediato se giró a mirar a su amigo. Lo que observó en su rostro le dejó, más que helado, completamente aterrado. Comprendió que ese había sido el plan de Jero desde el principio.

Su menudo amigo continuó callado, esperando que Damián se explicara, pero era un silencio activo. Batiste se dio perfecta cuenta de que dominaba toda la situación, aunque ahora, él desconociera cuál era esa situación.

Cuando Damián comenzó a hablar, a Batiste se le salió el corazón por la boca.

Aquello no era posible.

Sin embargo, Jero sonreía.

32 EN LA ACTUALIDAD, MIÉRCOLES 24 DE OCTUBRE

—Es cierto que estamos todos en el mismo equipo —dijo Fornell, mientras abría su vehículo para que subieran Rebeca y Carlota. A pesar de todas las precauciones que había tomado y pensaba tomar, no las tenía todas consigo.

—Pues claro, ¿te crees que hablo en broma? Nos vamos a desplazar al lugar dónde se encuentra el árbol, ¿qué mejor prueba quieres?

—Yo me siento en la parte de detrás del coche —dijo Carlota.

—Yo también —le respondió Rebeca—. No es por nada, pero es toda una *vacilada* que el conde de Ruzafa parezca nuestro conductor particular, como si fuera un taxista.

—¿No tramaréis nada? —preguntó Fornell. No podía evitar su natural desconfianza.

—Tranquilo. Cierra todas las puertas del vehículo, si no te fías —contestó Rebeca, que parecía relajada—. De todas maneras no pensábamos saltar en marcha. ¿Para qué? Nos tienes más que localizadas. Sabes dónde trabajamos y donde vivimos y nos vamos contigo de forma voluntaria —dijo, en un tono de sorna que no le gustó nada a Fornell, pero tenía que reconocer que era la realidad. No tenía ningún sentido que escaparan.

Les costó llegar, más o menos, una hora. Era difícil aparcar por los alrededores del ayuntamiento, a estas horas de la noche. Al final lo consiguieron. Anduvieron hasta el lugar de reunión. Ya habían llegado todos. Resultaba muy ridículo ver a ocho personas con capa negra y capucha, junto a dos más vestidas de paisano, en pleno centro del pueblo.

—Bueno, ya estamos aquí. ¿Ahora qué? —preguntó con curiosidad el número ocho—. Porque con este aspecto, no estamos para dar muchas vueltas por el pueblo.

—No os preocupéis —le contestó Rebeca—. Para vuestra información, estamos a apenas cien metros del emplazamiento del árbol.

—¿Tan cerca? —saltó el número seis, sorprendido—. ¿Cómo puede ser?

Carlota miraba a su hermana con mucha atención. No parecía que estuviera mintiendo, ya que se mostraba relajada, y hasta de buen humor, pero sabía que no podía estar diciendo la verdad. El profesor Lunel, antes de su desgraciada muerte, no les había comunicado el lugar donde estaba oculto el árbol. No lo podía saber. Pero el tiempo se le acababa. Eran las doce de la noche y estaban al final del camino.

—Si te parece mal que esté tan cerca, si quieres, damos una vuelta por el pueblo, así vestidos —le contestó Rebeca al número seis—. Sería divertido. Parecerá que se han adelantado los carnavales.

—No, no —le respondió—. Condúcenos cuanto antes al árbol, sin rodeos.

Así lo hicieron. Se pusieron a andar por la calle de Sant Roc hasta llegar hasta la plaza de la Constitución. En apenas un minuto habían hecho el recorrido. Rebeca se detuvo en seco.

—¿Ya está? —preguntó el número uno.

—Sí, ya está —respondió.

—Pero aquí no hay nada —dijo el número nueve—. Estamos en una simple plaza, sin nada de interés alrededor.

—Te equivocas —dijo Rebeca, que estaba sonriente—. Estamos justo al lado del árbol.

Carlota esperaba la tormenta de un momento a otro. Esta tomadura de pelo no se podía alargar mucho más allá. No sabía cómo iban a salir de esta situación. En Valencia, aún se podían haber escapado corriendo, pero, ahora, Carlota no conocía las calles del pueblo donde se encontraban.

Rebeca, sin embargo, estaba sonriente.

—Levantar vuestros ojos y mirar al frente —dijo.

—Sí, muy bonita la puerta barroca de esa parroquia —dijo el número uno. ¿Y qué?

—Estáis ante la iglesia arciprestal de Santa Catalina, Virgen y Mártir.

—¡Vaya estupidez! —dijo el número seis—. Eso ya lo sabía. Te repito la pregunta del número uno, ¿y qué?

Todos seguían mirando a Rebeca, sin comprender nada, excepto Carlota, que se puso en guardia, al escuchar en nombre de Santa Catalina.

«¿Sería posible que Rebeca hubiera descifrado de verdad el Gran Mensaje?», pensó, por un instante. Enseguida descartó esa posibilidad. Probablemente estaría a punto de endosarles algún cuento chino, al hilo de sus fotografías, casi idénticas, con las anomalías de los tres libros y la imagen de la talla de la virgen en ellas.

Suponía que, una vez hubiera sembrado la duda en todos los miembros del Gran Consejo, esperaría la ocasión adecuada para escapar. Era cierto que ellas no conocían las calles del pueblo, pero, probablemente, los demás tampoco. Ahora que lo pensaba mejor, quizá fuera una ventaja. «Parece que era cierto que mi hermana tenía un plan», pensó.

—Tan solo tenemos un problema. Necesitamos entrar en el interior de la iglesia —dijo Rebeca.

—¿A estas horas? —preguntó el número uno—. ¿Y cómo lo piensas hacer?

—No lo sé —confesó Rebeca—. ¿Alguno de los presentes entiende de cerraduras?

—Quizá yo podría probar, siempre se me han dado bien los mecanismos. Jugaba con mi hermana de pequeña —dijo Carlota, intentando no parecer lo que no era. En realidad, sabía que esa cerradura no se le resistiría ni un minuto, si se ponía a ello, pero tampoco era cuestión de alardear de esas habilidades tan curiosas, en una chica como ella.

Rebeca se la quedó mirando con profunda extrañeza. Era la última persona que pensaba que podía decir eso. Volvió a apuntar el dato en su libreta mental.

—¿Alguna otra opción? —preguntó Rebeca, ignorando el comentario de su hermana, que no la veía forzando una cerradura

—No os preocupéis por eso. No hace falta hacer saltar por los aires una puerta de más de cien años para poder entrar —contestó el número seis.

—¿Y cómo narices lo piensas hacer? —le preguntó el número nueve—. Porque yo tengo vértigo y no pienso entrar por ninguna ventana.

—No será necesario —le respondió el número seis, sonriendo—. ¿Por qué lugar y de qué manera se suele entrar? Muy sencillo. Por la puerta y abriéndola con una llave. Todo lo demás son locuras.

—¿No nos digas que tienes la llave de este templo? —preguntaron a la vez varios miembros del Gran Consejo, sorprendidos.

—Claro que no, pero conozco la manera de entrar sin romper nada. Ahora mismo llamo a mi buen amigo, Enrique Masiá, y que nos abra la puerta.

—¿Quién es? ¿Un cerrajero del pueblo? —preguntó Rebeca, inocente.

—No —contestó riéndose el número seis.

—¿Qué es lo que te hace tanta gracia?

—Dos cosas. Que no sepas quién soy, y que no conozcas que Enrique Masiá es el párroco de esta iglesia. Ahora mismo le ordeno que nos abra el templo.

«¿Le ordeno?», pensó Rebeca. «¿Quién era, en realidad, el número seis?», se preguntó.

Reflexionó un momento. Las reuniones del Gran Consejo se celebraban en la iglesia de San Nicolás de Valencia, también a horas intempestivas. Alguien tenía que facilitar el acceso. La gente normal no podía hacer uso con tanta libertad de los templos, y más de San Nicolás, y todavía más a esas horas, que estaba cerrada al culto y a las visitas.

De repente, se le encendió una bombilla en el cerebro. Ahora lo comprendió.

«Tenemos a un alto cargo de la Iglesia entre nosotros», concluyó Rebeca, divertida. Recordó que su madre, en una ocasión, le había contado que la Iglesia católica tenía miembros infiltrados dentro del Gran Consejo judío desde tiempos inmemoriales, pero hasta ahora no se le había mostrado la evidencia. Resultaba irónico. Un consejo, protegiendo un tesoro judío, al que pertenecían miembros de la iglesia católica.

«¿Me tengo que preocupar?», pensó. Resolvió que no merecía la pena.

Efectivamente, no habían pasado ni diez minutos cuando vieron aproximarse a la puerta de la iglesia a una persona, con el paso bastante rápido. Cuando vio a los ocho encapuchados, con aquellos negros ropajes, se detuvo en seco. Se le notaba atemorizado.

—Enrique, soy yo —dijo el número seis.

Reconoció de inmediato su voz.

—¡Por Dios! —no pudo evitar exclamar—. Disculpe, su eminencia, con ese atuendo no lo había conocido. Me he llegado a asustar de su grupo.

—No te preocupes. Venimos de visita sorpresa a tu parroquia. ¿Serías tan amable de permitirnos la entrada?

—¡Cómo no, está en su casa! —contestó apurado Enrique—. No me habían anunciado su visita esta noche, si no, hubiéramos preparado algo especial para tan magno acontecimiento.

—Como te acabo de decir, es una visita sorpresa con un grupo del arzobispado de Valencia, de incógnito. Tan solo quiero que nos abras la parroquia y nos dejes a solas un par de horas. Ya te llamaré cuando terminemos. Entiende que es un acto privado, de oración y recogimiento íntimo. No quiero que trascienda que hemos estado aquí, ¿lo comprendes?

—Por supuesto, lo que su eminencia disponga —le respondió el párroco, en un tono hasta temeroso.

Les abrió la puerta, desconectó la alarma y encendió todas las luces de la iglesia.

«No está mal tampoco», pensó Carlota. «Desde luego, no es la iglesia de San Nicolás de Valencia, pero también es bonita».

El párroco se marchó, dejando al grupo en el interior de la iglesia. Todos se giraron hacia Rebeca, esperando instrucciones suyas.

—Las puertas cinco y siete están de camino —respondió—. Me acaban de mandar un mensaje. Ya se ha resuelto el tema del fallecimiento del profesor Abraham Lunel en San Nicolás. En cuanto lleguen, reanudaremos el Gran Consejo y os informaré de todo.

—Me parece que no te incumbe a ti esa decisión —dijo Fornell—. Soy el número uno y me corresponde dirigir las reuniones.

—Pero... —empezó a protestar Rebeca.

—Reanudamos el Gran Consejo ya —dijo—. Cuando vengan las puertas quinta y séptima, las pondremos al corriente. Me parece que el asunto que llevamos entre manos no admite demoras. Soy el *Keter* y me corresponde esa función, no a las undécimas puertas.

La mayoría asintieron.

—Me da absolutamente igual lo que penséis o digáis. Me pienso esperar a que lleguen los números cinco y siete. ¡Un poco de humanidad, por favor! Acaba de fallecer el número dos, y ellas se han ocupado de todos los temas médicos, jurídicos y policiales, liberándonos a nosotros de innumerables molestias. Merecen más que nadie que las esperemos. No seamos descorteses ante un asunto así.

—Aquí mando yo —dijo Fornell, con un tono de voz autoritario.

—Se equivoca —le retó Rebeca—. No se olvide ni por un momento que ni mi hermana ni yo pertenecemos al Gran Consejo. No le debemos obediencia alguna. Estamos aquí por voluntad propia. Mi decisión es esperar, y así lo haré, diga lo que diga. Y si no le parece bien, pues nos vamos y ya está. Tema resuelto. ¿Lo toma o lo deja? Porque si no le interesa, Carlota y yo no perdemos ni un segundo más con vosotros. Me estáis empezando a exasperar, y no me conocéis enfadada.

Rebeca volvía a lanzar un órdago por segunda vez. La tensión retornaba al Gran Consejo, que parecía indeciso. Carlota estaba preocupada. Tenía la impresión de que Rebeca se había quedado sin recursos, e intentaba alargar la agonía, que tenía que llegar, tarde o temprano.

—No sé por qué, pero me da la impresión de que todo esto es una pantomima —dijo Fornell—. Un burdo engaño.

—Ni Pantomima ni engaño —le respondió Rebeca, en el mismo tono de enfado anterior—. Se llama educación y respeto, algo que parece que no conoces. Es toda una falta de humanidad hacia dos miembros y compañeros vuestros. ¡Parece mentira! Por no hablar del profesor... Me da la impresión que no os interesa lo más mínimo el significado que tiene para nosotros el árbol judío milenario. Estáis cegados por su oro y piedras preciosas. Sois como los mercaderes que Jesús repudió y expulsó del templo de Jerusalén —añadió, ahora, un toque bíblico.

—Haya paz —intervino el número seis, con un tono mucho más amable que Fornell—. Estimada Rebeca, entiende que este asunto es de gran trascendencia para todos nosotros. Llevamos cinco siglos buscando el árbol judío milenario desaparecido. Deseamos reconstruir el Gran Mensaje, y con ello recuperar la función principal para la que fue creado el Gran Consejo. Creo que comprenderás nuestra impaciencia. No tiene nada que ver con el pasaje bíblico que has citado. Nosotros no somos mercaderes que comerciamos en el interior del templo de Salomón, dónde Nuestro Señor Jesucristo se vio obligado a desalojar a latigazos. No nos mires con esos ojos.

—Entiendo perfectamente su impaciencia —dijo Rebeca, muy firme—, pero si han esperado cinco siglos, creo que serán capaces de hacerlo durante cinco o diez minutos más. Se llama respeto.

—¿Acaso no nos quieres decir dónde se encuentra el árbol? —dijo el número ocho.

—¿Es eso, Rebeca? —le preguntó el número seis—. ¿Queréis seguir siendo, vosotras dos, las únicas fuentes del conocimiento?

—Es muy grave, nos quieren seguir ocultando cualquier información —el número uno echó gasolina a la discusión, que estaba subiendo de tono.

«Esto se nos va de las manos», pensó Carlota, observando la actitud claramente hostil de casi todos los miembros del Gran Consejo. «No quería, pero quizá tenga que recurrir al plan B o al C», pensó, con cierto temor.

—Si os hubiera querido ocultar algo, ¿acaso os habría traído hasta aquí de forma voluntaria? —dijo Rebeca—. Comprendo vuestra impaciencia, pero el cielo puede esperar.

—El cielo quizá pueda, pero nosotros no —insistió Fornell, que no quería aflojar la tensión.

—Vosotros no mandáis sobre nosotras. Me parece que lo he dejado claro. Así que a esperar, es mi última palabra y no pienso cambiar de postura —dijo Rebeca, mientras daba la espalda a todos los miembros del Gran Consejo, con cierto coraje, dada la situación de nerviosismo de algunas puertas.

De repente, sucedió lo que tenía que pasar. La tensión estalló. Bernat Fornell salió corriendo detrás de Rebeca. El número ocho lo siguió. Aquella actitud era claramente hostil y amenazante hacia Rebeca. Se disponían a atacarla por la espalda.

—Desde luego que es tu última palabra —dijo Fornell— Pero la última de verdad.

Carlota decidió que debía pasar de inmediato al plan B. La integridad física de su hermana corría peligro. Cuando se disponía a ello, para su absoluta sorpresa, Rebeca se detuvo y se giró, encarándose a sus dos perseguidores.

Se quedó inmóvil, como esperando que sucediera algo, enfrentándose con valentía a sus inminentes agresores. Les aguantó la mirada como una leona.

—¡Número tres, te necesito ya! —gritó con todas sus fuerzas. Su voz retumbó en toda la iglesia. Los perseguidores también se detuvieron en seco. No se esperaban esa extraña reacción de Rebeca, como retándolos. Ella era una muchacha joven, y ellos dos robustos hombres,

Carlota estaba completamente pasmada con el alarido de su hermana.

De repente, uno de los encapuchados salió corriendo y se abalanzó contra los números uno y ocho, derribándolos con facilidad. Los redujo en un instante, retorciéndoles sus brazos contra la espalda.

—¿Cómo narices lo sabías? ¡Ese era mi plan B! —le dijo Carlota a su hermana, enfadada y asombrada al mismo tiempo.

33 16 DE MARZO DE 1525

—Espero ansioso a que me expliques el numerito de ayer por la noche —le preguntó Batiste a Jero, cuando ya marchaban camino de la escuela, escoltados por un alguacil del palacio. Habían pasado la noche allí, y la conversación que mantuvieron con Damián había sido muy perturbadora, al menos para Batiste.

—No tienes ningún derecho a quejarte. Fuiste tú quién tiro de la cuerda de llamada al servicio. Sabía que vendría Damián de inmediato, como así fue. Me limite a arreglar el estropicio que tú habías organizado. No llegaste a romper el espejo, pero el desaguisado que causante fue considerable. La última persona que quería que nos viera juntos era Damián, y va y le llamas con la cuerda.

—¿Qué había causado yo? —preguntó enfadado Batiste—. Te olvidas de un pequeño detalle. Te colaste en mi habitación a través de una oquedad secreta, sin advertirme previamente de su existencia, y me asustaste mucho. No te hubiera costado nada, antes de despedirnos para dormir, haberme avisado de tus intenciones.

—Lo que tú digas, pero no me negarás que trasformé una situación potencialmente peligrosa para nosotros, que Damián se enfadara y tomara medidas, en todo lo contrario. Ahora se ha involucrado en nuestros juegos, eso sí, a su manera. Pero eso ya lo tenía previsto. Sabía que él jamás iba a aceptar unirse al tribunal juvenil del Santo Oficio.

—Me costó entenderlo. Al principio pensaba que era una simple maniobra de distracción, para alejar de nosotros el foco de la conversación. Hasta que te miré a los ojos y comprendí que ibas en serio. Aquello no podía ser.

—Pues ya lo viste. Hice posible lo imposible —afirmó Jero, que estaba de buen humor.

—No lo podrías definir mejor.

Mientras iban hablando, llegaron al lugar dónde el alguacil se despedía de ellos, así nadie veía en la escuela que llegaban escoltados por un guardia del palacio. Llamaría la atención. Continuaron andando en solitario el corto espacio que les quedaba hasta el patio. Jero se detuvo en seco y cogió a Batiste del brazo. Se pararon en la puerta del patio, sin llegar a cruzarla.

—Ahora hemos de completar el plan —dijo Jero.

—¡Ah! ¿Qué hay un plan y todo?

—Por supuesto. Ya sabes que soy rápido pensando. Creo que ayer batí mi propia marca.

—¿Y te dignarías a explicarme en qué consiste? Sobre todo antes de que se acerque Nico. En cuanto crucemos esa puerta, lo hará.

—En eso consiste completar en plan, precisamente.

—¿No pensarás involucrar a Nico en todo esto? —preguntó alarmado Batiste.

—En realidad, ya lo está. No lo podemos dejar fuera, después del espectáculo del otro día, con tu espantada.

—Pero esto es diferente. Ya sabes quién es su tío —protestó Batiste.

—Ya te dije que no le iba a contar nada a su tío y no lo ha hecho. Él tiene tantas ganas de jugar como nosotros. No contará la verdadera naturaleza del juego, y todavía menos en su nueva variante. Ahora entremos, que necesitamos cinco minutos para hablar con Nico, antes de que empiecen las clases.

—¿No nos podemos esperar al descanso?

—No, y ahora entenderás el motivo.

Los dos amigos entraron en el patio de la escuela. Como estaba previsto, en cuanto Nico los vio aparecer, de inmediato acudió a su encuentro.

—Hoy llegáis juntos y un poco más tarde —les dijo, a modo de bienvenida.

—Hemos pasado la noche del domingo en mi casa. Te hubiéramos avisado para que nos acompañaras, pero fue una sorpresa de mi padre y no tuvimos tiempo de avisarte —le respondió Jero.

—¡Qué envidia me dais! ¡Me encantan las sorpresas! —exclamó Nico.

«Pues agárrate que viene una», pensó Batiste, mirando la cara de Jero. Aunque no sabía lo que planeaba exactamente, algo se podía imaginar.

—Ya sé que es muy precipitado —empezó a explicarse Jero—, pero, a su manera, también es una sorpresa—. ¿Te apetece comer y pasar la tarde en mi casa, jugando?

Aquello iba más lejos de lo que se había imaginado Batiste. Su rostro reflejaba estupefacción. Se giró hacia Nico. El suyo también reflejaba sorpresa.

—Pero no he avisado a mi padre. Me esperará para comer, como todos los días. No puedo faltar sin avisarle, se asustaría.

—Si aceptas, por eso no te preocupes. Lo tengo todo previsto.

—¿Cómo puedes tener eso previsto? —le preguntó sorprendido Nico—. Estamos en la escuela, la puerta del patio se cierra y nosotros no nos podemos escapar para avisar a mi padre y contárselo.

—Porque no lo avisaremos nosotros.

Nico no entendía nada y lo reflejaba en su rostro. Batiste tampoco, pero disimulaba.

—¿Y quién se supone que lo va a hacer?

—Personal de mi residencia. En realidad, ya he dado las instrucciones oportunas antes de venir a la escuela. A las diez en punto de la mañana se pasarán por tu casa —dijo Jero.

Batiste estaba sobrepasado.

—Pero ¿tú quién eres? —preguntó extrañado Nico—. ¿Personal de tu residencia? ¿Me tomas el pelo?

—¿Acaso me ves cara de bromear?

—No, no te la veo, y eso es lo que me preocupa. De todas maneras, aunque un sirviente de tu casa vaya a hablar con mi padre, no servirá. Piensa que no se conocen. No lo autorizará jamás.

—Te aseguro que lo hará.

—¿Por qué estás tan seguro?

—Por el tipo de «sirvientes» que tengo en mi residencia. No son ordinarios.

—¿Y cómo son? ¿Más guapos que los demás? —bromeó, ya que no le encontraba sentido a aquello.

—No, son alguaciles.

Nico se quedó mirando fijamente a los ojos de Jero. Otra persona se hubiera echado a reír al escuchar esa respuesta, no así Nico. Supo de inmediato que Jero no le mentía.

—¿Quién eres, en realidad? —le preguntó—. Llevas casi tres años viniendo a la escuela. Apareciste de la nada, a mitad de un curso, y ahora me doy cuenta qué apenas sé nada de ti. Y resulta que vives con alguaciles.

—Eso no importa. En verdad, no soy nadie, pero vivo en el Palacio Real, en concreto en el palacio viejo. Esa es mi residencia, por eso mis «sirvientes» son todos alguaciles de alto rango.

Ahora su respuesta sí que produjo la inmediata reacción de Nico.

—¡Pero sí ahí no vive casi nadie! Ese ala del palacio está ocupada por el Santo Oficio, y tan solo viven los dos inquisidores de la ciudad.

—Ellos dos... y yo —le respondió Jero, aguantándole la mirada.

En ese momento oyeron la campana. Debían entrar en la escuela.

—Esta conversación no ha terminado —dijo Nico, mientras se marchaba hacia el interior.

—¿Te has vuelto completamente loco? —le preguntó Batiste a Jero, cuando se quedaron solos—. Ni siquiera mi padre lo sabe.

—¿Quién te ha dicho eso? ¡Pues claro que lo sabe! Ya se lo he contado yo, por eso hoy no te recogerá al concluir la escuela. Cuando terminemos de jugar, te acompañará un alguacil a tu casa.

—¡Has perdido la razón!

—¿Confías en mí? Pues ya te he dicho que tengo un plan. Hazme caso.

—Entonces es un plan loco. No tiene ningún sentido involucrar en todo esto a Nico. Además, mandándole un alguacil a su casa, porque me imagino que será verdad lo que acabo de escuchar.

—Por supuesto que lo es —le respondió Jero, serio—. Anda, vamos a entrar en la escuela, que, entre unas cosas y otras, aún llegaremos tarde.

Nico se pasó las tres primeras horas sin prestar ninguna atención al profesor Urraca. Tenía una certeza que le conducía a una gran duda. La certeza era que Jero no le había mentido. Y ello le llevaba a la duda, ¿quién era? Sopesó si aceptar la propuesta. No tenía claro cómo se tomaría su padre que un alguacil, aunque fuera del mismísimo Palacio Real, se presentara en su casa para anunciarle que su hijo no iba a comer. Tenía que reflexionar acerca de ello. No lo veía nada claro.

Casi sin darse cuenta, ya volvían a estar en el patio. De inmediato, Nico buscó con la mirada a Jero y Batiste, pero no los encontró. «¡Qué extraño!», pensó. Miró por los ventanales hacia el interior de la escuela, y los vio hablando con el profesor. Parecía que el señor Urraca les estaba explicando algo. «¡Qué oportunos!», volvió a pensar. «Me han rehuido seguro».

Cuando la escuela terminó, sin salir de la clase, Nico se dirigió a sus dos amigos.

—Escuchad, he decidido no aceptar la invitación de Jero para comer en su casa. No os enfadéis, podemos hacerlo otro día, con más tiempo, pero no me parece correcto proceder de esta manera. Mi padre se quedará preocupado. No es normal que acudan alguaciles a nuestra casa, y menos para una tontería como esta.

—Es inútil, ya no tienes vuelta atrás —le interrumpió Jero, sonriendo.

—Eso lo dirás tú.

—No solo lo digo yo, también tu padre y tú mismo.

—¿Qué dices?

—Aunque lo niegues con tus palabras, tus gestos te delatan.

—Ya os he dicho que no es por mí. Me encanta jugar con vosotros, es por mi padre. Lo veo muy precipitado y poco adecuado.

—En cuanto a eso —dijo Jero—, me refiero a lo de tu padre, ya lo sabe y está encantado de que comas con nosotros en el Palacio Real. Te ha dado permiso.

Nico se lo quedó mirando, incrédulo.

—¿Cómo puedes saber eso, si no has salido de aquí en toda la mañana?

—Muy sencillo. El alguacil que ha hablado con tu padre, tenía instrucciones de pasarse por la escuela a continuación, y así lo ha hecho. Ha informado al profesor Urraca de la respuesta de tu padre y él nos lo ha dicho en el descanso. No te espera a comer y te ha dado permiso para pasar la tarde con nosotros.

—Increíble —acertó a decir Nico—. Tengo que reconocer que cada día me sorprendes más.

—Anda, déjate de monsergas y vayámonos, que nos están esperando —dijo Jero, saliendo de la clase y empezando a andar.

Sus amigos le siguieron.

—¿Quién nos espera? ¿Acaso hay otros invitados?

—No. Nos estará aguardando el alguacil que nos va a escoltar hasta el Palacio Real. Como comprenderás, una persona de mi posición social no puede venir sola a la escuela —dijo Jero, empleando, a propósito, un tono sarcástico.

Batiste seguía asombrado con su amigo. Era evidente que pretendía que Nico no se sorprendiera cuando viera al alguacil, pero lo había dicho de una manera, medio en broma medio en serio, muy apropiada.

—Sí, claro. Ahora me dirás que eres el hijo de la virreina —respondió Nico, riéndose.

Para sorpresa de sus compañeros, ahora Jero se puso muy serio.

—No es un tema para reírse —le respondió—. El único hijo varón que tuvo doña Germana, Juan de Aragón, fruto de su matrimonio con Fernando el Católico, falleció a las pocas horas de nacer. Es cierto que tiene una hija, Isabel, en este caso fruto de sus relaciones pecaminosas con Carlos I, pero jamás ha sido reconocida oficialmente. Se está criando lejos de aquí y de su madre, en Castilla, por simple discreción, ya que doña Germana era la abuelastra de Carlos I, y sus relaciones nunca fueron bien vistas en la corte real y mucho menos en la Iglesia. Ella llama a su hija «la infanta Isabel», aunque no tiene reconocido ese título. Que sepas que, a consecuencia de todo lo que te acabo de contar, Carlos I nombró a doña Germana de Foix virreina del Reino de Valencia, casándola con un noble de su corte, que ya falleció, para lavar su imagen y alejarse de ella. Fíjate las vueltas que da la historia...

—¿Cómo puedes saber todo eso? —dijo un asombrado Nico—. Eso no nos lo han explicado en la escuela.

—Ni lo harán, como comprenderás —le respondió Jero—, pero es la realidad.

Mientras hablaban, ya habían llegado al lugar dónde les estaba esperando el alguacil. En ese preciso momento, Nico cayó en la cuenta de que toda la fantasía de Jero no era tal. No le salían las palabras.

Empezaron a caminar en dirección al Palacio Real, en completo silencio. Llegaron a su entrada principal. Nico se quedó fascinado cuando Pere, en la misma puerta del palacio, les saludó de forma afectuosa y les franqueó el acceso.

—¿Ves? ¿A qué no ha sido tan difícil? —le preguntó Jero.

—No sé qué decir. Hasta ahora mismo, pensaba en la posibilidad de que me estuvierais gastando una broma, así que, de momento, prefiero callar.

Entraron y subieron por la majestuosa escalera principal. Se dirigieron hacia el ala del Santo Oficio. Llegaron a la puerta del salón de la chimenea. La abrieron y pasaron a su interior.

Nico no había cerrado la boca desde que había entrado en el palacio.

—Anda, vamos a sentarnos un ratito aquí. Nos avisarán cuándo la comida esté preparada. Y tú, Nico, ya te puedes relajar un poco, que se te va a desencajar la mandíbula.

—Lo voy a intentar, pero entiende que esté impresionado. Está claro que debes ser alguien muy importante, probablemente algún miembro de la familia real, para vivir en este palacio y gozar de tantos privilegios.

—¿Privilegios? Tan solo vivo en él, no tengo ningún otro.

—¿Y la escolta por un alguacil hasta la escuela? Es la primera vez que lo veo. Esa medida de seguridad no la tienen ni los hijos de los nobles ni los de los consejos que gobiernan la ciudad. No sé quién eres, pero a mí no me engañas con esa apariencia de normalidad.

Justo en ese momento apareció una sirvienta, avisándoles de que la comida estaba lista.

«Menos mal», pensó Jero, ya que no le podía explicar el motivo de llevar esa escolta temporal a la escuela.

Comieron en la misma estancia que habían cenado la noche anterior con Johan y don Alonso. Nico también alabó la exquisitez de las viandas que estaban saboreando. Jero le repitió la explicación que les había dado ayer su padre. Terminaron rápido, ya que tenían ganas de jugar. Batiste y Jero porque sabían lo que iba a pasar, y Nico por lo contrario, porque lo desconocía.

Volvieron al salón de la chimenea y se sentaron cómodamente en sus butacones, en silencio.

—¿Estamos esperando algo? —preguntó ansioso Nico—. Nos encontramos en el interior del Palacio Real. Supongo que no intentaremos jugar de nuevo a ese absurdo tribunal juvenil. Aquí dentro debe haber más diversiones.

—A tu primera cuestión, no estamos esperando a algo, sino a alguien. En cuanto a la segunda, no. No vamos a jugar más al tribunal juvenil, sino a otra cosa más entretenida y misteriosa.

—¿Y cuándo va a pasar eso?

—¡Qué impaciente! La persona que tiene que venir es muy puntual, así que no creo que...

En ese preciso instante, se abrió la puerta del salón.

—¡Nicolás! ¿Qué haces tú aquí?

—¡Damián! —dijo, mientras se levantaba del sillón y de daba un abrazo—. No sabía que te estábamos esperando a ti.

Jero y Batiste estaban asistiendo a la escena, asombrados.

—¿Os conocéis? —preguntó Batiste, de forma absurda, ya que era evidente que sí.

—¡Pues claro! Nicolás es sobrino de un buen amigo mío.

Se imaginaron que Damián se refería a Bernardo Almunia, el justicia criminal de la ciudad, pero ni Jero ni Batiste abrieron la boca.

—¿Eres tú el que va a jugar con nosotros? —preguntó Nico.

—Bueno, no es exactamente un juego —le contestó Damián—. Más bien se podría llamar ir de aventuras. ¿No te han explicado tus amigos qué vamos a hacer?

—No, tan solo me han invitado a venir.

—Anoche estuvimos hablando, ¿verdad? —ahora Damián se dirigía a Jero y Batiste—. Me propusieron no sé qué de jugar a un tribunal juvenil, pero, además de parecerme una tontería, yo no puedo hacer eso. Sin embargo, si lo que buscáis es diversión, en eso sí que os puedo ayudar. Ellos ya saben en qué consiste.

—¿Y qué esperas para contármelo a mí? —pregunto ansioso Nico.

—Vamos a retroceder en el tiempo, nada más y nada menos que al siglo XI. Ya veo la expresión en tu rostro, Nico. Crees que eso no es posible, ¿verdad? Pues te equivocas y ahora lo podrás comprobar por ti mismo —dijo Damián, con un tono de misterio en su voz.

—Si tú lo dices... —empezó una tímida contestación Nico.

—Antes de continuar —le interrumpió Damián—, tengo que solicitar el permiso del señorito Jerónimo.

«¿Mi permiso?», se extrañó Jero. «¿Para qué? Supongo que formará parte del *teatrillo* que está montando».

—Por supuesto, Damián —le contestó, haciendo una pequeña reverencia—. Tienes todas mis bendiciones.

—Perfecto, pues entonces, seguirme todos. Vamos a entrar en el pasado, por la puerta del tiempo que tenemos más cercana y, además, es la primera. La número cero.

Salieron del salón de la chimenea y, para la absoluta sorpresa de Batiste y Jero, se dirigieron a la habitación de este último. Damián abrió la puerta e hizo pasar a los tres amigos a su interior.

—¿Qué hacemos aquí? —preguntó Jero.—. Este es mi dormitorio.

—Es algo más que tu dormitorio —le respondió enigmático Damián.

—No te entiendo —le respondió Jero.

—Me parece que ya es hora de que le contemos a nuestro común amigo Nicolás en qué consiste nuestra aventura. No es justo que vosotros lo sepáis y él no —siguió Damián.

—Antes de eso, ¿qué tiene que ver todo eso con el lugar donde nos encontramos? —insistía Jero—. Es mi habitación particular.

—Ahora lo comprenderéis todos —respondió Damián, mientras extraía del interior de su uniforme un documento, de apariencia muy antigua.

—¿Qué es esto? —preguntó Batiste.

—Es el plano más antiguo que se conserva del Palacio Real de Valencia —respondió.

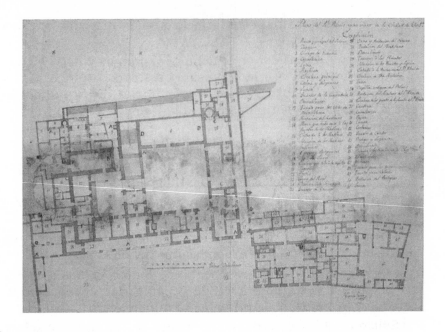

—Pero el palacio es bastante más grande —observó atinadamente Nico.

—Muy bien, veo que os fijáis. Este plano se centra, sobre todo, en el palacio viejo, es decir, el que se edificó sobre la finca de recreo árabe que existía con anterioridad, en estos mismos Jardines del Real. El palacio actual es más grande, ya que ha sido ampliado en numerosas ocasiones. Lo importante es que estáis observando el verdadero corazón del edificio, la parte originaria.

Los tres jóvenes se quedaron mirando con atención.

—¿Dónde nos encontramos ahora?

—En el corazón del corazón —respondió Damián—. Si os fijáis, en el centro del plano hay una gran estancia cuadrada. Esa es la sala que ocupa, en la actualidad, el tribunal del Santo Oficio para celebrar sus sesiones. El plano engaña un tanto, ya que, como os he explicado, es antiguo y ya no se corresponde con la distribución actual de estancias, que se han modernizado y reformado mucho a lo largo de varios siglos. Por ejemplo, en la época que confeccionaron este plano, esa gran sala era ocupada por la cocina.

—Para que nos orientemos, ¿dónde nos encontramos nosotros ahora? —preguntó Jero.

—Estamos en una de las estancias que se encuentra alrededor de ese gran espacio, pero a diferente nivel. El plano no distingue en alturas. Ahora mismo estamos en el tercer piso del palacio, sin embargo, el gran cuadrado se encuentra en el segundo.

Jero y Batiste se miraron. Aún sin haber visto jamás ese plano, con ayuda de las explicaciones de Damián, se orientaron perfectamente, ya que a través de la rejilla de la calefacción de la habitación de Jero, habían espiado, desde un lateral, algunas reuniones del Santo Oficio, en esa gran sala.

—¿Y por qué nos enseñas este plano tan antiguo? —preguntó Nico—. Seguro que habrá otros más recientes y más fieles a la distribución actual.

—Esa es la pregunta clave —respondió Damián, sonriendo—, y también es el motivo de que estemos aquí y ahora. Si vamos a descender al pasado, ¿qué mejor que tener el plano original más antiguo que se conserve?

—No entiendo nada, Damián —respondió Nico.

—Bueno, ya nos has dicho que no sabes en qué consiste la aventura que vamos a vivir. Tienes delante de ti parte de ella. Como ya os había dicho, el Palacio Real, en concreto el palacio viejo, se construyó sobre la antigua finca de recreo de los reyes musulmanes de la Taifa de Balansiya, nombre en árabe de la ciudad. Había dos elementos muy característicos en todas las edificaciones de origen árabe. La principal, que todo pivotaba alrededor del agua. La segunda eran los pasadizos secretos. A los reyes árabes les gustaba la discreción y poder salir del palacio, para pasear por los jardines y disfrutar del agua, sin ser vistos. En realidad, en la actualidad ocurre lo mismo con los reyes cristianos, sus palacios y los pasadizos secretos, aunque ahora tienen otra utilidad muy diferente —sonrió Damián—. Sois demasiado jóvenes para extenderme en explicaciones.

—¿Estás queriendo decir que nos vas a enseñar los pasadizos secretos de este palacio? —preguntó emocionado Nico.

—Bueno, hoy lo haré tan solo con uno de ellos, el más cercano al salón de la chimenea. Jero me preguntaba que hacíamos en su dormitorio. Muy sencillo. De aquí parte el primer pasadizo construido, después de las reformas.

—¿Cómo sabes que es el primero? Has dicho que hace cinco siglos que se construyeron —preguntó Jero.

—Así es. Conozco doce pasadizos secretos en el palacio viejo, y este está marcado con el número «0», por ello presumo que debe ser el primero.

Batiste y Jero se quedaron mirando, asustados. Como se imaginaban, Damián se dirigió al panel de madera junto a la rejilla de la calefacción, lo manipuló, y dejó al descubierto la oquedad que Batiste y Jero ya conocían perfectamente.

—¡Qué emoción! —dijo Nico—. ¿Vamos a entrar?

—Claro, para eso hemos venido. Anda, acercaros, no tener miedo. Ya he entrado en otras ocasiones y no hay nada que temer. Los alguaciles, para poder hacer bien nuestro trabajo en el palacio, los debemos conocer, aunque no aparezcan reflejados en ningún plano. Como es lógico, si son pasajes secretos, son secretos hasta para los planos.

Los cuatro accedieron a su interior. Damián encendió una pequeña antorcha.

—Mirad esa pared —les dijo—. Ahí tenéis el número «0» que os decía.

Batiste y Jero pegaron un respingo. No lo habían visto. En la anterior ocasión que habían entrado en el pasadizo, no se habían percatado. Se quedaron mirando, asustados. Ellos sabían que Damián estaba equivocado, pero para su absoluta sorpresa, fue Nico el que le sacó de su error.

—Este no es el pasadizo secreto número «0», Damián. Ese es un número árabe.

—¡Ah! ¿no? Mira, eso lo desconocía. ¿Y a qué número se corresponde?

—Al cinco.

—Bueno, eso tampoco tiene mayor importancia —dijo Damián—. Da igual que sea el cero o el cinco, la cuestión es que es de los originales árabes del siglo XI.

«Eso de que da igual, nada de nada». pensó de inmediato Jero.

—El pasadizo y su estancia final fueron reformados recientemente, pero para vivir una primera aventura, nos sirve —se explicó Damián—. Vamos a entrar y descender por unas escaleras el equivalente a cinco alturas. Es decir, llegaremos a dos niveles por debajo de la superficie —explicó Damián, mientras empezaba a descender. Lo siguió Nico. Jero cogió del brazo a Batiste y le susurró algo al oído.

—No te separes de mí ni por un momento, aunque Damián y Nico lo hagan.

—¿Por qué? —le preguntó Batiste.

—El cinco.

—Sí, yo también me he dado cuenta del error de Damián, ¿y qué?

—«B-M, III y V», ¿no lo recuerdas? Ahora resulta que nos acabamos de enterar que hay otras cosas que también están numeradas, no solo las puertas del Gran Consejo, como nosotros presumimos en un principio —se explicó Jero.

—¿De verdad crees que tiene algo que ver? —volvió a preguntar Batiste, ahora asustado.

—Ahora mismo no lo sé. En realidad, no tengo ni idea, pero no me negarás que es una casualidad muy conveniente.

—Me estás asustando.

—Asustados no, pero debemos de estar alerta en todo momento. Por otra parte, no sé si seremos capaces de entrar en la estancia final, esa maldita dependencia en la que estuvimos encerrados. No te olvides que la cerradura se encuentra obstruida por un objeto metálico que no permite su apertura —recordó Jero.

—¿Qué esperáis? —les gritó Damián—. No os retraséis, que la escalera es peligrosa sin la luz de la antorcha.

Descendieron los cuatro, hasta llegar a la puerta. Damián sacó un manojo de llaves. Introdujo en la cerradura una de ellas. Para sorpresa de Jero, la puerta se abrió sin ningún problema, emitiendo el sonido habitual. Damián y Nico entraron.

—¿Cómo te lo explicas? —le preguntó Batiste.

—Tan solo de una manera, y me da pavor. Vamos, entremos con ellos, y recuerda, permanece siempre a mi lado.

Damián comenzó su explicación, un tanto teatralizada. Era normal, debía darle emoción a un lugar oscuro, sucio y lleno de ratas.

—No tenéis que ver esta estancia como está ahora. Imaginaros que estamos viajando cinco siglos atrás. Por debajo de esta sala hay una gran conducción de aguas subterráneas. Se supone que, en su origen, los árabes la utilizaron para tomar los baños que tanto les gustaban. El propio rey Abd al Aziz, que fue quién mandó construir la finca de recreo original, seguro que disfrutaría de ellos. Estáis pisando suelo árabe de hace cinco siglos, nada más y nada menos. Impresiona, ¿verdad?

—Desde luego —dijo Nico, que estaba genuinamente impresionado.

—Vosotros dos, ¿no decís nada? —le preguntó Damián a Batiste y Jero, que permanecían en silencio.

—Yo estoy intentando recrear, con la mente, el siglo XI y los baños de esta sala —mintió Jero—. Debieron ser impresionantes, en el subsuelo y sin luz natural.

—Como podréis comprobar, hoy en día no son baños. Se reformó y, en la actualidad, no se conserva ningún plano original de la época. Ahora se trata de un despacho y una pequeña biblioteca casi vacía, que nadie usa. Lo único que aguanta es el agua, la podéis ver por todas partes, sobre todo impregnando las paredes. Tampoco sabemos si, en aquella época, esta estancia tendría algún tipo de entrada de luz natural, tenemos que suponer que sí. Por otra parte, no hace falta que utilicéis demasiado el poder de la mente. Hay gente que ha estado recientemente en esta sala.

—¡Ah! ¿sí? —respondió Batiste, que no quería que se le notara su extremo nerviosismo.

—Bueno, tú deberías saberlo mejor que nadie —le soltó, así de sopetón, Damián.

Batiste y Jero se quedaron completamente helados, sin saber reaccionar.

34 EN LA ACTUALIDAD, MIÉRCOLES 24 DE OCTUBRE

—Ni se os ocurra moveros ni resistiros. No os quiero hacer daño. Nada de violencia, a no ser que me obliguéis, y en ese caso, os aseguro que os arrepentiréis —dijo el número tres, con la voz muy firme.

—De acuerdo, pero suéltanos. Me vas a romper el brazo, como sigas haciendo fuerza —dijo Fornell, que estaba absolutamente asombrado. No entendía nada de lo que estaba sucediendo.

—Me rindo. Me quedaré inmóvil si me sueltas —dijo el número ocho, que también estaba aturdido.

—¡Por favor! Estamos en la casa del Señor —dijo el número seis—. Nada de violencia dentro de estos muros.

—¡Pues haber parado a sus colegas, eminencia reverendísima! No le he visto mover ni un solo dedo por impedirlo —dijo Carlota, cuyo estupor era todavía superior al del número uno.

—Bien dicho, hermana.

—No me adules, que no te va a servir de nada. ¿Cómo demonios lo sabías? —le preguntó Carlota—. ¡Ese era mi plan B! ¡Me lo has robado y no sé cómo!

Rebeca estaba sonriente. Había conseguido sorprender a su hermana, y eso ya era todo un logro.

—Voy a decir una frase que es muy tuya. A veces te olvidas de con quién estás tratando. Soy una Mercader-Rivera igual que tú.

—Ya, pero me has dejado alucinada.

—Anda Tote, suéltalos. No creo que tengan más ganas de violencia, al menos por el momento, pero no los pierdas de vista —dijo Rebeca, mientras se dirigía al encapuchado que se hacía pasar por el número tres.

Tote hizo caso a su sobrina. Se levantó la capucha. Les lanzó una mirada asesina a las dos puertas, que aún seguían en el suelo, como diciéndoles «a la próxima vez no seré tan delicada».

Sobrina y tía se fundieron en un abrazo.

—Aunque solo hayan sido tres días, te he echado de menos tanto como en un año —le dijo Tote.

—Lo sé, yo también. No te creas lo me costó interpretar aquel teatro.

Carlota asistía impávida a la conversación.

—Dejaros de ñoñerías. ¡Quiero una explicación ya! —exigió Carlota, dirigiéndose a su hermana.

Rebeca sonrió de forma indulgente, intentando imitar la expresión de Carlota.

—Quieres conocer cómo sabía que Tote era la falsa puerta número tres, ¿verdad?

—¡Pero ya!

—La explicación es muy sencilla. Nada más llegar a la reunión del Gran Consejo, en San Nicolás, ya me di cuenta de que nadie más que tú conocías que Tania Rives había fallecido. Todos los demás miembros no dudaron de su identidad. Si solo tú lo sabías, solo tú podías sustituirla. Los demás se creían que era la genuina Tania Rives. La guinda del pastel fue su saludo, cuando fue presentada por el número uno en San Nicolás. Fue idéntico al que hiciste tú en el último Gran Consejo, o sea, que solo tú se lo habías podido enseñar. Sé que te preocupas por mí y por mi seguridad, no soy idiota, y sé que habías hablado con Tote. El resto de la explicación me parece que ya sobra.

Carlota estaba boquiabierta.

—¿Sabes? Eres inteligente de verdad, todavía más de lo que das a entender.

—Después de tantos años, ¿ahora te das cuenta? Y eso que aún te faltan muchas sorpresas por conocer.

—Y ahora me dirás que no estás mintiendo, que has descifrado el Gran Mensaje y que sabes dónde está el árbol judío.

—Te lo digo —le contestó Rebeca, riéndose y alejándose de su hermana, dando la conversación por terminada.

—¡Oye! ¡No me dejes así! —le gritó.

Rebeca se dirigió al Gran Consejo.

—Me parece que la cuota de estupideces ya está cubierta por esta noche, ¿no? Ahora esperaremos tranquilamente unos minutos a que vengan las puertas quinta y séptima, ¿está claro? —dijo Rebeca, con un tono de voz muy autoritario—. Podéis sentaros en esta fila de bancos, la más próxima a la salida. Para nuestro propósito de esta reunión, no hace ninguna falta que estemos cerca del altar.

Carlota pensó que, esta noche, su hermana parecía otra, no la dulce Rebeca que conocía. Quizá la estaba descubriendo. Por primera vez sintió que otra persona, que no era ella, controlaba la situación. Y muy bien, por cierto.

De repente, escucharon unos golpes en la puerta principal de la iglesia. Todos se quedaron inmóviles. La exhibición de fuerza y la autoridad que emanaba de Rebeca, había dejado a los miembros del Gran Consejo como anestesiados. De lobos habían pasado a simples corderitos.

—Bueno, ya abriré yo —dijo la propia Rebeca.

Así lo hizo. Vio a dos personas cubiertas por la capa ritual, con su correspondiente capucha. Les franqueó el acceso.

—¿Lo habéis podido solucionar? —preguntó Rebeca.

—Más o menos —contestó el número cinco, la inspectora Cabrelles—. Nos ha costado mucho explicar qué narices hacíamos a esas horas, dentro de la iglesia de San Nicolás.

—¿No ha trascendido la reunión del Gran Consejo? —preguntó el número uno.

—No, pero me temo que el número seis deberá de dar alguna explicación a las autoridades. No he tenido más remedio que informar de que estábamos haciendo ejercicios espirituales con su autorización, tan solo los tres. No le he involucrado de forma personal.

—¿Y las capas negras? —preguntó el número seis.

—Nadie la llevaba puesta, ni siquiera el difunto profesor Lunel. Recordad que se la quitó Rebeca, que fue la primera que reaccionó cuando se desplomó. La escondí en mi bolso, junto con las nuestras. Afortunadamente, al estar nosotras presentes, todo ha sido mucho más rápido y sencillo de lo que suele ser habitual en estos casos, aunque hayamos quebrantado, al menos, una docena de protocolos médicos y policiales, hasta alterando el escenario de una muerte.

—Mejor —dijo el número seis—. No os preocupéis por el tema de la iglesia. Siempre que hay una reunión del Gran Consejo, informo al párroco de ejercicios espirituales de un grupo de feligreses, sin indicar el número de asistentes. Te facilitaré una copia de la autorización, además en el registro eclesiástico consta una hora anterior al triste fallecimiento del profesor. A pesar de la premura de esta convocatoria, procedí como siempre.

—Estupendo —contestó Sofía—. Me vendrá bien para justificar nuestra presencia en la iglesia a esas horas, que es el punto débil de toda la explicación que hemos tenido que ofrecer. Hasta a mí me resultaban extrañas mis propias argumentaciones. Como comprenderéis, se ha abierto un atestado judicial y policial, pero está bajo control.

«Le ha faltado decir que está bajo "su control", como inspectora del Grupo de Homicidios», pensó divertida Rebeca.

—Pues entonces, todo resuelto —comentó el número uno, intentando recuperar la iniciativa que había perdido—. Lamentando la muerte de la segunda puerta, creo que deberíamos dar sentido a nuestro desplazamiento hasta esta iglesia —dijo, mirando a Rebeca. Tanto ella como Carlota no se habían vuelto a poner sus capas. Eran las únicas.

—Sí, os debo una explicación —contestó.

«Ahora, a ver cómo sale de esta», pensó Carlota. «Tote puede contra dos, pero no contra los demás».

Rebeca se puso en pie y pidió al número uno que se sentara con los demás, en la última bancada de la iglesia.

—Sé que no es el procedimiento adecuado, pero hoy no es día para ellos. Quiero que me escuchéis atentamente y os ruego que intentéis interrumpirme lo menos posible, tan solo para cuestiones importantes, ya que podemos perder el hilo, y no es fácil de seguir.

Rebeca había conseguido su objetivo. Todos estaban expectantes. Comenzó el relato.

—Sabéis que soy la undécima puerta desde hace bastantes años, excepto los nuevos incorporados. Por una verdadera casualidad de la vida, mis padres, Julián Mercader y Catalina Rivera, también lo eran. No lo sabían cuando se casaron. Se enteraron al poco de quedarse embarazada mi madre. Fue ella la que me inició como undécima puerta, antes de los ocho años de edad. Desgraciadamente falleció muy poco tiempo después de aquello, dejando mi formación sin concluir. No me trasmitió su parte del Gran Mensaje. Posteriormente, me enteré de que mi madre no me había alumbrado a mí sola en el parto, tuvo gemelas. Aquí la tenéis conmigo —dijo, señalando a su hermana Carlota.

—Hola otra vez —dijo, saludando con la mano.

—A diferencia de mí, ella no fue iniciada como undécima puerta. Como le gusta decir, no tenía ni idea de grandes consejos ni de árboles judíos. Nuestros padres comunes, que mantuvieron el contacto con ella hasta su fallecimiento, jamás le contaron ni una sola palabra de todo ello. Por eso, cuando descubrimos que éramos hermanas, no tuve más remedio que reconocerle que yo sí que era una de las dos undécimas puertas, pensando que ella sería la segunda. En ese momento me pareció lo lógico. Me lo negó, y tenía razón. No me mintió.

—No lo entiendo —dijo el número seis—. Si tenía razón y no es la segunda undécima puerta, ¿qué pinta ella e incluso nosotros aquí?

—He dicho que tenía razón... en ese momento. Ella desconocía que fuera la segunda undécima puerta. Como os estaba contando, no me mintió, ni yo os mentí a vosotros, en aquel Gran Consejo que nos invitasteis a ambas, pero tan solo asistí yo —dijo Rebeca, mientras miraba a su hermana, con una pequeña sonrisa burlona en el rostro.

—Entonces, ¿es la segunda undécima puerta o no? —preguntó el número uno— No me aclaro con tu explicación.

—Lo es —contestó Rebeca.

—Si no fue iniciada ni sabe nada, ¿cómo puede serlo? —preguntó intrigado el número ocho.

—Ahora llegamos al meollo del asunto, no queramos ir más rápido de lo necesario.

—Sigo sin comprender nada —dijo Fornell.

—Recordaréis que, en la última reunión del Gran Consejo, intentasteis que os revelara mi mitad del Gran Mensaje, que, en teoría, debía custodiar. Mi respuesta fue que no lo tenía. En ese momento, supuse que fue por el repentino fallecimiento de mis padres. Como os acabo de comentar, mi madre no concluyó mi formación.

—¡Claro que lo recordamos! —siguió Fornell—. Te negaste a colaborar con nosotros.

—¡Error! —exclamó Rebeca, muy seria—. Tampoco os mentí.

—Entonces, si tu hermana no sabe nada porque no fue iniciada como segunda undécima puerta, y tú no tienes tu mitad del Gran Mensaje, ¿cómo pudisteis descifrar nada Abraham Lunel y vosotras? No lo comprendo —dijo el número uno, que ahora se había levantado de su asiento, pretendiendo volver a controlar la situación—. Nos habéis vuelto a engañar, aunque te esfuerces en negarlo.

—Si quieres que siga hablando, ¡siéntate y haz el favor de no interrumpirme más! —le ordenó Rebeca a Fornell, de forma claramente autoritaria e incluso amenazante, con tono de voz completamente inusual en ella.

El número uno se sentó de inmediato. Carlota asistía al espectáculo, incrédula con la actitud de su hermana. Jamás había visto a esta Rebeca.

—Si me dejáis, termino la explicación enseguida. Os preguntaréis, y es legítimo, ¿cómo sabes que tu hermana es la segunda undécima puerta? Y si no teníais ninguna mitad del mensaje, ¿cómo habéis podido descifrarlo? La única respuesta posible, como comprenderéis si lo pensáis un poco, es que, en realidad, sí que lo teníamos, aunque lo ignoráramos. Por eso sabemos que mi hermana es la segunda undécima puerta, porque ella también tenía su mitad del Gran Mensaje, aunque, como yo, no fuéramos conscientes de ello.

—Y eso, ¿cómo es posible? —preguntó el número ocho.

Rebeca cogió su bolso y sacó dos fotografías. Cogió una mesa de un lateral de la iglesia, apartó el cepillo para limosnas que la ocupaba, y las extendió.

—Tenéis ante vosotros las dos partes del Gran Mensaje —dijo, con un cierto tono solemne.

Se formó un pequeño revuelo. Todos los miembros del Gran Consejo se levantaron para observar las fotos de cerca.

—¿Quiénes son los que aparecen en la fotografía? —preguntó una puerta.

—En ambas aparece nuestro padre, Julián Mercader. La niña que está en la foto de la derecha soy yo. La otra es mi hermana Carlota —dijo, mientras la señalaba.

La cara de estupefacción de todos los presentes era mayúscula.

—¡Pero si son idénticas! ¿Qué clase de Gran Mensaje es este? —preguntó Fornell.

—Lo mismo pensábamos nosotras, pero no lo son —le contestó Rebeca—. Si os fijáis, en la librería del fondo de cada fotografía, observaréis un objeto diferente, en cada una de ellas. No es casual.

Todos volvieron a observar las fotos. Rebeca les señaló el lugar exacto.

—Sí, es verdad —dijo el número ocho—. En una hay tres libros apilados, y en otra una estatua.

—Es Santa Catalina de Alejandría, Virgen y Mártir —dijo el número seis, el miembro de la iglesia.

—Y los tres libros, aunque a simple vista no se pueda apreciar por lo deteriorado de la imagen, son una Biblia, un Corán y una Torah —continuó Rebeca.

—Los libros sagrados de las tres religiones monoteístas —dijo el número seis.

—Exacto. Uniendo lo que representan ambos objetos de las fotos, ¿no sacáis ninguna conclusión? —preguntó Rebeca.

—Estamos en una iglesia consagrada a la Virgen que representa esa talla de madera —dijo el número seis—. Eso es una coincidencia, pero eso no significa nada. Hay multitud de iglesias a lo largo y ancho de nuestra Diócesis que están consagradas a idéntica virgen.

—Estamos de acuerdo —le contestó Rebeca—, pero ahora entra en juego la segunda parte del Gran Mensaje, los tres libros.

—No te entiendo —siguió el número seis.

Rebeca hizo una pequeña pausa teatral a modo de homenaje póstumo al profesor Abraham Lunel.

—Se trata de los tres libros sagrados, de las tres religiones monoteístas. Debíamos de buscar una iglesia consagrada a Santa Catalina, que tuviera relación con las tres religiones. Pues estamos dentro de ella —dijo triunfal Rebeca.

Se hizo el silencio. Todos estaban expectantes con la explicación de Rebeca, hasta Carlota.

—Esta iglesia católica, que en un principio fue de estilo gótico, aunque ahora veamos multitud de elementos barrocos, se levantó sobre el solar de la antigua Mezquita Mayor, de religión islámica. En sus primeros tiempos de templo cristiano, en su cementerio se sepultaban a la gran mayoría de judíos de la aljama de la ciudad. Ahí tenéis la unión de las dos partes del Gran Mensaje —dijo Rebeca, en tono triunfal.

Todos los miembros del Gran Consejo se quedaron mirando a su alrededor, sorprendidos por la revelación de Rebeca, menos el número seis, que no parecía impresionado. Se puso en pie y pidió la atención de todos los presentes.

—Lo que has dicho no demuestra nada —intervino—. Se puede aplicar a multitud de templos, de igual manera que lo has hecho tú. Tengo entendido que eres graduada en Historia, y, en consecuencia, sabrás que era habitual que las iglesias cristianas se construyeran sobre antiguas mezquitas árabes o sinagogas hebreas. No nos has descubierto nada que la Historia no sepa. En toda España tenemos multitud de ejemplos de ello.

Ahora, todos estaban mirando a la sexta puerta.

—Para este viaje, no hacían falta alforjas, nuestro refranero es muy sabio.

—¿Qué quieres decir? —le preguntó uno de los presentes al número seis.

—Que hay multitud de iglesias por todos los rincones de España que cumplen esos mismos requisitos. No hacía falta haberse desplazado hasta este pueblo para encontrarnos un ejemplo.

—Explícate mejor —dijo uno de los presentes.

—Para que lo entendáis, os voy a poner un ejemplo práctico que todos conocemos —continuó—. A escasos metros de nuestro lugar habitual de las reuniones del Gran Consejo, la iglesia de San Nicolás en Valencia, se encuentra la impresionante iglesia de Santa Catalina, en un lateral de la plaza de la Reina.

—¿Y qué tiene en común con toda esta historia? —preguntó uno de los miembros.

—Un poco de paciencia y enseguida lo comprenderéis. Supongo que todos la conoceréis por su espectacular e imponente torre campanario, que está considerado como una de las torres barrocas más originales de España, aunque el interior de la iglesia sea de naturaleza eminentemente gótica.

La visión del campanario desde la modernista calle de la Paz, es, sin duda, de las mejores estampas de Valencia.

Todos seguían atentos a las explicaciones del número seis.

—Pues bien, la iglesia de Santa Catalina de Valencia también se levantó sobre una mezquita árabe anterior, que estaba en el mismo emplazamiento. Incluso su antiguo campanario, que fue reemplazado por el actual, era de origen bajomedieval. Repito, todo esto era algo muy común en aquellos siglos.

—¿Y la relación con la religión judía? —preguntó Rebeca.

—Muy sencilla. Cuando se produjo la destrucción de la judería de Valencia, en el año 1391, muchos de sus moradores huyeron, a través del portal de la Figuera, que daba a la actual plaza de la Reina, con el objeto de buscar protección en la Catedral de Valencia, entonces conocida por el nombre de *La Seu*, y en la iglesia de Santa Catalina, entre otros templos cercanos a la judería. Una vez en su interior, se convirtieron al cristianismo y salvaron sus vidas —explicó el número seis—. Ahí tienes la relación de las tres religiones. Te podría poner muchos más ejemplos a lo largo de toda la geografía española, pero creo que con uno es suficiente para que me comprendáis, porque me imagino que lo habréis hecho, ¿verdad?

Todos los miembros del Gran Consejo asintieron con la cabeza.

«Vaya, ya le ha desmontado todo el argumento a Rebeca», pensó Carlota, que, por un instante, le había dado la impresión que controlaba la situación. Ahora parecía que no. Se fijó en su hermana. Era admirable. Después de todo el chaparrón histórico que le había caído, seguía sonriendo. Hoy estaba verdaderamente sorprendida con ella.

—Sí, en todo lo que nos ha narrado tiene razón, eminencia —dijo, dirigiéndose al número seis—, pero no ha tenido en cuenta todos los factores. ¿Se ha parado a pensar dónde nos encontramos exactamente? ¿En qué pueblo? Piense un poco, y de paso, todos los demás. Creo que conocemos de sobra a historia del árbol y del Gran Consejo.

Carlota no había entendido ni palabra. Miró hacia la puerta de la iglesia. No estaba lejos. Supuso que, en cualquier momento, tendrían que intentar salir corriendo hacia ella. «Estamos atrapadas en el interior de este templo, momentos antes de estallar una tormenta», pensó, con cierto temor.

Para su absoluta sorpresa, un grito la sacó de sus pensamientos.

Era Bernat Fornell.

Ahora lo había comprendido.

—¿Qué quieres decir con que hay gente que ha estado recientemente en esta sala y que yo debería saberlo? —preguntó Batiste a Damián, armándose de fuerzas e intentando no trasmitir su extremo nerviosismo—. ¿Por qué yo, precisamente? No consigo entenderte.

—Pues me parece evidente —le respondió Damián, aguantándole la mirada.

—Pues a mí no —le respondió. Lo que aguantaba Batiste era una enorme presión.

La mente de Jero estaba funcionando a toda velocidad. Aquello no tenía sentido por parte de Damián. Admitir que sabía que ellos habían estado encerrados en aquel lugar, era casi como reconocer su culpabilidad. No existía ninguna razón para que lo hiciera. Había algo que se les estaba escapando. Decidió intervenir para ayudar a Batiste, ya que lo veía muy alterado.

—Escucha, Damián. Aquí tan solo han entrado ratas, al menos en los últimos veinte o treinta años. No hay más que polvo y suciedad por todas partes. Además, este pasadizo secreto parte de mi habitación. No está en ninguna zona pública del palacio. Te equivocas, eso que afirmas es imposible.

Damián soltó una sonora carcajada.

—Tienes razón, Jero —dijo.

—Entonces ¿por qué te has dirigido a Batiste diciéndole que él debería saber que en esta sala ha entrado gente recientemente?

—Cuando digo recientemente, no me refiero ni a ayer ni a anteayer. Como bien dices, aquí no ha entrado nadie desde el mes de mayo de 1500, es decir, hace casi veinticinco años.

—Aún lo entiendo menos —le replicó Jero, que, en su interior, respiró con tranquilidad—. ¿Cómo puedes precisar tanto la fecha? Y, sobre todo, ¿por qué tendría que saber nada Batiste de algo que sucedió antes de que naciera?

Damián seguía de buen humor.

—Otra vez tienes razón —le respondió.

—Pues ya no entiendo nada —ahora intervino Batiste, que se había tranquilizado, como Jero.

—Voy a responder a las preguntas de Jero, si no te importa —dijo Damián—. A la pregunta de cómo puedo precisar tanto la fecha es, porque en 1497, entré a trabajar como mozo de cuadra en este mismo palacio y recuerdo espiar su construcción. Y en cuanto a la segunda pregunta, es cierto que Batiste no había nacido, pero sí Johan, su padre.

—Por favor, Damián —le rogó Jero—. Explícate mejor. Sabes que ninguno de los tres te estamos entendiendo ni una sola palabra.

—¿Esto no era un juego? Trato de hacerlo ameno y distraído, aportando algunos datos curiosos —se defendió Damián.

—No nos has aportado ninguno —le respondió Jero.

—Todavía —dijo Damián, riéndose de nuevo—. Os he dado pistas, que veo que desconocéis.

—¿Pistas? —preguntó Batiste, incrédulo.

—Sí, pistas. Ya veo que tu padre no te ha contado nada del tema. Es buena señal.

—¿Qué me tenía que contar mi padre que tenga que ver con esta conversación?

—Algo muy elemental. Que fue precisamente tu padre, Johan Corbera, el responsable de la construcción de esta estancia, como la estáis viendo ahora. Ya entonces era maestro *pedrapiquer*, y, en calidad de tal, el Santo Oficio le encargó el trabajo de remodelación de este espacio. Comenzó su labor en 1497 y lo concluyó un año después.

Batiste y Jero se quedaron pálidos. Johan nunca les había informado de ese detalle. Aquello era extraño. Le habían contado que se habían quedado encerrados en aquella estancia, y se hizo el sorprendido acerca de su existencia, cuando, en realidad, la había construido él. La conocía perfectamente, pero no les dijo nada.

—Veo, por vuestras expresiones, que no lo sabíais. Quizá sea normal, ya que se trata de una estancia secreta, y a Johan Corbera le pedirían máxima discreción en este tipo de salas. No debía de hablar de ellas con nadie. Por eso os he dicho antes de que es buena señal que no sepáis nada, eso significa que, no solo es diligente con su trabajo, sino que además es discreto, cualidades muy apreciadas por el Santo Oficio. Pensad que es el maestro *pedrapiquer* principal de la ciudad, y persona de confianza de la Iglesia. Por cierto, que sepáis que no es la única sala secreta que ha construido en este palacio y en otros edificios singulares de la ciudad, que permanecen ocultas.

—No sabía nada —acertó a decir Batiste—. Nunca me cuenta gran cosa de su trabajo habitual, así que, supongo que todavía menos de estancias secretas encargadas por la Iglesia. En cuanto a lo de discreto, ya te puedo asegurar que lo es, y mucho.

Jero estaba pensando a toda velocidad. De inmediato, su mente se iluminó.

—Dices que el padre de Batiste inició la construcción de esta sala en 1497 por orden del Santo Oficio, pero ¿de quién en particular? ¿Quién fue la persona que la mandó reconstruir y la utilizó?

—Como os acabo de contar, yo ya trabajaba en el palacio en aquella época. Aunque estaba en las cuadras, de vez en cuando, los mozos nos escapábamos y entrábamos en el interior. Pensad que entonces tenía dieciséis años. Era toda una aventura para nosotros.

—No has respondido.

—¿Cómo quieres que un mozo de cuadra sepa qué persona en concretó ordenó las obras? De eso no tengo ni idea, pero sí que sé otra cosa que nos va a conducir al mismo lugar.

—Sigo sin entenderte.

—Vamos a ver, que sé que los tres sois bastante inteligentes —dijo Damián—. Simplemente no habéis formulado la pregunta adecuada.

—Ya veo que quieres darle emoción a la visita, ¿verdad? —le preguntó Jero, que se estaba impacientando, pero, al mismo tiempo, su mente trabajaba a toda velocidad.

—En eso consistía, ¿no? Si no le aporto algo de misterio, no tendría tanta emoción.

—¡Claro, qué idiota! —gritó, de repente, Jero.

Batiste y Nico se quedaron mirando a su amigo.

—Veo que, al fin, lo has comprendido —sonrió Damián.

—Este pasadizo no parte de una zona pública del palacio, sino de una habitación privada. Es lógico pensar que su morador fuera la persona que ordenara la reconstrucción de esta sala. Recuerdo que, una vez —continuó Jero, ahora dirigiéndose a Damián—, te pregunté quién había utilizado esta habitación con anterioridad a mí. También me acuerdo de tu respuesta. Afirmaste que, desde que este ala del palacio fuera ocupada por el Santo Oficio, siempre había sido morada de inquisidores, pero no me nombraste a ninguno.

Damián comenzó a aplaudir.

—¡Premio para Jero! —exclamó—. Como recompensa, ¿te cuento una cosa curiosa? La última persona que la utilizaba, cuando venía a la ciudad, era tu propio padre, hasta que tú llegaste al palacio, que te la asignó a ti.

Jero se quedó pensativo por un instante. Tomo nota mental de ese detalle. No sabía por qué, pero le pareció significativo, ya que tampoco se lo había contado. Comprendió que su padre también debía conocer este despacho secreto.

Después de un corto silencio, casi sin inmutarse, Jero se volvió a dirigir a Damián.

—Entonces, no me hacen falta más preguntas. Ya conozco la respuesta.

—Pero por la cara de tus amigos, es fácil deducir que no la saben —dijo Damián, mirándolos—. ¿Te importaría explicársela a ellos?

—Es muy sencillo. En 1497 tan solo había un inquisidor en Valencia. Hasta el año siguiente no llegó el segundo, Rodrigo Sanz de Mercado. En consecuencia, tan solo hay un candidato posible.

—Exacto. Desde 1491 hasta 1498 el único inquisidor de la ciudad fue don Juan de Monasterio. No es complicado suponer que fuera él la persona que ordenara la construcción de esta especie de despacho, ya que ocupaba la habitación que ahora tiene asignada nuestro amigo.

—Además —continuó Jero— Has dicho que no había sido utilizada desde mayo del año 1500. Si no recuerdo mal, en esa misma fecha, fueron cesados los dos inquisidores de la ciudad, Monasterio y Mercado.

—Sigues sorprendiéndome, Jero. Tienes razón. El rey Fernando el Católico, en mayo de 1500, nombró a Juan de Loaysa y a Justo de San Sebastián como nuevos inquisidores del tribunal de Valencia. Pero volviendo al tema que nos ocupa, hay una cuestión fundamental, como ya ha indicado acertadamente Jero. Pensad que el único acceso a esa sala secreta parte de esta habitación. Además, Juan de Monasterio era muy organizado y un gran lector. No me extrañaría que esta estancia fuera su particular biblioteca.

Cuando Jero escuchó la última palabra de la explicación de Damián, junto con el nombre del inquisidor Monasterio, se tambaleó durante un instante. Estaba pálido de verdad.

—¿Os importa que me siente un momento? Me he mareado un poco, pero me recuperaré en un minuto. Por favor, Batiste, quédate conmigo y vosotros dos —dirigiéndose a Damián y Nico—, seguid con la visita de la estancia. Enseguida nos incorporaremos nosotros. No queremos estropearos esta magnífica e instructiva aventura.

Damián se quedó mirando a Jero.

—Bueno, vale, pero si te encuentras peor, lo dices y nos vamos.

—No te preocupes —le respondió, mientras se alejaban de ellos.

—Tú no estás mareado —le susurró Batiste—. Te conozco de sobra.

—Pues claro que no, pero acabo de descubrir el gran misterio que perseguíamos, y necesitaba que nos quedáramos solos, en la penumbra, por un minuto —dijo, mientras se levantaba del suelo de un brinco.

—¿Qué gran misterio?

—Por fin sé qué significa «B-M, III y V». Estábamos equivocados.

—¿En qué?

—Fíjate dónde nos encontramos ahora mismo.

—Te recuerdo que no es la primera vez que la visitamos. Ya me fije lo suficiente en la anterior ocasión.

—No sirve. Ahora mírala con otros ojos. Esta biblioteca, como la ha definido acertadamente Damián, perteneció al inquisidor Monasterio, que era muy organizado, como ya sabíamos. ¿Para qué querría una biblioteca secreta? Podía utilizar cuando quisiera la del Santo Oficio, que se encuentra justo aquí al lado. Por otra parte, fíjate que no está dispuesta ni organizada como la otra. Aquí sí que hay números de pasillos y estantes —dijo Jero, que parecía emocionado.

—Te vuelvo a recordar que eso ya lo vimos la primera vez que estuvimos aquí.

—¿No lo entiendes? Sabemos que Monasterio trabajaba para el Gran Consejo, y ahora mismo, estamos en su biblioteca, en el pasillo número tres y ahí enfrente se encuentra el estante número cinco.

Batiste abrió los ojos como platos.

—«**B**iblioteca **M**onasterio, pasillo **III** estante **V**» —casi grito Batiste, cuando lo comprendió.

—¡Shhh! —exclamó Jero, que, en dos segundos, ya se encontraba en ese estante en concreto.

Empezó a mirar en ese lugar. Nada. Para su absoluta sorpresa, allí no había ningún legajo ni documentación alguna. Estaba vacío.

—¡Qué extraño! —dijo—. Pensaba que había resuelto el acertijo. Creía que era una indicación que mi padre nos había dejado para encontrar lo que el inquisidor Monasterio había ocultado al Santo Oficio. Todas las pistas nos llevaban a este estante.

—¿Te refieres a...? —comenzó a decir Batiste.

—Sí, a los documentos relativos al Gran Consejo, que el propio inquisidor dijo que los había sepultado en un lugar remoto —le interrumpió Jero—. No se me ocurre mejor descripción que esta lúgubre estancia. Sin embargo, no hay nada.

—Pero aquí no hay legajos ni documentos. En consecuencia, estás equivocado en tu razonamiento —observó Batiste.

—No hace falta que me recalques lo obvio —le respondió, algo enojado.

Batiste se quedó mirando, con más detalle, en ambas direcciones del estante número cinco. Jero había buscado documentación, que debía ser voluminosa. De eso no había nada, pero algo le llamó la atención.

—Mira, Jero. Aunque no haya ningún legajo como esperabas, en el lado izquierdo parece haber un papel suelto.

Jero volvió a fijarse en el estante, lo vio y lo tomó entre sus manos. Lo leyó. Su cara reflejaba el desconcierto. A pesar de no entender el significado de aquello, lo que sí que intuyó fue una clara advertencia. Tenían que salir de allí cuánto antes. Se guardó el papel en su jubón. Ahora, su rostro sí que estaba blanco de verdad.

—¡Hemos de salir de aquí ya! —exclamó con la voz temblorosa aunque en un tono muy elevado, olvidándose que tenían compañía y, hasta ese momento, estaban hablando en susurros.

—¡Calla! No hables así, que nos podrían escuchar —le respondió Batiste, que se había contagiado del nerviosismo de Jero.

—¿Qué murmuráis? ¿Estáis bien? —oyeron la potente voz de Damián, que parecía acercarse hacia donde se encontraban.

—Te lo había dicho —insistió Batiste, en un susurro—. Espero que no hayan oído nuestra conversación. No deben saber nada del Gran Consejo ni de Grandes Mensajes.

—Eso no importa —le respondió Jero.

—¿Qué dices? ¿Acaso los nervios te han trastornado?

Jero le explicó el motivo, al mismo tiempo que Damián y Nico aparecían por el principio del pasillo, en dirección a donde se encontraban.

Ahora, Batiste estaba todavía más pálido que Jero. Lo que le acababa de contar su amigo era una auténtica bomba.

«Tenemos que salir de aquí de inmediato», pensó.

36 EN LA ACTUALIDAD, MIÉRCOLES 24 DE OCTUBRE

—Por su reacción, con ese grito que ha retumbado en todo este templo, veo que ya hay alguno de los presentes que ha sido capaz de desentrañar el misterio del Gran Mensaje —dijo, dirigiéndose al número uno.

Fornell no respondió a Rebeca, parecía que se encontraba en estado catatónico, en su propio mundo. Ni siquiera alzó la vista para mirar a sus compañeros.

—Bueno, él jugaba con ventaja —continuó—, ya que es el *Keter* y, por su posición dentro del Gran Consejo, conoce y ha comprendido cierta información, pero la realidad es que aún falta lo mejor.

—¿Lo mejor? ¿A qué te refieres? —dijo el número seis.

—Me refiero a que tienes razón. Que cómo bien has explicado hace un momento, por sí mismas, las dos fotografías tampoco suponen una prueba concluyente de nada. Eso ya lo tenía claro antes de comenzar la explicación.

—Entonces, ¿qué nos has contado? ¿Una simple conjetura sin ningún valor probatorio?

—No, ni mucho menos —respondió Rebeca de inmediato—. Yo, ni adivino ni conjeturo, tan solo demuestro cuestiones que devienen irrefutables, a partir de pruebas concluyentes y hechos racionales. Pienso, analizo y deduzco. Jamás adivino. ¿Entiende la sustancial diferencia, eminencia?

«Me está copiando de forma descarada», pensó Carlota. «Esa es otra frase mía». Estaba muy enfadada. «Mañana, mientras esté durmiendo, le tiño el pelo de pelirrojo, que ya es lo único que le falta para ser yo».

—No te entiendo —continuó el número seis.

—Hay algo de suma importancia que no conocéis todavía. Ahora llegamos a la parte más interesante y, al mismo tiempo, también más curiosa.

—¡Venga, no te hagas de rogar! —exclamó el número ocho, nervioso.

—Tranquilos, que de aquí no saldremos hasta que todos lo hayáis comprendido. Lo que quería deciros, lo verdaderamente importante, es que existe un segundo Gran Mensaje, también dividido en dos partes. Mi hermana y yo tenemos una parte, cada una.

Todos los miembros del Gran Consejo se sorprendieron de forma evidente.

—¿Para qué? —preguntó el número seis—. ¿Cuál es su utilidad? ¿Por si se extraviaba el primero? ¿Es una especie de copia de seguridad?

—No. Son completamente diferentes. Se podría decir que uno es complementario del otro. Sin unir los dos, nada tiene sentido.

—Jamás hemos conocido la existencia de dos Grandes Mensajes. A lo largo de los siglos, siempre se ha hablado de tan solo uno —dijo el número ocho—. ¿Estás segura de lo que nos estás contando? Es una gran novedad para todos los miembros del Gran Consejo.

—Pero es un hecho incuestionable. Hasta hace bien poco, sabéis que desconocía que, ni mi hermana ni yo, poseyéramos ni uno solo de ellos. De repente, nos damos cuenta de que, en realidad, no solo teníamos uno, sino dos cada una. Comprended que, en un primer momento, también nos desconcertáramos, hasta que los desentrañamos y lo entendimos todo. Nos pareció hasta lógico.

«¿Los hemos desentrañado?», se preguntó Carlota. «¿Eso, cuándo ha ocurrido?». Estaba muy expectante, porque no sabía dónde quería llegar su hermana. No la comprendía, y eso que se estaba estrujando hasta la última de sus poderosas neuronas. «Me lleva demasiada ventaja, esto no es normal. Mañana se despierta pelirroja, como yo me llamo Carlota», sonrió por lo bajo.

—¿Por qué os parece algo lógico? —preguntó el número seis—. Yo no lo veo ni sigo tu razonamiento.

—Precisamente tú tenías que entenderlo mejor que nadie, después de la magnífica intervención con la que nos has obsequiado hace un momento.

—Pues no lo hago.

—En realidad, si lo pensáis, ya os lo he dicho, corroborado por su eminencia. Descifrando tan solo uno de los Grandes Mensajes, las dos fotografías, no se obtenía una respuesta concluyente al cien por cien. Había que complementarlo con el segundo, para, una vez unidos los dos, ser capaces de entender el Gran Mensaje en toda su plenitud.

—Ya nos has explicado el primero de ellos. ¿Cuál es el segundo? —preguntó uno de los miembros.

—Algo muy curioso y que aún nos plantea alguna duda. Unos tatuajes.

—¿Tatuajes?

—Sí. Mi hermana y yo tenemos tatuadas, cada una en su nalga izquierda del culo, unos trazos muy similares. De hecho, en un principio, pensábamos que eran diminutas marcas de nacimiento idénticas entre ellas, y no les prestamos demasiada atención. Pero una vez observadas con más detenimiento, nos dimos cuenta que no eran exactamente iguales.

—Como las fotografías —observó el número ocho.

—Sí, algo que parece idéntico, sin embargo, no lo es. Aquí terminan las similitudes con ellas. En el caso de los tatuajes, son dos mitades de una unidad.

—¿Os tatuaron la mitad de algo a cada una? —el número ocho estaba sorprendido—. ¿Estáis seguras de que tienen que ver con el Gran Mensaje y no son fruto de una noche alocada de juerga? Sois insultantemente jóvenes.

—Completamente, y ahora lo entenderéis todos —continuó Rebeca.

Carlota no sabía qué iba a comprender, así que decidió seguir observando las reacciones de todos los presentes, como simple pasatiempo. Fornell continuaba extrañamente callado. Tenía cierta expresión de miedo en su rostro. Era el único que desentonaba, en todo el grupo.

—¿No nos iréis a enseñar vuestros culos? —dijo el número seis, algo cohibido.

—No sea remilgado monseñor —le respondió, medio riéndose, el número ocho—. Si es necesario para la causa, estamos dispuestos a sacrificarnos.

—No se preocupe, su eminencia —respondió Rebeca, riéndose también—, no será necesario. Además, tampoco serviría de nada. Los tatuajes son tan diminutos que, ninguno de vosotros, sería capaz de apreciar su diferencia a simple vista. Necesitaría una lupa de muchos aumentos.

—Y entonces, ¿qué pretendes?

Rebeca abrió su bolso, y esta vez extendió dos fotografías en la misma mesa de limosnas que había tomado prestada, de uno de los laterales de la iglesia.

—Esta primera se corresponde con el tatuaje en la nalga de mi hermana Carlota.

Todos se aproximaron a observar la primera fotografía de lo que esperaban que fuera el culo de Carlota. Lo que se encontraron no se parecía nada a ello.

—No parece nada a una nalga. Más bien se asemeja a un plano —dijo el número ocho.

—O un símbolo tribal de esos que se tatúan en las discotecas modernas —opinó el número nueve—. ¿Seguro que tiene que ver con las fotografías con vuestro padre?

—Estoy completamente segura —dijo Rebeca, con la voz muy firme.

—Por mi trabajo, conozco multitud de símbolos, y os aseguro que ese no está entre ellos —dijo el número seis.

—Porque no tenéis la imagen completa. Esta segunda fotografía se corresponde con mi tatuaje.

Todos se aproximaron a observarla, Fornell y Rebeca incluidos.

—Son imágenes ampliadas cincuenta veces, para que os hagáis una idea de su tamaño real. Ahora os mostraré ambos tatuajes unidos, mediante un programa informático de tratamiento de imágenes, añadiéndole un fondo, para que resaltaran mejor sus trazos.

El número seis se sobresaltó de forma evidente. Los restantes miembros del Gran Consejo se dieron cuenta, y quedaron a la espera de su explicación.

—Veo que estáis todos observándome. Sí, es cierto. Conozco la procedencia de ese último símbolo. Juraría que es de origen hebreo —dijo, que, por su cargo, tenía amplios conocimientos en materia de simbología religiosa—, aunque no estoy plenamente seguro. En cualquier caso, parece bastante antiguo.

—Tiene toda la razón, es un símbolo de origen judío —contestó Rebeca.

—¿Y qué? —preguntó impaciente el número ocho.

—¿No le parece curiosa su procedencia? Estamos buscando un tesoro judío. ¿Cree en las casualidades?

—¡Qué más da en lo que crea! Lo que me interesa es qué tiene qué ver con las fotografías de los tres libros y la talla de esa virgen que nos has mostrado antes —continuó el número ocho.

«Ahí te quiero ver», pensó Carlota. «A ver cómo contestas a esa pregunta». Sin duda, se aproximaba el momento clave de la noche y tenía verdadera curiosidad por ver cómo su hermana era capaz de salir del atolladero, en el que ella misma se había metido.

—Para empezar, como ya os he contado, se trata de un símbolo judío de finales del siglo XIV. ¿De verdad no os dice nada esta fecha? ¿De verdad sois miembros del Gran Consejo? No lo parecéis. Que una extraña a vosotros os lo tenga que recalcar...

—¡Pues claro! —contestaron varios miembros a la vez, que ahora miraban los extraños trazos con otros ojos.

—Entonces, ¿no es un mapa de algo? —insistió el número ocho—. Tiene toda la pinta.

—No —respondió Rebeca—. Es un símbolo que representa una planta.

—¿Una planta? —siguió preguntando el número ocho—. ¿Estás segura? A mí no me parece eso. No conozco ninguna ni siquiera parecida a ese dibujo.

—Por eso es un símbolo y no es un dibujo.

—Y si es un símbolo, ¿qué representa?

—Si tuviera acceso a la biblioteca del arzobispado, estoy seguro de que lo averiguaría —dijo el número seis—, pero, ahora mismo, no reconozco que planta puede ser.

—Para eso estoy yo aquí, que sí lo sé. Representa la hedera —respondió Rebeca.

—No me suena de nada. Esa, ¿qué planta es? ¿Alguna endémica de aquella época? —preguntó el número nueve.

—No, en realidad, es bastante común en todo el mundo, en la actualidad. Se la conoce vulgarmente como hiedra, pero como ya os comentaba, es un símbolo. No se refiere exactamente a la planta en sí misma, sino a su significado metafórico, algo así como lo que se nos enreda en los pies y no nos deja avanzar bien.

Todos se quedaron callados, intentando comprender las palabras de Rebeca, que se estaba empezando a impacientar, por la lentitud de comprensión de los miembros del Gran Consejo.

—¡Por favor! ¿En qué pueblo estamos? ¿No me digáis que no comprendéis el Gran Mensaje? ¿No conocéis la historia del Gran Consejo? Ya tendríais que saber el emplazamiento exacto del árbol, con todo lo que os he mostrado y explicado. Estoy decepcionada. Tan solo hay una persona que parece haberlo comprendido, a juzgar por su expresión, desde hace un buen rato. El número uno.

«¿De qué me suena este pueblo?», pensó Carlota.

«Las zarzas salvajes habían terminado por colonizar el espacio y apenas les dejaban acceder, enredándose entre sus tobillos». Ese pensamiento se le vino, de repente, a la mente.

—¡Claro! —gritó Carlota.

Todos se quedaron mirándola.

Justo en ese momento, Batiste y Jero vieron aparecer a Damián y a Nico por el principio del pasillo. Se encontraban en la estancia secreta que partía de la habitación de Jero, que había simulado un mareo.

—¿Cómo te encuentras? —preguntó Damián—. Por cierto, Batiste, tú tampoco tienes buen aspecto. Supongo que será por el aire de esta habitación. Lleva tanto tiempo cerrada que estará viciado, además de todo el polvo y la suciedad que se acumulan por donde mires.

—No me termino de recuperar. ¿Os importaría que subiéramos un momento a mi habitación? Esta estancia está muy sucia como para tumbarme en el suelo. Quizá un par de minutos en mi cama me basten y luego, podamos volver a reanudar la visita.

—Yo también lo agradecería —dijo Batiste—, aunque no necesite tumbarme.

—Claro, no hay ningún problema —dijo Damián, mientras todos se dirigieron hacia la salida. Subieron las escaleras y entraron de nuevo en la habitación de Jero, que se apresuró a tumbarse en su cama. Batiste se sentó en la primera silla que vio.

Si me disculpáis un momento —empezó a decir Damián—, ya que hemos salido del pasadizo secreto, voy a darme una pequeña ronda por el palacio y visitar a la virreina, para comprobar que todo esté en orden. Ya sabéis que son mis nuevas ocupaciones.

—Claro, estás de guardia —le contestó Jero—. Cumple con tu trabajo, por nosotros no te preocupes.

Cuando se encontraron los tres amigos solos en la habitación, de inmediato, Jero se levantó de la cama.

—¡Menos mal! —exclamó, claramente aliviado.

—¿Menos mal qué? —preguntó Nico, sin entender ni la pregunta ni la repentina mejoría de Jero.

—Decía que menos mal que se ha marchado la tercera puerta.

Batiste, que, en ese momento, estaba bebiendo un poco de agua, se atragantó y empezó a toser. A pesar de que Batiste ya le había dado la noticia en la estancia secreta, no pudo evitar estremecerse. Como pudo, respondió a su amigo.

—¡Pero qué dices! ¿Te has vuelto loco?

Nico permanecía en silencio, observándolos.

—Batiste —dijo Jero—, como ya te he informado hace un momento en el subterráneo, en esta excursión por los rincones secretos del palacio, se ha dado la curiosa circunstancia de que los cuatro componentes de la misma somos puertas. Ahora que lo pienso mejor, igual no ha sido una curiosa coincidencia, ¿no os parece?

Ahora se giró a mirar a Nico.

—No me equivoco, ¿verdad?

Batiste estaba descolocado. Sabían que Damián era la tercera puerta, ya que habían asistido furtivamente al primer y único Gran Consejo que había convocado el conde de Ruzafa, ocultos debajo de la mesa. Aunque no habían visto sus caras, reconocieron perfectamente la voz de Damián. Pero tan solo habían asistido las tres primeras puertas, y Nico no estaba entre ellas.

—No sé de qué estás hablando, no te entiendo —respondió muy serio Nico.

—¿De verdad que me va a tocar dar toda la explicación? —preguntó Jero—. Tenemos cosas más urgentes que hacer, antes de que vuelva Damián.

—Yo tampoco te entiendo —dijo Batiste—. Así que, mucho me temo que sí que vas a tener que dar explicaciones.

Jero hizo un gesto de fastidio.

—Damián es la tercera puerta— dijo, dirigiéndose a Nico—. No me hagas perder el tiempo explicando cómo Batiste y yo lo sabemos. En cuanto a tu persona, es evidente que eres la quinta puerta.

—No sé qué significa eso ni tengo la más remota idea de qué estás hablando —insistió.

—Está visto que me va a tocar explicarme y no tenemos mucho tiempo —se dirigió a Nico—. Para empezar, ¿cómo tienes tanta información de Blanquina March? Ya sé que nos contaste que el profesor Urraca leyó, en la escuela, un texto en latín de Luis Vives, pero en ningún momento nombró a Blanquina, su madre. Ni siquiera aparece en ninguno de los libros de la escuela, que ya lo he comprobado. Falleció hace muchos años, siendo muy joven, y ya nadie se acuerda de ella en la ciudad. Bueno, nadie no. Los miembros del Gran Consejo son los únicos que no pueden olvidarla.

—No sé qué dices. Además de la escuela, también leo libros en la pequeña biblioteca que tengo en mi casa, ¿sabes? En concreto, poseo uno acerca de las vidas de las familias Vives y March —se defendió.

Jero se permitió, ahora, una pequeña sonrisa.

—No existe ni un solo ejemplar de ese libro al que te refieres, no me mientas. El Santo Oficio proscribió cualquier publicación sobre las familias Vives-March-Valeriola. De hecho, los confiscó todos y obligó a los que tuvieran cualquier ejemplar a estregárselos, bajo pena de excomunión y ser penitenciados. Los libros fueron quemados públicamente, junto con el responsable de su impresión. Un pobre hombre procedente de los territorios de Flandes, que no sabía ni lo que estaba publicando.

—Entonces, quizá el mío sea el único ejemplar.

— En el hipotético caso de que se hubiera salvado alguno, tú jamás lo tendrías en tu casa. No os podéis arriesgar, con vuestra posición social. Lo siento Nico, no puedo perder más tiempo con explicaciones inútiles. Sé que eres la quinta puerta y nos estás retrasando. Por favor, mira esto —dijo Jero, muy enfadado, mientras extraía de su jubón el papel que habían encontrado en la biblioteca del inquisidor Monasterio.

MUCHO CUIDADO CON EL TRES

PEDID AYUDA AL CINCO

OL JFV YFHXZRH VHGZ VM YN

Nico casi se cae de la silla donde estaba sentado.

—Te lo pido por favor. Deja de hacer el idiota. Te recuerdo por enésima vez que estamos perdiendo un tiempo precioso —insistió Jero.

—Tú no te encontrabas mareado ahí abajo, ¿verdad? —preguntó Nico—. Has estado en perfecto estado de salud en todo momento.

—¡Pues claro! ¿Por qué te crees que insistí en salir de aquella estancia y subir a mi habitación? Leí el mensaje. Tan solo tres líneas. Con la primera me bastó.

—¿Por qué?

—Es obvio. Analicemos el escrito. La primera línea es una advertencia contra Damián. Por eso él no puede ver este papel y teníamos que salir cuanto antes de aquella ratonera. La segunda línea es para pedir ayuda al número cinco. ¿Quién queda aparte de ti? —dijo, mirando a Nico—. ¿Y para qué necesitamos pedirte ayuda? Pues también parece obvio, para que nos descifres la tercera línea. Juraría que es una clave hebrea, pero ahora mismo no sé identificarla. Parece algún tipo de cifrado por sustitución, que son lo que, de forma mayoritaria, utilizan los judíos.

Nico estaba en silencio, observando el papel.

—Tú eres judío y esa clave te resulta familiar, lo veo reflejado en tu rostro —insistió Jero.

—¿Cómo sabes que soy judío?

—¿Quizá porque yo también lo sea? Aunque católico de formación y firmes creencias, no puedo evitar tener también profundas raíces judías, como tú y como Batiste, aquí presente, que lo puede atestiguar.

Nico se los quedó mirando.

—¿Sois judíos de verdad? —Nico estaba asombrado.

—Tan solo tenemos raíces judías y tú eres la quinta puerta del Gran Consejo. El papel que tenemos delante nos indica que te pidamos ayuda. Anda, deja tu absurdo disimulo y haz el favor de descifrar la última frase, antes de que vuelva Damián. Créeme, es muy urgente. Nos estamos jugando mucho.

Nico se los quedó mirando de nuevo. Se notaba que estaba pensando qué decir, o mejor dicho, cómo decirlo.

—Está bien, tienes razón. Siempre he sabido que erais las dos undécimas puertas, y en la escuela os vigilaba de forma discreta. Cuando Amador y Arnau cayeron enfermos, vi mi oportunidad y me acerqué a vosotros. Como Jero ha deducido con su mente privilegiada, es cierto, yo soy la quinta puerta. Entended que no os lo podía revelar a la primera. Se supone que es un secreto y vosotros no pertenecéis al Gran Consejo —confesó Nico.

—Anda, déjate de excusas idiotas y dinos el significado de la tercera línea —insistió Jero.

—Como acertadamente suponías, se trata de una cifrado por sustitución. En concreto, es el conocido como método *Atbash*. ¿Tienes algún papel y una pluma para poder escribir?

—Claro —dijo Jero—. Vayamos a mi escritorio. Allí tengo de todo.

Nico se puso a escribir. Utilizó un único papel, anverso y reverso.

Cuando terminó, se lo enseñó a sus amigos.

Normal:	א	ב	ג	ד	ה	ו	ז	ח	ט	י	כ	ל	מ	נ	ס	ע	פ	צ	ק	ר	ש	ת
Inverso:	ת	ש	ר	ק	צ	פ	ע	ס	נ	מ	ל	כ	י	ט	ח	ז	ו	ה	ד	ג	ב	א

—Ese es el alfabeto hebreo. No nos aclara nada —dijo Batiste.

—Ese es el método *Atbash* original, que es muy sencillo de descifrar, ya que se trata de sustituir una letra por otra. Se le conoce también como cifrado en espejo, ya que consiste en cambiar la primera letra, *alef* en hebreo o la «A» en nuestro alfabeto, por la última, *tav* en hebreo o nuestra «Z», y así sucesivamente, siguiendo la tabla que acabo de escribir. Ahora darle la vuelta al papel.

Jero lo hizo.

```
A  B  C  D  E  F  G  H  I  J  K  L  M  N  O  P  Q  R  S  T  U  V  W  X  Y  Z
Z  Y  X  W  V  U  T  S  R  Q  P  O  N  M  L  K  J  I  H  G  F  E  D  C  B  A
```

—Este es la tabla del método de cifrado *Atbash* con nuestro alfabeto. La primera línea indica la palabra original, la verdadera. La de abajo, su espejo, es decir, su correspondiente letra cifrada —explicó Nico—. Ya veis que es muy sencillo. Quienquiera que haya escrito este mensaje, estaba claro que quería que lo descifrarais. Lo que no entiendo es el motivo de que me tengáis que pedir ayuda a mí. Quienquiera que escribiera estas líneas, ¿cómo lo podía saber?

Jero lo comprendió enseguida.

—Fue mi padre quién lo escribió, y nos indicó que te pidiéramos ayuda, porque conocía que tú lo comprenderías con facilidad. Ayer mismo nos dijo que lo sabía todo.

—¿Eso cómo puede ser? ¿Quién es tu padre? Yo no lo conozco.

—Pero él a ti sí, que es lo que importa. Hasta hace muy poco, era el *Keter.*

Nico se sobresaltó de forma evidente.

—Pero eso no es posible. El último número uno del Gran Consejo fue...

—No hace falta que pronuncies su nombre —le interrumpió Jero—. Como comprenderás, todos los presentes sabemos quién es.

—Ahora me explico por qué vives aquí —dijo Nico—. Me mentiste, eres una personalidad muy relevante.

—Lo es mi padre, no yo, pero no perdamos más tiempo. Damián estará a punto de volver. Descifremos de una vez la última línea. Tomemos el mensaje cifrado, es decir, la línea inferior, y sustituyámoslas por sus correspondientes en la parte superior —les apuró Jero.

```
OL  JFV  YFHXZRH  VHGZ  VM  YN
```

—Déjame a mí, que estoy más acostumbrado —dijo Nico, mientras se ponía a escribir con rapidez.

```
LO  QUE  BUSCÁIS  ESTA  EN  BM
OL  JFV  YFHXZRH  VHGZ  VM  YN
```

—«Lo que buscáis está en BM». ¿Eso tiene algún sentido para vosotros? —preguntó Nico, cuando concluyó su descifrado—. Yo no lo entiendo. ¿Qué es BM?

Jero estaba haciendo verdaderos esfuerzos para intentar ocultar su nerviosismo, tanto, que se quedó en completo silencio. Tuvo que responder Batiste.

—No tengo ni idea, y por el silencio de Jero, supongo que él tampoco lo sabe.

Ahora se quedaron los tres en silencio. La situación era un tanto incómoda.

—Me parece que el juego se ha terminado por hoy, ya se ha hecho algo tarde —dijo Nico—. Voy a volver a mi casa.

—¿Sabes salir del palacio sin ayuda? —le preguntó Jero.

—Sí, me he fijado cuando hemos venido. No es complicado.

—Pues cuando llegues a la salida, hazme un favor. Dile al alguacil principal, que se llama Pere, que te marchas a tu casa y que Batiste se queda un rato más conmigo.

—Claro. Ha sido una tarde divertida y, desde luego, con sucesos inesperados al final. A pesar de que me habéis descubierto, estamos en el mismo equipo y me lo he pasado bien —admitió Nico, mientras se despedía con la mano y abandonaba la habitación.

—Nico se ha ido muy rápido, ¿no? —preguntó Batiste—. Aún no habíamos terminado el juego.

—Es normal —le respondió Jero, que estaba visiblemente nervioso.

Batiste no lo comprendió, pero no quiso preguntarle, al verle en ese estado.

—¿Qué te ocurre para estar tan alterado? ¿Es por las letras «B-M» otra vez? La verdad es que parece que nos persigan por todas partes.

—La verdad —repitió Jero, que estaba atrapado en sus pensamientos.

—¿Qué dices?

—Que lo hemos tenido siempre delante de nuestras narices y no lo hemos sabido ver.

—¿Qué?

—Cuando pensábamos en el significado de las iniciales «B-M» se nos ocurrían todo tipo de teorías, desde «busca mejor» e incluso «biblioteca monasterio», que resultó ser la acertada, en un principio.

—¿Qué quieres decir con esa frase de «en un principio»? ¿Es que hay un final?

—Por supuesto. ¿Cuáles son las iniciales más obvias que corresponden a «B-M» en toda nuestra historia? Piensa un poco. Ese es el primer Gran Mensaje. Ahora únelo a la talla de la virgen de Santa Catalina y a los tres libros sagrados de las tres religiones, que los podríamos llamar el segundo Gran Mensaje.

Batiste se quedó pensando en silencio durante unos segundos.

—¡Dos mensajes unidos en uno! ¡El Gran Mensaje! ¡Qué idiotas! Lo hemos tenido siempre con nosotros.

—¡Exacto! Ahora todo cobra sentido.

Jero había contagiado su nerviosismo a Batiste.

—Eso significa que...

—Significa que tenemos que actuar de inmediato —le interrumpió Jero, que se dirigió hacia uno de los armarios de la habitación.

—¿Qué haces?

—Buscar ropa de abrigo para los dos. Prepárate, que nos vamos de viaje.

38 EN LA ACTUALIDAD, MIÉRCOLES 24 DE OCTUBRE

—Estamos a escasos metros del árbol —dijo el número seis, que había comprendido todo. Se había sentado, con el resto de compañeros del Gran Consejo, consternados por lo que acababan de conocer.

—Quizá lo estemos —dijo el número ocho—. Pero ¿dónde exactamente?

—Antes que nada —intervino Rebeca—. ¿Habéis comprendido todos los presentes dónde se encuentra oculto el árbol judío del saber milenario?

—Es obvio, estamos en Alzira. Por supuesto, se trata de Blanquina —dijo Fornell, que parecía que había salido de su letargo.

—¿Qué? —le preguntó uno de los presentes.

—Blanquina March, la madre de Luis Vives —contestó.

Rebeca tomó la palabra.

—Fue número uno del Gran Consejo, de hecho, fue la que lo disolvió, el 20 de marzo de 1500, cuando fue sorprendida, junto con todos sus compañeros, por la inquisición española. Ese día fue el que capturaron a Miguel Vives, rabino de la última gran sinagoga clandestina de Valencia. Fue muerto por el Santo Oficio de la inquisición, en auto de fe, al año siguiente. Hasta hoy mismo, su puesto ha estado vacante, nada más y nada menos que durante más de quinientos años, cinco siglos. Casi nada —explicó.

—Vale, todo es muy interesante, además ya lo sabía, pero me parece que soy el único que no lo entiendo —dijo el número nueve.

—Blanquina March siempre ha tenido la clave de todo, ¿cómo no se me había ocurrido algo tan obvio? —repitió

Fornell, que parecía un autómata. Estaba como ido, parecía que hablaba solo.

—¿La clave de qué exactamente? —siguió preguntando el número nueve.

—Blanquina March falleció «al lloch de les rahanes de Xatyva», es decir, lo que hoy conocemos como el pueblo de Llosa de Ranes, a causa de la peste negra. Fue enterrada en el cementerio de esta misma iglesia, en tierra virgen, es decir, no consagrada, en 1508. Luis Vives, su hijo, y Johan Corbera, undécima puerta de aquella época, y encargado por la propia Blanquina, unos años antes, de trasladar el emplazamiento del árbol y volverlo a ocultar, visitaron su tumba en varias ocasiones —respondió Bernat Fornell.

—¿Qué insinúas? —preguntó el número nueve.

—¿Sabes qué dejó escrito Johan Corbera? —respondió con otra pregunta Fornell.

—No.

—El número uno del Gran Consejo a principios del siglo XVI, en sucesión de Blanquina, fue su hijo y gran humanista europeo Luis Vives, y con Johan Corbera, undécima puerta, hicieron una gran amistad, que duró hasta su muerte. Formaron un gran tándem antes de delegar sus responsabilidades en sus respectivos herederos. En el caso de Luis, le sucedió un alto cargo de la iglesia católica muy amigo suyo, y en el supuesto de Johan, la responsabilidad recayó en su hijo Batiste, de tan solo trece años de edad.

—¡Tan joven! —dijo uno de los presentes—. ¿Cómo se atrevieron?

—Pues en el caso del alto cargo de la iglesia, aún fue más llamativo. Por sus múltiples ocupaciones, pronto delegó en su hijo Jerónimo. Aunque cueste creerlo, en una de las etapas más convulsas del árbol y del Gran Consejo de toda su historia, su *Keter*, su número uno, tenía tan solo nueve años de edad. Un niño estaba al mando de la situación, por increíble que os pueda parecer.

—¿Nueve y trece años? —preguntaron a coro varios miembros—. ¿Se habían vuelto locos?

—No solo no fue así, sino que se dice que Jerónimo y Batiste fueron la dupla de número uno y once más formidable de toda la Historia. No me preguntéis el porqué, lo desconozco. Jamás trascendieron los detalles, aunque el hecho de que hoy estemos aquí, ratifica su gran trabajo y su gran éxito. Nos ha costado más de cinco siglos igualar a unos mocosos imberbes —explicó Fornell, que se notaba que estaba muy dolido consigo mismo por no haberlo deducido antes.

—Toda esta historia es muy interesante, pero ¿qué tiene que ver con el árbol? ¿Y qué es lo que dejó escrito Johan Corbera, que lo has anunciado, pero no lo has dicho?

Bernat Fornell continuó con la explicación.

—El día 6 de marzo de 1509 marcó un antes y un después en la relación de ambos amigos. Luis Vives anunció a Johan Corbera que se marchaba de España. Su padre, temeroso de la inquisición española, que ya había aniquilado a la mitad de su familia, lo pensaba enviar a continuar sus estudios a la universidad de *La Sorbona* de París. Ese preciso día, muy cerca de aquí, a los pies de la tumba de Blanquina March, Johan Corbera escribió en su diario, una cita literal muy significativa. Los números uno la hemos conocido desde siempre, pero jamás pensamos en esta posibilidad. Ninguno de nosotros, a lo largo de más de quinientos años, la supo interpretar. A la vista de los recientes acontecimientos, cobra especial relevancia.

—¿Cuál fue esa frase?

—«Las zarzas salvajes habían terminado por colonizar el espacio y apenas les dejaban acceder al enterramiento, enredándose entre sus tobillos».

Todo el Gran Consejo se quedó mirando al número uno, sin comprenderlo.

—¿Y qué sentido tiene para ti?

—¡Por favor! Ese es el significado del símbolo judío que llevan tatuadas las segundas undécimas puertas, la hiedra, que se enreda en los pies y no te deja avanzar. Se corresponde con la frase que pronunció Johan Corbera aquel día tan señalado. Si los unes a las dos fotografías de las dos undécimas puertas, tienes el Gran Mensaje completo y descifrado.

Ahora todos lo comprendieron.

—Entonces, ¡el árbol está oculto en la tumba de Blanquina March!

—Así es —intervino ahora Rebeca—. Hay otra declaración muy curiosa, que el número uno no ha citado. Tanto Johan Corbera como el propio Luis Vives manifestaron que «era un lugar que, a ninguna persona, se le hubiera ocurrido buscar».. ¿A quién se le iba a ocurrir buscar un tesoro en la tumba de una muerta por la peste negra? Nadie, en su sano juicio, se le ocurriría abrirla. ¿No me negaréis la genialidad de la idea? Hemos estado quinientos años sin comprender lo que nos querían decir.

—Hasta hoy —dijo Fornell—. ¡Qué idiota! Era un emplazamiento que tenía que haberlo considerado, al menos. Ni me lo llegué a plantear.

—Era imposible que lo pudieras hacer —dijo Rebeca—. Piensa que era un lugar inimaginable. Reconoce que esconder el tesoro judío en la tumba de una mujer muerta por la peste fue algo inaudito, propio de una pareja de genios como ellos dos.

—Aun así —respondió el número uno.

Rebeca se explicó.

—Reflexiona un poco. Johan Corbera era el maestro *pedrapiquer* de la ciudad, el arquitecto, en términos actuales, que concluyó la construcción de la Lonja de Valencia. También intervino decisivamente en la edificación de la «Casa de la Diputación del General del Reino de Valencia», hoy, sede del *Palau de la Generalitat Valenciana*, que, por cierto, acabó de construir, entre otros, su hijo Batiste Corbera, que también fue undécima puerta y maestro *pedrapiquer*. Tenía a su disposición muchísimos emplazamientos, a su elección, en la propia ciudad, incluso para construir estancias secretas en cualquiera de ellos para ocultar el tesoro, sin que nadie supiera ni siquiera de su existencia. Ninguno de nosotros se podía imaginar que sacaran el árbol de la ciudad para esconderlo en un lugar tan extraño. Fue una decisión completamente inesperada y brillante, tenéis que reconocerlo. Estoy segura de que todos pensabais que el árbol no salió jamás de la ciudad.

—Lo que tú quieras, pero no me consuela en absoluto —dijo Fornell.

—Toda la explicación ha sido brillante, lo reconozco. Pero falta la respuesta a la pregunta del millón, ¿dónde está, en la actualidad, la tumba de Blanquina March? —preguntó el número ocho.

—Buena pregunta. A principios del siglo XVI, esta iglesia tenía poco que ver con lo que estáis viendo ahora. Era un templo mucho más modesto y pequeño, que en los siglos posteriores sufrió numerosas ampliaciones que afectaron a toda su estructura y extensión —explicó Rebeca.

—Muy bien, ¿y qué?

Ahora intervino al que todos llamaban eminencia, el número seis.

—Supongo que donde quiere llegar Rebeca, con su explicación, es que los cementerios, en aquellos siglos, se solían situar en terrenos próximos a los propios muros de las iglesias. Por tanto, es muy posible que, con cualquier ampliación del templo que se efectuara con posterioridad, se pudieran sepultar los enterramientos, bajo cualquiera de estas nuevas construcciones.

—Así es, eso es lo que quería decir exactamente —confirmó Rebeca—. Gracias eminencia, se explica con más claridad que yo.

—Eso lo dudo mucho —le respondió.

—Yo sigo con mi pregunta original, que aún no ha sido contestada por ninguno. ¿Dónde está situada la tumba de Blanquina March y el árbol judío? —continuó el número ocho, insistente e impaciente.

—Es un hecho que el cementerio ya no existe hoy en día, así que es de suponer que alguna de sus capillas laterales, construidas posteriormente, terminara por sepultarlo —contestó Rebeca.

—Entonces, ¿nos estás queriendo decir que sabemos que está en esta iglesia, pero no el lugar exacto?

—Quizá si tuviéramos entre nosotros a algún experto en Historia del Arte, al menos podríamos conocerlo con más exactitud —dijo Rebeca, mirando directamente al número cuatro.

Todos se quedaron extrañados por las palabras de Rebeca, ya que el nuevo número cuatro no se había pronunciado en toda la reunión del Gran Consejo ni tenían ni idea acerca de su identidad. Era el nuevo miembro que acababa de nombrar Fornell, y no había abierto la boca. Se había limitado a asistir a la reunión y poco más.

—¿Cómo lo has sabido? —dijo una voz muy conocida, oculta detrás de la capucha negra—. No he hablado, y se supone que tan solo sabía mi identidad real el número uno. No creo que esa información la haya compartido contigo.

—Por supuesto que no —contestó Fornell, que también mostraba sorpresa.

«¡Atiza!», pensó Carlota, muy sorprendida. «Esto jamás me lo podía imaginar. La cosa se pone interesante».

Rebeca se explicó.

—Es muy sencillo. Para empezar, sé que eres muy amiga de Bernat Fornell, y, para continuar, mi tía Tote, aquí presente, el día que partiste con retraso hacia Estados Unidos me dijo que vendrías a menudo por Valencia a causa de una colaboración con la Facultad de Historia. Me mintió, lo noté claramente en su mirada. Además, para poner la guinda al pastel, sé que estos días estabas en la ciudad porque me mandaste un hermoso ramo de rosas al periódico, para felicitarme por mi premio. Eras la candidata perfecta al número cuatro —dijo, mientras se acercaba hacia ella y le daba un abrazo—. Y gracias por las flores y las hermosas palabras.

Joana estaba claramente sorprendida.

—Nunca desprecies la inteligencia de una Mercader-Rivera —dijo, abrazando también a Rebeca—. Me lo tendría que haber grabado a fuego en mi frente.

—Me parece que yo también —dijo Fornell, completamente pasmado.

—Hasta yo —dijo Tote.

—¿Desde cuándo lo has sabido? —le preguntó Joana.

—Desde el principio, Tenía tres piezas de un rompecabezas que encajar, tu excelente amistad con Fornell, la mentira absurda de mi tía y que estabas en la ciudad, todo ello unido a tu idoneidad para ocupar el puesto vacante. Tres piezas que había que unir, y así lo hice.

Carlota se quedó mirando a su hermana. Estaba decidiendo si felicitarla o arrancarle la cabeza. Hoy se parecía asombrosamente a ella, hasta en su manera de deducir y hablar. No le hacía ninguna gracia. Carlota tan solo debía de existir una. No le gustaban sus clones, aunque fuera su hermana gemela.

—No puedo contigo —dijo Fornell—. Me rindo. Se supone que era un secreto.

—En realidad, has tomado una magnífica decisión. Será una fantástica número cuatro del Gran Consejo, sin ninguna duda has hecho una gran elección. Además, no olvidemos que tenemos que localizar el enterramiento de Blanquina March, en el interior de esta iglesia. Nos vendrá de maravilla su presencia y sus conocimientos.

—Bueno, es cierto que la Historia del Arte es mi especialidad, soy profesora universitaria, sí, pero... —empezó a hablar Joana.

—¿Acaso nos quieres ocultar algo? —preguntó un miembro.

—No, en absoluto —respondió de inmediato—. Como comprenderéis, estoy igual de interesada que vosotros en descubrir la tumba de Blanquina.

—Entonces, ¿qué problema hay?

—Ya que parece que dudas de mí, te voy a dar la explicación adecuada, desde un punto de vista histórico. Esta iglesia en la que estamos, Santa Catalina de Alzira, es una extraordinaria muestra del gótico religioso valenciano de la época de la Reconquista. Actualmente, la mayoría de elementos que veis son barrocos, debido a modificaciones posteriores. Si os interesa, aún se conservan algunos originales góticos, como los contrafuertes, restos de arcos torales, vanos ojivales y el óculo, la capilla mayor y la torre campanario, quizá alguno más, pero el resto desapareció. Para que os hagáis una idea de la importancia de esta iglesia, está declarada BIC, bien de interés cultural.

—Todo eso está muy bien, pero lo que nos interesa de verdad es el emplazamiento de la tumba de Blanquina March —insistía, una y otra vez, el número ocho.

—Ahí voy ahora. A finales del siglo XVIII, creo recordar que entorno al año 1782, se encarga al arquitecto valenciano Vicente Gascó la construcción de *La Capilla de la Comunión*. La propuesta fue aprobada, y su edificación se inició al año siguiente. La idea era muy original, ya que, en realidad, era un cuerpo añadido a la iglesia, que en su día tuvo una cancela metálica propia que la separaba del resto del templo, lo que le otorgaba cierta privacidad. Este cuerpo añadido está cubierto con una cúpula de media naranja, con tambor y linterna, y en el exterior se tapaba con tejas curvadas, todo ello asentado sobre pilastras que soportan las bóvedas de medio punto. Dio algunos problemas estructurales en el siglo posterior, y creo recordar que se introdujeron algunos cambios, pero en lo sustancial, permaneció.

—¿De verdad que es necesario aguantar todo este rollo que nos estás soltando? —insistió el número ocho, que parecía a punto de volver a perder la paciencia—. No me interesa en absoluto la historia ni la arquitectura de esta iglesia, lo que quiero saber, de una puñetera vez, es dónde se encuentra la tumba de Blanquina. Ya he perdido la cuenta de las veces que lo he preguntado.

—Tranquilízate —intervino Tote—. Si no, ya sabes lo que te espera. Escuchemos al número cuatro. Seguro que toda esta explicación tiene un motivo.

—Por supuesto que lo tiene —dijo Joana.

—¿Y cuál es? Ni yo mismo conocía tantos detalles interesantes de esta iglesia de mi propia archidiócesis —dijo el número seis.

—He hecho todo este preámbulo para que entendierais lo que ahora os voy a contar. Esta ampliación del templo, *La Capilla de la Comunión*, se hizo sobre los terrenos que ocupaba el cementerio primitivo, que se encontraba justo en ese costado de la iglesia. ¿Me comprendéis ahora?

Se produjo un murmullo entre todos los miembros del Gran Consejo, que parecía que querían hablar y preguntar al mismo tiempo.

—¿Qué nos quieres decir? ¿Cuál es la conclusión final? —alzó la voz el número nueve.

—Que en esta capilla que tenemos enfrente, más concretamente bajo nuestros pies, se encuentra la tumba de Blanquina March. En consecuencia, también el árbol judío milenario, el gran tesoro de la *Sefarad,* oculto y perdido durante tantos siglos.

Todos los miembros del Gran Consejo permanecieron en silencio, durante un instante. Aquella revelación les había dejado consternados. No reaccionaron.

Llevaban siglos buscando el árbol, y ahora mismo acababan de conocer que lo tenían bajo sus propios pies. Tenían la información, pero se notaba su desconcierto, ya que no sabían cómo proceder a continuación. Era un terreno desconocido para ellos.

—Entonces, ¿cómo lo recuperamos? Supongo que no podemos derribar una capilla que data del siglo XVIII —dijo un miembro.

—Evidentemente que no —le respondió Joana—. De todas maneras, eso es algo que se escapa a mi especialidad. Mis conocimientos tan solo versan sobre la Historia del Arte. No sé nada sobre excavaciones. Ya os he explicado todo lo que conozco y dónde se encuentra sepultado el primitivo cementerio de esta iglesia.

—¿Qué quieres decir? ¿Qué ahora necesitamos encontrar a un constructor, para hacer un agujero y ponernos a buscar? —dijo el número ocho. A estas horas, ¿os parece apropiado que llamemos a algún obrero que se preste a ello? Me parece una auténtica locura.

—¡No seas bruto! —dijo su eminencia—. No se puede romper el suelo de un bien declarado de interés cultural. Supongo que el número cuatro se refiere a algún experto en localización con georradar, en arqueología, o algo similar.

—O algo similar —sonrió Rebeca—, que da la casualidad de que también lo tenemos hoy con nosotros, ¿verdad, número diez? No te hemos escuchado decir ni una sola palabra en toda la noche, como al número cuatro. Resulta muy curioso, ¿no? Sois los dos únicos miembros que no habéis abierto la boca hasta llegar a esta iglesia.

«¡Atiza!», pensó Carlota, cuando comprendió lo que quería decir Rebeca.

Hoy la asombrada era ella, para variar, y estaba descubriendo que no le gustaba ni un pelo.

Ni un pelo pelirrojo.

39 16 DE MARZO DE 1525

—¡A Alzira a estas horas! ¡Te has vuelto loco! —exclamó Batiste, ante la propuesta de Jero.

—Sabes perfectamente, como yo, que no tenemos otra opción —le respondió.

—¿Y cómo lo piensas hacer? Te recuerdo que tenemos prohibido pasear solos por las calles de la ciudad, ya no te digo nada de atrevernos a salir de ella. También te recuerdo que necesitaremos un medio de transporte. Estamos en el Palacio Real, ¿se lo pedimos a Damián?

—No seas sarcástico en una situación tan grave. Está claro que no podemos salir por la puerta, como si nada. Pere no me lo permitiría a mí ni a ti tampoco, Te asignaría un alguacil para que te acompañara hasta tu casa. Ya sabes las estrictas instrucciones de seguridad que tiene con nosotros.

—Entonces, ¿saltamos por la ventana de un tercer piso? No hay otra salida.

—Sí. sí que hay otra.

Batiste se quedó mirando a su amigo, con una expresión de terror en sus ojos.

—¡No! ¡Ni se te ocurra proponer eso! —exclamó, leyendo en su cara las intenciones de su amigo.

—Al primero que no le hace ni la más mínima gracia es a mí. Ya sabes el miedo que le tengo a las ratas, pero es la única posibilidad de salir de aquí sin ser vistos.

—¿Te acuerdas cómo acabó la vez anterior? —Batiste seguía asustado.

—Esta vez no será igual. Nos prepararemos mejor, tomaremos del almacén alguna cuerda y dos candiles, para facilitar el acceso a la acequia. Nos organizaremos y no te caerás al agua. Esta vez todo saldrá bien. Ya tenemos cierta experiencia y yo conozco el fondo de la acequia, el camino y la salida.

—Te olvidas de un pequeño detalle. A mí me esperan a cenar y dormir en mi casa. Como comprenderás, mi padre dará la señal de alarma si no aparezco.

—Eso también lo tengo previsto. Antes de proceder con el plan, avisaremos a Pere de que se nos ha hecho demasiado tarde, y que te quedas a dormir otra noche más en el palacio. Mandará un alguacil a avisar a tu padre y así nadie estará preocupado. Esa parte la tenemos resuelta —se explicó Jero.

—¡Has perdido la razón! ¿Eres consciente de la locura que estás proponiendo?

—Escúchame bien, Batiste. De lo que soy consciente es de que esta situación no es ninguna broma. Nos estamos jugando la existencia del propio árbol. Juramos protegerlo por encima de nuestras propias vidas. Que te lo tenga que recordar un niño de nueve años...

Batiste no paraba de poner reparos al plan de su amigo.

—Es media tarde. Alzira está lejos. Aún en el supuesto de que consiguiéramos salir del palacio sin ser vistos y de una sola pieza, ¿cómo nos trasladamos hasta allí? ¿Andando? Nos podría costar un día entero.

—Esa es la cuestión más complicada del plan, pero la resolveré.

—¡Menos mal! —bromeó Batiste —. Porque escapar del Palacio Real por un pasadizo secreto que conduce a una estancia, que a su vez, comunica con una profunda y caudalosa acequia, a la que hay que acceder saltando y salvando un desnivel de varios metros, además acertar y caer en la estrecha senda que la acompaña y no en el agua, porque puedes morir ahogado, arrastrado por la fuerte corriente, es de lo más sencillo.

Jero desdeñó por completo el comentario sarcástico de su amigo.

—Anda, coge del armario las prendas de abrigo que necesites. Me temo que vamos a pasar la noche al aire libre. No te preocupes por las tallas, hay vestuario para un ejército.

Luego nos iremos al almacén y nos proveeremos de lo que necesitemos.

—¡Me estás ignorando! —exclamó Batiste, enfadado—. No pienso hacer nada si no me haces partícipes de tus ideas. No pienso poner mi vida en riesgo, y, sobre todo, la tuya, si no conozco todos los detalles por anticipado.

—¡Eres muy pesado! Ya te he dicho que resolveré el tema del trasporte. Por favor, no perdamos más tiempo, fíate de mí —le respondió su amigo, con media sonrisa en su rostro—. Ahora, ocupémonos de lo inmediato. Primero lo urgente y luego lo importante. Si intentamos pensar en todo a la vez, nos vamos a hacer un lío en la cabeza.

Batiste decidió que no merecía la pena oponerse a la voluntad de Jero. Era terco como una mula. Si se lo proponía, movía montañas. Ahora, lo que tenía que mover era a ellos hasta Alzira. No veía cómo eso podía ser posible, no tenía ni idea qué plan se le había ocurrido, pero era Jero. Con él, lo imposible se convertía en posible. Ya se lo había demostrado en otras ocasiones. Decidió darle un voto de confianza. En el fondo, si lo pensaba, tenía razón. No disponían de muchas más opciones.

Se fue en dirección al armario que le había señalado Jero. Una vez preparada la ropa de abrigo que se iban a llevar, la dejaron encima de la cama y salieron de la habitación. Se encaminaron al puesto de guardia exterior del palacio. Le comunicaron a Pere que se quedaban a dormir y que avisara a Johan, No puso ningún problema y se aprestó a cumplir las instrucciones, sin rechistar.

Volvieron a entrar al palacio. Había un almacén de material diverso en el mismo pasillo donde se encontraba la habitación de Jero. Procurando no ser sorprendidos por los inquisidores, llegaron hasta él. Tomaron todo lo que pensaban que podrían necesitar y volvieron a la habitación.

Se prepararon en apenas un minuto. Se abrigaron, cogieron los pertrechos, incluido algo de comida que habían encontrado en la cocina, y descendieron por las escaleras hasta la estancia secreta. La noche se presumía larga.

—¿Y si no puedes abrir la cerradura? —preguntó Batiste—. Te recuerdo que Damián utilizó la llave original, no esos hierros tuyos.

—Por eso no te preocupes —le respondió Jero, mientras empujaba la puerta y se abría sin problemas—. Como se suponía que íbamos a volver a bajar, después de mi mareo fingido, observé que Damián no la había cerrado con llave.

—Ahora que nombras a Damián, ¿no se supone que volverá en breve? Se preocupará si no nos encuentra por ningún lugar del palacio.

—Ni nosotros lo encontraríamos a él ahora mismo —le respondió Jero, riéndose—. Pero no perdamos tiempo, que nos llevan ventaja.

—¿Quiénes? —preguntó Batiste, que no terminaba de comprender la situación.

—Ya tendremos tiempo de hablar de eso durante el viaje. Ahora empujemos el mueble y quitemos la reja que da acceso a la acequia.

Así lo hicieron. Jero seguía impartiendo instrucciones, era algo que le salía de forma natural.

—Procederemos de la siguiente manera. Me descenderás a la acequia, como en la anterior ocasión, junto con un candil. Luego lo encenderé para que haya luz en el fondo. Me tiras la cuerda, buscaré un saliente seguro en la pared y la asiré. Entonces bajarás tú, con la ayuda de la cuerda. La acequia estará iluminada y no habrá ningún peligro de que te vuelvas a caer al agua.

—A sus órdenes —le respondió Batiste, intentando rebajar un poco la tensión que se palpaba en el ambiente. Así explicado, parecía sencillo, pero ambos sabían que tenía su riesgo.

Procedieron siguiendo las instrucciones de Jero, paso a paso. A pesar de que tenían prisa, no se precipitaron. Al final, todo salió conforme a lo previsto. Ambos descendieron hasta el estrecho sendero que seguía paralelo a la acequia, hasta su desembocadura en el río.

—Vale, ya estamos saliendo del palacio sin que nadie vaya a advertir nuestra ausencia —dijo Batiste—. ¿Ya ha llegado el momento de que me expliques tu plan?

—¿Qué quieres saber, pesado?

—Para empezar, ¿cómo nos vamos a desplazar a Alzira? Está lejos.

—Tú mismo has respondido a tu pregunta. Está lejos. ¿Qué opciones tenemos?

—¡No! —dijo Batiste, cuando comprendió las intenciones de su amigo.

—¡Sí! —le respondió Jero—. No es una elección, es que no hay otra manera de hacerlo.

Llegaron al final de la acequia. Salieron al rio y subieron a la superficie.

—Ahora volvamos al palacio —dijo Jero.

—¡Pero si acabamos de salir de él! ¡Con lo que nos ha costado!

—Batiste, no me hagas perder el tiempo, tú eres más inteligente que eso.

Batiste había comprendido perfectamente el plan de Jero. Una cosa era escaparse a solas por la acequia, que también había tenido su riesgo, y otra cosa era lo que se proponían a hacer ahora. Era muy arriesgado, quizá demasiado. Por eso no podía evitar poner objeciones, aunque, en su fuero interno, sabía que era el único viable. Era una locura, pero la única locura.

Se dirigieron hacia uno de los costados del palacio, cercano a la puerta principal, pero lo suficientemente alejados como para que Pere y los alguaciles de la puerta los pudieran ver.

Jero se acercó a una puerta enorme. La empujó, la abrió y le hizo un gesto a Batiste para que le siguiera. Ahora se aproximaba uno de los momentos clave de la tarde. Si no salía bien, ya se podían olvidar del árbol.

—Hola, Joan —dijo Jero.

—Buenas tardes, señorito Jero —respondió, sorprendido—. ¿Qué hace por aquí a estas horas?

—Ya veo. Lo tenía que haber supuesto.

—Ya ve, ¿qué?

—Veo que, por la expresión en tu cara, que al cabeza de chorlito de Damián se le ha olvidado decirte nada. Mira que me lo imaginaba, y eso que se lo repetí dos veces.

—¿Qué me tenía que decir? —preguntó con curiosidad Joan, que era el jefe de los mozos de cuadra del establo del Palacio Real.

—Hemos estado jugando con él en el interior del palacio, hasta que nos hemos cansado. Hemos pensado en salir a dar una vuelta con caballo. Me dijo que, antes de eso, que dejara mi habitación completamente arreglada, ya que estaba un tanto desastrada. Como ya es media tarde, me dijo que se nos adelantaba, que iba a por su caballo él primero y que nos esperaba en la salida de los jardines del palacio. Cuando se despidió, me informó que él se encargaría de avisarte.

—¡Qué cabezota tiene Damián! Todo lo que tiene de disciplinado lo tiene de despistado —dijo Joan—. Efectivamente, ha estado aquí hace una media hora y me ha dicho que había estado jugando con vosotros. Se ha llevado su caballo, pero se le ha olvidado decirme nada de vosotros.

—¡No tiene remedio! Y eso que hemos estado juntos hasta hace nada —rio Jero—. Anda Joan, prepara mi caballo y busca alguno adecuado para mi amigo Batiste. Ya sabes que Damián es muy puntual. No le gusta que le esperen, pero tampoco esperar. Es perfectamente capaz de volver, y aún enfadarse con todos nosotros, por su propio olvido. Ya lo conoces cómo se pone cuando se enoja.

—¡Y tanto! —dijo Joan, que también lo conocía. Partió hacia el interior de la cuadra, dejando a los amigos solos por un momento.

—¿Tienes un caballo propio? —preguntó Batiste.

—¿Esa es la única pregunta que se te ocurre, después de mi magistral interpretación?

—Desde luego que no, pero me la guardaba para más adelante. ¿Cómo sabías que Damián se había marchado del palacio en caballo? Que yo sepa, en ningún momento nos ha dicho nada de eso.

—Eso lo descubrirás dentro de poco. Por cierto, no te he preguntado si sabes montar.

—No soy un experto como lo debes ser tú, pero me imagino que me apañaré para llegar hasta Alzira.

Joan salió con dos pequeños caballos, ya preparados.

—Aquí los tenéis. Disculpad mi pequeño retraso. Si Damián me hubiera avisado, me hubiera costado mucho menos tiempo.

—No te preocupes, Joan. Ahora me reiré un rato de él, de su puntualidad y de su memoria —dijo Jero, risueño, mientras se montaba en su caballo. Batiste hizo lo propio con el suyo.

Se despidieron de Joan y se dirigieron hacia la salida de los jardines, que rodeaban el palacio, evitando ser vistos por algún alguacil.

—Nos quedan unas dos horas de viaje al galope, ¿serás capaz? —le preguntó Jero.

—¿Qué remedio me queda? Mientras haya luz, no creo que tenga problemas.

Cabalgaron con toda la prisa que el terreno y la poca luz les permitió, hasta llegar a unos quinientos metros de su objetivo. Jero detuvo su caballo.

—¿Por qué nos paramos aquí? Aún falta un trecho hasta la iglesia de Santa Catalina —preguntó Batiste.

—Vamos a atar a los caballos a este árbol. El resto del camino lo haremos a pie.

—Te conozco. Me estás ocultando algo —dijo Batiste—. La única explicación posible de atar los caballos tan lejos, es ocultarlos de miradas indiscretas. Eso significa que esperas alguna sorpresa.

Jero se le quedó mirando.

—Una no, en realidad me espero dos, pero todo a su debido tiempo. Ahora vayamos hacia el cementerio, que nos llevan bastante ventaja.

«¿Dos sorpresas?», se preguntó Batiste. Se podía imaginar que la primera podría tener que ver con Damián, pero no se imaginaba cuál podría ser la segunda.

En apenas cinco minutos llegaron al cementerio contiguo a la iglesia.

En un principio, parecía iluminado únicamente por la luz de la luna llena. A medida que se fueron aproximando, comprobaron que no era así. Observaron luces. Estaba claro que, como tenían previsto, alguien se les había adelantado.

Anduvieron hacía el lugar donde se encontraban las luces.

—Damián nos llevaba media hora de ventaja —razonó Batiste—, pero lo que no llego a comprender es cómo ha obtenido la información.

—Eso es muy fácil de explicar. ¿Recuerdas cuándo se ha ausentado de mi habitación, después de subir de la biblioteca Monasterio, con el pretexto de que iba a hacer una ronda de vigilancia y a visitar a la virreina?

—Sí, claro que me acuerdo.

—Pues hoy Damián tenía el día libre, por eso ha podido jugar con nosotros. Él mismo me lo ha dicho antes de empezar la aventura del descenso a la estancia secreta, sin darse cuenta. No tenía que hacer ninguna ronda de seguridad, ya que tenía el día libre. Fue un simple pretexto.

—¿Para qué?

—Es obvio, para poder espiarnos a través de la oquedad entre mi habitación y la tuya. Ya sabes lo que nos ha dicho, que conoce todos los pasadizos y secretos del palacio. Por eso se ha enterado de todo lo que hemos hablado entre los tres. En cuanto Nico se ha ido, ya disponía de toda la información. Ha bajado a las cuadras y ha venido hasta aquí, como hemos hecho nosotros y yo había deducido.

Anduvieron hasta llegar muy cerca de su objetivo, la tumba de Blanquina March.

—Hay más de una persona —observó Batiste.

—Elemental. Ni Damián, con toda su fuerza, podría hacer este trabajo en solitario. La piedra sobre su sepultura debe pesar una barbaridad.

En cuanto estuvieron muy cerca, las personas que estaban intentando abrir el enterramiento de Blanquina, los vieron llegar.

—¡Alto! —gritó Damián—. ¿Quién anda por ahí?

—Nosotros —respondió Jero.

Damián se llevó una buena sorpresa.

—¿Cómo habéis podido...? —empezó a preguntar, asombrado y alarmado.

—No sigas, Damián. Sabía lo tuyo desde hace tiempo, no me hagas perder el tiempo con explicaciones.

De repente, Batiste hizo un amago de desmayarse, hincando una rodilla en el suelo. Su rostro reflejaba una mezcla de terror y alarma, cuando vio quiénes eran los que acompañaban a Damián. Sin embargo, a pesar de lo insólito e increíble de la situación, Jero no pareció inmutarse ni lo más mínimo.

—¿No estás viendo lo mismo que yo? —acertó a preguntar Batiste, con voz temblorosa.

—Esta es la primera sorpresa de la que te hablaba —le respondió Jero, en un tono muy sereno.

40 EN LA ACTUALIDAD, MIÉRCOLES 24 DE OCTUBRE

—¿Cómo lo has sabido? ¿Cómo me has descubierto? Me he esforzado por no hablar, ni siquiera hacer ningún gesto que me pudiera poner en evidencia frente a ti, precisamente, para evitar esta situación —dijo el número diez del Gran Consejo. Su voz demostraba lo nervioso que estaba.

—Por múltiples motivos que no voy a contar ahora, por no aburriros —le contestó Rebeca—, aunque tu apellido impostado me ayudó mucho a desentrañar tu misterio.

«¡También lo sabe!», se sorprendió Carlota. Estaba descubriendo a una Rebeca que no conocía. Claro que comprendía que era muy inteligente, eran hermanas gemelas, pero, desde luego, no hasta este extremo. Aquello era demasiado. Además, Rebeca se esforzaba por ocultarlo, y lo hacía verdaderamente bien. «Quizá me haya tenido engañada hasta a mí, durante mucho tiempo», pensó, con verdadero temor. Tenía sentimientos encontrados.

Ahora la miraba con otros ojos. «¿Qué más sorpresas me esperan?», se preguntó, preocupada de verdad. Desde luego, tenía motivos para estar intranquila.

—¿Desde cuándo lo sabes? —preguntó el número diez.

—Desde el principio. Mi madre me inició en la cábala judía con tan solo siete años. Leí la Torah y aprendí a interpretarla, tal cual hacían los cabalistas del siglo XII y XIII en la península ibérica. No me puedo considerar una experta, ya que para eso hace falta bastante más tiempo y profundidad, pero, seguramente, seré la que más la comprenda de todos los presentes, dejando de lado al número seis, que sé que, a pesar de su elevado rango eclesiástico católico, también es un experto cabalista.

—¿Qué quieres decir con todo eso? —siguió preguntando la décima puerta.

—¿Sabes qué representa la décima *sefiráh*, **Maljut**, en el árbol cabalístico judío? El reinado. No podías haber elegido un peor apellido. Igual hasta lo hiciste adrede, menospreciando mi capacidad de deducción. Como diría mi hermana, nunca subestimes un cerebro Mercader-Rivera.

—No nos enfrentamos a cualquiera —dijo Carlota, dirigiéndose a la décima puerta—. Tenemos delante a Rebeca desencadenada, como la película de Quentin Tarantino, *Django desencadenado*. En este caso, Django es ella, pero los esclavos somos nosotros —concluyó, haciendo referencia al argumento de la película.

—¿De qué cosas tan extrañas estáis hablando? —intervino un miembro del Gran Consejo—. No comprendo ni una sola palabra.

Rebeca decidió cortar esa conversación, que no llevaba a ningún lugar, y centrarse en lo importante. Ya tendría una interesante charla con su hermana, a solas, cuando concluyeran su labor en la iglesia.

—Resumiendo y yendo al grano, que vuestro compañero, el número diez, es precisamente historiador y arqueólogo, y además de los buenos —resumió Rebeca—. ¿No pedíais uno? Pues lo tenéis justo enfrente.

—¡No fastidies! ¡Ya es casualidad! —dijo el número seis, sorprendido.

—Cualquier cosa menos casualidad, monseñor —le respondió Rebeca—. Todo estaba atado y bien atado desde hace bastante tiempo. Con lo que no contaban era que fueran descubiertos de esta manera.

—¿Fueran?

—Bueno, eso, no viene al caso ahora mismo. No nos enredemos con las zarzas, como dijo Johan Corbera hace cinco siglos. Hoy estamos aquí para otra cosa y tenemos otra labor, ¿no?

Fornell estaba boquiabierto. Salía de una sorpresa para meterse en otra. Estaba como en un bucle, de asombro en asombro.

—¿También conoces al número diez? Esto ya es increíble —dijo, que, a pesar de intentarlo, no conseguía escapar de su estado de permanente aturdimiento—. Ya por curiosidad, ¿hay algún miembro del Gran Consejo que no conozcas por su verdadera identidad?

—¡Claro! Pero tengo que reconocer que, tan solo, una persona me tiene descolocada —le respondió Rebeca—, pero no se preocupe que, de esta noche, no pasa sin que averigüe su nombre real.

—Estoy asombrado hasta yo —dijo el número seis.

—«Pedid y se os dará». ¿No dijo eso Jesucristo, su eminencia? —terminó, dirigiéndose al número seis.

—No mezclemos la religión con este tema tan mundano —le respondió—. Aquí estamos para otras cosas.

—Anda, ¡callaros de una vez! Tiene razón la *listilla* de Rebeca— dijo el número ocho—. ¿Por qué no nos centramos en la tumba de Blanquina? Resulta que tenemos a una profesora universitaria de Historia del Arte y a un arqueólogo, y, por lo visto, ambos muy competentes. Estamos perdiendo un tiempo muy valioso. ¿Qué esperamos? ¿Qué más necesitamos para culminar nuestra labor?

—¿Un georradar, por ejemplo? —dijo Fernando del Rey, décima puerta.

—¿Un qué? —insistió el número ocho.

—No pretenderéis que nos pongamos a hacer una excavación sobre el suelo de esta capilla, ahora mismo. Me parece que está fuera de lugar. Como ya ha dicho el número seis, es del siglo XVIII. No se puede hacer.

—No te preocupes por eso, no hay ningún problema. Lo tenía previsto —dijo Rebeca

—¿Cómo? ¿También tienes *superpoderes*? ¿Visión a través de las paredes y el suelo? —preguntó Carlota, volviendo a su modo burlón habitual—. ¿Acaso te has convertido en Super-Rebeca?

—¡No, idiota! —le respondió su hermana, sonriendo—. Algo mucho más sencillo. Tengo un georradar.

—¿Se puede saber dónde? —preguntó un miembro de Gran Consejo—. Se supone que son instrumentos aparatosos, y no veo que lleves ninguno.

—Lo tengo oculto debajo de esta enorme capa, entre mis piernas —dijo, mientras la retiraba y lo dejaba al descubierto. Era de reducido tamaño, con un brazo telescópico.

—¿De dónde has sacado ese artilugio? —preguntó asombrado Fernando del Rey.

—Hace algunos meses, el marido de la fallecida Tania Rives, antigua tercera puerta, se dejó olvidado un trasto de estos portátiles, en la Lonja de Valencia. Antes de asistir a la reunión del Gran Consejo, resulta que me he pasado por mi casa, para cogerlo. Suponía que lo necesitaríamos.

Carlota se había unido al club de Fornell. Seguía asombrada con su hermana. Parecía tenerlo todo bajo control. Ahora estaba descubriendo que, el hecho de querer acudir a su casa, antes de asistir a la reunión del Gran Consejo, no era para coger una carpeta del profesor Bennassar, sino el georradar. Las piezas iban encajando, pero, por una vez, no era ella quién lo hacía. Había menospreciado a su hermana claramente. Se sentía ridícula por no haberse dado cuenta antes. Además de asombro, tenía cierto miedo de lo que estaba viendo. No se sentía nada cómoda. Le daba la sensación de que se habían cambiado los papeles, además, de forma inesperada.

—¡Lo sabías todo y lo tenías preparado! —dijo Fernando, uniéndose al club de los asombrados con Rebeca.

—Digamos que casi todo, por no pecar de pedante —le respondió.

—¡Dejaros de conversaciones estúpidas! ¿Qué esperamos para empezar a buscar? —dijo la octava puerta, que estaba nerviosa desde el principio.

—Supongo que sabrás usarlo, porque yo no tengo ni idea —le dijo Rebeca a Fernando.

—Claro, es muy sencillo. Además, este modelo de georradar es perfecto para lo que tenemos que hacer. Aunque sea portátil, es potente y tiene una pequeña pantalla que nos muestra con claridad lo que hay debajo de nuestros pies— respondió, mientras tomaba el artilugio entre sus manos.

Todos los miembros del Gran Consejo estaban expectantes. Aquello parecía una montaña rusa de sensaciones.

—Supongo que os haréis una idea de la extrema dificultad e inmensidad de la labor. Recordad que esta capilla está construida sobre un antiguo cementerio, repleto de esqueletos. El georradar se va a volver loco localizando restos —dijo Rebeca.

—Eso ya nos lo has contado —dijo el número ocho, inquieto—. Pero no olvides que buscamos una tumba muy singular. Se trata de localizar un enterramiento en el que aparezcan otros objetos, aparte de los característicos huesos. De esos debería haber muy pocos, y de la magnitud del árbol, tan solo uno.

—¿Eso es capaz de identificarlo ese trasto? —dijo el número nueve.

—En teoría, sí —respondió Fernando—, pero tiene razón Rebeca en que va a ser una tarea larga y compleja. Habrá que moverse muy despacio, y esta capilla no es pequeña precisamente. Trazaré cuadrículas e iré analizándolas una por una.

—No tenemos mucho tiempo —dijo el número seis—. El párroco, a pesar de conocerme y ser su superior jerárquico, puede extrañarse de nuestra tardanza y acudir a la iglesia, a ver qué ocurre. Al fin y al cabo, es su parroquia.

—Eso no puede pasar bajo ningún concepto —dijo el número ocho.

—Pensad que son muchísimos metros cuadrados que rastrear. Si tenemos suerte y aparece pronto, fenomenal, pero puede que no sea así —respondió Fernando.

—¿Admites sugerencias? —dijo Joana.

—Pues claro.

—Empieza por la parte más alejada del centro de la iglesia.

—¿Por qué?

—Porque Blanquina y toda su familia, a pesar de convertirse al cristianismo, eran de ascendencia judía y supongo que la enterrarían lo más distante posible del templo, en aquella época.

Rebeca confirmó las palabras de Joana.

—Sí, fue enterrada en tierra virgen, no consagrada. Eso significa que su tumba, a pesar de estar debajo de esta capilla, no estará próxima a la de los *cristianos viejos*.

Fernando le quitó la funda al georradar, extendió su brazo telescópico y lo puso en marcha. Afortunadamente, la batería estaba cargada casi al máximo. Se dispuso a comenzar su labor.

—Os agradecería que no estuvierais todos alrededor mío —dijo—. Podéis interferir en el uso del georradar. Tratar de mantener un metro de distancia conmigo.

Fernando les había mentido, pero no le apetecía afrontar todo su trabajo con veinte ojos mirándole por encima del hombro.

Comenzó su labor. Efectivamente, su trabajo era muy lento, quizá demasiado. La pantalla del georradar no cesaba de mostrar multitud de huesos humanos, y había que perder el tiempo, en cada caso, en comprobar que no hubiera cuerpos extraños no humanos cercanos, tumba por tumba. Era una labor muy minuciosa y, en consecuencia, desesperadamente lenta para todos los presentes.

Ya llevaba casi media hora sin ningún resultado. Los miembros del Gran Consejo se empezaban a impacientar y murmurar entre ellos.

Rebeca aprovechó el momento de distracción y tomó del brazo a su hermana. Se la llevó hacia los bancos de la iglesia principal, apartándola de *La Capilla de la Comunión*, fuera del alcance de los demás.

—Vamos a sentarnos. Parece que la búsqueda no va a ser rápida —le dijo.

—¡Me has engañado! —le reprochó Carlota.

—Solo un poquito y, como también tú sueles decir, justo lo necesario.

—¡No te comportes como yo! —exclamó Carlota—. Llevas toda la noche haciéndote pasar por mí. No me hace ninguna gracia.

—¿Ahora te parece odioso? ¡Pues toma de tu propia medicina! —le respondió, riéndose.

—Lo tenías todo preparado.

—¡Pues claro!

—¿Desde cuándo lo sabías?

—Hace algún tiempo que uní las piezas del rompecabezas, pero había que esperar a que se presentara la ocasión oportuna. No te quejes, que ya ha llegado y estás siendo testigo en primera persona. No te estoy ocultando nada, como podrás comprobar, tan solo he marcado el ritmo necesario de los acontecimientos. Tampoco es para tanto.

—Quizá, pero acabo de descubrir que no me gusta. Tú tienes el absoluto control, eso me resulta extraño. Suelo ser yo la que va dos pasos por delante de ti.

—Carlota, el control absoluto lo he tenido siempre yo —le respondió, mirándola fijamente a los ojos, con cierta indulgencia—. Que te dejara creer otra cosa, ha sido algo necesario y, por qué no decirlo, también divertido. Ahora que lo pienso, quizá haya sido más divertido que necesario —dijo, sin poder evitar reírse.

A Carlota no le hizo ni pizca de gracia, de hecho, se preocupó, porque supo de inmediato que su hermana tenía razón. No estaba bromeando. Rebeca continuó hablando.

—No te creas, que mi trabajo me ha costado hacerme la ignorante, y no me refiero únicamente delante de ti. La colección es extensa. Tote, Joana, Fernando y tú, nada más y nada menos. Póker de ases. Ninguno de vosotros sois fáciles de manipular y de ocultaros cosas, y, menos aún, de conseguir que hicierais lo que yo quería, en cada situación y en cada momento. Por no hablar del Gran Consejo al completo, eso ya ha sido una labor muy complicada. Piensa quiénes son sus miembros.

—Los demás no me importan, lo que me preocupa es que lo hayas conseguido conmigo.

—No pretendo ofenderte, pero no has sido la persona más complicada, ni mucho menos. Te conozco mucho mejor de lo que tú te imaginas.

—¡Eso! Además, ahora méteme el dedo en el ojo y retuércelo sin parar.

—Anda, no nos enzarcemos en discusiones que no nos permitan avanzar, como el significado de la hiedra que llevamos tatuada en el culo.

—¿Avanzar? ¿Hacia dónde? Hemos de esperar a que Fernando, con tu georradar, sea capaz de localizar la tumba de Blanquina.

Rebeca se quedó mirando a su hermana, con un gesto de indolencia impropio de ella.

—No te he traído hasta estos bancos de la iglesia, alejados del resto de miembros del Gran Consejo, para restregarte por tu cara mis conocimientos. Eso hubiera sido más gracioso hacerlo con público.

—Pues eso es precisamente lo que no has dejado de hacer, desde que estamos sentadas— le reprochó Carlota—. Cualquiera diría que estás disimulando de maravilla.

—¡No seas idiota! Te he traído hasta aquí para que podamos leer, lejos de miradas indiscretas, el mayor tesoro que llevo encima.

Carlota se la quedó mirando.

—¿No me digas qué...? —empezó a preguntar.

—Sí te digo —le interrumpió—. Nuestra madre ya resolvió este misterio hace bastantes años. Por eso contactó con el historiador e hispanista Bartolomé Bennassar, para confirmar su hipótesis, que acabó transformándose en realidad.

—¿Cómo puedes saber eso?

—Por la carpeta que llevo oculta en los pliegues de la capa negra, ahora mismo entre mis brazos —dijo, señalándola con el dedo índice.

—No creía que existiera. Pensaba que lo de ir a tu casa para coger los expedientes del historiador francés era un simple pretexto, para que Abraham Lunel te llevara y pudieras esconderte el georradar portátil ese.

—En absoluto. Lo verdaderamente importante está aquí. Aunque todos crean que están resolviendo un misterio, por primera vez en cinco siglos, están equivocados. El supuesto misterio no existe.

—¡Qué dices!

—Que este tema ya se aclaró hace años. Nuestra madre, Catalina, fue capaz de descifrarlo todo. Supongo que su repentina muerte evitó que me lo pudiera contar, como tantas otras cosas.

—Te veo muy segura. ¿Has leído el contenido de la carpeta? ¿Y si dentro de ella no se encuentra lo que crees? ¡Menuda decepción! Y por qué no decirlo, también harías, el más espantoso de los ridículos, además, delante de mí. Al menos, me podría reír de ti, aunque tan solo fuera una sola vez en toda esta velada.

—¡Por favor, Carlota! Estás hablando de Catalina Rivera, que fue la mujer más inteligente de España y aún, hoy en día, sigue sin ser superada. Tu propia madre.

—¿Y qué? Pudo seguir una pista que no le llevara a ningún lugar, igual que hemos hecho nosotras en otras ocasiones. Nadie es infalible.

—Te equivocas. Yo quizá pueda serlo, pero nuestra madre no, lo siento.

Mientras estaba hablando, Rebeca levantó la capa de sus piernas, sacó el expediente y se lo entregó a su hermana. Era muy voluminoso.

—Simplemente lee su título —le dijo—. No mires su interior. Y no, yo tampoco lo he hecho. En realidad, no me hace falta verlo para saber que nuestra madre resolvió el gran enigma hace años, y tú tampoco deberías dudarlo.

Carlota lo tomó entre sus manos. Leyó, para ella misma, el título. Tan solo había escrita una palabra, pero, de inmediato, supo que Rebeca tenía razón.

41 16 DE MARZO DE 1525

Batiste no reaccionaba. Lo que estaba observando era inconcebible. Ni siquiera en sueños se lo hubiera podido imaginar.

—¿Qué murmuráis, renacuajos entrometidos?

—Nada, doña Jimena. Por cierto, un saludo al resto de la familia Ruisánchez, a su marido y, en especial, a nuestro amigo Arnau —dijo Jero.

—¿Cómo podías conocer que...? —empezó a preguntar Arnau, que, desde luego, estaba mucho más sorprendido que Jero, que parecía mantener la calma.

—Para llevar muerto diez días, te conservas realmente fenomenal, ¿qué productos de mantenimiento utilizas? —le interrumpió Jero, que demostraba una entereza fuera de lo común, incluso con un punto de sentido del humor algo macabro.

Batiste asistía a la escena sin ser capaz de articular ni una sola palabra.

—Es obvio que no te has sorprendido nada al verme —le contestó Arnau—. En consecuencia, no solo sabías que no estaba muerto, sino también conocías que me encontrarías aquí.

—Pues sí, para que te lo voy a negar. Me parece que es evidente.

—¿No te tragaste el teatro de mi fallecimiento? Fue un plan perfecto.

—Aunque no lo creas, sí que lo hice, eso sí, tan solo al principio —le respondió Jero—. La única persona que siempre sospechó y se empeñó en que estabas vivo, escondido en tu casa, fue Batiste, aquí a mi lado. Al final, ha acabado teniendo razón. Ha demostrado que tiene una gran intuición, en este caso, superior a la mía —concluyó, girándose hacia su amigo y dándole una palmada en la espalda, en signo de reconocimiento.

Batiste estaba en una nube, no sabía qué responder a Jero. «¿Intuición? ¡Y unas narices!», pensó, mientras alzaba la rodilla del suelo e intentaba encontrar alguna explicación a todo aquel espectáculo, pero no lo conseguía, por más que se estrujara su cerebro. A sus ojos, aquello no tenía ningún sentido, dejando de lado la resurrección de los muertos, cosa en la que no creía en absoluto, ni siquiera como cristiano que era. Desde luego, la primera sorpresa que le había anunciado Jero había sido tremenda, «Si esta es la primera, ¿cuál será la segunda? Le temo», se dijo Batiste, acobardado.

—Dejaros de tonterías y venid a ayudarnos —dijo doña Jimena—. Esto es más complicado de lo que parecía. La losa pesa una barbaridad.

—¿Se atrevieron a fingir la muerte de su hijo para esto? —preguntó al fin Batiste.

—¡Pues claro, idiota! Cuando Arnau nos informó de todas vuestras reuniones de aquel absurdo tribunal juvenil de la inquisición, y lo que estabais tramando, lo comprendí enseguida. Aquello no era un juego, era la búsqueda del tesoro de Blanquina. Era necesario desviar la atención de nuestra familia para poder seguir avanzando en el caso y pasar desapercibidos. Debíamos desaparecer de la escena. Nadie se tenía que fijar en nosotros.

—¿Y qué mejor manera que matar a su propio hijo? Desde luego se quitaron de en medio a lo grande, con espectáculo incluido —siguió Batiste.

—Claro. Arnau ya no estaba en este mundo, hasta lo enterramos, y no existía conexión alguna con ese asunto por parte de ningún miembro de nuestra familia. Nadie tendría que haber sospechado nada.

—Ni nosotros, ¿verdad? —ahora intervino Jero.

—Pues sí, mocosos —respondió Jimena, enfadada—. No sé todavía cómo pudisteis escapar de aquella cárcel en el sótano del palacio. Tenéis más vidas que los gatos.

Batiste se quedó helado cuando comprendió el alcance de esa frase. Jero seguía sereno, igual que cuando habían llegado al camposanto.

—¿Entonces fue...? —empezó a preguntar Batiste.

—Ahórrate la pregunta —le interrumpió Jero—. La respuesta es obvia, ¡claro que sí!

—¿Y tú lo sabías? —le preguntó.

—Desde el principio. Era algo lógico —se empezó a explicar Jero—. Sabía que Arnau estaba vivo y el único sentido de esa gran mentira es lo que ahora mismo estamos observando. Entonces comprendí que si habían hecho pasar por muerto a Arnau, que les informaba de todos nuestros progresos, era porque no lo necesitaban.

—Pero tú acabas de decir que les pasaba información. ¡Cómo no lo iban a necesitar! —protestó Batiste—. Eso no tiene ningún sentido.

—Eso es precisamente lo que me despistó al principio. ¿Cómo podía ser? La única respuesta lógica a esa pregunta es que dispusieran de otra fuente de información diferente a su hijo y, por ello, no les importaba perder a un infiltrado en nuestro grupo. Si no, no tenía sentido fingir su supuesta muerte. Al principio pensé en Amador, ya que era el único que quedaba de los cuatro, aparte de nosotros dos, pero claro, había un inconveniente importante. Estaba muerto. Además, si lo piensas bien, esa opción tenía todavía menos sentido. Los Ruisánchez son *rapiñadores*, gente de baja estofa venida a más con sus sucios negocios. Sin embargo, los Medina y Aliaga no son así. Son una familia de prestigio local con ínfulas de grandeza. Don Cristóbal puede ser un miserable, que está claro que lo es, pero no está a la altura de esta verdadera escoria humana.

—¡Claro! —gritó Batiste, comprendiendo a su amigo—. ¿Quién tenía acceso a esa habitación secreta para poder encerrarnos? Tan solo los dos inquisidores, que, obviamente, jamás harían una cosa así, y los alguaciles. Y entre ellos, ¿quién era el principal candidato? Damián, desde luego, que conocía el pasadizo y hasta tenía las llaves. Desde el principio tuve que darme cuenta que era el sospechoso perfecto.

—Exacto, Batiste, lo has razonado bien. Fue entonces cuando comprendí todo. El papel que jugaba Damián en toda esta historia, junto con los Ruisánchez, aunque no termino de entender sus motivaciones personales. Tiene un buen empleo, además acaba de ser ascendido a jefe de la guardia de todo el Palacio Real. Se supone que no necesitaba juntarse con esta familia de baja estofa —concluyó Jero.

Doña Jimena sonrió.

—¿De baja estofa? Te sorprenderían nuestras relaciones en esta ciudad e incluso fuera de ella. No nos menosprecies. En cuanto a Damián, podemos decir que es un usuario habitual de nuestros negocios, ya me entiendes. Llegamos a un pacto mutuamente satisfactorio. Nos debía bastante dinero y zanjamos el tema con facilidad.

—Entiendo. Escoria con escoria se junta —retó Batiste, que, ahora, estaba enojado.

—¡Oye mocoso! ¡Qué vas a morir! —le amenazó Jimena, muy enfadada por los continuos desprecios de la pareja de jóvenes.

Jero dio un paso al frente.

—Ya sé que esa es su intención, doña Jimena, pero me parece que no ha pensado bien en todas las posibilidades. Simplemente, contésteme a una sencilla pregunta.

—Adelante, mocoso. Te concedo ese deseo antes de acabar con tu vida.

—Si yo sabía que estaban aquí, si conocía que su intención era profanar la tumba de Blanquina March y después matarnos, dígame, ¿para qué nos hemos presentado de forma voluntaria ante ustedes? ¿De verdad que no le extraña, ni siquiera un poquito? ¿Se cree que hemos venido desde el palacio, en solitario, a suicidarnos? Hay maneras más elegantes para hacer eso, que a manos de despojos humanos.

«¡Qué dice Jero!», pensó Batiste. «Por supuesto que hemos venido solos».

Jimena se echó a reír.

—Te olvidas de una cuestión muy importante, fanfarrón. Tenemos de nuestro lado a Damián, el jefe de los alguaciles. Ya se ha ocupado que nadie nos siga ni sepa que estamos en este camposanto.

—Pues me parece que no ha hecho muy bien su trabajo —sonrió Jero, mientras señalaba a Batiste y a él mismo—. Si nosotros estamos aquí, ¿quién le asegura que no haya más personas? Tampoco le recomiendo que nos menosprecie ¿Acaso nos toma por idiotas?

—De eso hablaremos después —afirmó Jimena, que ya no parecía tan segura con sus afirmaciones. Las palabras de Jero habían hecho mella en su confianza—. Ahora, lo fundamental es abrir el sepulcro de Blanquina lo antes posible y marcharnos de aquí.

—¿Para qué quieren hacer eso? —preguntó Jero.

—No te hagas el idiota. Sabemos dónde está enterrado el tesoro de los judíos, ese que llamáis árbol, en vuestra extraña jerga.

—¿De verdad piensa que lo saben? Les acabo de explicar que descubrí el papel que jugaba Damián en toda esta historia hace días. ¿Creen que le iba a facilitar la información auténtica para que vinieran a robar el tesoro? Y, a continuación, ¿presentarnos ante vosotros para que nos matarais? ¿Qué clase de plan estúpido es ese? Me parece que ya saben que, aunque joven, no soy nada tonto.

—¿Qué quieres decir, mocoso? —Jimena empezaba a prestarle algo de atención a Jero. Sabía quién era y, lo más importante, de lo que era capaz. Se lo estaba demostrando ahora mismo.

—Es obvio. Toda la información que les ha facilitado Damián es falsa. Sabía que os la filtraría, así que me limité a divertirme un poco con vosotros. Por lo que veo, creo que lo he conseguido —dijo, luciendo una sonrisa de oreja a oreja—. Como me verán, estoy completamente tranquilo y hasta pasándomelo bien.

Batiste estaba completamente asombrado. «¿Sería posible que fuera verdad lo que estaba diciendo Jero?», pensó. Era perturbador, porque, en ese supuesto, también le había engañado a él. Por otra parte, el semblante de Jero era de completa serenidad. No estaba nada nervioso, desde el minuto uno. Aunque no lo pareciera, porque ellos eran dos niños frente a tres adultos, y uno de ellos Damián, que valía por dos, daba toda la sensación de que Jero tenía el control de la situación. Llevaba hasta el ritmo de la conversación. Toda su argumentación estaba cargada de sentido común.

Jimena, sin embargo, aunque no creía ni una sola palabra de Jero, se exasperó.

—Te voy a matar sin esperar a saquear la tumba —dijo, dirigiéndose en un tono amenazador hasta el lugar dónde se encontraba Jero, que, a pesar de la actitud violenta de Jimena, no retrocedió ni un ápice ante la amenaza. Seguía igual de sereno.

—Sí, máteme. Así jamás sabrá dónde se encuentra, en realidad, el tesoro. No crea que me engaña, veo en sus ojos la sombra de la duda. Matándome ahora, cometería una estupidez, y lo sabe.

Jero tenía razón, Jimena estaba dudando.

—¿Ahora quién es una fanfarrona? No me va a matar, por lo menos ahora, antes de saber si estoy diciendo la verdad o mintiéndole —la retó Jero, que lejos de aflojar, continuaba tensando la cuerda—. De hecho, ya le anticipo que no me va a matar jamás. Desde luego, hoy no es el día que el Señor me va a llevar a su lado.

Jimena se detuvo. En el fondo, tenía que reconocer que Jero tenía razón. Estaban en un camposanto, de noche y desierto. No había nadie más que ellos. La muerte de los chicos podía esperar.

Decidió que primero abrirían la tumba de Blanquina. Si encontraban el tesoro en su interior, se lo llevarían y enterrarían vivos a Batiste y Jero en su lugar, en lo más profundo del sepulcro, para que jamás fueran hallados sus restos. Y si no estaba... entonces ya se podía ir preparando Jero para sufrir las más terribles torturas, hasta que confesara su emplazamiento exacto.

—Bueno, supongo que no me importa esperar un poco para mataros a los dos —dijo Jimena, después de su reflexión—. Vamos todos a trabajar en la tumba, que es para lo que hemos venido aquí.

—Nosotros dos no. Lo siento —continuó Jero—. Como comprenderá, si dice que nos va a matar, no vamos a colaborar en nada.

Al mismo tiempo que hablaba, cogía del brazo a Batiste y se retiraban unos metros hacia atrás, quedándose inmóviles a una distancia prudencial.

—¡Malditos críos! Nos habéis hecho perder demasiado tiempo. Tampoco os necesitamos. Somos cuatro. Quedaros ahí quietos o Damián irá a por vosotros, y os aseguro que no os gustará —les ordenó Jimena.

Batiste y Jero no hicieron ningún ademán de moverse.

—Tranquila, doña Jimena, no tenemos la intención de ir a ningún sitio —mintió Jero—. ¿Para qué íbamos a hacer eso si acabamos de llegar?

La familia Ruisánchez pareció desentenderse de ellos y se volvió a concentrar en la tumba de Blanquina.

—¿Qué demonios estás haciendo? —le susurró Batiste—. No te comprendo en absoluto. ¿Qué pretendes conseguir? ¿Qué nos maten antes?

—Tranquilo, hoy no vamos a morir, y lo que intento conseguir es más tiempo.

—¿Tiempo? ¿Para qué? Hemos venido solos. Tu fanfarronada no ha funcionado.

Jero se le quedó mirando y se limitó a sonreírle, como llamándole iluso.

Batiste se dio cuenta. «¿Sería posible que Jero le hubiera ocultado algo y, realmente, no estuvieran solos?», pensó. Se quitó esa idea de la cabeza, no tenía ningún sentido. Habían estado juntos en todo momento y no había hablado con nadie más que con él.

Jero se giró hacia Batiste, muy serio.

—Estate preparado. Vamos a simular que estamos sentados, pero sin hacerlo. Nos pondremos en cuclillas. Cuando suceda lo que está a punto de pasar, echaremos a correr hacia ese terraplén de allí —le dijo, señalándole una zona que se encontraba en completa oscuridad —. ¿Lo entiendes? Es importante que lo hagamos muy rápido, para que los Ruisánchez no se den cuenta.

Batiste estaba pasmado.

—Pues no lo entiendo. Cuando suceda, ¿qué exactamente? ¿Ya te crees tus propias mentiras? Te repito, que hemos venido solos y nadie sabe que estamos aquí. Todos piensan que nos encontramos durmiendo en el Palacio Real, incluyendo a los alguaciles y a mi propio padre, ¿acaso no lo recuerdas?

De repente, algo silbó a su alrededor. Batiste se asustó. Doña Jimena cayó al suelo, derribada, como fulminada por un rayo. Los otros tres acudieron a su auxilio, dejando la losa de Blanquina y dándoles la espalda.

—¡Ahora! —grito Jero.

Los dos salieron corriendo hacia el lugar que había señalado Jero anteriormente. Se quedaron observando desde la oscuridad.

—¿Qué ha sido eso? —preguntó asombrado Batiste.

—Una piedra.

—¿Cómo sabías que iba a pasar esto? Hemos venido solos, se supone que aquí no hay nadie.

—Nosotros hemos venido solos, es verdad, pero no estamos solos. ¿Entiendes el pequeño matiz?

—Pues no lo hago.

—Gírate hacia tu derecha y obtendrás la respuesta a tu interrogante.

Así lo hizo. Se asombró.

—¡Nico! —exclamó Batiste, casi gritando por la sorpresa—. ¿Qué haces tú aquí?

—De momento, salvaros la vida, que, entre otras, era mi misión esta noche.

—¿Queréis dejar de gritar? —les dijo Jero en un susurro—. Al final, conseguiremos que nos descubran. Mirad la confusión que reina alrededor de la tumba de Blanquina.

Los tres se quedaron mirando.

—Ni siquiera han advertido que nos hemos escapado —observó Batiste—. Aún no saben qué ha ocurrido. Están sorprendidos y confusos.

—De momento sí, pero no creo que les dure mucho —vaticinó Jero.

Al instante, oyeron llegar unos caballos y pararse junto al sepulcro de Blanquina. La confusión pareció cesar de golpe. Se escuchó a una voz potente gritar.

—¡Quietos todos en el nombre de la justicia! Os quiero a los cuatro en el suelo tumbados. No os mováis u os ensartamos con las espadas.

Aquella voz les era ligeramente conocida.

«¡Claro!», pensó Batiste. «Ahora me explico la presencia de Nico aquí».

42 EN LA ACTUALIDAD, MIÉRCOLES 24 DE OCTUBRE

Carlota abrió la carpeta, expectante. No sabía que se iba a encontrar, pero su título no podía ser casualidad. «Alzira». Una sola palabra, pero con un gran significado. «Aquí estamos ahora mismo», pensó.

Se giró hacia su hermana.

—Aquí adentro hay un montón de papeles —dijo—. ¿No pretenderás que los leamos todos ahora? Los miembros del Gran Consejo están a nuestro alrededor. Cualquiera de ellos se podría sentar con nosotras y verlos. ¿No te parece algo imprudente?

—Te equivocas— le respondió Rebeca—. Ahora es el momento perfecto. Este club de chalados, como tú misma los defines, tan solo tienen ojos para el georradar y para Fernando del Rey. Te aseguro que nadie se va a acercar al lado de dos extravagantes chifladas, que, además, no forman parte de su selecto club, y arriesgarse a perderse el descubrimiento que llevan esperando toda su vida.

—¿Tú crees?

—¿No te has dado cuenta? En realidad, se han alegrado de que nos hayamos separado de ellos. Lo he visto con total claridad en sus rostros.

—¡Pero sí están aquí por nosotras! —exclamó Carlota—. Bueno, mejor dicho, por ti.

—Pues a pesar de ello, créeme, piensan en nosotras como si fuéramos unas extrañas en su exclusivo juego. No pertenecemos a su selecto Gran Consejo. Podemos estar tranquilas. Te aseguro que, en estos momentos, en lo único que piensan es el árbol y en su tesoro. Como Gollum, el personaje de *El Señor de los Anillos*. «¡Mi *tesorooo*», ¿te acuerdas de esa famosa frase de las películas?

—Pues claro que lo recuerdo, aunque su nombre original era Sméagol. No olvides que estás hablando con una friki de este tipo de cosas.

—Muy bien —sonrió Rebeca.

Ambas eran fanáticas de las series y películas fantásticas de ficción, desde *Harry Potter* hasta *El Señor de los Anillos*.

—Lo que no tengo muy claro es que no estemos llamando la atención. Aunque como tú conoces mejor a ese conjunto de soberbios chalados en su loco cacharro, que es el georradar ese, supongo que sabrás lo que haces —cedió Carlota, que empezó a mirar los documentos del interior de la carpeta.

—No te creas que los llego a comprender del todo. Ya has visto que son imprevisibles, aunque, desde luego, una cosa les une a todos ellos.

—¿Su estupidez?

—Podría ser —rio Rebeca—, pero no me refería a eso, sino a su extrema avaricia. Eso les ciega. Pero ese vicio nos conviene, ya que nos convierte en invisibles a sus ojos.

Carlota, mientras hablaba, no despegaba sus ojos del expediente.

—Dentro de él hay dos carpetas más pequeñas. No parecen pertenecer a él.

—Eso ya lo sé, las he metido yo. En una de ellas pone «Alzira», como en el expediente. Las otras dos se corresponden con las personas por las que nuestra madre se interesó. He unido las tres carpetas en un solo expediente, por simple comodidad. Era más sencillo ocultar una sola carpeta que tres —respondió Rebeca.

—«Alonso Manrique de Lara y Solís» —leyó Carlota—. Y este *pollo*, de nombre tan pomposo, ¿quién era?

Rebeca sonrió.

—A veces me olvido que no todos tenéis conocimientos históricos, aunque sean básicos. No te voy a soltar un *rollo*.

—¡No, por favor! Resume todo lo que puedas.

—Pues resumiendo mucho, como tú me ordenas, fue arzobispo de Sevilla e inquisidor general de España. Es como el número seis actual, nuestra eminencia reverendísima. De hecho, como curiosidad, ambos alcanzaron la dignidad cardenalicia y fueron figuras muy destacadas dentro la iglesia católica. Bueno, nuestro número seis aún lo es.

—Me imagino que con una diferencia importante. El nuestro es el número seis del Gran Consejo judío. El inquisidor general de España no creo que fuera miembro de... —empezó a decir Carlota.

—Tienes razón —le interrumpió Rebeca, con una sonrisa burlona.

—Ya me extrañaba que un miembro de la inquisición perteneciera al Gran Consejo.

—Cuando te decía que tenías razón, no quería decir eso. Me refería a que no era el número seis. Don Alonso Manrique de Lara y Solís fue el *Keter*, el número uno del Gran Consejo. Le inició Luis Vives.

—¿Cómo pudo hacer esa barbaridad una persona tan lúcida como Luis Vives?

—Ten en cuenta que Luis no vivía en la España peninsular. Cuando cedió su puesto en el Gran Consejo residía en Flandes, que, en aquel momento, también eran territorios españoles. Dado que, en poco tiempo, pensaba aceptar una cátedra en Oxford, Inglaterra, no podía seguir desempeñando su función como número uno en el Gran Consejo. El *Keter* debía de estar en España, por razones obvias.

—¿Y no conocía a nadie más para formarle como su sucesor?

—No te creas, no tenía muchos amigos, y los posibles candidatos residían también fuera de España. Don Alonso Manrique, quizá, fuera su única elección posible. Eran buenos amigos y, supongo que cuando tomó una decisión así, sería porque confiaba mucho en él. No debió ser nada sencillo, compréndelo.

Carlota se quedó mirando a su hermana, con ojos de sorprendida.

—¿No me estarás tomando el pelo? ¿Me estás hablando en serio? ¿Confiar el gran secreto judío a un miembro de la iglesia católica? Y no a uno cualquiera, sino a un arzobispo e inquisidor general de España —preguntó, asombrada—. Eso no es normal, aún viniendo de Luis Vives.

—Hablo completamente en serio. Además, don Alonso no era el número seis, era el jefe del Gran Consejo, su verdadera alma. Aunque desempeñó su cargo durante poco tiempo, se dice que fue uno de los grandes. Le cedió el testigo a su hijo, Jerónimo Manrique, que fue obispo de Ávila y Cartagena, y, curiosamente, también inquisidor general del España, aunque tan solo durante diez meses, los últimos de su vida, a finales del siglo XVI. Su padre fue el jefe supremo del Santo Oficio durante quince largos años.

Carlota se quedó boquiabierta.

—¡La inquisición controlando el Gran Consejo! ¡Es algo inaudito!

—No te creas. La iglesia católica siempre ha estado presente en todos los grandes consejos judíos a lo largo de los siglos. Como también te habrás dado cuenta, en la actualidad, tampoco es una excepción. Los servicios de información de la iglesia tenían un gran prestigio en aquella época, e incluso creo que, en la actual, también.

«Y tanto», pensó Carlota.

—¿Y el otro nombre? «Don Cristóbal de Medina y Aliaga» —preguntó.

—De ese *pollo*, que dirías tú, a nuestra madre y a Bennassar les costó más encontrar información. Como te decía, don Alonso Manrique de Lara y Solís fue hasta cardenal y toda una personalidad de la iglesia y de la inquisición, sin embargo, don Cristóbal de Medina y Aliaga era una figura menor, sin apenas relevancia.

—¿Qué quieres decir?

—Que no formaba parte de la estructura nacional ni internacional de la inquisición. En concreto, era el receptor, o sea, el responsable de las finanzas, del tribunal local de la inquisición de Valencia. No tenía ninguna relevancia en el Santo Oficio. Eso es lo que quería decir, que su cargo no tiene nada que ver con el de don Alonso Manrique, que era una figura hasta de prestigio internacional.

—¿Y qué tienen que ver ambos con este asunto?

—En teoría, don Alonso era el jefe supremo de don Cristóbal, pero, con una diferencia de rangos tan importante, no debería ser normal ni que se conocieran.

—¿Has dicho «no debería»? Tú hablas con mucha propiedad. ¿Eso significa que sí se conocían? Supone una anomalía un tanto significativa, ¿no?

—No quieras correr más de la cuenta. Todo a su debido tiempo. Ya te dije que la caja de documentos que me envió

Bartolomé Bennassar era inmensa. No he visto más que esas dos carpetas. La que pone «Alzira» ni la abrí. Como comprenderás, no tenía ni idea que podía tener la relevancia, que, ahora, quizá posea.

—O no. No lo sabes.

Rebeca volvió al «modo Carlota».

—¿Te apuestas un mojito? —le dijo, risueña—. Es verdad que no lo sé, pero me la juego.

—¡Te has adueñado de mi personalidad hasta en las apuestas de mojitos! —le respondió Carlota, que parecía genuinamente indignada.

—No me he adueñado de nada. Simplemente soy más inteligente que tú, pero a diferencia de ti, yo me esfuerzo en ocultarlo, y a ti te gusta exhibirte. Pareces un pavo real, como el número uno —dijo, mientras imitaba los sonidos del animal, moviendo los brazos.

—Ni se te ocurra compararme con Fornell —exclamó Carlota, indignada—. Además, me estás picando ¡Hasta eso es propio de mí! —dijo, dándole un pequeño empujón a su hermana.

—Pero ¿aceptas o no? —le preguntó Rebeca, riéndose.

—¡Claro! No tengo más remedio que aceptar la apuesta, aunque quizá me ganes, por segunda vez. La verdad es que se está convirtiendo en una molesta costumbre que no me gusta nada, que lo sepas —concluyó, fingiendo enfado.

—¡Mira qué preocupada estoy! —exclamó Rebeca, sonriendo—. Anda, vamos a disimular un poco. La carpeta de «Alzira» es voluminosa y nos llevará un buen rato hojearla.

Para sorpresa de Carlota, después de pronunciar estas palabras, se levantó del banco.

—Me voy a dar una vuelta por *La Capilla de la Comunión*, para ver qué sucede por allí. Enseguida vuelvo —dijo, dejando a su hermana sola, sentada en aquel banco de la iglesia.

A los pocos minutos regresó al lado de Carlota.

—¿Cómo van las cosas con esa colección de pedantes del Gran Consejo? —le preguntó.

—Pues mal, como era de prever —contestó Rebeca—. El subsuelo está lleno de cadáveres. Han marcado dos posibles emplazamientos, pero no son seguros. Los objetos extraños, al lado de los huesos, son demasiado pequeños para ser el árbol que buscan. En definitiva, que todavía no han encontrado la tumba de Blanquina. No han avanzado nada de nada. Eso sí, están todos atacados de los nervios. Casi ni se les puede hablar. Están tan concentrados que les ha molestado hasta mi presencia.

—Pues que sigan así, al menos quince minutos más —dijo Carlota—, para que nos dé tiempo a echarle un vistazo a lo que hay escrito en estos papeles.

—Anda, abre la carpeta ya.

—Empezaré por las otras dos, y dejaré a «Alzira» para el final.

Se pusieron a leer con avidez las primeras hojas.

—Así que don Alonso y don Cristóbal eran rivales, a pesar de su gran diferencia de rangos —exclamó Carlota—. Pero ¿no pertenecían los dos a la inquisición? ¿No jugaban en el mismo equipo?

—Sí, es muy extraño. Como te había dicho, a esa parte ya le había echado un vistazo. Parece que don Alonso, a pesar de ser el inquisidor general de España, no informaba a la institución a la que pertenecía de ciertas cuestiones relativas al árbol judío. Resulta curioso.

—Quizá ese fuera el motivo de sus roces —intuyó Carlota.

—Sin embargo, ahora leo que en Valencia, don Cristóbal de Medina y Aliaga, que acababa de ser nombrado, por el rey Fernando el Católico, receptor del tribunal del Santo Oficio de la ciudad, tenía una misión muy concreta e importante. Su único objetivo era recuperar las maltrechas finanzas locales, que amenazaban con la quiebra del tribunal de la inquisición de la ciudad.

—Entonces ahí tienes un posible motivo de sus desavenencias personales. Si el inquisidor general le ocultaba información que le permitiera cumplir con su misión...

—Vamos a seguir —le interrumpió Rebeca—. No me interesan los conflictos personales entre ambos *pollos*. Me aburren.

Estuvieron apenas cinco minutos más con esas dos carpetas, se pusieron al día de las cuitas y diferencias entre ambos y, por fin, abrieron la que les interesaba e intrigaba, la que ponía «Alzira».

Nada más abrirla, ya advirtieron que aquello era otra cosa, ya entraban en la materia que les interesaba.

A pesar de contener las notas manuscritas de Bartolomé Bennassar y, para su absoluta sorpresa, también las de su madre Catalina Rivera, al principio no ponía nada que no hubieran averiguado ya.

Estuvieron unos diez minutos en completo silencio, leyendo los documentos que contenía la carpeta, que eran muy abundantes y detallados.

Efectivamente, ellos dos ya habían llegado a la conclusión que el árbol judío se encontraba oculto en la tumba de Blanquina March, en el primitivo cementerio de la iglesia en la que se encontraban ahora mismo.

—Fíjate en estas fotos —dijo Rebeca—. No me digas que no son curiosas.

Había varias fotografías dentro de la carpeta. Se veía a tres personas en *La Capilla de la Comunión*, en actitud divertida.

—¿Qué les hacía tanta gracia a nuestros padres y a ese historiador francés? —preguntó Carlota.

—Temo averiguarlo —le contestó Rebeca, con cara de pocos amigos.

43 16 DE MARZO DE 1525

—¡Es tu tío, Bernardo Almunia! —exclamó Batiste, mirando a Nico—. Eso explica tu presencia aquí. Igual que Damián nos espiaba para la familia Ruisánchez, tú lo hacías para tu tío Bernardo.

Para sorpresa de Batiste, Nico permaneció en silencio y no respondió a su pregunta. Evitó mirar a Batiste y fijó su vista en lo que estaba sucediendo, justo delante de la tumba de Blanquina.

Ahora Batiste se dirigió a Jero.

—¿No me digas que también tenías esto previsto? ¿Sabías que Bernardo Almunia iba a aparecer?

—No, no lo sabía.

—Entonces, ya no entiendo nada. Sabías que no estábamos solos, de hecho, conocías a nuestro acompañante y dónde estaba escondido, que era Nico, que se niega a hablar. Y ahora Bernardo.

—En eso te equivocas.

—¿En qué exactamente?

—Quizá, si en lugar de ponerte tan histérico, utilizaras tus sentidos, lo comprenderías mejor.

Batiste no entendía la actitud de ninguno de los dos, pero hizo caso a Jero. Se puso a mirar al frente, en dirección a la tumba de Blanquina. Sus ojos no se habían acostumbrado a la penumbra, y no veía gran cosa.

—Aunque, ahora mismo, no pueda ver nada, tengo que suponer que todo este montaje es cosa tuya. Tenías razón, ¡menuda segunda sorpresa me has dado! Esta vez te has superado.

—Te equivocas. Bernardo Almunia no era mi segunda sorpresa —le respondió Jero, muy serio.

—¿Qué? —preguntó Batiste, confundido.

—Sí te callas y te fijas bien en la tumba de Blanquina, enseguida verás lo que está sucediendo a su alrededor. En concreto, observa bien a la persona que ha irrumpido en la escena. Nico ya lo está haciendo.

Batiste, de nuevo, hizo caso a su amigo. Ahora, sus ojos ya se habían acostumbrado al cambio de luz. Cuando centró la vista en el protagonista de la irrupción, su desconcierto fue mayúsculo. No entendía nada.

—¡No es Bernardo Almunia! —gritó.

—¡Shhh! —le apremió Jero a bajar su tono de voz— ¡Pues claro que no!

—¿Qué hace don Cristóbal de Medina y Aliaga aquí? Jamás había visto un cementerio tan concurrido a estas horas —se sorprendió Batiste.

—¡Calla y escuchemos! —le ordenó Jero.

Así lo hicieron los tres, observando lo que estaba ocurriendo delante de ellos. Se podían asomar con tranquilidad, desde detrás del terraplén donde se encontraban, ya que estaba en completa oscuridad. Podían ver perfectamente, pero no ser vistos.

Ni don Cristóbal ni su acompañante se habían bajado de los caballos.

—El Santo Oficio toma el control de este enterramiento. Dejad todas las herramientas en el suelo.

—De eso nada —respondió Jimena—. Teníamos un acuerdo, nosotros hemos llegado antes.

—Me temo que el acuerdo ha quedado suspendido —dijo don Cristóbal—, pero reconozco vuestra ayuda.

—Y eso, ¿qué quiere decir?

—Que os voy a dar dos opciones —dijo don Cristóbal, dirigiéndose a la familia Ruisánchez al completo, pero también a Damián—. Si os quedáis, seréis encausados por la inquisición, y os aseguro que acabaréis en la hoguera como vulgares ratas de acequia. La segunda opción es marcharos ahora mismo, y haremos como si no hubierais estado aquí jamás.

Observaron que doña Jimena se había levantado del suelo. Sangraba abundantemente por la herida de cabeza. Nico le había acertado en toda la frente.

—Anda —le dijo don Cristóbal, dándole un pequeño paño a Jimena—. Tapónate esa herida en la cabeza, a ver si te deja pensar mejor.

Jimena hizo caso al receptor, pero con una lentitud que parecía calculada. Era evidente que estaba evaluando la situación. Ellos eran cuatro, y don Cristóbal tan solo acudía acompañado del notario de penitencias, Juan Argent. Cuatro contra dos.

Aunque tenían las de ganar en una pelea, sobre todo con Damián a su lado, que valía por dos, Jimena agachó la cabeza. Seguía en completo silencio, pero sus gestos parecían delatarla. Quizá ya había tomado su decisión.

Desde la distancia, Batiste supuso que una cosa era enfrentarse a dos mocosos como ellos, y otra cuestión muy diferente era luchar contra miembros prominentes del tribunal del Santo Oficio de la ciudad, aunque fueran tan solo dos personas. Aún en el supuesto de que acabaran venciéndolos, en realidad, también habrían perdido. Estarían marcados para siempre.

Los tres se dieron cuenta de que Jimena iba a admitir su derrota. Aunque eran muy avariciosos, también eran inteligentes. Sus negocios funcionaban gracias a que el Santo Oficio hacía la vista gorda. No les convenía este tipo de enfrentamiento. Al fin y al cabo, ya tenían más dinero del que se podrían gastar jamás. La avaricia, aunque era un vicio muy poderoso, también tenía su límite.

—Está bien —empezó a decir—. Como comprenderá, somos cuatro contra dos. Les podríamos vencer con facilidad, pero no queremos estar en malas relaciones con el Santo Oficio. Ya sabe que colaboramos con ustedes, incluso en este caso, del que ahora nos quieren apartar. Siempre hemos mantenido unas relaciones amistosas entre nosotros, y así queremos que sigan las cosas. Nos marcharemos, pero con una condición muy clara. Creo que nos la merecemos.

—Me parece que no estás en condiciones de negociar ningún acuerdo diferente al que te acabo de proponer, ¿no te parece? —afirmó don Cristóbal, en un tono claramente retador—. Si lo piensas, es muy generoso, y tan solo os lo propongo por vuestra colaboración en este asunto. Si no fuera así, seríais apresados de inmediato, sin alternativa posible.

—No me ha entendido —se apresuró a responder doña Jimena—. No lo pretendo negociar. Lo único que le solicito es que cumpla lo que nos acaba de ofrecer. Nada de persecuciones, ni ahora ni después. Quiero su palabra de que esto no afectará, en modo alguno, a los negocios familiares. Usted no nos ha visto a ninguno de nosotros, en este lugar y en esta noche, ni nosotros a usted y a su acompañante. En resumen, que este encuentro jamás se ha producido y no tendrá ninguna consecuencia, ni presente ni futura, sobre ningún miembro de nuestra familia, ni siquiera contra Damián.

—Eso por supuesto. Soy una persona de palabra, y la tenéis, pero la oferta se acaba ya. No pienso perder ni un segundo más hablando con vosotros.

Nada más concluir la frase don Cristóbal, los cuatro echaron a correr hacia sus caballos y desaparecieron, en apenas un instante. Tan rápido se marcharon que dejaron todos los utensilios para excavar la tumba de Blanquina alrededor de ella. Ni perdieron un segundo en recogerlos, por si don Cristóbal retiraba su oferta.

Los tres amigos habían asistido a todo el espectáculo desde su escondite.

—¿Cómo puede estar don Cristóbal aquí? Si hubiera sido Bernardo Almunia aún lo hubiera comprendido, estando su sobrino Nico también con nosotros.

—Te equivocaste —le respondió Jero, con un extraño gesto en su cara, que no se le pasó por alto a Batiste, aunque lo interpretó mal.

—Sí, vale, lo admito. Pero tendrás que reconocer que nuestra situación ahora es bastante mejor. Don Cristóbal no nos ha visto, hemos huido antes de que él llegara. Estamos a salvo, desconoce que estamos aquí.

—Te vuelves a equivocar —le replicó Jero, que seguía con el mismo gesto en su rostro.

—No, no me equivoco. Es imposible, no nos han podido ver— insistió Batiste, con seguridad—. Insisto, su irrupción en la escena ha sido algo después de que Nico arrojara esa piedra a Jimena. Entonces nosotros ya estábamos aquí.

—Nico —dijo Jero—, no has abierto la boca en bastante rato. Anda, ha llegado tu momento. Explícaselo a Batiste.

Ahora fue Nico el sorprendido. Se quedó mirando a los ojos a Jero y comprendió que lo sabía.

—¿Cómo puedes conocer eso? —le preguntó pasmado—. No lo sabe ni mi padre, ni siquiera mi tío, y mucho menos lo debías conocer tú.

—Pues resulta que sí. Desde el principio me imaginé que don Cristóbal nos habría puesto vigilancia. Es muy inteligente y supo reconocer que podríamos suponer un peligro para sus planes. Pero vio que no era complicado darle la vuelta a la situación. Igual podíamos pasar de ser un peligro para él, a ser sus aliados en la resolución del enigma de Blanquina, ¿verdad? —dijo Jero, dirigiéndose a Nico.

Batiste estaba pasmado. Lo que Jero estaba insinuando le parecía inconcebible.

Nico permaneció en silencio.

—Siempre sospeché de ti —continuó Jero—. Eres un buen chico y nos llevábamos bien, pero en los casi tres años que llevo en la escuela, jamás te habías acercado a mí ni a Batiste de esa manera tan repentina y cercana. ¿Qué había cambiado? En realidad, tan solo lo había hecho una cosa. No fue muy difícil deducirlo.

—Y a pesar de saberlo, ¿me unisteis a vuestro grupo de juegos? —preguntó atónito Nico.

—Precisamente por eso, ¿no lo entiendes? Don Cristóbal nos iba a poner vigilancia, en cualquier caso. Es de ese tipo de personas. La información es lo más importante para él. Si no te hubiéramos aceptado a ti, lo hubiera intentado de otra manera, que, quizá podríamos no haber descubierto. Mejor conocer al vigilante y tenerlo a nuestro lado que desconocerlo, ¿no? Si no fuera por la situación en la que nos encontramos, hasta sería gracioso.

—¿Qué les ves de gracia? —le respondió Nico, que, ahora, estaba algo enojado por haber sido descubierto.

—Nico, «el vigilante vigilado» —le contestó Jero, riéndose.

—Todo esto me resulta inconcebible —empezó a razonar Batiste, dirigiéndose a Nico—. Sabemos que tu tío desempeñó una función en la supuesta muerte de Arnau y el asesinato de Amador.

—¿Cómo puedes conocer eso?

—Estuvimos en el cementerio. Los alguaciles que lo custodian nos informaron que fue tu tío Bernardo el que lo dispuso todo. Hasta tenía una orden firmada por el arzobispo. Se selló el camposanto y no se permitió la entrada de nadie, algo insólito y fuera de lugar. Por lo que ahora estamos viendo, estaba claro que ayudaba a la gran mentira de don Cristóbal. Y para rematar el asunto, también nos acabamos de enterar que hasta su propio sobrino trabaja para ese miserable sin escrúpulos. ¿Por qué? No lo entiendo.

Nico bajó la cabeza. Se quedó en completo silencio.

Jero se dio cuenta de lo que ocurría.

—Lo siento —dijo—. No lo sabía. Ahora todo cobra sentido. Es el eslabón que me faltaba por conocer.

—¿Qué quieres decir? —le preguntó Batiste.

Jero se acercó a Nico, y para sorpresa de su amigo, le dio un afectuoso abrazo, que fue correspondido. Se quedaron así unos segundos, hasta que Jero continuó hablando.

—Supongo que don Cristóbal conoce que tu tío Bernardo es un sodomita. También supongo que habrá utilizado esa información para chantajearle y que hiciera lo que él le ordenara. Ya sabéis lo que hace el Santo Oficio de la inquisición con la gente como Bernardo. Es horrible.

Nico siguió sin decir ni una sola palabra, pero una lágrima apareció en uno de sus ojos. Era la confirmación.

—¡Ese desgraciado de don Cristóbal! —exclamó Jero, muy enfadado. Ahora bajó el tono de sus palabras—. En cuanto a ti, Nico, no te preocupes por nada. Has hecho lo que debías. Tienes que cuidar de tu familia. Si tu tío Bernardo supiera lo que estás haciendo por él, estaría orgulloso de ti.

—Gracias, pero lo he fastidiado todo —dijo Nico, agradecido por el abrazo y las palabras de Jero.

Batiste también parecía conmovido.

—Lo que más rabia me da es que ese miserable se vaya a salir con la suya y que nuestros esfuerzos no hayan servido para nada —dijo—. Pensaba que estábamos a salvo y, en realidad, nos encontramos en la misma situación que hace un rato, pero cambiando los adversarios.

—Te equivocas en todo —le respondió Jero—. Por supuesto que han servido para algo y que no estamos en la misma situación que antes. Los Ruisánchez nos hubieran matado sin dudarlo un instante, sepultándonos vivos en la tumba de Blanquina, sin ningún remordimiento. Esa familia no tiene ningún tipo de escrúpulos, son escoria humana. Sin embargo, algo me dice que don Cristóbal no es exactamente así. Puede ser un taimado chantajista y un miserable, pero tan solo le interesa el dinero del tesoro judío. No es un asesino y, aunque no dudo que le entren ganas de empezar a serlo hoy con nosotros, no lo hará. Lo último que le interesa son complicaciones adicionales en su plan, que ya tenía perfectamente trazado desde hacía tiempo.

—¿Cómo supiste que yo era el confidente de don Cristóbal? —preguntó Nico.

—Me temo que para responderte a esa pregunta, debería resucitar a un muerto —dijo Jero, que no parecía demasiado preocupado por la situación, para la total sorpresa de Nico.

Ni Batiste ni el propio Nico supieron qué replicarle a Jero, así que siguió hablando.

—Anda, salgamos de nuestro escondite. Quedará más digno para todos. No quiero darle el gusto al receptor para que nos lo ordene. Os quiero ver con las cabezas bien altas, demostrando honor y orgullo.

Así lo hicieron.

—¿Te importa andar tú delante y nosotros dos pasos detrás de ti? —le preguntó Batiste a Nico—. No tenemos manera de escaparnos. Don Cristóbal y don Juan aún están montados en sus caballos. Nos alcanzarían enseguida, en caso de que lo intentáramos.

—Claro —respondió Nico—. Después de todo lo que conocéis, sé que no intentaréis escapar.

Cuando se quedaron un poco más rezagados, Batiste se dirigió a su amigo.

—¿Te has vuelto loco? ¡Desde luego menuda segunda sorpresa me tenías preparada! ¿Por qué has organizado todo esto? —le preguntó en un tono de voz algo elevado.

Jero seguía pareciendo indiferente con toda la situación.

—Esta tampoco es mi segunda sorpresa —se limitó a contestarle.

—¿Cómo qué no?

Jero no tuvo tiempo de más explicaciones, ya que habían llegado a la altura del receptor y de su acompañante.

—Vaya —dijo don Cristóbal cuando los vio aparecer—. Ya tenemos con nosotros a los dos *listillos* que han desentrañado el misterio del tesoro de Blanquina. Jamás os podré estar más agradecido. Sé reconocer el verdadero talento y ahora lo tengo delante de mí.

—Ya lo sabían todo —dijo Nico—. No he tenido que obligarlos a nada. De hecho, hemos salido del terraplén porque así lo ha dicho Jero, con orgullo.

—¡Caramba! Aunque nunca os subestimé, sois una caja de sorpresas. Supongo que os puede la curiosidad, y queríais ver el tesoro por vosotros mismos, aunque sea por última vez —dijo don Cristóbal, adoptando esa pose de pavo real que tanto los irritaba.

—Le arrancaba las plumas una a una —le dijo Batiste, que no se pudo aguantar.

Don Cristóbal no lo comprendió.

—No entiendo lo que dices, pero me parece una fantástica idea que hayáis aparecido. Si los Ruisánchez, que eran cuatro personas fornidas, no podían con esta losa, nosotros dos solos tampoco hubiéramos sido capaces. Nos vendrá bien tres pares de manos más.

Los cinco se dirigieron a la tumba de Blanquina. A pesar de que los Ruisánchez ya la habían despejado un tanto, era cierto, las zarzas colonizaban el espacio del camposanto, enredándose entre los pies. No les dejaban asir los cuatro costados de la losa de piedra con comodidad.

—Quitemos la hedera —ordenó don Cristóbal—. Si no, no podremos hacer fuerza.

Una vez retiradas todas, lo volvieron a intentar. Aquello pesaba una barbaridad. Apenas consiguieron desplazarla unos centímetros.

—Esto va a ser más difícil de lo que me imaginaba —dijo don Cristóbal, secándose el sudor de su frente.

—Siempre podemos pedir ayuda —dijo Jero.

—¿Ayuda aquí? —rio el receptor—. Los Ruisánchez ya habrán llegado a la ciudad, a juzgar por la velocidad con la que se han escapado.

—Ellos quizá sí —le respondió, ahora con una sonrisa en la boca.

Se apartó un poco de la tumba de Blanquina.

—¿Dónde vas? —dijo Juan Argent, a modo de advertencia.

Jero lo ignoró y siguió andando.

—¿Te importaría dejar de hacer el idiota y salir de una vez? —gritó—. Necesitamos ayuda, y de paso tráete otro candil, nos vendrá bien algo más de luz.

—¿A quién llamas? —le dijo Batiste,

—A tu segunda sorpresa —le respondió Jero.

Nada más terminar la pregunta y escuchar la respuesta de su amigo, Batiste dio un alarido y no pudo evitar tropezarse y caerse al suelo. Su cara reflejaba el pánico absoluto.

Desde la penumbra, pudieron observar cómo Amador se acercaba hacia ellos, con un candil asido con ambas manos, justo por debajo de su barbilla, que le iluminaba la cara de una forma siniestra.

—¿Quién eres? ¿Acaso un fantasma? —Batiste estaba acobardado de verdad.

—No, es Amador, ¿no lo reconoces? Incluso diría que más vivo que tú ahora mismo, a juzgar por tu palidez —le respondió Jero, con cierta sorna.

—Pero ¿cómo es posible? Vimos su cadáver.

—Y también viste el de Arnau, y mira lo vivo que estaba. Eso es lo que tienen las noches de luna llena, que despiertan a los muertos.

—Dejaros de decir estupideces y centrémonos en lo importante. Vamos hijo, ya que te han descubierto, échanos una mano.

Se pusieron a ello. Les costó más de veinte minutos mover lo suficiente la piedra, que cubría el enterramiento, como para poder mirar en su interior.

—No se ve nada —dijo Juan.

—Pues nosotros no pensamos bajar —dijo Jero, refiriéndose a Batiste y a él— Es su momento de gloria. Hágalo usted mismo —dijo, dirigiéndose al receptor.

—En otras circunstancias te habría dado un par de azotes por tu actitud indolente, pero tienes razón. Voy a descender yo. Quiero ver vuestra cara de derrota en toda su plenitud. Después de tantos años, un vulgar receptor de un tribunal local del Santo Oficio, va a conseguir humillar, de forma definitiva, a todo el pueblo hebreo. Más de cien años de trabajos de ocultación y engaño a los cristianos, van a acabar en apenas unos minutos. Voy a expoliar vuestras más preciadas reliquias.

Batiste miraba a Jero, con un gesto de incomprensión.

—¿Era verdad lo que le dijiste a la familia Ruisánchez? —le preguntó— ¿Qué el tesoro no se encontraba ahí dentro?

Don Cristóbal, que se estaba preparando para entrar en la oquedad, escuchó tan solo la primera pregunta.

—¿Qué les dijiste? —le preguntó con curiosidad a Jero.

—Para nuestra desgracia, una mentira. Tan solo quería ganar algo de tiempo. Puede proceder. Se hace tarde y la noche avanza. Cuando antes terminemos con esta agonía, mejor —le respondió.

El receptor descendió al interior de la tumba. Al instante, oyeron un gran alarido.

—¿Ocurre algo? —preguntó, preocupado, Juan Argent.

—Tranquilo. Ocurre que ha encontrado lo que buscaba —le respondió Jero.

No obstante, Juan se acercó a la oquedad, Lo que vio le dejo sin palabras.

Amador se preocupó también, pero Juan le impidió que se acercara a la tumba.

—Espérate un poco —le dijo, sin saber muy bien cómo proceder.

Al momento, vieron como salía don Cristóbal de la tumba. Su cara era dificilmente descriptible.

—¿Qué ha pasado? —le preguntó a su padre.

Estaba en silencio. Parecía ido. No era capaz de reaccionar con su alrededor. Todos estaban expectantes.

Por fin, después de unos interminables segundos, se decidió a hablar.

—¡Lo hemos conseguido! ¡Hemos encontrado el gran tesoro judío!

Amador, Juan y el propio receptor no pudieron evitar celebrar su inmensa alegría y se pusieron a bailar, alrededor de la tumba. Su emoción no tenía límites,

Nico había permanecido, en todo momento, al margen de la celebración.

—Anda, dejemos la fiesta para otro momento. Aún tenemos trabajo que hacer. Ahora me tendréis que ayudar. Lo que hay ahí dentro es verdaderamente impresionante, y no me refiero a los huesos de Blanquina.

Dicho y hecho. Entre los tres, empezaron a extraer una espectacular colección de oro y piedras preciosas. Les llevó más de quince minutos expoliar el tesoro. Aquello era gigantesco e impresionante.

—Acercar los caballos y lo introduciremos en sus alforjas. A pesar de todo lo que me imaginaba, esto supera mis más optimistas expectativas. Espero que quepa todo. Jamás me imagine algo así —dijo don Alonso, que estaba verdaderamente emocionado.

Jero y Batiste asistían en silencio, compungidos. La cara de ambos era de profunda tristeza, pero no podían hacer nada. El destino se había torcido para ellos. Nada había salido como habían planeado. Tantos años y tanto esfuerzo para nada. Era un triste final, pero les quedaba el inútil consuelo de haberlo intentado hasta su último aliento. Los buenos planes, a veces, tampoco funcionan.

Los tres iniciaron la carga de los caballos. Iban hasta los topes, tanto, que Jero dudaba de que fueran capaces de llegar a la ciudad.

—No quiero que se pierda por el camino ni una sola de las joyas. Nada de al galope, iremos al trote, incluso, si hace falta, al paso, aunque nos cueste cuatro horas llegar a la ciudad —dijo el receptor, que estaba aturdido por la emoción, pero aún conservaba la razón.

—¿Cuánto calculas que valdrá este tesoro? —le preguntó Juan.

—Una auténtica fortuna. Me atrevería a decir que es la confiscación más importante de toda nuestra historia. Desde luego, estoy seguro de que lo suficiente para despreocuparnos, al menos durante dos años, de todos los ingresos del tribunal de la inquisición. De todos.

—¿Tanto?

—No me extrañaría que hubiera casi el equivalente a 400.000 sueldos. ¿Sabes lo que eso significa?

Juan Argent lo sabía de sobra.

—Haré un inventario de todo lo hallado, pero lo iremos sacando a la luz poco a poco, a lo largo de dos años. Así me garantizo cumplir una promesa casi imposible con el rey de España.

—Es una buena idea —dijo Juan—. Si lo descubrimos todo de golpe, deberemos de contabilizarlo también de golpe. Es mejor ir haciéndolo poco a poco.

—Así es, amigo. Hemos conseguido reflotar dos años de un tribunal, en la más absoluta de la ruina, en tan solo una sola noche —don Cristóbal estaba eufórico.

El contraste era Batiste y Jero, incluso Nico. Estaban abatidos. Observaban toda la escena en silencio.

Una vez cargados los caballos, el receptor, el notario y su amigo Amador les miraron con desprecio.

—Ahí os quedáis, perdedores. Siempre fui por delante de vosotros, incluso de esos desalmados de los Ruisánchez. No os mato porque sé que no contaréis nada de lo que habéis sido testigos. Hasta siempre, undécimas puertas. Hasta nunca, Gran Consejo.

Se marcharon, junto con Nico, dejando a los dos amigos abrazados, con lágrimas en los ojos.

Ninguno parecía querer hablar.

—No siempre podemos ganar. Asumir riesgos puede acarrear estas cosas. Hemos actuado bien, a pesar del resultado final —dijo Batiste, viendo el extremo desánimo de su menudo amigo.

—Quizá no siempre se pueda ganar, pero hemos elegido un triste momento para empezar a perder. Piensa en Samuel, en Gabriel, en Jucef, y en tantos otros que dieron su vida por el árbol.

«La historia nos observa, y no sé cómo nos juzgará», estaba pensando Jero.

44 EN LA ACTUALIDAD, MIÉRCOLES 24 DE OCTUBRE

—¿Por qué temes averiguarlo? ¿Y a qué viene esa extraña expresión en tu rostro? —le preguntó Carlota a su hermana, sorprendida, con la carpeta de «Alzira» en su regazo, sentadas en los bancos de la iglesia de Santa Catalina, precisamente en la localidad de Alzira.

—¿Quieres saberlo? Anda, sigamos echando un vistazo a la documentación. Igual lo descubres por ti misma. Y mi expresión es porque me temo de lo que vamos a enterarnos, muy en breve.

Carlota no lo comprendió, pero le hizo caso. A medida que iban pasando las hojas, su rostro se iba trasmutando al blanco nuclear.

—¿Estás leyendo lo mismo que yo? —dijo una Carlota, completamente asombrada.

—Pues claro.

Para su completa estupefacción, pudieron leer en los documentos y comprobar, que la tumba de Blanquina ya fue saqueada por la inquisición en el año 1525. Eso era lo que habían descubierto y averiguado sus padres, junto con Bartolomé Bennassar.

Inaudito.

Había multitud de documentos, incluso una relación, manuscrita por el propio receptor del Santo Oficio, detallando y valorando todos los objetos encontrados, junto a sus huesos, en el interior del enterramiento de Blanquina.

—¿Esto es un tesoro cultural? —preguntó Carlota, asombrada, leyendo lo hallado en el interior de la tumba de Blanquina—. Ya me contarás qué tiene todo esto de cultural. No se me ocurre nada más alejado de la realidad. Podría tratarse perfectamente de un inventario de la joyería *Tiffany* de

Nueva York. Es una verdadera fortuna. Supongo que, hoy en día, su valor sería incalculable.

—¿Cultural? Eso siempre fue una patraña. Todos sabíamos que la palabra «cultural» se añadió para protegerlo de *rapiñadores* y buscadores de tesoros, que abundaban en aquella época, incluso en la actual.

—¿No me digas que lo sabías desde el principio? ¿Conocías que no era cultural?

—¡Pues claro! El árbol era la gran fortuna que el pueblo judío reunió en el siglo XIV, viendo el cariz que tomaba su relación con los cristianos. Se había producido algún asalto a aljamas de Castilla y Aragón y no se sentían seguros, ni dentro de sus propios muros. Temían ser saqueados por ellos, y mira por dónde, resulta que lo fueron, más de cien años después, por el Santo Oficio de la inquisición. Si no fuera por lo macabro de la situación, podría ser hasta irónico. Los mismos que los masacraron y se dedicaron a convertirlos o quemarlos hasta que ya no quedó ninguno, fueron los que los acabaron expoliando. Completaron el círculo.

—¿Irónico? —preguntó Carlota—. Yo más bien lo definiría con otra palabra, genocidio. Además de como pueblo, también en lo social, cultural, religioso y económico.

—Pues parece que nuestros padres se lo tomaron bastante bien, junto a Bennassar.

—¿Eso te parece normal? —le preguntó Carlota, algo extrañada.

—Ponte en su lugar. Resulta que llevaban intentando proteger, durante siglos, algo que ya no existía desde 1525. Será que tengo un sentido del humor especial, pero le sigo encontrando un punto irónico a toda esta situación. Y por la foto, está claro que ellos también le vieron ese mismo punto irónico. Humor británico en un trío, dos de ellos españoles, medio rusos, y un francés. No me digas que es dramático y cómico a la vez.

Se quedaron un momento en silencio. La noticia era mucho más trascendente de lo previsto, al menos para Carlota, que estaba pasmada.

—Habrá que decírselo al resto, ¿no? ¿O pretendes que se queden haciendo el idiota con el georradar ese, durante toda la noche? —preguntó.

—No, aunque tampoco me importaría. Supongo que habrá que informarles, pero ya te advierto que no sé cómo se lo van a tomar. Piensa que somos las dos undécimas puertas y que, a pesar de todo, la mayoría de sus miembros sigue creyendo que les hemos estado ocultando información. Su actitud, como ya has podido comprobar hace tan solo un momento, nunca ha sido muy amistosa hacia nosotras.

—¿Y qué pretendes? ¿Qué sigan buscando para no encontrar nada? Se hará de día y vendrá el párroco que, por supuesto, hará preguntas.

—¡No, mujer! Eso tampoco. Tan solo vamos a esperar un poco más. No tengo la intención de pasarme toda la noche aquí, pero que se entretengan un ratito más, no me importa en absoluto —dijo Rebeca, sonriendo—. Que sufran en pie, que no les vendrá mal, sobre todo al número seis, con ese evidente sobrepeso que oculta bajo la capa, y al imbécil del número ocho, sin olvidarme de Fornell. No lo soporto. Además, no me olvido que han intentado agredirme.

—Pero... —empezó a objetar Carlota.

—Te preocupas más tú por ellos que ellos por nosotras. No tengas prisa, ya habrá tiempo de contárselo. De aquí no vamos a salir sin ellos.

—Unos crían la fama y otros cardan la lana, como dice nuestro refranero —sonrió también Carlota—. Se supone que esas cosas las hago yo. Tú eres una chica muy formal y educada, aunque esta noche me estás sorprendiendo. En realidad, eres igual que yo.

—Bueno, si descartamos tu ligera tendencia a la promiscuidad... —empezó a decir Rebeca, interrumpida porque Carlota le lanzó una de las carpetas a la cabeza, dándole de lleno.

Ambas continuaron riéndose.

—Aunque creía que era la única undécima puerta, singular y diferente, en realidad, siempre hemos sido iguales —dijo Rebeca—. En cuanto al carácter, la inteligencia y todo lo demás, pues era pura fachada, como la actuación de una actriz en un gran teatro.

—Y muy buena, por cierto— le respondió Carlota—. Me refiero a tu actuación, no a ti, que te vienes arriba.

El buen humor no terminaba, a pesar de las pésimas noticias que acababan de leer en la carpeta. Quizá fuera porque, por fin, se sentían liberadas de una responsabilidad que ellas no habían elegido ni deseaban.

—No sé por qué, ahora me vienen a la cabeza las emotivas palabras que nos dedicó Carol en nuestra fiesta de cumpleaños, antes de que anunciáramos que éramos hermanas, ¿las recuerdas?

—¡Claro! Sabes que, para mi desgracia, no me suelo olvidar de nada.

Ambas levantaron la voz y recitaron a la vez su breve discurso.

—«Siempre habéis sido especiales, aunque no lo supierais. Siempre habéis sido únicas, aunque no lo supierais. Siempre habéis sido iguales, aunque no lo supierais. Para vosotras, una fotografía»

—Es muy curioso. Porque ahora sabemos que se refería a otra cosa, a que éramos hermanas gemelas y a que Ed Sheeran iba a cantar su tema *Photograph*, pero no me digas que visto desde la distancia, tiene su guasa. Sus palabras, con lo que sabemos en la actualidad y en esta iglesia, sonarían proféticas —recalcó Rebeca—. Como verás, ya te dijo que éramos iguales y únicas, incluso lo de la fotografía, lo que pasa es que no lo comprendiste.

—¡Eso será! La *ecopija* e inocente de Carol jamás podría entender algo así. ¿Te la imaginas con una capa negra que no le marcara su estilizada figura y que no fuera de un diseñador conocido? Por no hablar de que no sale ni a la puerta de su casa sin zapatos de tacón. Además, según Calvin Klein y Jeremy Scott, el color que marcará tendencia esta temporada de otoño e invierno será el naranja. ¿Te la imaginas con una capa de ese color en un Gran Consejo? —dijo Carlota, mientras se seguían riendo—. ¡Al *rancio* de Fornell lo revienta de golpe, en su primera aparición estelar!

—Muy bonito —oyeron una voz que, de repente, les interrumpía—. Yo deslomándome buscando la tumba de Blanquina, y vosotras, mientras tanto, de juerga y risas, sentadas cómodamente en la iglesia.

—Bueno, lo de cómodamente, para serte sincera, no demasiado. ¿Desde cuándo han sido cómodos los bancos de una iglesia? Tan solo tienen sillones confortables los jefes, y esos se sientan en el altar —le respondió Carlota—. Como verás, no nos hemos subido allí, nos hemos quedado en el lugar que ocupa la plebe. Nuestro lugar.

—¿Ahora me tomáis el pelo? —dijo Fernando, que no pudo evitar sonreír también.

Rebeca decidió que ya había llegado el momento.

—Precisamente porque no queremos tomártelo, anda, dejad en paz el georradar, que lo vais a reventar, y diles a todos los miembros del Gran Consejo que vengan a sentarse con nosotras un momento —le respondió.

Fernando se sorprendió.

—¿A sentarse con vosotras? ¿Ahora mismo? Están todos locos por encontrar la tumba. No sé cómo se lo van a tomar, pero me lo puedo imaginar...

—Tranquilo, peor que les va a sentar lo que van a escuchar, lo dudo mucho —dijo Carlota, con una sonrisa de oreja a oreja, que Fernando no comprendió.

—Bueno, allá vosotras. Supongo que sabéis lo que hacéis —dijo, mientras dejaba a las hermanas y se dirigía a *La Capilla de la Comunión*.

—¡Cómo te pasas con él! —exclamó Rebeca, cuando Fernando ya no las podía escuchar.

—¡Claro! —rio Carlota—. A ver si voy a molestar un poquito a tu media naranja...

—A mi medio limón, gracias a ti —le interrumpió, sonriendo.

Carlota no comprendió ese comentario de su hermana. Precisamente por ello, se preocupó un tanto.

No había pasado ni un minuto cuando vieron aproximarse a los miembros del Gran Consejo, todos ellos con cara de pocos amigos.

—Yo no pienso decir nada —afirmó Carlota—. Esto es cosa tuya. Este *marrón* te lo comes tú solita. Parece que hayan soltado los toros en un encierro en San Fermín, y vienen hacia nosotras, para empitonarnos.

—No te preocupes, aunque, por si acaso, prepárate para salir corriendo como si fuera un encierro de verdad. Que te sirva de algo tu entrenamiento para la maratón de Nueva York —le dijo, todavía de buen humor, a pesar de todo.

Los miembros del Gran Consejo empezaron a acercarse al lugar donde estaban sentadas Rebeca y Carlota, sin terminar de comprender qué hacían allí. Las expresiones en sus rostros lo decían todo.

—¿Qué ocurre? —dijo Sofía, número cinco.

—Anda, sentaros a nuestro alrededor y poneros cómodos — le contestó Rebeca.

—¿Y tiene que ser ahora precisamente? —pregunto de malas maneras el número ocho—. Te recuerdo que tenemos mucho trabajo por hacer y muy poco tiempo disponible. No estamos para charlas.

—Me parece que eso, ahora mismo, ya no importa demasiado —le contestó Rebeca— *El Cielo Puede Esperar.*

—¿Pero qué tonterías dices? El cielo quizá pueda esperar, pero los humanos no —intervino, de inmediato, el número seis—. Enrique Masía, el párroco, se puede presentar en cualquier momento. ¡A ver qué explicación le damos! ¿Acaso el título de una película del *oscarizado* Warren Beatty? ¿Te parece apropiado?

—*Ante todo, mucha calma,* que también es el título del mítico disco de la banda gallega Siniestro Total, grabado precisamente en la desaparecida Sala Arena de Valencia a principios de los años noventa del siglo pasado —comenzó Rebeca, sonriendo—. Yo no había ni nacido y mi hermana gemela creo que tampoco.

Pretendía rebajar algo la tensión con una nota de humor, pero, a la vista de las caras de los miembros del Gran Consejo, no lo había conseguido en absoluto. Más bien produjo el efecto contrario.

—¿En serio nos has citado en esta bancada para hablar de cine y música? —protestó el número ocho—. Porque, si es así, volvamos a nuestra búsqueda y dejemos a esta pareja de chaladas hablando de tonterías.

—Tranquilos, era una simple introducción que nada tiene que ver con lo que os voy a contar. Veo que andáis justitos de sentido del humor.

—De lo que andamos justitos es de tiempo —dijo el número seis.

—Bueno, pues voy al grano. Hay algo que debéis de saber, y es muy importante. No os voy a dar la explicación completa, ya que, como comenta su eminencia, no disponemos de tanto tiempo.

—¡Venga! ¡No más rodeos! Debemos seguir buscando la tumba de Blanquina —dijo uno de los miembros.

—No —respondió Rebeca, que ahora estaba seria. Ya se le había borrado de su rostro cualquier vestigio del humor anterior. Se había trasformado en apenas unos segundos.

—¿Qué dices, mocosa? —le respondió, airado,

—Que estáis buscando puro humo —dijo Rebeca—. Lamento ser tan directa, pero siento comunicaros que la tumba de Blanquina March fue saqueada en 1525, por el tribunal del Santo Oficio de la inquisición de la ciudad de Valencia.

Durante un momento, nadie pareció reaccionar. El silencio era total.

—Continúas con ese peculiar sentido del humor tuyo, ¿no? —dijo uno de los miembros, al fin—. ¿También es el título de alguna película?

—¿Acaso me veis cara de estar bromeando? Miradme a los ojos, los que me conocéis lo comprenderéis. No vamos a encontrar nada, porque lo que estamos buscando ya no existe en la actualidad.

Durante un pequeño instante, todos se quedaron mirando a Rebeca, con cara de recelo y de no comprender nada. Continuó hablando.

—Interpreto vuestro silencio como incredulidad, pero es cierto. No lo digo yo.

—¿Y quién lo dice? ¿Acaso Blanquina March? O todavía mejor, ¿Warren Beatty? —preguntó el número ocho, en un tono claramente impertinente.

—Dejadme continuar, por favor. Tengo entre mis manos una carpeta, que contiene documentos originales de la inquisición, fechados en el siglo XVI. Ahora os iré pasando el expediente a cada uno de vosotros, para que podáis leer los papeles que contienen. Me permitiréis que se los deje primero a su eminencia reverendísima. Por sus amplios conocimientos, él sabrá reconocer, sin ninguna duda, su autenticidad —dijo, mientras le pasaba la carpeta con el nombre de «Alzira» al número seis, conocido coloquialmente entre ellos como «monseñor».

—La pareja de hermanas, undécimas puertas, nos intenta engañar de nuevo, para quedarse ellas solas con el árbol —insistió el número ocho, airado.

—¿Qué clase de broma es esta? —dijo el número uno, que llevaba bastante rato callado.

—Os acabo de decir que no estoy bromeando.

—¡Cómo para creerte! Con la de veces que has cambiado de versión estas últimas semanas, que tenemos memoria y nos acordamos —insistió el *Keter*.

Escuche, Fornell, usted me conoce bien —dijo Rebeca—. Míreme a los ojos ahora mismo, ¿le parece que tengo cara de estar tomándoos el pelo en estos momentos?

El director de *La Crónica* se quedó observándola, en silencio total. Todos esperaban su veredicto.

—No. La verdad es que no —reconoció a regañadientes—. Está claro que ahora no bromeas, pero aún así, recelo de ti, lo siento.

—¡Por favor! ¿No os parece que, primero, tendría que validar la autenticidad de estos documentos? —intervino monseñor, mientras observaba con detenimiento el papel utilizado y su antigüedad, las firmas, la tinta, los escudos y demás elementos que le pudieran servir para determinar su legitimidad.

—¿Cómo sabrá si son auténticos o falsos? Tienen varios siglos —preguntó el número ocho, que era desconfiado por naturaleza.

—Lo conoceré sin lugar a dudas, si no dejas de molestarme —le espetó.

Todos permanecieron callados. La opinión de su eminencia era muy respetada en el Gran Consejo. Aunque no paraba de darles la vuelta, observar cada esquina del papel y acercarlos y alejarlos de su vista, no tardó demasiado tiempo en dar por concluido su estudio. Levantó la vista y se quedó mirando a todos.

No tenía buena cara.

—Rebeca tiene razón. El Santo Oficio ya localizó la tumba de Blanquina March en el año 1525. No hace falta que os leáis todo lo que contiene esta carpeta, ya que hay documentos que nada aportan. Os voy a pasar tan solo una relación y clasificación de los bienes encontrados y confiscados, realizada por don Cristóbal de Medina y Aliaga, receptor del Santo Oficio de tribunal de la inquisición de la ciudad de Valencia. El papel, los sellos, las firmas y todos los demás elementos son originales de la época. No hay ninguna duda, tenemos en nuestras manos documentos auténticos del siglo XVI. No son ninguna falsificación, os lo puedo garantizar. Todo lo que ha dicho la undécima puerta es cierto.

—¡No puede ser! —dijo un miembro del Gran Consejo.

—Desgraciadamente, lo es. Toda esta documentación es irrefutable desde un punto de vista técnico e incluso histórico —dijo su eminencia—. Siento ser portador de malas noticias, pero nada de lo que he visto admite ninguna duda, y sabéis que soy especialista en esta materia. El árbol judío milenario fue saqueado por la iglesia católica hace cinco siglos. Resulta irónico.

—¡Irónico! —repitió Carlota, recordando que era la misma expresión que había empleado su hermana.

—¡Espera, espera! —dijo el número ocho, que no se daba por vencido. Se quedó mirando a Rebeca—. Hay algo de todo esto que no tiene sentido.

—¿Qué? —le preguntó.

—Si ya tenías esa información desde el principio, ¿por qué no nos la contaste a todos en la iglesia de San Nicolás, en Valencia, y nos habríamos ahorrado este absurdo viaje? ¿Tienes respuesta a eso?

—Por supuesto. Eso es muy sencillo de explicar —respondió Rebeca, sin alterarse lo más mínimo.

—Ardo en deseos de escuchar esa supuesta explicación — insistió el número ocho.

Rebeca se levantó de la bancada.

—Cuando descifré el Gran Mensaje, junto con el malogrado profesor Lunel, y supe que nos debíamos de trasladar hasta Alzira, recordé que mi madre tenía una carpeta con ese preciso nombre, que nunca había abierto ni leído. Me pareció demasiada casualidad, y antes de acudir al Gran Consejo, junto con el malogrado profesor Lunel, nos acercamos hasta mi casa y la cogí. La acabo de abrir ahora mismo, por eso mi hermana y yo nos habíamos apartado de la búsqueda del árbol y nos habíamos sentado en la bancada de esta iglesia. Para poder leer estos documentos con tranquilidad, alejadas del ajetreo vuestro.

—¿Qué quieres decir?

—Algo tan sencillo de comprender como que nos acabamos de enterar, hace apenas unos minutos, antes de haceros venir y compartir la información con todo el Gran Consejo. No disponía de ningún conocimiento previo de toda esta información.

—¿Quieres que te creamos? —le retó ahora el número ocho.

—Vamos a ver, como comprenderéis, yo también estoy aquí. Si lo llego a saber con anterioridad, yo tampoco vengo. No me hace ninguna gracia estar a estas horas de la madrugada en este lugar alejado de la ciudad, supongo que como os ocurre a todos vosotros.

—Entonces, ¿tu madre ya lo sabía desde hace años? —preguntó Sofía, sorprendida.

—Pues supongo que, a la vista de estos papeles, sí que lo debía de conocer.

—¿Y jamás te lo contó? —siguió preguntando Sofía—. Es una información muy relevante. ¿Cómo es posible? Una cosa así no se oculta.

—Ya sabéis que falleció de forma prematura, en aquel fatídico y trágico accidente. También supongo que no tuvo tiempo de contármelo. De hecho, si lo pensáis bien, ni siquiera mi hermana ni yo sabíamos que éramos portadoras de una mitad del Gran Mensaje. No tuvieron tiempo de contarnos ese detalle, también muy importante. En realidad, no tuvieron tiempo de muchas cosas en nuestras vidas. A saber qué más no nos contaron y desconocemos. Eso jamás lo sabremos.

Rebeca hizo una pequeña pausa. Se notaba que le costaba hablar.

—Desgraciadamente, toda nuestra vida quedó a medias con nuestros padres. Se partió en dos de forma inesperada y prematura —dijo, sin poder evitar que le resbalara una lágrima por su mejilla.

Todos estaban consternados. No era para menos. Tantos esfuerzos y tantos sacrificios, para acabar descubriendo que no estaban buscando nada. A pesar de que tenían la prueba delante de sus narices, algunos parecían querer aferrarse a la existencia del árbol.

—Monseñor, ¿de verdad que no hay ninguna duda acerca de la autenticidad de los documentos? De ti me fío, pero de las dos undécimas puertas no —hizo el último intento, casi a la desesperada, el número ocho.

—No. Para nuestra desgracia no la hay. Como comprenderéis, estoy igual de devastado que vosotros. Además, fue la propia iglesia católica la causante, a través de la inquisición. Mi consternación es doble. Pero no existe ninguna duda posible, os lo aseguro. Esta es mi especialidad a la que llevo dedicados más de cuarenta años de mi vida. Hacedme caso.

—¿Y es normal que tú no supieras nada, dado tu elevado rango eclesiástico y nivel de formación? Nos has informado, en alguna ocasión, de otros documentos extraídos de los archivos de la inquisición. No lo consigo entender. ¿Dónde estaban estos papeles?

—En eso tienes razón. No, no es nada normal que no supiera nada de este tema. Una cosa así debía conocerla, no le encuentro explicación racional. Lo que tengo claro es que esta documentación no ha estado jamás en los archivos del Santo Oficio, ni siquiera en otros. De ello puedo dar fe. Los he estudiado a conciencia durante muchísimos años, como os he ido informando a lo largo de tanto tiempo. Comprended que, para mí, es un mazazo doble.

—¿Y no le parece un detalle misterioso que aparezcan, justo ahora? Además, en una carpeta que tenía Rebeca Mercader en su casa. No sé, a mí me suena un tanto extraño —el número uno no se quería rendir.

—Desde luego que lo es, pero seamos prácticos. Ahora mismo, ¿qué importa si es misterioso, extraño o lo que sea? El árbol no existe desde hace cinco siglos. Eso es lo verdaderamente trascendente. ¿Qué nos pueden importar las demás cuestiones secundarias? A mí, por lo menos, no me importan, una vez constatada la verdad.

—Y si estos documentos son auténticos, ¿cómo no estaban en los archivos de la inquisición? Perdona que insista en ese tema, pero no me parece muy normal. Se supone que debería haber un archivo centralizado —preguntó un miembro de Gran Consejo.

—No es así. Los documentos de la inquisición están diseminados por multitud de archivos, según cada tribunal local. La realidad es que los he visitado todos, a lo largo de muchos años y debería haberlos descubierto. Eso hubiera sido lo normal. Supongo que, en este caso, este expediente se traspapelaría, o, con mayor probabilidad, los conservaría el receptor en sus archivos privados, a saber qué es lo que ocurrió en la realidad, pero, insisto, eso ya no importa. Lo que hemos de comprender es que hemos llegado al final del camino. Se acabó. Eso es lo verdaderamente importante. Las cuestiones de procedimiento no me interesan. Insisto, la documentación no ofrece ninguna duda, eso es lo básico. Dejémonos de tonterías de una vez.

—Cierto, esto es el final —dijo el número nueve, con las manos en la cara—. Tantos años y tantos esfuerzos de varias generaciones familiares, para encontrarnos que la iglesia católica se nos adelantó. El trabajo de tanta gente, durante cinco siglos, ha terminado en unos minutos. Adiós a todas las esperanzas.

—Y adiós al Gran Consejo también, no lo olvidéis —intervino Fornell—. Ya no tiene ningún sentido su existencia, después de más de seis siglos desde su fundación. El día de hoy marcará el resto de nuestras vidas. Si lo pensáis, es un final triste y lamentable.

El número nueve parecía desconsolado, pero le salió su vena práctica.

—Estamos entrando en un bucle de lamentaciones que no nos conduce a ningún lado. Ya lo hemos repetido muchas veces, esto supone el final de todo. En consecuencia, ya no pintamos nada aquí, en esta iglesia y en este pueblo alejado de la ciudad. Son casi las tres de la madrugada. Todos deberíamos volver a nuestras casas. Ha sido un día muy duro.

—Devastador —incidió el número ocho.

Todos se quedaron mirándoles, sin reaccionar.

—Anda, marchémonos de aquí. Mañana ya no sé si volverá a salir el sol.

«Todos los días sale el sol, chipirón», se dijo Rebeca, divertida, pensando en el tema musical tan pegadizo de Bongo Botrako.

La totalidad de los miembros del Gran Consejo se quedaron mirando entre sí, y, poco a poco, fueron abandonando la iglesia, desolados y en silencio, cada uno por su parte. Se notaba que la noticia que acababan de conocer, les había dejado descolocados. Aún no parecían ser plenamente conscientes de su trascendencia. Quizá mañana no saliera el sol para alguno de sus miembros.

En apenas cinco minutos, Rebeca y Carlota se quedaron a solas en la iglesia. Las había traído el número uno en su vehículo, y ni se había preocupado de ellas. Claro, ahora ya no eran importantes. Volvían a ser unas ciudadanas cualquiera, ya no eran las dos undécimas puertas ni eran portadoras de ningún mensaje secreto.

—¿Os llevo a casa? —les preguntó Tote.

Las hermanas se sorprendieron, ya que pensaban que eran las únicas personas que quedaban en el interior del templo.

—No te había visto —respondió Rebeca—. Te lo agradeceríamos, pero tenemos que ir a otro lugar. ¿Te importaría dejarnos allí?

—¿A las tres de la madrugada? ¿Dónde queréis ir? Un miércoles por la noche ya estará todo cerrado, si pensáis ahogar vuestras penas en alcohol.

—No, no es eso. Vamos a un hospital, ya no podemos aguantar más.

—¿Os encontráis bien? —preguntó alarmada Tote, mirando fijamente a la cara de sus sobrinas.

Se quedó preocupada por lo que observó en ellas.

45 16 DE MARZO DE 1525

Batiste y Jero seguían abrazados, observados por una impresionante luna llena, que cubría de luz la noche. Llevaban varios minutos en silencio. Ninguno se atrevía a romperlo. Su tristeza era imposible de expresar con palabras.

—Lo siento, Jero. Sé que no querías que esto acabara así —dijo, al fin, Batiste.

—Desde luego que no. He elegido el peor momento para equivocarme.

—No te martirices ahora, que ya no sirve para nada.

—Eso es lo que, precisamente, me martiriza. No me ayudas, ¿sabes?

—Pues voy a cambiar de tema de conversación, a ver si así lo consigo.

—Dudo de que seas capaz. Es el peor día de mi vida.

—Si me lo permites, hay una cuestión que no me puedo quitar de la cabeza. No consigo comprenderla.

—¿Cuál de todas? —preguntó Jero.

—Tus dos sorpresas de esta noche. ¿Cómo podías saber que Amador y Arnau estaban vivos?

Jero se permitió una pequeña sonrisa. Parecía que lo que pretendía Batiste, sacarle de esa tristeza, había surtido efecto, aunque fuera menor.

—Eso es muy sencillo.

—Lo será para ti. Anda, explícaselo a un torpe como yo.

—Ya lo deberías saber. Mira la luna llena.

Batiste le pegó un empujón.

—¡No me tomes el pelo en un momento así!

—No, en serio. Lo deberías saber. Tu falsa modestia no sirve conmigo, que te conozco de sobra. Eres, al menos, tan inteligente como yo, y resulta que sabes lo mismo que yo.

Siempre hemos estado juntos en este asunto, y lo que yo he visto, también lo has visto tú.

—Eso es lo que más me desconcierta. Estuvimos en el camposanto. Fuimos testigos directos. Pudimos ver los cadáveres de Amador y Arnau enterrados, en aquella horrible caja. Nadie nos engañó.

—Sí que nos engañó alguien.

—Pues la única persona que nos acompañaba era mi padre. No estarás sugiriendo que fue él, ¿verdad? —le preguntó Batiste, algo enfadado por la insinuación de su amigo.

—En un mundo en que nada es seguro, todo es posible.

—¡Eso sí que no puede ser! ¡Jamás te creeré si me dices que mi propio padre ha tenido algo que ver con todo este asunto! —exclamó, casi gritando, Batiste.

—Tranquilízate, ya solo falta que tú, que pareces el más sereno de los dos, te alteres de esta manera.

—Es que lo que insinúas... —empezó a decir Batiste.

—Yo no he insinuado nada acerca de nadie. Tan solo he dicho que nos engañaron, y creo que la presencia, esta noche, de Amador y Arnau, más vivos que tú y yo ahora mismo, lo confirma.

—Entonces, vuelvo a la pregunta original, ¿cómo podías saber que no estaban muertos?

—La primera vez que abrimos la caja, apenas pude ver nada, ya que ese espectáculo de putrefacción de nuestros supuestos amigos me revolvió el estómago. Pero sí que hubo una cosa que me llamó la atención, de lo poco que pude ver.

—¿Cuál fue?

—La extrema violencia de sus muertes y esos golpes en su cabeza. ¿Era necesario? ¿Quién se ensañaría así con dos jóvenes a los que, cualquier adulto, puede matar con una sola mano, por ejemplo, estrangulándolos? No me digas que tú no lo ves así.

—Recuerdo que lo comentaste en el camposanto, pero locos hay por todas partes. No me extrañó, porque entendí que el demente que los había matado era el mismo. Sus cuerpos presentaban lesiones casi idénticas.

—Muy bien, vamos por buen camino en la resolución del enigma —dijo Jero—. También teníamos claro que su muerte estaba relacionada con nuestro encierro en la biblioteca

Monasterio, para que falleciéramos de sed y hambre, ¿no es así?

—Sí, pensábamos que se querían deshacer de los cuatro participantes del juego del tribunal juvenil de la inquisición. Alguien andaba detrás de lo que escondía Blanquina y no quería interferencias. En aquel momento, nos dimos cuenta que había algún actor más en el juego, y del que desconocíamos su identidad. Recuerdo nuestra preocupación.

—Seguimos por el buen camino. Ahora, respóndeme a una pregunta muy sencilla. Si había alguien que nos quería muertos a los cuatro, ¿por qué se ensañó de esa manera tan brutal con Amador y Arnau, y, sin embargo, no lo hizo con nosotros? No parece la misma persona, ya que son dos métodos de asesinato completamente diferentes. Si aceptamos estos hechos, a la conclusión obvia que deberíamos llegar es que había dos asesinos, no tan solo uno. Sin embargo, esa opción ya la habíamos descartado.

Batiste estaba pensativo.

—Sí, es cierto.

—Eso fue lo primero que me llevó a pediros que volviéramos a desenterrar la caja. Una vez que comprendí el motivo de los dos estilos diferentes de pretender matarnos, quise confirmar mi teoría.

—¿Qué comprendiste? ¿Qué teoría?

—Piensa un poco Batiste, que no tenga que contártelo todo yo. Os pedí que desenterrarais la caja otra vez porque entendí que no había dos asesinos diferentes, porque, en realidad, no había ninguno.

—¡Pero si vimos sus cuerpos! ¿Cómo no íbamos a pensar que no había un asesino con idéntico estilo de matar?

—Vimos dos cuerpos, no «sus cuerpos». Cuando volví, recordarás que los moví de su posición original, ladeados, y me fijé en su estado de conservación. ¿Te acuerdas que lo comenté?

—Claro, dijiste que era extraño. Se suponía que Arnau había muerto cuatro días antes que Amador, sin embargo, su estado de putrefacción era muy similar.

—¡Exacto! Ahora une ese detalle al hecho de que la extrema violencia empleada había desfigurado sus cabezas. En realidad, vimos a dos desgraciados, que llevarían muertos más de una semana, vestidos con las ropas de Arnau y Amador.

Nuestros cerebros hicieron el resto, vieron lo que esperaban ver. Si llevaban puestos sus ropajes, pues debían de ser ellos.

Batiste miraba a su amigo con cara de pasmado.

—No lo creería si no los hubiera visto vivos esta noche — admitió Batiste.

—Venga, que pareces tonto. La extrema violencia empleada no era casual. Tomaron dos cadáveres y les desfiguraron su rostro. Así, el resto de elementos decorativos, como sus ropajes, nos despistarían. Desde el principio, don Cristóbal de Medina estuvo detrás de todo. Nuestro querido receptor se aprovechó de la avaricia de la familia Ruisánchez para manipularlos y dejarles creer que iban a quedarse con el tesoro. También sabemos que chantajeó a Bernardo Almunia. Creía que tenía el control absoluto de la situación y que siempre iba un paso por delante de nosotros.

—Creía... —empezó a decir Batiste.

Los dos amigos, por un momento, se quedaron callados, mirándose a los ojos. Parecía que estaban decidiendo quién lo hacía primero.

De repente, al mismo tiempo, se pusieron a reír como locos. Las lágrimas les caían por sus mejillas a borbotones. La situación era un tanto estrambótica.

—¿Sabes? —dijo Batiste, casi sin poder hablar—, hoy me siento como un maestre médico. Hay ocasiones en que, para salvar un cuerpo entero, hay que amputar un brazo, una parte de él. Sin duda es una operación muy dolorosa, pero, al final, consigues tu objetivo, salvar la vida, que es lo que de verdad importa.

—Es curioso —dijo Jero, mientras no podía parar de reír—. Yo me siento como Lope de Rueda.

—¿Ese quién es? ¿Otro maestre médico? —Batiste se encontraba al borde del colapso, por las risas.

—No. Es un joven un poco mayor que tú, sevillano como yo, que se atreve a escribir comedias y farsas, con tan solo quince años de edad. Lo que te quiero decir es que, en realidad, además de ser excelentes maestres médicos, también somos unos grandes actores de comedia.

No podían parar de reírse.

Cuando fueron capaces de recuperar el control, Jero se dirigió a su amigo.

—Anda, disfrutemos de esta fantástica noche a la luna de Valencia. Creo que nos lo hemos ganado.

—**Ha faltado muy poco, pero lo hemos conseguido** —dijo Batiste, orgulloso.

46 EN LA ACTUALIDAD, MIÉRCOLES 24 DE OCTUBRE

—Otra vez sentadas —dijo Carlota.

—Sí, pero este lugar es diferente, no tiene nada que ver con el anterior.

—Bueno, es un hospital.

—Lo es, pero es el primero que entro, observando como mi hermana fuerza su cerradura y desactiva la alarma, y no por su puerta normal, como cualquiera.

Se quedaron en silencio, mirando a su alrededor.

—Es un hospital muy curioso —dijo Carlota—, ¿no?

Estaban sentadas en la bancada de un hospital, sí, pero no de uno cualquiera. Se trataba de la iglesia de San Juan del Hospital, en Valencia, muy cerca de lo que en su día fue la judería de la ciudad.

—Es preciosa —dijo Rebeca—. ¿Sabes que esta es una de las iglesias más curiosas y con más historia de la ciudad?

—¿Por qué?

—Para una graduada en Historia como yo, es un verdadero tesoro. Se inició su construcción poco después que Jaume I entrara en Valencia, arrebatándosela a los árabes, en 1238, año que marca el inicio de la fundación del Reino de Valencia. El propio rey le cedió los terrenos a la entonces llamada *Orden Militar de los Caballeros Hospitalarios de San Juan de Jerusalén,* hoy conocida como *Orden de Malta,* que le acompañaron en su entrada en la ciudad. Se instalaron en estos terrenos, junto a la judería, al lado de la Puerta de Xerea. No te voy a abrumar con detalles históricos y culturales, tan solo haré hincapié en dos, que me parecen muy significativos.

—No tengo más remedio que escucharte, ¿verdad?

—Me temo que sí. Dejando de lado que es la iglesia más antigua de la ciudad después de la Reconquista y la segunda, en términos absolutos, después de la propia catedral, no pierdas de vista que estamos en la calle Trinquete de los Caballeros, como te decía antes, a pocos metros de una de las entradas de la antigua judería de la ciudad. ¿Sabías que, en 1391, cuando se produjo su asalto y destrucción, una parte muy importante de los judíos buscó refugio dentro de estos muros? Los cristianos los defendieron de la turba popular y salvaron sus vidas. Fue el templo que más judíos acogió de toda la ciudad, junto con *La Seu*, es decir, la catedral. Todo el pueblo hebreo les está muy agradecido. Para nosotros, es un icono, aunque sea un templo católico. No olvidamos.

—No lo sabía —contestó Carlota—. Ni siquiera que fuéramos judías.

—Lo somos, aunque supongo que una gran parte de la población de la ciudad lo es, en mayor o menor medida.

—Nunca lo había mirado desde ese punto de vista.

—Volvamos a la iglesia. Arquitectónicamente, es una maravilla. Es de construcción románica, pero con elementos góticos y barrocos. Pero lo más interesante no es lo que se ve, sino lo que oculta bajo su superficie, lo que no se ve.

—¿Y qué es?

—Esconde dos cosas muy importantes, pero a la que me voy a referir ahora es al antiguo circo romano. Existía en la ciudad y se conservan, en concreto, unos dos metros de la *spina*, que dividía el circo y el pavimento del interior de la infraestructura, donde los equipos auxiliares esperaban para ayudar a los jinetes y aurigas que sufrieran accidentes, durante la carrera de cuadrigas. Aunque ya existiera un asentamiento previo, no olvides que la ciudad fue fundada por los romanos, en el año 138 antes de Cristo, llamándola *Valentia Edetanorum*. La construyeron con todos los elementos de la arquitectura romana de aquella época, incluyendo, por supuesto, el circo romano, que se encuentra justo debajo de nuestros pies.

—No lo sabía, sí que es muy curioso e interesante —dijo Carlota, mientras se le escapaba un bostezo.

—Ya veo lo que te interesa —le respondió, con cierta sorna, su hermana.

—¡Oye! ¡Qué ya es muy tarde! A pesar de que soy noctámbula, acostumbro a estar dormida a estas horas.

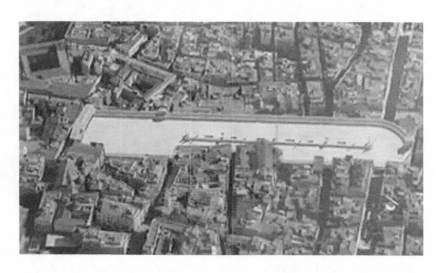

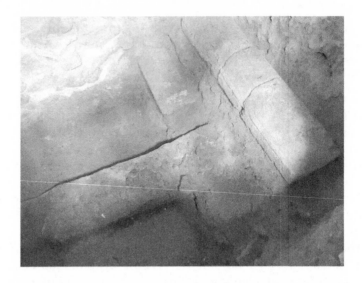

Se quedaron un momento en silencio, admirando la serena belleza de la iglesia.

—Antes de acercarnos al lugar final que nos interesa, te quiero enseñar una arqueta funeraria muy curiosa, que se encuentra aquí mismo —dijo, dirigiéndose hacia la capilla de Santa Bárbara.

—¿Por qué dices que es muy curiosa?

—Aquí se enterró, en 1307, a Constanza II de Hohenstauffen, la emperatriz de Nicea. Vivió más de treinta y cinco años en el Palacio Real de Valencia, siendo Señora de Burriana, Gandía y Pego, al mismo tiempo que conservaba su título de emperatriz de los griegos. A su muerte, quiso que la enterraran justo aquí, renunciando a honores superiores que le correspondían como emperatriz bizantina.

—Muy interesante, pero no le veo la curiosidad por ningún lugar.

—¿Te suena Santa Catalina de Alejandría?

—¡Claro! Es la santa que aparece, en la estantería trasera, en una de nuestras fotografías con nuestro padre, en concreto la tuya. En la mía, en el lugar de la virgen, aparecen tres libros.

—Exacto. Constanza II era una fiel devota de Santa Bárbara, por eso se ordenó construir esta capilla, al igual que lo era de Santa Catalina de Alejandría. que era de origen griego. Ahí tienes la coincidencia y la curiosidad.

Después de estar contemplando, durante un instante, la capilla y la arqueta funeraria, Rebeca continuó con la conversación.

—Anda, acerquémonos al lugar que de verdad nos interesa —dijo, mientras se aproximaban hacia el altar.

Se sentaron en primera fila, como si se fuera a celebrar un Gran Consejo, pero sin ningún miembro, tan solo ellas dos. Se quedaron observando una de las columnas que sustentaban el arco toral, que separaba el presbiterio de la nave de la iglesia.

—Esta vez me ha costado bastante más trabajo que en la anterior ocasión, en La Lonja, sin embargo, me siento mejor —dijo Rebeca.

—Tienes motivos para estar muy orgullosa. ¡Has logrado engañar hasta a un cardenal! Hoy tenías un público mucho más complicado y exigente que Tania Rives y Abraham Lunel. El teatro te ha salido de maravilla —le contestó Carlota, que parecía contenta.

—No te olvides de ti, no te menosprecies.

—¿De mí? —preguntó extrañada—. ¿Por qué dices eso?

—¿Lo saben en tu trabajo? —le preguntó Rebeca, así, a bocajarro.

Carlota se quedó blanca.

—¿En qué trabajo? —preguntó, claramente a la defensiva.

—¿En cuál va a ser? En tu verdadero trabajo. No insultemos nuestras mutuas inteligencias. Anda, no me hagas rebajarme a tener que decírtelo.

—¿Cómo sabes dónde...? —empezó a preguntar Carlota.

Rebeca la interrumpió.

—¡Venga, mi querida hermana! Alguien de la familia tenía que continuar con la trayectoria profesional de nuestra madre. La estirpe y la saga de los Mercader-Rivera está presente en ti. Estoy segura de que nos representas de maravilla.

Carlota estaba pasmada, pero, para su propia sorpresa, respondió a Rebeca. Se supone que no debía hablar de esas cuestiones con nadie.

—No, no les he informado de nada, pero me temo que algo podrían saber.

—Quizá sí, o quizá no. En cualquier caso, espero que se hayan tragado el *teatrillo* de hoy. En gran parte iba dirigido a ellos, es decir, a vosotros —dijo Rebeca, sin poder reprimir una sonrisa.

Carlota estaba descolocada. Ningún «civil» conocía ni debía conocer a qué se dedicaba.

—Rebeca, lo reconozco, me has dejado pasmada. ¿Cómo, por qué y desde cuándo sabes dónde trabajo, en la realidad? Se supone que es algo secreto, y por su propia definición, un secreto no debería ser conocido por nadie, y todavía menos por ti.

Rebeca sonrió.

—Perdona, bonita, pero lo sé desde hace tiempo.

—Y eso, ¿cómo puede ser? ¿Qué error he cometido?

—Ninguno de gran importancia, aunque sí menores, como, por ejemplo, reconocer, con absoluta seguridad, nuestro parto como una operación de inteligencia o manejar información que nadie conocía, como la muerte de Tania Rives. ¿Cómo podías conocer ese detalle si ni la Policía lo sabía, ni su defunción figuraba en ninguna base de datos oficial? Por no nombrar tu facilidad con las cerraduras o las alarmas, pero eso no es lo importante.

—¿Y qué es lo importante?

—Que eres mi hermana.

—¿Y eso qué tiene que ver en este asunto?

—Todo. No olvides que heredamos los mismos genes.

—¿Y qué? Sigo sin pillarlo. Cómo no te expliques de otra manera... —dijo una perpleja Carlota.

—Quizá lo comprendas mejor ahora. A mí también me ofrecieron tu trabajo, pero con una pequeña diferencia. Yo lo rechacé.

—¿Te atreviste a decirles que no? —preguntó Carlota, pasmada.

—Por supuesto. Por tu reacción, deduzco que no lo sabías.

—Desde luego que no —respondió Carlota, muy seria.

—Una vez recibieron el rechazo de su candidata número uno, no me fue muy difícil deducir y suponer que, a continuación, se dirigirían a la segunda en el *ranking*. Fuiste su segundo plato, el primero era yo.

Carlota estaba tan sorprendida que ni siquiera respondió a la clara provocación de su hermana.

—Además —continuó Rebeca—, tan solo uno de los suyos descubre a un compañero con tanta facilidad. Tommy Egea es de tu gremio, ¿a qué sí? Te diste cuenta enseguida de que me vigilaba. Debiste disimular un poco más y no ser tan evidente.

—¿También sabes eso?

—Elemental, querida Watson, que dirías tú. Pero ese no era el verdadero motivo de tu preocupación, ¿a qué no?

Carlota seguía completamente aturdida. Ni siquiera se atrevió a contestar, así que lo hizo Rebeca.

—En realidad, tu intranquilidad provenía porque no era uno de tus hombres, de hecho, ni siquiera sabías cuál era su papel en todo este asunto. No lo controlabas. Por eso sospechas que puedan conocer este tema en tu trabajo.

—Me tienes pasmada. ¿Cómo sabes que Tommy no trabaja para mí? —acertó a decir Carlota, que estaba boquiabierta.

—Por dos motivos, y ambos son buenos. El primero es que, si conocen todo este asunto en tu trabajo, desde luego no es por Tommy. Es ruso. Lo conozco desde hace cuatro años y, aunque se esfuerza mucho por disimularlo, su ligerísimo y peculiar acento le delata.

—¿Tú hablas ruso? ¿Tommy es ruso? No lo sabía, gracias por la información. ¿Y cuál es el segundo motivo?

—Muy sencillo, ¿para qué necesitabas a Tommy para vigilarme, si ya tenías a tu peón colocado en *La Crónica*?

—¿No me digas que también sabes eso? Ya no sé cuántas veces te he hecho esta pregunta, me tienes descolocada.

—Pues claro. Desde el minuto uno.

A Carlota ya no le salían más palabras. Ante el silencio de su hermana, Rebeca continuó.

—Estoy tan contenta que te perdono el mojito que te he vuelto a ganar. No puedo evitar darte las gracias —dijo, disfrutando del extraordinario desconcierto de su hermana.

Carlota no conseguía salir de su asombro. No entendía ni siquiera por qué Rebeca le daba las gracias.

—Gracias, ¿por qué exactamente? ¿Me tengo que alegrar o preocupar?

—¡Alegrarte, por supuesto! En cuanto al motivo del agradecimiento, es obvio. Por todo. Por interesarte por mí, por ponerme vigilancia, y, por qué no decirlo, también, por lo *bueno* que estaba el vigilante. ¡Lo qué he disfrutado con Fernando del Rey!

—Lo has sabido desde el principio y, a pesar de ello, ¿te liaste con él? —preguntó Carlota, muy extrañada—. Se supone que tú no haces esas cosas, son más propias de mí.

—¡Pues claro que las hago! Como diría la hermana que tengo a mi lado, ¿a quién le amarga un dulce? —se rio.

—¡Lo sabía! ¡Eres igual que yo!

—No. Fernando, o como quiera que se llame en la realidad, me gusta de verdad, y yo a él también, en eso no nos hemos engañado. Ya conoces que esas cosas las sé con seguridad. Se podría decir que él cumplió con su deber, pero por partida doble. Vigilarme de lejos, pero también muy de cerca, tú ya me entiendes... —dijo, riéndose abiertamente.

Carlota no sabía si reír o llorar.

—Para tu información, se llama Fernando de verdad. Quiso utilizar su verdadero nombre. El apellido es otra cosa. Como comprenderás, eso no te lo puedo revelar.

—Bueno, algo es algo —dijo Rebeca, que, en vez de estar enfadada, como se suponía que debía de estarlo, se mostraba risueña y divertida, para el total desconcierto de Carlota.

—¿No estás disgustada conmigo por ocultártelo?

—¿Por qué iba a estarlo? ¿No te das cuenta de que te sigo tomando el pelo, una vez más? Conozco perfectamente su identidad real.

—¡Venga! ¡Eso ya es demasiado, no me lo puedo creer! —exclamó una asombrada Carlota, que iba de sorpresa en sorpresa.

—¿Y si te digo que conozco su nombre completo, hasta el octavo apellido? ¡Menuda familia! ¿Cómo, si no, iba a conseguir un trabajo totalmente innecesario en *La Crónica* y asignármelo a mí, que ni siquiera lo había pedido ni lo necesitaba para nada? Era el cuarto secreto que Fornell me ocultaba, o mejor dicho, que él creía que me ocultaba. Esas fotos con la familia real española fueron un cabo suelto, un fallo clamoroso. ¡Solo imaginarme las reuniones familiares, de Fornell con sus tres hijos, es decir, las dos Albas y Fernando, ya me parto de risa! ¡Menuda nobleza tenemos en este país! Xavier tiene razón.

—¿También eso? ¿Hay algo que no sepas?

—Ya que te ofreces, sí. Hay algo que no sé con absoluta seguridad. ¿Qué rango ostenta Bernat Fornell dentro del *Mossad*, el servicio de inteligencia israelí? No creo que sea un simple *Sayanim,* que son los judíos que no viven en Israel, que, voluntariamente, les proporcionan información. Debe tener un cargo intermedio, quizá jefe de estación. En cuanto a sus hijas, las gemelas Alba, deben ser *Katsas*, es decir, oficiales de campo, ya que dominan el *Krav Magá*, como ellas mismas me dijeron, que es el sistema de lucha oficial usado por las fuerzas de seguridad israelíes. Lo curioso es que Fernando, su tercer hijo, trabaje para ti.

Carlota ya no sabía qué decir.

—Hoy estoy conociendo de verdad a una hermana que me ha desbordado. Enhorabuena, reconozco que quizá, tan solo quizá, seas igual de inteligente que yo.

—¿Igual? ¡Venga ya! Llevo años haciéndome la idiota. Pero no te vayas por las ramas y contéstame a la pregunta.

—No debería hacerlo, pero sí, tienes razón. Ese era el motivo de que conociera a Bernat Fornell, y que tú ya dedujiste. El *Mossad* no dispone de estación en la ciudad. Trabaja en su división de información, como yo, aunque ostenta un rango bastante inferior al mío. Mantenemos una relación cercana, pero no lo soporto, es igual de fanfarrón que en la vida civil. En cuanto a las gemelas, también tienes razón. Y Fernando del Rey siempre ha sido un verso suelto. Eso es lo que lo hace encantador y muy útil, como ya lo habrás podido comprobar.

—¡Lo sabía! —levantó la voz Rebeca, haciendo un gesto triunfal con sus dos manos.

—Hay una cosa que me sorprende. No me has preguntado por la figura más importante. El malogrado profesor Lunel era el responsable máximo de la división de relaciones internacionales. por eso viajaba por todo el mundo. La tapadera de sus conferencias sobre historia era perfecta. ¿No te acuerdas de uno de los escudos que vimos en su habitación del pánico y que te llamaron la atención? Pues es el escudo del *Mossad*, que tiene ocho divisiones y él comandaba la segunda en importancia, después de la de inteligencia. Esa sí que fue una gran pérdida. Era una buena persona, sin embargo, Fornell es un funcionario gris. Y hasta aquí hemos llegado, ya no te pienso contar nada más. De hecho, esta conversación jamás ha existido, ¿lo comprendes?

Rebeca estaba sonriendo con cierta indulgencia.

—¡Ya sabías lo de Lunel y el escudo! —exclamó Carlota, empujándola en broma.

—¡Pues claro! Era algo evidente. Hablo tantos idiomas como nuestra madre. Entre ellos está el hebreo. Conozco de sobra el escudo del *Mossad*. Además, ¿recuerdas su casa? Estaba impecable, como si realmente no viviera allí. Tenía todo el aspecto de una vivienda encubierta. ¿Por quién me tomas, por una aficionada?

—¿En serio hablas hebreo, además de ruso? —Carlota estaba alucinada.

—Entre otros muchos idiomas y dialectos. Quizá te sorprenda porque no se me nota nada, pero el español no es mi idioma materno.

—No sé si rendirme ante ti u ordenar que te detengan, por sospechosa. No sé de qué, pero seguro que lo eres de algo —dijo Carlota, ahora también sonriendo.

—Esto ya me está sonando demasiado a una mala película de espías de serie «B» —le contestó Rebeca, riéndose—, pero te voy a compensar la información que me has facilitado.

—¿Y cómo piensas hacerlo?

—Con más información. Me vas a permitir una sugerencia. Deberíais localizar y ponerle vigilancia a Richie Puig. Es mucho más peligroso que el pobre diablo de Álvaro, que no es nadie. Hazme caso, es información privilegiada.

—¿También es ruso? —preguntó Carlota.

—No exactamente, pero casi.

—Te has propuesto darme la noche, ¿no? O lo es o no lo es, no puede ser «casi» ruso.

—Ahora me entenderás. Es nacido en Alaska, luego es estadounidense de nacionalidad, pero pertenece al *Sluzhba Vnéshney Razvedki*, el servicio de inteligencia exterior ruso, conocido por sus siglas SVR, en concreto a su «Oficina S». Supongo que ya comprendes lo que eso significa, agente encubierto infiltrado. ¿Sabías que en Alaska hay una zona que se habla ruso, además, con un acento muy peculiar? Me atrevería a decir que es nativo de Ninilchik, nadie más tiene ese acento en toda Rusia. Su sutil mezcla entre el americano y el ruso lo delatan. No creo que muchas personas sean capaces de distinguir ese pequeño matiz. Hace falta ser nativa para captarlo, y aun así, es extraordinariamente difícil.

—¿Nativa rusa tú? ¡Venga ya, que somos gemelas!

—Te acabo de confesar que hablo tantos idiomas como nuestra madre —le respondió Rebeca—. Me enseñó todos los que dominaba en ocho años. ¿Sabes que nuestros padres, en casa, solían hablar, entre ellos y conmigo, en ruso? Era nuestra lengua oficial en el día a día. Decían que si disponía de esa nacionalidad, además de la española, debía hablar su idioma como ellos lo hacían. Esa es mi lengua materna, el ruso central. Lo hablo mejor que el español, por eso he dicho lo de «nativa rusa», no porque hubiera nacido allí.

Carlota aún estaba boquiabierta.

—Y ahora me dirás que también conocerás la identidad real de Álvaro Enguix y que también es ruso.

—Sí y no.

—¿Qué dices? No te entiendo.

—Que sí conozco su identidad real, pero esta vez no es ruso, es español —le aclaró Rebeca, que se notaba que se estaba divirtiendo a costa de su hermana.

—¿No me piensas decir su nombre?

—Créeme, no lo quieras conocer, es mejor dejarlo así —le respondió su hermana—. Aunque este extremo no es mérito mío ni cosa de vuestro servicio. Ya se está encargando la Policía Nacional. No creo que tarden demasiado en detenerlo. Tienen muchas pistas. Es un pobre desgraciado.

—¿Has hablado con la inspectora Sofía Cabrelles?

—Sí, claro, cuando fui a interponer la denuncia a la Jefatura Superior. Ella lo averiguó y está al cargo de las investigaciones. Le conté tu fantástica *mise en scène*, cuando me demostraste la inexistencia de Álvaro Enguix, de esa manera tan teatral, como si tuvieras público. ¿Sabes lo más gracioso? ¡Qué te quiere fichar para la Policía! Menos mal que le quité esa idea de la cabeza.

Carlota se puso en guardia.

—¿No me dirás que le contaste algo de todo esto?

—¡Por supuesto que no! —le respondió Rebeca, con una sonrisa burlona en su rostro—. Me limité a decirle, que, a tu manera, ya trabajabas para ellos. No lo entendió y dejó el tema.

Carlota se sentía derrotada, pero al mismo tiempo contenta. Era una sensación nueva para ella.

—Me has tenido engañada durante muchos años —reconoció—. Y yo que pensaba que era la que ocultaba cosas, y en realidad, eras tú.

—Pues sí, para eso soy tu hermana inteligente haciéndose la tonta. Para eso, y para salvaguardar el árbol, que es lo más importante. Hablando y hablando de tu trabajo, parece que nos hayamos olvidado de él, que es el verdadero motivo por el que estamos esta noche en este lugar, en la iglesia de San Juan del Hospital.

—Entiende mi confusión. Comprende que nadie, en toda mi vida y en tan solo quince minutos, había conseguido abrumarme de esta manera. No consigo reaccionar ni pensar con claridad.

—Pues haz el favor de centrarte, que te necesito despejada. Vayamos a lo trascendente y dejemos, de una vez las tonterías a un lado. Mira enfrente de ti y disfruta.

Se quedaron observando la columna que tenían justo delante de ellas, una de las que sustentaba el arco toral. Era verdaderamente curiosa.

—¿Sabes que los dos tramos inferiores son de origen romano, posiblemente reutilizados de una de las columnas que jalonaban la *spina* del circo romano de la ciudad? —dijo Rebeca.

—Pues no. Ya sabes cuál es mi trabajo, y no es historiadora —le respondió Carlota, que no se lo podía quitar de la cabeza.

—Pero no se acaban aquí las curiosidades. Los dos tramos superiores son del siglo X, de mármol rosa. Fíjate en la belleza de los capiteles califales de nido de abeja. ¿Sabes que fueron traídos directamente del Palacio de Medina Azahara de Córdoba? Son de origen árabe.

Carlota dio un respingo.

—¡Los tres libros que aparecían en el fondo de mi foto con mi padre! —exclamó Carlota—. Las tres religiones, la cristiana por el templo, la hebrea por servir de refugio a los judíos durante el asalto a la aljama de la ciudad y la islámica, por el tramo superior de la columna y su capitel.

—Y aún falta lo mejor. Ahora lo estamos viendo de lejos, pero fíjate bien en la parte superior de la columna. No es fácil distinguirlo con claridad, sobre todo al principio.

—Tienes razón, no termino de verlo bien —dijo Carlota.

—Eso tiene una solución muy fácil y sencilla. ¿Por qué no le haces una foto con tu fantástico móvil, y la amplías? Así podrás admirar de cerca toda su belleza y armonía. Es una auténtica maravilla, además con un especial significado para nosotras. Créeme, te vas a llevar una buena sorpresa.

Carlota sacó su móvil de su bolso e hizo una fotografía a lo que parecía un símbolo. Estaba situado en lo alto, muy cerca del capitel árabe. Apenas se distinguía. La amplió, en la sección que le interesaba.

—¿Es eso lo que parece? —preguntó asombrada.

—Es nuestro culo en un tramo de una columna de mármol rosa del siglo X, traída directamente del Califato de Córdoba ¿No me digas que no nos otorga cierto estilo? ¿A qué no te atreves a subirlas a esas redes sociales diabólicas que tanto te gustan? La podrías titular *El culo de Carlota I de Alejandría*, por ejemplo —se rio Rebeca—. O casi mejor, *El culo de la*

favorita del harén de Abderramán III, califa omeya de Córdoba, dadas tus tendencias,...

Carlota no le dejó terminar la frase, tirándole un misal a la cabeza, reprimiéndose la risa. De inmediato, se volvió a poner seria. Empezaba a ser consciente del alcance de las palabras de su hermana.

—¡No seas idiota! ¿Y eso qué significa? ¿No me digas que el árbol está...? —empezó a preguntar.

—¡Shhh! Ni siquiera lo pronuncies. No sabemos quién nos puede estar observando —dijo, llevándose el dedo índice a los labios y, al mismo tiempo, sonriendo.

Se dirigió a su hermana, que continuaba pasmada, en apenas un susurro de voz.

—A los pies de esta columna hay una cámara subterránea, construida a principios del siglo XVI por Johan Corbera, aprovechando unas reformas en el templo. Recuerda que, en aquella época, era el maestro *pedrapiquer* principal de la ciudad. Me parece que no hace falta que te diga qué es lo que contiene desde 1509. ¿Entiendes ahora el Gran Mensaje? ¿La unión de todas las piezas del rompecabezas?

Carlota la miraba con la misma cara de asombro de toda la noche. Rebeca continuó su explicación.

—El árbol, al menos en su gran parte, jamás salió de la ciudad. Así se estableció en el siglo XIV y siempre se cumplió. Precisamente por eso, las undécimas puertas también tenemos que permanecer en Valencia No tenía ningún sentido sacarlo de la ciudad para llevárselo otro lugar.

—Bueno, cuando conoces la verdad, es más fácil sacar conclusiones. Lo difícil es hacerlo antes.

—No te creas. Luis Vives y Johan Corbera, cuando finalmente decidieron el emplazamiento definitivo del árbol, manifestaron que lo habían escondido «en un lugar que a ninguna persona se le ocurriría buscar»

—¿Y qué? Supongo que hay muchos lugares a los que se les podría aplicar esa frase.

—No lo mires con los ojos del siglo XXI. Trasládate al principio del siglo XVI, cuando se ocultó el árbol. Los Reyes Católicos habían fundado los tribunales de la inquisición a finales del siglo XV, pero fue, durante el primer cuarto del siglo XVI, cuando se produjo la verdadera persecución contra nuestro pueblo hebreo, un ensañamiento en toda regla. El

Santo Oficio enloqueció y masacró a los judíos con verdadera crueldad,. En concreto, el tribunal de Valencia fue uno de los más activos de toda España. Ahora piensa un poco. ¿No me negarás la genialidad de la idea? Si alguna vez, por cualquier motivo, alguien averiguaba o sospechaba de la existencia del árbol judío, ¿a quién se le iba a ocurrir buscarlo aquí adentro? ¡El mayor tesoro de la *Sefarad*, oculto en el interior de uno de los templos católicos más reconocidos de la ciudad! En realidad, ellos dos ya nos lo dijeron hace más de cinco siglos, pero fuimos incapaces de comprenderlos.

Carlota se quedó un momento en silencio, asumiendo las palabras de su hermana.

—Después de la noche que me estás dando, ¿me hablas en serio?

—Aunque me veas tan risueña, te aseguro que esto es lo más serio que he dicho en toda la noche —siguió cuchicheando Rebeca—. Ahora que lo pienso, igual lo único.

—Casi ni te oigo. ¿A qué vienen ahora estos susurros? Me vuelves a tomar el pelo —respondió Carlota—. ¿Quién narices estaría a las cuatro de la madrugada en este lugar? Tan solo dos idiotas como nosotras, que, además, hemos forzado la cerradura para entrar. Bueno, una más idiota que la otra, para serte completamente sincera.

—No te sientas así. Hoy ha sido un gran día. La primera vez salvé el árbol en solitario. Ahora he tenido el honor y el placer de hacerlo junto con mi hermana gemela. ¡Qué más puedo pedir! Tan solo pensar que me he librado de Fornell, ya hace que merezca la pena todo lo que ha sucedido.

—Entonces, ¿por qué le dedicaste de esa manera tan especial tu Premio Ondas? Llevo tiempo queriendo preguntártelo, y siempre se me olvida. Ese detalle me llamó mucho la atención.

—Él no lo entendió ni lo entenderá jamás, pero fue por la ayuda que me prestó con sus dos *Katsas* gemelas. Sé que no lo hizo por mí, sino por él mismo, pero quise agradecérselo de una manera que no comprendiera. Que sepas que Tote también estaba enterada, aunque supongo que eso ya lo sabías. Al fin y al cabo, os dedicáis a lo mismo.

—A lo mismo, exactamente, no.

—A lo mismo —insistió Rebeca, que seguía risueña—. Ahora pretenderás convencerme de que la primera mujer comisaria en la historia de España, número uno en su promoción, la destinan a extranjería a rellenar pasaportes. ¡Venga ya, que es hermana de quién es! Además, se esfuerza en ocultar su inteligencia, aunque, la pobre, lo hace fatal. Por cierto, cuando contaste que el parto de nuestra madre fue una operación de inteligencia, se puso muy nerviosa, aunque trató de disimularlo. Ese es un cabo suelto, lo reconozco.

—¿Porque se puso nerviosa...? —preguntó extrañada Carlota.

—No. Porque se puso *excesivamente* nerviosa. Creo que, en toda esta historia, es lo único que no he terminado de comprender. Tengo que pensar en ello, porque mi instinto me grita que es importante, pero ya lo haré más adelante. Me parece que ahora no es el momento, pero no me olvido.

—Por cierto, ¿cómo tienes tantos conocimientos acerca de los servicios de inteligencia? —le preguntó —. La gente sencilla no sabe tanto de esas cosas, además con ese nivel de precisión. Me has contado detalles que, prácticamente, no conoce casi nadie ajeno al gremio.

—¡Antes muerta que sencilla! —le contestó Rebeca, riéndose.

—No te escapes y contéstame.

—Ahora en serio, ¿de verdad quieres que lo haga? —le preguntó, con una cara de diablesa reflejada en su rostro—. Deberías tenerlo claro desde hace bastante rato.

Carlota se quedó mirando fijamente a su hermana.

—¿Sabes? Eres igual de gamberra que yo.

Ambas se abrazaron y se pusieron a reír, ahora sin ningún freno, a pesar de estar en el interior de una iglesia. Estaban tan contentas de que ni se percataron de lo que sucedía a su alrededor.

Sentados, en la penumbra de la última fila de los bancos, había dos personas, observándolas con verdadero orgullo. No era para menos.

—Ha faltado muy poco, pero lo hemos conseguido —le dijo Rebeca a su hermana, orgullosa.

EPÍLOGO EN LA ACTUALIDAD, JUEVES 24 DE OCTUBRE

Ya era tarde, casi estaba amaneciendo. Ahora llegaban a casa. Se tumbó en la cama. Después de todas las emociones del día, no sabría si sería capaz de dormirse. Cerró los ojos y lo intentó, pero no pudo.

«Es inútil, ya casi es de día otra vez», se dijo.

Miró su mesita de noche y vio el cuento de *Los tres cerditos*.

«¿Por qué no?», se preguntó a sí misma. «Total, no tengo nada de sueño. Igual si le echo un vistazo, caigo en los brazos de Morfeo y me duermo».

Lo tomó entre sus manos. Era una primera edición del cuento, traducida al español y publicada por la editorial «El Molino», en 1934. Tenía entre sus manos una joya. Lo abrió por la página 16, donde estaba ese marcapáginas tan original y curioso, un recorte de un boleto de una lotería americana con unos números marcados en él.

No podía evitar emocionarse. Quizá el día había sido demasiado intenso, incluso para una persona como ella, acostumbrada a ocultar su verdadera identidad y su verdadera inteligencia, además durante toda su vida.

Comprendiendo todos estos peligros, al tercer cerdito todo material le parecía poco sólido para su casa, y, como no conocía nada más seguro y fuerte que la piedra y el ladrillo, de este material se la construyó.

Los dos cerditos se echaron a reir cuando vieron a su laborioso hermano tan atareado en unir con cemento piedras y ladrillos, levantando así las paredes, a las que aplicaba luego una capa de pintura a prueba de lobo.

Pero, cuando lo llamaron y lo invitaron a bajar y reunírseles, replicó:

> «Mi casita hago de piedra,
> la construyo de ladrillo,
> sin tiempo para cantar,
> pues el juego y el trabajo
> no pueden armonizar.»

16

Nada más abrir el cuento, se le cayó ese marcapáginas tan curioso, que utilizaba para acceder directamente a la página 16.

Sus ojos se le fueron al último párrafo de la página. Probablemente, era el texto que más veces había leído. Lo recordaba con mucho cariño, había sido la época más feliz de toda su vida. Luego llegó el fatídico accidente, y ya nada volvió a ser como antes.

No lo pudo evitar, y se puso a recitarlo en voz alta.

«Mi casita hago de piedra,
la construyo de ladrillo,
sin tiempo para cantar,
pues el juego y el trabajo
no pueden armonizar.»

16

—*Mi casita hago de piedra,*

la construyo de ladrillo,
sin tiempo para cantar,
pues el juego y el trabajo
no pueden armonizar.

De repente, se abrió la puerta de su habitación.

—¿Se puede saber qué lees a estas horas? Deberíamos estar descansando. ¿No has tenido bastante por hoy?

—Estoy con un párrafo de *Los tres cerditos*, ya sabes cuál es y qué significa.

Ambas se quedaron mirando. Se tumbaron en la cama, una al lado de la otra.

—¿Qué te ha parecido todo lo de esta noche?

—Realmente no sé qué pensar.

—¿Crees que lo habrá entendido?

—Confío en ello, Si no lo ha hecho todavía, espero que lo haga en un futuro próximo. Llevo dejándole pistas durante demasiado tiempo. Ya debería imaginarse algo.

—Eso es verdad. Lo de la canción de *Photograph*, en la fiesta de cumpleaños, fue muy ingenioso, igual que el discurso.

—¿Y qué me dices de *Los tres cerditos,* con su boleto de una lotería americana, con números marcados, apuntando a la página 16 y, más en concreto, al párrafo final? Ha tenido la prueba definitiva en sus manos mucho tiempo, y no me consta que la haya comprendido, por lo menos no me ha dicho nada. Ni siquiera entendió el significado del número tres, ni con el desgraciado y poco oportuno título del *podcast Las tres muertes de mi padre.*

—Y no te olvides del tatuaje. ¡Menuda aventura nocturna vivimos en Madrid, aquel sábado de madrugada! Fue frenético, Luego no nos podíamos ni levantar del sueño que teníamos. Menos mal que ni se enteraron ni sospecharon nada, salvo ese extraño sopor que experimentaron al despertarse el domingo por la mañana, fruto de la droga que aún les quedaba en su cuerpo. Pero lo importante es que, en ningún momento, lo relacionaron con la marca en sus nalgas, ni con nosotras.

Las dos se abrazaron de nuevo. Estaban exhaustas, pero la satisfacción del deber cumplido les aportaba la energía que sus cuerpos les negaban.

—**Ha faltado muy poco, pero lo hemos conseguido** —le dijo Carol Antón a «*su madre*», Carmen, orgullosa.

Fin del libro 8
El enigma final

Continúa en el libro 9
Mira a tu alrededor

Ni te imaginas lo que vas a leer en el próximo libro. Te sorprenderá. Después, con el décimo, comprenderás todos los misterios ocultos. Será el fin de la colección.

CLUB VIP

Si has leído alguna de mis novelas, creo que ya me conoces un poco. **Siempre va a haber sorpresas y gordas.**
Si quieres estar informado de ellas y no perderte ninguna, te recomiendo apuntarte a mi club, llamado, cómo no, **Speaker's Club**.

Es gratuito y tan solo tiene ventajas: regalos de novelas y lectores de ebooks, descuentos especiales, tener acceso exclusivo a mis nuevas novelas, leer sus primeros capítulos antes de ser publicados, etc.

Lo puedes hacer a través de mi web y no comparto tu email con nadie:

www.vicenteraga.com/club

REDES SOCIALES

Sígueme para estar al tanto de mis novedades

Facebook
www.facebook.com/vicente.raga.author

Instagram
www.instagram.com/vicente.raga.author

Twitter
www.twitter.com/vicent_raga

BookBub
www.bookbub.com/authors/vicente-raga

Goodreads
www.goodreads.com/vicenteraga

Web del autor
www.vicenteraga.com

COLECCIÓN DE NOVELAS «LAS DOCE PUERTAS» Y BILOGÍA «MIRA A TU ALREDEDOR»

Todas las novelas pueden ser adquiridas en los siguientes idiomas y formatos en **Amazon y librerías tradicionales**

ESPAÑOL
Formato eBook
Formato papel tapa blanda
Formato tapa dura (edición para coleccionistas)
Audiolibro

ENGLISH
eBook
Paperback
Hardcover (Collector's Edition)
Audiobook (coming soon)

Las doce puertas (Libro 1)
The Twelve Doors (Book 1)

Nada es lo que parece (Libro 2)
Nothing Is What It Seems (Book 2)

Todo está muy oscuro (Libro 3)
Everything Is So Dark (Book 3)

Lo que crees es mentira (Libro 4)
All You Beleive Is a Lie (Book 4)

La sonrisa incierta (Parte V)
The Uncertain Smile (Part V)

Rebeca debe morir (Libro 6)
Rebecca Must Die (Book 6)

Espera lo inesperado (Libro 7)
Expect the Unexpected (Book 7)

El enigma final (Libro 8)
The Final Mystery (Book 8)

BILOGÍA / DUOLOGY
«MIRA A TU ALREDEDOR»
"LOOK AROUND YOU"
(Forman parte de «Las doce puertas»)

Mira a tu alrededor (Libro 9)
Look Around You (Book 9)

La reina del mar (Libro 10)
The Queen of the Sea (Book 10)
Fin de la serie «Las doce puertas»
End of «The Twelve Doors» series

SERIE DE NOVELAS «ÁNGELES»

Formato eBook
Formato papel tapa blanda
Formato tapa dura (edición para coleccionistas)
Audiolibro

El misterio de nadie (Libro 1)

El faraón perdido (Libro 2)

Las puertas del cielo (Libro 3)

Para vivir hay que morir (Libro 4)

CONTINUARÁ...

TRILOGÍA EN UN SOLO VOLUMEN DE VICENTE RAGA «JAQUE A NAPOLEÓN»
"CHECKMATE NAPOLEÓN"

Jaque a Napoleón, la trilogía: apertura, medio juego y final

ESPAÑOL
Formato eBook
Formato papel tapa blanda
Audiolibro
INGLÉS
eBook
Paperback
Audiobook (coming soon)